TARCISIO MEZZETTI

«...come leone ruggente...»

1

l'assedio del male intorno al popolo di Dio

Maghi, magie, esoterismo ed occultismo
Magia sessuale
Stregoneria Wicca e Aradica
Satanismo
Panteismo
New Age
Yoga e MT
Medicina Alternativa
Tantrismo

ELLEDICI

Nella stessa collana:

2ª ristampa: maggio 2007

© 2004 Editrice ELLEDICI - 10093 Leumann TO
Internet: www.elledici.org
E-mail: mail@elledici.org
ISBN 978-88-01-02888-1

Dedico con gioia questo mio lavoro
a due amiche molto speciali:

a **Vita**, mia splendida e grandissima amica,
collaboratrice infaticabile, umile e perfetta,
mai stanca di spendere la sua giornata
«per annunziare ai poveri un lieto messaggio»,
o per incoraggiarmi a lottare per la verità.
Vita non è più tra noi, perché
precocemente è salita al Padre;
e
alla meravigliosa e luminosa **Antonella**
strappata alla vita, a soli 36 anni,
da un tumore che si è preteso
di curare «magicamente»
con la Medicina Olistica.
Antonella però ha trovato
nella malattia il suo tesoro:
ha trovato Dio.
Anche in questo libro,
ce lo racconta con gioia...

Certamente Vita e Antonella continuano
a pregare non solo per me,
ma per tutti coloro che sono disposti
a combattere la santa battaglia.
Perché Vita e Antonella
erano fatte così;
sono così...
Grazie, Vita!
Grazie, Antonella!

«Una saggia catechesi fondata sulla Scrittura e sulla Tradizione, deve ricordare che la superstizione, la magia e, a maggior ragione, il satanismo, sono contrari alla dignità e razionalità dell'uomo ed alla fede in Dio Padre onnipotente e a Cristo salvatore dell'uomo e della storia».

[S. E. Mons. GIANNI DANZI, Vescovo titolare di Castello]

«Andate dunque ed ammaestrate tutte le nazioni, battezzandole nel nome del Padre e del Figlio e dello Spirito Santo, insegnando loro ad osservare ciò che vi ho comandato. Ecco io sono con voi tutti i giorni fino alla fine del mondo».

(*Mt* 28,19-20)

Presentazione

Nella mia lettera pastorale del 26.9.1992 «Le porte degli inferi non prevarranno» scrivevo testualmente: «Questa lotta contro il demonio è attuale anche oggi, perché il demonio è tuttora vivo ed operante nel mondo. Infatti il male che è in esso, il disordine che si riscontra nella società, l'incoerenza dell'uomo, la frattura interiore, della quale è vittima, non sono solo le conseguenze del peccato originale, ma anche l'effetto dell'azione infestatrice ed oscura di Satana, di questo insidiatore dell'equilibrio morale dell'uomo, che san Paolo non esita a chiamare "il dio di questo mondo" (*2 Cor* 4,4), in quanto si manifesta come astuto incantatore, che sa insinuarsi nel gioco del nostro operare per introdurvi deviazioni tanto nocive, quanto all'apparenza conformi alle nostre istintive aspirazioni. Per questo l'apostolo delle genti mette i cristiani in guardia dalle insidie del demonio e dei suoi innumerevoli satelliti quando esorta gli abitanti di Efeso a rivestirsi dell'armatura di Dio per poter affrontare le insidie del diavolo (*Ef* 6,11). [...]

L'azione infestatrice di Satana è, credetemi, più diffusa e nefasta di quanto si possa pensare e credere. Lo scetticismo sarcastico di pseudosapienti mondani, o anche di cristiani e di maestri religiosi, è frutto di disinformazione e, quindi, di superficialità, oltre ad essere parte principale di quella vittoria che il Maligno vuole ottenere, coperto dal silenzio. Nessuno, lo chiedo ai pastori del popolo di Dio, può trattare questo tema con leggerezza: sarebbe un'inadempienza colpevole e potrebbe tra l'altro scandalizzare. Credo che faccia parte del ministero sacerdotale ascoltare tutti i fratelli con pazienza grande, grande. Tutto dev'essere sottoposto a sano discernimento, specie da parte dei pastori, ma mai, mai, mai un'anima in pena, magari inconsapevolmente vessata dal Maligno – non è forse il suo mestiere? – può essere trattata con superficialità, minimizzando i suoi problemi, o peggio, rifiutando di ascoltarla. Non faceva così Gesù!» (cf A. GEMMA, *Lettere Pastorali*, Ed. Lux Veritatis, Isernia 2002, p. 206ss).

A queste indicazioni ha fatto seguito il mio recente libro: «*Io, vescovo esorcista*» (Mondadori Editore, 2002) nel quale, adducendo la mia più che decennale esperienza ribadisco la convinzione che sia necessaria un'opera capillare e insistente di informazione preventiva su quell'oscuro mondo del male che ha per impulsore il principe delle tenebre e per mediatori una schiera innumere di suoi asserviti.

In questa necessaria opera di messa in guardia si inserisce anche il libro che mi si è chiesto di presentare. Qualcuno potrebbe lamentare un ulteriore approfondimento teologico e pastorale: sarà compito di quanti avendo in mano queste pagine ricche di documentazione si impegneranno a confrontarle, in preghiera e riflessione, con la santa Scrittura, con il Catechismo della Chiesa Cattolica e con gli altri documenti del magistero.

Con questa speranza plaudo all'autore, benedico lui e la sua fatica e quanti dalla lettura di queste pagine troveranno incentivo a quella necessaria difesa che tutti ci coinvolge.

Isernia, 29 settembre 2003
Festa di S. Michele Arcangelo

✠ ANDREA GEMMA
vescovo

Introduzione

1. Le preoccupazioni dei vescovi

Dal punto di vista della vita cristiana i tempi in cui viviamo sono tempi certamente molto difficili. Questa constatazione non è mia, ma altre autorevoli personalità l'hanno già fatta nelle sedi opportune. Alla 47ª assemblea della CEI,[1] il tema centrale è stato il dibattito intorno al nuovo piano pastorale per il Duemila. In quella sede il card. Camillo Ruini ha detto che:

«...si è accentuata la distanza tra società e Vangelo»,

per cui occorre approntare:

«...una missionarietà capillare ed una maggior presenza in tutti gli ambienti».

Il Vescovo di Viterbo mons. Lorenzo Chiarinelli nella sua relazione ad un certo punto ha esclamato:

«Non possiamo più pensare che Cristo sia da tutti conosciuto e che l'incontro vitale con lui per mezzo e nella comunità dei credenti appartenga alla normale esperienza del popolo italiano».

La rivista «Jesus» riporta che quando questa frase è risuonata nella grande sala:

«...i vescovi italiani riuniti in assemblea a Collevalenza si sono guardati smarriti.
Negli ultimi trent'anni la Chiesa italiana aveva puntato sull'evangelizzazione con tre piani pastorali: "Evangelizzazione e sacramenti", "Comunione e Comunità", "Evangelizzazione e testimonianza della carità". Non è dunque servito a nulla? Chiarinelli era stato incaricato di analizzare la situazione della fede in Italia fino al 2010. Lo ha fatto con grande coraggio

---

[1] Collevalenza (PG), 22-26/05/2000.

e ha proposto una "lettura che non vuol indulgere al piagnisteo", ma che "vuole essere disincantata". A un certo punto ha citato quella che ha definito "una provocatoria invocazione di un non cristiano": "Uomini di Chiesa, restituiteci Gesù". La citazione è di Roger Garaudy».[2]

La relazione di mons. Chiarinelli dice che tre sono i problemi principali della Chiesa italiana:

1. «*L'immobilismo della nostalgia*»: davanti al nuovo che incalza si continua a pensare al modo «antico», nella liturgia, nella catechesi e nelle iniziative pastorali e si finge di ignorare il problema che presenta il New Age, perché manca la preparazione e quindi mancano le risposte;

2. «*Il consumismo religioso*»: la parrocchia è divenuta il luogo dove si consumano riti abitudinari, dove si cercano spazi di gratificazione personale e dove non si lascia sufficiente spazio ai nuovi fermenti che fa sorgere lo Spirito Santo, o – forse ancora peggio – lo si assolutizza tarpando le ali all'infinita freschezza dello Spirito. La parrocchia perde così la sua caratteristica di luogo di incontro, di accoglienza e di pace tra le varie esperienze spirituali, che rendono splendida e variegata la bellezza innata del Popolo di Dio;

3. «*La deriva temporalistica*»: cioè la deriva neo-pelagiana della fede ridotta alle «*opere*», per poter ben «*figurare*» nel mondo, come se il Cristianesimo fosse uno degli aspetti ordinari della società civile, sminuendo quindi la sua origine e natura divina. Ci si dimentica troppo spesso le terribili parole di Gesù: «*"Io ho dato loro la tua parola e il mondo li ha odiati, perché **essi non sono del mondo, come io non sono del mondo**. Non chiedo che tu li tolga dal mondo, ma che li custodisca dal maligno"*» (*Gv* 17,14-15). Questo – indicava mons. Chiarinelli – «è l'esito più subdolo della secolarizzazione e del suo contrario, l'integralismo religioso» ed è arrivato a parlare addirittura di «scisma silenzioso che smaglia le comunità cristiane».

2. La scelta: un Cristianesimo vero

Una delle piaghe più grandi – e forse più trascurate – è quella che possiamo chiamare la «*religione magica*». Un'eccessiva enfasi sull'a-

[2] A. Bobbio, «*Jesus*», editoriale, luglio 2000.

spetto devozionale della fede, a scapito della dottrina, ha prodotto una fede anoressica in una larga parte del popolo cristiano e la nascita della «*fede magica*» ne è l'inevitabile conseguenza.

La mancanza di un cibo solido nella catechesi ha generato una debolezza organica nella fede dei comuni cristiani, che pur frequentando la Messa domenicale, vivono poi come se il Cristianesimo non fosse la propria fede. Per tali cristiani valgono solo gli aspetti più superficiali e formali della vita religiosa che inevitabilmente sconfinano spesso e volentieri nella superstizione.

I fedeli andrebbero quindi stimolati ad uscire dalla mentalità dei lattanti nella fede e ad accettare anche il cibo solido. Vale perciò riflettere sulle parole di san Paolo ai Corinzi:

> «*Vi ho dato da bere latte, non un nutrimento solido, perché non ne eravate capaci. E neanche ora lo siete; perché siete ancora carnali: dal momento che c'è tra voi invidia e discordia, non siete forse carnali e non vi comportate in maniera tutta umana?*» (1 Cor 3,2-3).

Le parrocchie dovrebbero diventare quindi non solo un luogo d'incontro, ma anche un luogo di *istruzione* sulle verità cristiane essenziali, di *approfondimento* della grande speranza cristiana e di *spiegazione* di quali possono essere i pericoli e gli attacchi alla nostra fede, che vengono dal mondo che ci circonda. Se i «cristiani» saranno abbandonati alle teorie di moda quanti rimarranno cristiani?

Nel tempo delle comunicazioni televisive il mondo assomiglia sempre più ad un grande villaggio e le teorie pseudo-religiose, che provengono dall'India o dall'America, non ci mettono molto a varcare gli oceani, mentre gli interrogativi senza risposta si moltiplicano.

Quanta spazzatura pseudo-cristiana entra nelle nostre case attraverso i mezzi di comunicazione?

Quanto influiscono i cartoons sulla formazione di una visione magica del mondo e della realtà nei nostri figli?

Quanto è diffuso il Panteismo? Dio è «*energia*»? Tutto è «*energia*»? Io sono «*Dio*»?

Quale legame c'è tra la pranoterapia ed il Panteismo?

L'omeopatia ha una base scientifica o magica? Che tipo di legame c'è tra omeopatia e Panteismo?

Perché torna in uso la medicina alchemica?

L'agopuntura è una scienza o un'antropologia?[3]

La magia sessuale è solo una scusa goliardica per... peccare?

Quanti sanno che il cosiddetto *«fluido»* dei pranoterapisti sembra partire dal concetto indù del *«prana»* (che poi sarebbe un dio-vento di nome «Vaju»), ma, in realtà è una parte fondamentale del credo degli spiritisti e proviene soprattutto dal *«Vangelo secondo gli Spiriti»* di Allan Kardec?

Quanti sanno che la foto Kirlian, di questo *«fluido»* è... una frode? Che la foto in questione non indica affatto né il cosiddetto *«fluido»*, né... l'*«aura»*, ma solo la normale traspirazione della pelle?

Quanti *«religiosi»* sono stati invece convinti in buona fede – a causa di una foto a colori incorniciata sotto vetro – di possedere veramente questo fluido, senza sapere di avere evidenziato solo... il normale sudore?

Quanti cristiani sanno che lo yoga non è una ginnastica, ma una religione?

Quanti praticano il reiki come metodo di guarigione, ma non sanno che all'*iniziazione* devono *«venerare»* una o più non meglio precisate *«entità»*, che sarebbero... l'*«energia universale»*? E come la mettiamo con il primo comandamento?

Ma tutto questo è davvero normale?

3. Fedeltà al Magistero, oppure il caos

Armando Pavese, uno studioso del fenomeno magico e del suo diffondersi incontrastato (anzi talvolta persino favorito) da parte di sacerdoti e religiosi cattolici che sostengono le manifestazioni spiritiche, scrive in un suo libro:

---

[3] *«Il pensiero occidentale presenta come costante, in tutti i suoi principali sistemi ideologici, un'antropologia statica e triconomica: L'uomo è visto come soma (corpo), psiche e nous (mente). L'antropologia orientale concepisce l'essere umano come un sistema energetico monistico: l'uomo è energia che, a seconda della sua genesi e funzione, è denominata: cromosomica, mentale, trofica e difensiva... L'agopuntura è pertanto la massima espressione di un'antropologia, di un modello di vita, di una interpretazione esistenziale».* A. Monti, «Lezioni di Agopuntura» [Ed. Montes - Bologna (1981)], 1.2, pp. 3-4. I concetti espressi in questo libro (si badi bene) «di testo» sono cristiani? Possono essere coniugabili con il concetto cristiano dell'uomo?

«Ho già citato i decreti di Leone XIII (1898)[4] e di Benedetto XV (1917)[5] contro l'evocazione spiritica.

I vari sacerdoti... (di cui non si mette in dubbio la buona fede – però ignorano sicuramente l'esistenza dei decreti) esprimono in vari contesti, opinioni sconcertanti. Infatti Padre Magni nella prefazione ad un libro di Sardos Albertini (che ha seguito la via medianica per comunicare con il figlio) scrive: "Se è vero che tra i frutti e l'albero c'è un'indissolubile consonanza, dobbiamo qui veramente riconoscere 'il dito di Dio'". Ho l'impressione che Padre Magni abbia anche lui, oltrepassato il mistero della morte, avvalendosi del "sigillo della magia". Non ho nulla da obbiettare. Ognuno al supermercato della religione magica, si sceglie il dio che vuole, anche quello che si avvale dei medium».[6]

Eppure questa ribellione di fondo al Magistero della Chiesa continua senza soste. Quale sarà l'effetto sui fedeli meno preparati non dovrebbe essere molto difficile dedurlo.

Un altro aspetto di questa degenerazione della fede e dell'unità della dottrina nella nostra Chiesa, si ha guardando ad uno dei centri più importanti dello spiritismo nostrano, il «*Cerchio Firenze 77*». Armando Pavese, per esempio, riporta ciò che gli «*spiriti*» direbbero a proposito di alcune verità della nostra fede cattolica:[7]

«*L'opera di Cristo* è un'opera magica...[8]
Eucaristia è una di quelle formule istituite dal Cristo, in forma proprio di cerimonia magica, che comunque e da chiunque venga pronunciata ha ugualmente riscontro... e quindi si tratta di un fatto veramente occulto...[9]
Reincarnazione è la trasmigrazione della individualità in un corpo atto ad esprimere l'evoluzione conseguita, allo scopo di conseguire evoluzione».[10]

Nessun cattolico potrebbe accettare tali definizioni; ma allora: se le dichiarazioni degli «*spiriti*» sono così tanto chiaramente anti-cattoli-

---

[4] *Analecta Ecclesiastica*, vol. VI, p. 187.
[5] *Acta Apostolicae Sedis*, vol. IX, p. 268.
[6] A. PAVESE, «*Come Difendersi dai Maghi*» [Ed. Piemme - Casale M. (1994)], p. 198.
[7] A. PAVESE, *op. cit.*, p. 165.
[8] SCUOLA DEL CERCHIO FIRENZE 77, «*Dizionario del Cerchio Firenze 77*» [Ed. Mediterranee, 1988], p. 67.
[9] Ibid, p. 104.
[10] SCUOLA DEL CERCHIO FIRENZE 77, *op. cit.*, p. 238.

che, come può p. Ferrarotti – oltretutto ex-esorcista della diocesi di Genova – dichiarare:[11]

> «Vi assicuro che nel *Cerchio Firenze 77*, nelle comunicazioni, ho sentito solo l'aura spirituale dei Santi»?

Questo è il grado di dissociazione dal Magistero della Chiesa che si è prodotto quando anziché farsi guidare dallo Spirito, gli uomini hanno preferito lasciarsi guidare... dagli «*spiriti*».

4. Fede, o «poteri»?

Uno dei segni caratteristici della «*religione magica*» è la farneticante ed ossessiva ricerca dei «*poteri*». Quasi tutte le medicine alternative partono da questa infatuazione: cercare di avere «*poteri*» nuovi, con cui sia possibile curare le malattie con metodi che esulano dalla scienza e dall'ingegno umano, e che siano basati, invece, sopra ciò che, pur essendo «*ignoto*», tuttavia... «*funziona*».

Per esempio esiste una cura cosiddetta dell'«*acqua di luce*» (o, più comprensibilmente per noi poveri mortali, «*urinoterapia*») che consiste nel bere circa un litro al giorno della propria urina. Se si esclude quella dei diabetici, non è neppure detto che abbia un buon sapore, eppure c'è anche qualche attrice carina, che si fa bella con questa terapia.

A che cosa è dovuto il successo di tante stranezze e stupidità? Probabilmente alla credenza di molte persone, che pure si dichiarano cristiane, basata su un Dio «*magico*», un Dio consumistico, un Dio che risponde ai nostri impulsi secondo la nostra volontà e, se poi non risponde..., allora vuol dire che «si è rotto e non serve più».

Il rapporto con Dio non è concepito come un percorso da compiere in fede, anche se irto di difficoltà e di sofferenze, che si possono superare solo per mezzo della grazia, imparando ogni giorno che Dio è Padre e resta a noi vicino, mentre, con lampi continui della sua presenza, ci rafforza nella convinzione che, con immenso ed immutabile amore, si trova accanto a noi e non ci abbandona mai.

Il rapporto con Dio secondo molti è più vicino all'idea di un su-

---

[11] Cerchio Firenze 77, *Per un mondo migliore - Un insegnamento per l'umanità di oggi e domani* [Ed. Mediterranee, Roma], p. 259.

permercato dove si va, si sceglie ciò che si vuole, si paga e si porta a casa.

Ma questa idea è cristiana?

Occorrerebbe quindi ripartire dalla catechesi, che deve essere non solo seria e sostanziosa, ma anche mirata a distruggere, con l'affermazione della verità cristiana, i falsi pilastri di una cultura che va diffondendosi e che non solo è sempre più lontana dal Cristianesimo, ma che ne è sempre più apertamente nemica.

5. Affrontare seriamente il problema

Il Catechismo della Chiesa Cattolica indica che la «catechesi» è:

«...l'insieme degli sforzi intrapresi nella Chiesa per fare discepoli, per aiutare gli uomini a credere che Gesù è il Figlio di Dio, affinché, mediante la fede, essi abbiano la vita nel suo Nome, per educarli ed istruirli in questa vita e così costruire il Corpo di Cristo».[12]

Ma il dilagante Panteismo e la ricerca dei «*poteri superiori della mente*»[13] non spingono il popolo cristiano proprio nella direzione opposta?

Il Catechismo insiste:

«La catechesi sulla creazione è di capitale importanza. Concerne i fondamenti stessi della vita umana e cristiana: infatti esplicita la risposta della fede cristiana agli interrogativi fondamentali che gli uomini di ogni tempo si sono posti: "Da dove veniamo?". "Dove andiamo?". "Qual è la nostra origine?". "Qual è il nostro fine?". "Da dove viene e dove va tutto ciò che esiste?". Le due questioni, quella dell'origine e quella della fine, sono inseparabili. Sono decisive per il senso e l'orientamento della nostra vita e del nostro agire».[14]

Ma forse la cosa più importante per questo nostro specifico tempo è che al centro della catechesi ci deve essere Cristo. Lo afferma splendidamente il Catechismo:

«"Al centro della catechesi noi troviamo essenzialmente una persona: quella di Gesù di Nazaret, unigenito del Padre..., il quale ha sofferto ed è

---

[12] *Catechismo della Chiesa Cattolica*: 4.
[13] Che sono solo i «*poteri*» della magia.
[14] *Catechismo della Chiesa Cattolica*: 282.

morto per noi e ora, risorto, vive per sempre con noi... Catechizzare... è, dunque, svelare nella persona di Cristo l'intero disegno di Dio... È cercare di comprendere il significato dei gesti e delle parole di Cristo, dei segni da lui operati".[15] Lo scopo della catechesi: "Mettere... in comunione... con Gesù Cristo: egli solo può condurre all'amore del Padre nello Spirito e può farci partecipare alla vita della Santa Trinità"[16]».[17]

Se la catechesi sarà condotta strettamente in questo modo, allora resterà agevole svilupparla serenamente, ma anche decisamente, nella direzione di riuscire ad indicare che:

«La via di Cristo *"conduce alla vita"*, una via opposta *"conduce alla perdizione"* (Mt 7,13).[18] La parabola evangelica delle due vie è sempre presente nella catechesi della Chiesa. Essa sta ad indicare l'importanza delle decisioni morali per la nostra salvezza. "Ci sono due vie, l'una della vita, l'altra della morte; ma tra le due corre una grande differenza"[19]».[20]

Il compito che ci si presenta innanzi è grande e pressante, ma nello stesso tempo entusiasmante. Allora svolgiamolo con gioia.

6. «Il salario del peccato è la morte»

A questo punto è inevitabile riconoscere, che l'ostacolo *maggiore* che *bisogna* affrontare per evangelizzare questo nostro mondo contemporaneo, è costituito da un ulteriore aspetto della *«religione magica»*, cioè dalla confusione che regna in molti cristiani tra la realtà dei *«carismi»* e quella dei *«poteri»*. La differenza tra *«carismi»* e *«poteri»* non può essere ignorata, perché i primi vengono da Dio ed i secondi, se reali – perché esiste anche tantissima ciarlataneria – vengono dal preternaturale, quindi dall'avversario di Dio.

I primi sono presenti in misura della nostra unione con Dio, i secondi invece nascono dalla superbia e dal peccato.

La più sconcertante esperienza che ho fatto durante la ricerca su internet e sui testi consultati è stato lo scoprire la vastità dell'impiego

---

[15] GIOVANNI PAOLO II, Esort. Apost. *«Catechesi tradendae»*, 5.
[16] Ibid.
[17] *Catechismo della Chiesa Cattolica*: 426.
[18] Cf Dt 30,15-20.
[19] GIOVANNI PAOLO II, Esort. Ap. *«Catechesi tradendae»*, 29.
[20] *Catechismo della Chiesa Cattolica*: 1696.

della *magia sessuale* nei vari ambiti della magia, della stregoneria, del satanismo, dello spiritismo, del variegato mondo panteistico e del tantrismo – che li riassume tutti – e quanto essa sia coltivata come pilastro fondamentale e centrale, nel modo più osceno e degradante possibile.

L'uso del sesso per raggiungere i «*poteri*» appare così come il terreno comune di tutto ciò che è magico, occulto ed esoterico, unificando il tutto in un immenso crogiuolo pieno di vittime spesso ignare e sprovvedute.

La donna in tutti questi ambiti non è nulla più che «*oggetto*» ed oggetto degradato ad essere esclusivo strumento del maligno. Si sente una gran pena nel pensare che la cosiddetta «liberazione della donna» in realtà abbia condotto la stessa ad un livello di sfruttamento e svalutazione del proprio corpo e della propria persona, da far apparire l'antico comportamento del maschio «padrone», quasi innocente ed, in fondo, giustificabile.

Considerando poi che la suddetta «liberazione» ha voluto dire, per molte donne, non la ricerca di una nuova e smagliante dignità, ma solo libertà di peccare, una volta di più si vede chiaramente come il peccato conduca solo alla disperazione ed alla morte.

Ora poiché la magia sessuale viene considerata dovunque come la sorgente di tutti i «*poteri*», la fonte cioè a cui accorrono tutti coloro che sono ossessionati dall'idea luciferina di... diventare Dio, si può facilmente osservare come questa sorgente debba scaturire proprio dal peccato.

Con grande sgomento sembra di vedere ancora una volta il serpente in seducente colloquio con Eva, per condurre tutta l'umanità alla rovina.

L'orrore più grande deriva dal prendere coscienza che dietro la magia sessuale si nasconde proprio Satana in persona e dalla considerazione delle terribili conseguenze per le ignare partecipanti a questi riti.

Molte avranno creduto di vivere momenti di passione, o addirittura di amore, anche se nel peccato – alcune ignorano perfino perché lo hanno mai permesso – mentre in realtà il loro corpo veniva usato da un partner... invisibile.

Questo tipo di degenerazione morale porta a tutti i più turpi comportamenti presenti nella nostra società, fra cui forse non bisognerebbe escludere neppure la pedofilia, il turismo sessuale, o le cassette pornografiche con omicidio finale. Maurizio Blondet, giornalista di «*Avvenire*», nel suo «*Cronache dell'Anticristo*», parlando dell'antinomismo scrive che in questa corrente perversa che comporta la rottura di ogni legge – e che è sempre connessa alla magia – c'è un grave atteggiamento di fondo:

> «Questo atteggiamento sbocca invariabilmente in esiti di immoralismo sessuale... spesso anche in una vera e propria adorazione della Vita intesa... come libidine, di cui è ipostasi la Donna, la Grande Madre (e Grande Prostituta)...».[21]

Era questa la «liberazione della donna»?

7. Un input... provvidenziale

Un giorno mi imbattei casualmente in un numero di «*Grazia*» e mi trovai a leggere una rubrica dal titolo «*New Age*». Una giornalista rispondeva ad una lettrice. La risposta mi colpiva per i tanti modi con cui la suddetta giornalista si dava da fare per abbattere le residue idee... cristiane, ancora eventualmente presenti nella mente e nel cuore della lettrice. Ma la cosa che soprattutto mi turbava – poiché la risposta non era contenuta in una lettera privata, ma come parte di una rubrica della nota rivista, che naturalmente è a larga diffusione nazionale – era che lo stesso scritto sarebbe andato all'attacco – con identico scopo – anche delle idee di tutti i lettori e le lettrici del pezzo.

Certo, tutti possono liberamente scrivere ciò che vogliono – sono infatti assolutamente convinto dell'irrinunciabile diritto alla libertà, che la nostra cultura e la nostra società non solo ci garantiscono, ma anche giustamente difendono – ma io credo che ognuno possa poi ugualmente godere della stessa libertà nel rispondere, per ribadire le idee della propria fede e controbattere le storture pericolose. Infatti credo anche, che a chiunque sia permesso di confutare gli errori – anche logici – espressi nel discorso di chicchessia e farsi garante della verità per aiutarne la comprensione a tutti coloro che non fossero adeguatamente preparati in certi argomenti.

---

[21] MAURIZIO BLONDET, «*Cronache dell'Anticristo*» [Ed. Effedieffe - Milano (2001)], nota a p. 7.

Questo non è solo l'esercizio di un diritto, ma è un dovere.

Mi sorprende tuttavia che davanti a questa continua propaganda New Age la risposta cristiana debba essere sempre intermittente, precaria, flebile... per non dire, addirittura, inesistente.

8. Perché questo libro?

Quando lessi il pezzo di cui sopra, decisi di rispondere subito, e scrissi un articolo sul bollettino dell'Associazione «Una voce grida...!».[22]

Ma non sentivo di fermarmi qui. Non ero soddisfatto. Continuai così a fare ricerche sempre più vaste, soprattutto via internet, cercando la verità su ciò che tende a nascondersi ed a scomparire, dileguandosi nel... nulla.

Per un anno e mezzo, cercando con cura, ho potuto accertare due cose:

1. che tutto il mondo dell'occulto, dell'esoterismo, della magia e della stregoneria, non è un mondo poi così distante dal satanismo, come vorrebbero farci credere, perché si tratta di un mondo totalmente pagano e panteista;[23]
2. che questo mondo è assai più vasto di quanto io stesso non avrei mai creduto e che non è così frammentato, come appare ad uno sguardo superficiale, ma è costituito da un unico «corpo», terribilmente unito e straordinariamente connesso.

In ogni caso anche se formalmente ci sono state varie prese di distanza, la realtà è che si tratta veramente di un mondo tutto violentemente contrario alla verità cristiana ed a Cristo stesso. Ma questo «marchio» a chi appartiene? Chi ci sta dietro? Per il credente non occorre avere la mente di Einstein per trovare... «la risposta esatta».

Questo libro è quindi il frutto delle ricerche effettuate e del sorprendente mondo che inaspettatamente è venuto alla luce. Pensavo, infatti, di rivelare quanto questo mondo fosse subdolamente all'ope-

---

[22] TARCISIO MEZZETTI, «Un abisso chiama l'abisso», «Una voce grida...!», n. 9, marzo (1999), pp. 7-17.
[23] Vedi 1 Cor 10,14-22.

ra per ingannare gli sprovveduti; pensavo che dietro l'inganno si nascondesse soprattutto la ciarlataneria e l'opportunismo disonesto ed invece ho trovato che c'è molto, ma molto, di più. Ho scoperto la verità di ciò che afferma sant'Agostino:

> «*La moltitudine degli empi costituisce anche il corpo del diavolo, il cui capo è il diavolo stesso*. Tale moltitudine è costituita soprattutto da coloro che sono caduti come dal cielo, staccandosi da Cristo e dalla Chiesa. Lucifero, che sorgeva al mattino e che cadde,[24] può vedersi nella schiatta di coloro che apostatano da Cristo e dalla Chiesa».[25]

Il mondo dell'esoterismo, della magia e della stregoneria è proprio costituito dalla «*schiatta di coloro che apostatano da Cristo e dalla Chiesa*» e tutti i loro sforzi sembrano avere un solo scopo: far sì che il più gran numero possibile di persone segua la loro caduta.

Per contribuire in qualche modo a fermare questo terribile inganno, ho lavorato giorno e notte a mettere insieme queste pagine.

Il giudizio appartiene solo a voi lettori.

9. Un'ultima risposta

Da parte di molti – specialmente sacerdoti – si sente dire:

> «Ma noi non dobbiamo parlare del demonio, ma solo annunciare il Vangelo...!».

Certamente l'affermazione, anche se fatta con superficialità, ha una sua dimensione di verità. Ogni cristiano è, per sua stessa natura, un annunciatore del Vangelo, perciò uno che parla dell'amore di Dio e della salvezza; tuttavia c'è anche un risvolto pastorale che non può essere trascurato.

È necessario, infatti, anche mettere in guardia – con cura e sollecitudine – i fratelli e le sorelle in Cristo, mostrando loro i tanti tranelli con cui la cultura del tempo presente cerca di ingannare i semplici e gli sprovveduti tirandoli via dalla propria fede, per condurli nei sentieri infidi e oscuri delle realtà occulte.

Oggi, forse, sono troppo numerose le persone che per mancanza

---

[24] Cf *Is* 14,12.
[25] Sant'Agostino, «*De Gen. Ad litt.*», 11, 24, 31 (PL 34, 442).

di una seria direzione pastorale hanno abbandonato Gesù Cristo per ritrovarsi poi immersi nella palude dell'esoterismo e della magia.

Di costoro direbbe il profeta Geremia:

«*Stupitene, o cieli;*
inorridite come non mai.
Oracolo del Signore.
Perché il mio popolo ha commesso due iniquità:
essi hanno abbandonato me,
sorgente di acqua viva,
per scavarsi cisterne, cisterne screpolate,
che non tengono l'acqua» (*Ger* 2,12-13).

Se questo è il grido di Dio, allora il nostro tempo di pigrizia è già scaduto. È necessario correre ai ripari e ricominciare «*da Cristo*».

10. «...rendere testimonianza alla verità»

Affido il risultato finale alle preghiere dei tanti santi della Chiesa, che hanno saputo combattere con la penna e con la parola, perché intercedano presso Dio, affinché sorgano presto numerosi altri uomini, più forti di me, che siano decisi a portare avanti battaglie sempre più fulgide per la difesa della verità. Il Catechismo della Chiesa Cattolica mi conforta:

«Davanti a Pilato Cristo proclama di essere *"venuto nel mondo per rendere testimonianza alla verità"* (*Gv* 18,37). Il cristiano non deve vergognarsi *"della testimonianza da rendere al Signore"* (*2 Tm* 1,8). Nelle situazioni in cui si richiede che si testimoni la fede, **il cristiano ha il dovere di professarla senza equivoci**, come ha fatto san Paolo davanti ai suoi giudici. Il credente deve *"conservare una coscienza irreprensibile davanti a Dio e davanti agli uomini"* (*At* 24,16)».[26]

Quale deve essere la spinta che anima colui che annuncia la verità di Gesù Cristo, ancora una volta il Catechismo ce lo indica con chiarezza:

«*Il motivo della missione.* Da sempre la Chiesa ha tratto l'obbligo e la forza del suo slancio missionario dall'*amore di Dio per tutti gli uomini: "poiché*

---

[26] *Catechismo della Chiesa Cattolica*: 2471.

l'amore di Cristo ci spinge..." (*2 Cor* 5,14).[27] Infatti Dio *"vuole che tutti gli uomini siano salvati e arrivino alla conoscenza della verità"* (*1 Tm* 2,4). Dio vuole la salvezza di tutti attraverso la conoscenza della *verità*. Coloro che obbediscono alla mozione dello Spirito di verità sono già sul cammino della salvezza; ma la Chiesa, alla quale questa verità è stata affidata, deve andare incontro al loro desiderio offrendola loro. Proprio perché crede al disegno universale di salvezza, la Chiesa deve essere missionaria».[28]

Allora, coraggio! Cercando di fare luce sulle cose di cui non si parla mai, ho cercato di servire il popolo di Dio. Chiunque trovi qualcosa di utile in queste pagine e lo utilizzi per rendere più efficace l'annuncio della Buona Novella di Gesù Cristo, sicuramente sentirà in cuor suo la gioia di aver obbedito al comando di Gesù:

«*Andate in tutto il mondo e predicate il vangelo ad ogni creatura...*» (*Mc* 16,15).

Non ci resta quindi che cominciare. La benedizione del Signore ci accompagnerà.

* * *

PS: Alla fine di ogni capitolo vengono riportate una o più testimonianze «autentiche», in qualche modo connesse all'argomento trattato. Forse queste sono la parte più importante di questo lavoro, perché sono storie «vere», che io ho raccolto, conservando con cura le lettere che mi pervenivano, oppure perché ho vissuto l'evento in prima persona, in presenza di alcuni testimoni. Queste testimonianze raccontano il dolore, la sofferenza, la solitudine e la confusione, che tanti nostri fratelli e sorelle hanno dovuto patire, perché nessuno li aveva mai messi in guardia dai pericoli che potevano correre. Poi – quando il peggio era successo – in molti casi è loro sembrato che, tra coloro che avrebbero dovuto aiutarli, solo pochi hanno voluto (o saputo) farlo. Anche la compassione per il loro dolore e le loro disavventure, mi ha spinto a scrivere questo libro.

Per il rispetto della privacy, i nomi di località ed alcuni particolari sono stati cambiati senza alterare la realtà del racconto.

---

[27] Cf GIOVANNI PAOLO II, Lett. Encicl. «*Redemptoris missio*», 42-47.
[28] *Catechismo della Chiesa Cattolica*: 851.

Parte I

LA MAGIA
IN LOTTA CONTRO DIO

Parlare di magia all'inizio del terzo millennio dell'era cristiana sembra quasi strano. Sono tanti, infatti, coloro che pensano che la magia sia qualcosa che appartiene al lontano passato, ai secoli bui del Medio Evo, all'ignoranza dei popoli primitivi che abitano nei luoghi più sperduti della terra, ma sbagliano, perché la magia è diffusissima nelle nazioni post-cristiane dell'Europa civilizzata e informatizzata, tra le persone che hanno ricevuto un'istruzione universitaria, tra le classi più abbienti, tra coloro insomma che hanno un diploma di laurea e forse posseggono una villa con piscina.

Significativamente è presso costoro che dilaga la curiosità per l'esoterismo e la magia: sono attori, registi, scrittori di successo, dirigenti di azienda, industriali, banchieri, medici, avvocati, professori, giornalisti famosi, ma anche impiegati, commercianti, signore annoiate... studenti universitari, ecc.

Ci si domanda quale possa essere il fascino esercitato dal mondo tenebroso della magia e dell'esoterismo su persone che, per la cultura ricevuta, dovrebbero essere i meno sensibili a questo richiamo. La risposta reale non è poi così difficile da darsi: viviamo in un tempo in cui l'evangelizzazione si è fermata e la fede è scemata, perché al posto di Dio l'uomo ha posto se stesso.

Un numero crescente di «cristiani» pone al centro della propria vita il successo personale, la bellezza fisica, il denaro, il divertimento ed altre cose del genere, ma ha perduto Dio. A questo punto l'attrazione principale è diventata la scoperta dei «poteri dell'uomo». La magia è diventata quindi l'ultima frontiera, l'ultima scoperta, addirittura l'ultimo aspetto dell'evoluzione dell'uomo, che si appresta a diventare Dio.

Il fascino che la magia esercita sull'uomo è sempre lo stesso: impossessarsi in qualche modo di «poteri» non comuni, che gli permettano di essere superiore agli altri, in qualche modo di... diventare Dio.

Questo richiamo è uguale a quello che ha subito Eva dinanzi al serpente e – da allora – si ripete continuamente.

La tentazione per riuscire a scoprire il valore della magia, o l'apparente profondità dell'esoterismo, l'attrazione esercitata dal miraggio di riuscire a possedere i «poteri superiori», non sono cose da poco e il fascino che esercitano su colui che non sia ben saldo nella Parola di Dio, non sono fattori trascurabili. Tanti infatti cedono ed entrano in un angoscioso labirinto da cui è problematico uscire.

Quando si chiede a dei sacerdoti di parlare apertamente di questa realtà spesso la risposta è:

«No! Non bisogna parlare di queste cose... per non fare pubblicità al male...».

Anche questa però non è una verità, infatti, le «Pagine Gialle» del telefono, i canali delle televisioni locali, le riviste e perfino i quotidiani, sono ogni giorno pieni della pubblicità ossessiva di maghi, cartomanti e astrologi vari. Per non parlare naturalmente... dei saloni da parrucchiera, dove le signore, in attesa che si concluda la permanente, parlano a iosa dei risultati della... magia «buona», che ha sconfitto quella «cattiva». Non denunciare quindi la pericolosità della magia e delle sue perverse conseguenze è solo... un'altra forma di efficace pubblicità.

I capitoli raccolti in questa sezione cercheranno di puntualizzare i pericoli presentati dalla magia e dall'esoterismo, nelle sue forme più subdole e svariate, e quale sia il giudizio della Parola di Dio e della Chiesa.

1. «Un abisso chiama l'abisso...»
(*Sal* 42,8)[1]

1. «...gli spiriti guida come parte di noi»?

Colpa della mia solita curiosità mi sono ritrovato a scorrere un numero di «*Grazia*»,[2] che mi era giunto nella posta come pubblicità Mondadori, e a leggere una rubrica per i lettori dal titolo: «*New Age*» *di Ilaria Rattazzi*. Quanto la lettera della lettrice e la risposta della giornalista siano interessanti lo potrete facilmente giudicare voi lettori. Una certa Elisa di Napoli scriveva infatti così:

> «Settimane fa ho trovato un testo che m'incuriosiva: *I maestri invisibili - come incontrare gli spiriti guida*, di Igor Sibaldi. L'ho letto e sono rimasta perplessa. Non ho capito se è giusto seguire gli esercizi di visualizzazione che lui descrive per incontrare gli spiriti guida. Non ho capito queste parole: "...non si sale per avvicinarsi agli dei: si discende, si discende, si discende sempre... Sono parole: in basso, nel profondo, nell'abisso, come vuoi... Discendono dall'abisso e nell'abisso. E questo abisso è in voi che si apre e diventa sempre più profondo". Ho sempre immaginato che le entità di luce fossero in alto, nel cielo, ora non so... Vorrei che lei mi levasse i dubbi che mi assalgono. Posso tranquillamente continuare queste meditazioni descritte nel libro di Sibaldi?» (Elisa, Napoli).

La povera Elisa, pur essendo caduta in qualche trappola spiritistica della New Age, si è ben presto resa conto che il materiale che stava leggendo non era poi così innocuo come forse in un primo momento le era apparso, quindi, presa carta e penna, scrive all'affabile Ilaria, che subito si dà da fare per rassicurarla e le risponde infatti così:

---

[1] Questo capitolo è un mio articolo comparso su «*Una voce grida...!*», n. 9, marzo 1999.

[2] «*Grazia*» n. 51/52, 1/1/1999, p. 126.

«Vediamo se riesco a spiegare con chiarezza il concetto di "abisso" o "nel profondo". Pensi al suo corpo: dal punto di vista energetico, la testa corrisponde al cielo dal quale si scende lungo il collo, il petto, lo stomaco fino a raggiungere l'abisso che sono il nostro ventre, le viscere. Nel nostro ventre, nella zona attorno all'ombelico, risiede la nostra anima, vivono le nostre emozioni più vere e più profonde.

Scendendo nell'abisso dentro di noi possiamo ritrovare noi stessi e la nostra essenza di luce, le emozioni che ci appartengono veramente, le nostre divinità interiori. *Non degli dei esteriori e astratti, ma delle emozioni viscerali, forti, che hanno il potere di trasformare la nostra ombra in luce.* E così scopriamo gli *spiriti guida* come parte di noi e del passato della nostra famiglia, radici della persona che siamo attualmente. Noi troviamo il divino, il nostro divino, dentro di noi e non fuori, nelle nostre emozioni e non nella mente, nella nostra terra (ventre) e non nel nostro cielo (testa). Quindi prosegua tranquillamente le visualizzazioni proposte da Sibaldi nel suo libro che mi è piaciuto molto. Scendo un attimo nella stanza che ha scoperto nel profondo di se stessa e le do una carezza».

Per un cristiano la risposta data alle angosce espresse dalla signora Elisa risulta un concentrato di veleno spirituale, tipico prodotto della filosofia New Age.

La risposta infatti racchiude in sé tutti gli elementi che servono a scardinare dal cuore di Elisa le sue radici cristiane e trasportarla di peso nel regno confuso, relativistico, panteistico e magico della versione New Age delle religioni orientali. In ogni caso la totale antitesi della rivelazione cristiana. Vediamo insieme alcuni aspetti di questa spiegazione.

2. Il punto di vista «energetico» e le tecniche di persuasione

Che cosa significa pensare «*al proprio corpo dal punto di vista energetico*»? Significa introdurre subito degli elementi precisi, che vanno nella direzione del panteismo. Ascoltiamo per esempio cosa scriveva qualche tempo fa Laura Tuan su «*Silhouette donna*», a proposito delle finalità della Next Age, messa a confronto con la New Age:

«Anche la finalità è semplice. Perché tutto questo? Per stare bene integrando in armonia tutti i piani dell'essere: il corpo, la mente e lo spirito. Per vivere con gli altri uomini rapporti distesi, all'insegna della serenità e della collaborazione. E infine per sentirsi tutt'uno con l'ambiente, la terra, il cosmo intero, perché **tutto non è che energia, Dio stesso è energia e l'uomo ne è una piccola scintilla**».[3]

La tecnica usata per propagare queste idee è semplice: si fanno delle affermazioni gratuite, che vengono presentate come se si trattasse di fatti già da tempo assolutamente noti e «*dimostrati*», spacciando quindi per «*vero*» ciò che è ben lungi dall'esserlo. Analizziamo alcuni di questi concetti e cerchiamo di vedere le conseguenze:

a. Si presenta dapprima un'immagine (assolutamente non cristiana) di Dio e della creazione come «*energia*», che non è altro poi che il concetto monistico e panteistico delle religioni orientali, in cui «*tutto è dio*», il mare, la terra, le piante, gli animali e naturalmente l'uomo. Dio è «*una vibrazione*», tutto è vibrazione, tutto è... «*dio*». Che sia questa la ragione per cui non abbiamo ancora inventato un oscillatore, o uno spettrofotometro, o qualche altro sofisticato strumento per misurare Dio e la sua potenza? Infatti se tutto è «*dio*» anche lo strumento sarebbe «*dio*» e non potrebbe quindi... misurare se stesso.

b. Un'altra tipica affermazione – pure gratuita e presente nella risposta – è che la testa sia uguale al... «*cielo*». Talvolta mi viene in mente (forse dovrei dire «*mi viene in cielo*»?) che questa affermazione possa perfino essere vera, specie leggendo affermazioni come sopra. Infatti questi ragionamenti sembrano propri di coloro che hanno la testa tra le nuvole e quindi una testa molto «*leggera*», forse piena d'aria. Che significa, se non forse in gergo esoterico (e con la lingua italiana un po' strapazzata) che:

> «la testa corrisponde al cielo dal quale si scende lungo il collo, il petto, lo stomaco fino a raggiungere l'abisso che sono il nostro ventre, le viscere»?

c. Segue ora un'altra affermazione gratuita: «*l'essenza di luce*». Se ne parla come se questa fosse un concetto normalmente appurato, reale e noto a tutti coloro che, si suppone, abbiano superato la scuola materna. Insomma quelle «*essenze*» che tutti incontrano quando attendono il tram o vanno al supermercato. Si dice inoltre che:

> «Scendendo nell'abisso dentro di noi possiamo ritrovare noi stessi e la **nostra essenza di luce**».

[3] LAURA TUAN, «*Silhouette donna*», ottobre 1998, 107.

Che cos'è questo «*abisso dentro di noi*»? Quanti chilometri o quanti decimetri è profondo? E «*la nostra essenza di luce*» giù in quell'abisso chi ce l'ha messa, o come c'è caduta? Di che cosa è fatta? È sotto il controllo dell'ENEL? È un'energia pulita? Che ne pensano i verdi?

Non si riesce a capire nemmeno perché in un «*abisso dentro di noi*» ci si debba ritrovare «*se stessi*». Se l'abisso infatti è «*dentro di noi*» come ci si può poi ritrovare «*se stessi*» solo in fondo all'*abisso*? Le pareti di questo «*abisso dentro di noi*» infatti apparterrebbero forse a qualcun altro?

d. È interessante notare come il traguardo da raggiungere (cioè «*l'abisso*»), non sia una profondità interiore, un'allegoria, un simbolo, ma sia in realtà costituito dal «*nostro ventre, le viscere*». Come luogo spirituale non sembra proprio un traguardo molto affascinante né... nobile, dato che viene raggiunto ogni giorno dai rifiuti del nostro metabolismo. Perché questo «*abisso*» viene presentato proprio come un luogo fisico: «*le viscere*»?

e. Successivamente la risposta si snoda lungo la via del tantrismo e dell'esoterismo magico ed avanza con la solita tecnica: affermazioni completamente gratuite la cui essenza gnostica è chiaramente evidente. Si dichiara infatti – come se si trattasse di una legge della dinamica – che:

«Nel nostro ventre, nella zona attorno all'ombelico, risiede la nostra anima, vivono le nostre emozioni più vere e più profonde».

Come si fa a sapere che attorno all'ombelico risiede l'anima? Solo perché il tantrismo afferma che nell'ombelico risiede un «*chakra*» (anzi il «*chakra*» da cui emanerebbero i più importanti poteri di chiaroveggenza e di fluido pranoterapico)?

Secondo il tantrismo infatti, i sette «*chakra*» del corpo umano sarebbero i sette punti con cui l'anima si «*legherebbe*» al corpo.[4] Si dedurrebbe quindi che essendo legata all'ombelico l'anima risiederebbe nelle sue vicinanze, più o meno come un cane legato ad un albero risiede nelle sue vicinanze. Ma l'antropologia e l'anatomia tantrica

---

[4] Cf T. MEZZETTI, «*Una voce grida...!*»; «*Innocenti e salutari "energie"*»?... *Non proprio!* - *parte I*; n. 1, p. 3; e: «*L'origine oscura delle "energie"*» - *parte II*; n. 2, p. 4.

sono mai state provate da qualche riscontro scientifico oltre che dai «*sacri testi*» dello «*yoga*» e della magia esoterica?

f. In mezzo a tutti questi fuochi d'artificio si introduce la «*dottrina*».

L'anima sarebbe in realtà costituita dal coacervo delle... «*emozioni*» addirittura «*viscerali*». Rileggiamo allora una parte della risposta per riflettere:

> «Scendendo nell'abisso dentro di noi possiamo ritrovare noi stessi e la nostra essenza di luce, le emozioni che ci appartengono veramente, **le nostre divinità interiori**. *Non degli dei esteriori e astratti*, ma delle *emozioni viscerali*, forti, che hanno il potere di trasformare la nostra ombra in luce».

A parte la confusione tra «*noi stessi*» e «*le nostre divinità interiori*» è chiara una cosa: siamo totalmente fuori dal concetto cristiano di Dio e ci siamo imbattuti in una miscela di panteismo e di politeismo caratteristica dei livelli più bassi e più superstiziosi dell'induismo. Siamo immersi dentro il tantrismo. Ecco allora cosa sono «*le nostre divinità interiori*»: sono la «*Kundalini*» (che in sanscrito significa «*serpente*» e viene raffigurata nella forma di questo rettile), che si troverebbe attorcigliata in tre spire e mezzo tra il pube e l'osso sacro.

Questi «*dei*» hanno delle speciali qualità salvifiche, addirittura «*hanno il potere di trasformare la nostra ombra in luce*». Non possiamo non pensare al Vangelo di Giovanni (*Gv* 1,4-13).

Ma il Vangelo di Giovanni ci parla di Gesù Cristo non della «*Kundalini*» o delle «*nostre divinità interiori*». Dove è finito il Cristianesimo della signora Rattazzi? E dove finirà quello della signora Elisa di Napoli, dopo che avrà trovato e si sarà fatta istruire dai suoi «*maestri invisibili*», cioè dagli «*spiriti guida*» di origine preternaturale?

g. Adesso ci viene spiegato che possiamo scoprire:

> «**gli spiriti guida** come parte di noi e del passato della nostra famiglia, radici della persona che siamo attualmente»,

e sono spiegati così tutti i «*poteri*» che tradizionalmente hanno i figli ed i discendenti di coloro che hanno praticato lo spiritismo e la magia. Vorrei che questo lo sapessero anche tutti coloro che hanno responsabilità diretta nel curare e guidare la vita spirituale di altri.

Dopo essere stati in contatto con «*spiriti*» (forse, più correttamente, bisognerebbe usare qualche altro nome) le persone manifestano sogni premonitori ed altre particolarità, come chiaroveggenza, preveggenza, poteri di indovinare il futuro con le carte, capacità di curare con la pranoterapia, sensibilità particolari, accensione spontanea di lampade elettriche o di elettrodomestici, rumori o passi notturni in casa, scrittura automatica, radioestesia, ecc. Sono questi quel complesso di segni che identificano la «*medianità*».

Questa poi, malgrado la cattiva informazione che circola, non si divide certamente in «*buona*» e «*cattiva*», ma rimane solo «*cattiva*»; infatti, se chi ne soffre si accosta ogni giorno all'Eucaristia e chiede a Gesù di essere liberato da spiriti cattivi, dopo qualche tempo tutti questi «*poteri*»... scompaiono e la medianità svanisce.

h. Infine la gioiosa signora Rattazzi ci informa che:

«Noi troviamo **il divino, il nostro divino, dentro di noi e non fuori**, nelle nostre emozioni e non nella mente, nella nostra terra (ventre) e non nel nostro cielo (testa)»

e l'intero circolo si è compiuto; siamo tornati a ricongiungerci con la prima affermazione: **noi siamo DIO**. Questa tentazione non è nuova, anzi è antichissima, c'è infatti inciampata la povera Eva quando incontrò il signor Serpente.

Ciò che va sottolineato tuttavia è di vedere come in poche righe si sia avuto cura di accompagnare la lettrice Elisa a contattare il panteismo, il monismo indù (con tutto l'armamentario dei «*chakra*», della «*Kundalini*», ecc.), l'idea degli «*spiriti guida*» (che naturalmente sono «*buoni*»), per condurla infine al delirio di onnipotenza della propria intima divinità.

Questa è forse la cosa più seria da esaminare per un cristiano: quante «*Elise*» vengono condotte ogni giorno in questo pericoloso cammino che potrebbe farle precipitare fuori... della vita eterna.

Molto grave e fonte di amarezza è anche il costatare che molti di coloro che hanno il compito di consigliare e guidare il popolo di Dio sembrano assenti e la loro voce sembra essersi ammutolita.

3. L'inganno astuto delle medicine alternative

Partendo dal bisogno di guarire, o di avere alleviati i propri dolori tutte le persone sofferenti di malattie, vere o immaginarie che siano, sono esposte alla grande tentazione delle medicine alternative, che si presentano come panacea «*efficace ed innocua*» contro tutti i malanni dell'uomo. Fin qui, però, i danni per la cultura cristiana del paziente sono minimi.

Diventano invece notevoli quando si cominciano a diffondere i principi su cui si basano le varie terapie alternative; cerchiamo perciò di vederne alcuni.

a. Agopuntura

Per capire ciò che sta dietro l'agopuntura bisogna leggere i testi ufficiali e cercare di comprendere che cosa vogliono insegnare. Prendiamo un testo: «*Lezioni di Agopuntura*», di Antonio Monti,[5] e fin dalla prima pagina osserviamo come viene presentata questa tecnica cinese. Sotto la voce «*Distinzione fra agopuntura energetica e riflessoterapia*» l'autore scrive:

«Il pensiero occidentale presenta come costante in tutti i suoi principali sistemi ideologici, un'antropologia statica e triconomica: l'uomo è visto come soma (corpo), psiche e nous (mente).
L'antropologia orientale concepisce l'essere umano come un sistema energetico monistico: l'uomo è energia che, a seconda della sua genesi e funzione, è denominata: cromosomica, mentale, trofica e difensiva».[6]

«L'agopuntura è pertanto la massima espressione di una antropologia, di un modello di vita, di una interpretazione esistenziale. La riflessoterapia è un'agoterapia;[7] nel momento in cui tenta di chiarire la dinamica fisiologica e patologica delle "stimolazioni", rende un servizio all'agopuntura; quando pretende di identificarsi con essa, cade nell'assurdo e nell'arbitrio di voler fare coincidere una tecnica con una concezione antropologica».[8]

«Anche se in futuro i riflessoterapeuti arrivassero ad usare gli stessi punti degli agopuntori orientali, sarebbero sempre lontani dalla terapia orien-

---

[5] ANTONIO MONTI, «*Lezioni di Agopuntura*», Ed. Montes, Bologna (1981).

[6] Ibid., **1.1.**, p. 3.

[7] L'uso dell'agopuntura senza il ricorso ai «*meridiani*» cinesi, ma stimolando invece le terminazioni nervose, viene degradata a «*riflessoterapia*» e definita «*un'agoterapia*», solo perché non prende in considerazione l'antropologia taoista. Si vede quindi con chiarezza quanto le filosofie orientali siano necessarie alle medicine alternative che accompagnano e quanto non sia possibile distaccarsi da esse.

[8] A. MONTI, *op. cit.*, **1.2.**, pp. 3-4.

tale per una diversa forma mentale, operativa, clinica, diagnostica profilattica e terapeutica. È per questo che quando l'agopuntura farà il suo ingresso nelle facoltà mediche, che *ormai hanno smarrito ogni supporto antropologico per quello meramente tecnicistico*,[9] cadrà nella schizofrenia, come sta accadendo alle facoltà orientali che tendono ad occidentalizzarsi».[10]

«La chiave di volta tra la medicina orientale ed occidentale, non sarà certo la neurologia o l'endocrinologia... che riguardano aspetti del *soma* che a sua volta è una componente dell'essere umano in toto, ma dovrà essere ricercata in un trait d'union molto più generale e profondo, come potrebbe essere la concezione einsteniana del rapporto tra materia ed energia applicata alla medicina.[11]

Prendendo in considerazione solo i passi riportati si scorge come in queste *lezioni* da un punto di vista scientifico si facciano affermazioni molto gravi, ma, d'altro canto, assai simili a quelle fatte dalla signora Rattazzi su «*Grazia*».

Cerchiamo di esaminarle con attenzione:

1. Si comincia con l'escludere come punto di riferimento la scienza e si afferma che l'agopuntura è un derivato dell'*antropologia orientale*. Si sposta cioè il problema dal terreno scientifico a quello filosofico. Poi – in obbedienza a tale concetto filosofico – si afferma *tout court* che «*l'uomo è energia*». Di conseguenza:

«L'agopuntura è pertanto *la massima espressione* di una antropologia, di un modello di vita, di una interpretazione esistenziale».

2. L'agopuntura occidentalizzata, cioè esercitata tenendo in considerazione non gli ipotetici e inesistenti «*meridiani*» degli antichi cinesi – che non conoscevano affatto l'anatomia del corpo umano – ma, stimolando con gli aghi le terminazioni nervose, viene degradata a «*riflessoterapia*» e l'autore si sente di affermare che quando quest'ultima:

«...pretende di identificarsi con *essa*, cade nell'assurdo e nell'arbitrio di voler fare coincidere una tecnica *con una concezione antropologica*».

3. Che l'agopuntura non fosse una terapia scientifica per me non è mai stata una novità. Ma in questo caso è lo stesso autore che lo af-

---

[9] Si noti il disprezzo per la scienza.
[10] A. MONTI, *op. cit.*, **1.3.**, p. 4.
[11] Ibid., **1.4.**, p. 4.

ferma; scrive infatti che, perfino se l'agopuntura occidentalizzata un giorno scoprisse gli stessi punti dell'agopuntura cinese, rimarrebbe ugualmente inconciliabile e lontana dall'agopuntura cinese:

«...per una *diversa forma mentale*, operativa, clinica, diagnostica, profilattica e terapeutica».

Infatti perderebbe tutta la sua parte magica ed esoterica per diventare una normale terapia medica. L'autore afferma anzi di non volere che l'agopuntura faccia «*il suo ingresso nelle facoltà mediche*» per non cadere addirittura nella «*schizofrenia*», come sta già accadendo alle facoltà di medicina orientali, che abbandonano progressivamente queste terapie per occidentalizzarsi.

Non si accorge l'autore che così dicendo fa capire a tutti che l'Occidente va raccogliendo misticamente quello che l'Oriente dopo verifica scientifica ha abbandonato?

4. Tutti gli autori New Age ed i loro seguaci, quando devono spiegare qualcosa del mondo monista e magico dell'Oriente, per renderlo più accessibile ai gusti occidentali cominciano a parlare (a sproposito) della teoria quantica e della formula di Einstein. Sì, è vero, varie forze sono connesse con i legami tra atomi per formare molecole e forze immensamente più grandi che sono rilasciate dalla rottura della struttura degli atomi.

L'effetto della rottura o della formazione dei primi fa parte delle tante reazioni chimiche che si fanno avvenire in laboratorio o nell'industria chimica e perfino nel nostro corpo. Infatti il cibo che noi mangiamo, viene trasformato in parte in tessuti, in parte viene usato come «*carburante*» dai muscoli per produrre movimento e in parte serve a mantenere la temperatura ideale per il funzionamento di tutti gli enzimi cellulari.

Qualsiasi sforzo fisico richiede quindi energia chimica e produce calore in quanto i muscoli bruciano carboidrati e rilasciano calore, ma questa energia non è fortunatamente quella descritta nella formula di Einstein, altrimenti ci sarebbe il rischio che uno spaccalegna molto robusto potrebbe ripetere... Hiroshima.

5. La medicina alternativa si diletta poi a percorrere sentieri fantastici e naturalmente impossibili a provarsi. Per esempio:

«La medicina occidentale è più pronta ad affrontare la sintomatologia d'urgenza, le carenze congenite ed acquisite. La medicina orientale è più atta ad affrontare le malattie a livello del *"divenire"* più che dello *"stato patologico"*. *"Bisogna curare l'ammalato prima che esso lo diventi"* si legge nei King, mentre *"quando gli organismi sono colpiti e il malato è tra la vita e la morte, il medico è un cattivo operaio"*. L'operaio superiore *regola l'energia»*.[12]

È chiaro che questa affermazione non è provabile, infatti se mi ammalo senza aver praticato l'agopuntura preventiva, allora si può dire che mi sono ammalato perché *«non ho regolato l'energia»*, se invece non mi ammalo è perché l'agopuntura mi ha evitato di ammalarmi. Il problema nascerebbe invece quando avessi praticato l'agopuntura... eppure mi fossi ammalato. Niente paura; si potrà sempre affermare che la profilassi non era stata completa. Queste affermazioni fanno nascere però altre domande; per esempio: chi pratica bene l'agopuntura non si ammala mai? Se non si ammala mai, allora non muore mai? Agopuntura = Immortalità?

Eppure il grande «*Imperatore Giallo Huang Ti*» che ha dato origine al testo di agopuntura... è morto. Come mai?

6. Ci sono delle affermazioni che sgorgano dagli assiomi iniziali e che portano in sé tutti i limiti connessi con le basi gratuite e fantasiose dell'antropologia cinese:

«La vera agopuntura è e può essere soltanto eziologica; quanti parlano di agopuntura "placebo", "endorfinica", non hanno presenti i termini della questione. Essa cura le affezioni dell'uomo partendo dall'eziologia esogena od endogena; le specializzazioni mediche occidentali avrebbero molto da imparare dall'impostazione terapeutica della medicina orientale».[13]

«...Certe malattie che oggi l'agopuntura non è in grado di curare domani riuscirà ad affrontarle: essa è basata su un sistema dinamico qual è quello energetico».[14]

Quindi abbiamo capito bene, è tutto come se fosse già stato «*dimostrato*», l'agopuntura «*cura le affezioni dell'uomo»* non cura i sintomi ed

---

[12] A. MONTI, *op. cit.*, **2.4.**, p. 5.
[13] Ibid., **3.2.**, p. 5.
[14] Ibid., **3.3.**, p. 5.

è quindi un dato «*sicuro*» che le malattie, che «*oggi l'agopuntura non è in grado di curare, domani riuscirà ad affrontarle*». È una profezia! Ma certo, perché... «*essa è basata su un sistema dinamico qual è quello energetico*». Mi piacerebbe sapere qual è la base logica di un tale pensiero.

7. Quali sono i risultati dell'agopuntura? Evidentemente al disotto di quelli che si aspetta l'autore, infatti così scrive:

> «...Quando ci si rivolge all'agopuntore senza pregiudiziali di affezioni, si potrà sperimentare l'autentico valore dell'agopuntura, perché basata sulla potenzialità delle risorse umane che superano spesso i limiti della speranza».[15]

Riemerge continuamente il delirio di onnipotenza che sta sempre sotto i sogni New Age e che accompagna sempre più spesso i discorsi delle terapie alternative. Nelle condizioni ideali di fiducia nell'agopuntura succederà che «*si potrà sperimentare l'autentico valore dell'agopuntura*»: questa infatti è basata «*sulla potenzialità delle risorse umane*» che superano anche «*i limiti della speranza*».

Tutto ciò ci riporta alla coscienza «*dell'immenso potenziale umano*» di cui parlava prima la signora Rattazzi, che ci faceva balenare dinanzi alla mente la stessa tentazione cui fu sottoposta Eva: «*Voi sarete dei*».

Una sera, su un canale televisivo nazionale, una maga spiegava che il prossimo millennio avrebbe rappresentato il raggiungimento dell'ideale umano più anti-cristiano possibile nella sua essenza: l'uomo non avrà più bisogno di nessuno (cioè di Dio) perché sarà capace di fare tutto da solo. Così **l'uomo sarà DIO**. Vale la pena di ricordarsi alcune delle cose che Gesù ha insegnato?

> «*Io sono la vite, voi i tralci. Chi rimane in me e io in lui, fa molto frutto, perché senza di me non potete far nulla*» (Gv 15,5);

> «*Io sono la via, la verità e la vita. Nessuno viene al Padre se non per mezzo di me*» (Gv 14,6);

e san Pietro, che ha conosciuto Gesù – e a cui bastava sfiorare con la propria ombra gli ammalati perché essi guarissero – dinanzi al sinedrio, parlando di Gesù, può proclamare con sicurezza:

---

[15] A. MONTI, *op. cit.*, **3.4.**, pp. 5-6.

«In nessun altro c'è salvezza; non vi è infatti altro nome dato agli uomini sotto il cielo nel quale è stabilito che possiamo essere salvati» (At 4,12).

Eppure Pietro come *«guaritore»* poteva vantare risultati più grandi dei pranoterapisti o degli agopuntori.

Se crediamo al Vangelo possiamo nello stesso tempo credere ai trionfalismi del New Age?

8. Tutti questi concetti affondano le radici nelle religioni monistiche dell'Oriente ed hanno uno scopo assai mirato: spazzare via Cristo ed il cristianesimo. Il signor Monti, pieno com'è di entusiasmo per l'agopuntura, scrive infatti:

«Tao Tseu ha scritto nel III a.C. una frase che sintetizza in modo lapidario la concezione monistica della mentalità orientale; essa suona così "il tao produce l'u- no, l'uno comprende il due e si manifesta come tre; il tre produce i diecimila esseri".
La decodificazione di questa sintesi può essere presentata nei seguenti termini: "il principio assoluto produce l'energia, l'energia comprende lo YIN e lo YANG e si manifesta come cielo, terra e uomo;[16] questi tre danno vita a tutti gli esseri"».[17]

«Secondo la concezione orientale tutta la realtà è *energia*; il pluralismo della realtà non è altro che l'espressione di una molteplicità graduale di questa energia. La materia è la forma energetica più lontana dal tao, ma è sempre una sua derivazione. La legge di Einstein sul rapporto tra materia ed energia trova in tale mentalità la sua interpretazione».[18]

Siamo tornati all'idea che tutto è energia, con il solito meccanismo: Dio è energia, tutto è energia, l'uomo è energia, l'uomo è DIO.

Ma c'è qualcosa anche in più, connesso all'idea stessa del tao: tutti gli opposti sono parte della stessa realtà, allora il bene è uguale al male e Satana è uguale a... DIO. Infatti:

«L'energia comprende lo YIN e lo YANG, cioè tutta la realtà è dialettica, è eraclidea, è dinamica, è sintesi-antitesi, è YIN-YANG...».[19]

---

[16] Cf lettera della giornalista Rattazzi.
[17] A. Monti, *op. cit.*, **1.1.**, p. 19.
[18] Ibid., **1.2.**, p. 19.
[19] Ibid., **2.1.**, p. 19.

Mi sembra che ci siamo proprio ritrovati dentro la cosmologia della signora Rattazzi.

9. Vale la pena, così di passaggio, riflettere anche un poco sui problemi che potrebbero derivare dall'agopuntura agli ignari *«pazienti»*. Nello stesso testo troviamo descritti i possibili pericoli che l'agopuntura racchiude in sé:

> «A questo proposito è opportuno sottolineare che non è assolutamente vera l'affermazione secondo cui l'agopuntura se non fa bene, non fa neanche male. Non si deve dimenticare che essa si basa sulla manifestazione dell'energia umana; l'errore può portare al defedamento, alla malattia fisica o psichica, alla morte anticipata».[20]

Insomma ogni paziente deve stare ben attento perché rischia *«...la malattia fisica o psichica, la morte anticipata»* (!!!).

Chi si sente veramente di far dipendere il proprio equilibrio psichico, la propria salute, o perfino l'accorciamento della propria vita, dalle punte di alcuni aghi cinesi?

Tutto questo – anche se è stato scritto per dimostrare la grande potenza dell'agopuntura – avvicina questa tecnica più al mondo oscuro della magia che a quello delle terapie mediche.

b. Biotransenergetica

Dopo quanto abbiamo esaminato con l'agopuntura vale la pena di prendere in esame una delle tecniche New Age più strettamente legata al tantrismo indù.

Qualche tempo fa qualcuno mi ha dato un libro scritto da uno psicoterapeuta italiano insieme con la moglie psicologa e veggente dal titolo interessante: *«Lavorare con i chakras - Pratiche di biotransenergetica per la trasformazione della coscienza».*[21] I due coniugi, sta scritto nella quarta pagina della copertina, hanno fatto:

---

[20] A. MONTI, *op. cit.*, **4.3.**, p. 15.
[21] MARLENE SILVEIRA e PIERLUIGI LATTUADA, *«Lavorare con i chakras - Pratiche di biotransenergetica per la trasformazione della coscienza»* [MEB editrice, gruppo editoriale Muzzio, Riviera Mussato, 39, 35141, PD], 1994.

«un cammino di trasformazione che ha portato alla elaborazione della teoria e della pratica Biotransenergetica e del relativo Istituto di formazione».

Quindi questa tecnica viene impiegata non solo su pazienti con difficoltà emotive o psichiche, ma c'è addirittura un Istituto presso cui vengono formati altri seguaci di tali teorie.

Nella stessa pagina di copertina possiamo poi trovare altre notizie interessanti a proposito del libro stesso e della Biotransenergetica:

«Un'ampia guida per armonizzare i centri energetici.
Ogni manifestazione della materia sembra coincidere con *una manifestazione energetica*: in altre parole, le diverse manifestazioni del vivente sono riconoscibili come *manifestazioni energetiche*.

– Il flusso dell'energia nell'organismo scorre pertanto su diversi livelli e lungo percorsi preferenziali:[22] i centri energetici che dirigono tali flusso si comportano esattamente come, nel caso della rete ferroviaria, le stazioni ed i centri di controllo e smistamento. Questi centri sono stati studiati nella tradizione Indù e descritti con il termine sanscrito di *chakra*.

– Gli autori ci offrono un metodo pratico per padroneggiarli. Tale metodo è la Biotransenergetica, che lavora con i *chakra* risvegliandoli, attivando in noi i diversi stati di coscienza connessi con i diversi livelli e consentendoci così di padroneggiare i nostri bisogni, le nostre emozioni, le nostre qualità ed attitudini».

Vediamo come nasce e si sviluppa la «*Biotransenergetica*».

a. I due psicoterapeuti raccontano come hanno scoperto la terapia biotransenergetica. È un racconto che vale la pena di ascoltare dai diretti interessati. Un giorno i due stavano parlando di un apparecchio portatile per misurare «*l'aura*»,[23] quando Marlene racconta di averla sempre vista, fin da quando era bambina. Dice di essere stata anche picchiata molto e accusata di mentire, perché gli altri non la

---

[22] Questi percorsi sono i «*meridiani*» cinesi o i «*chakra*» indiani? La terminologia non sembra esatta, perché i flussi energetici prevederebbero collegamenti tra i *chakra* che resterebbero solo: «*le stazioni ed i centri di controllo e smistamento*».

[23] Si tratterebbe di una specie di alone colorato che i mediums vedono intorno al corpo umano. Sulla misurazione di questo alone si baserebbe poi la capacità di essere pranoterapista.

vedevano.[24] Infine, a causa di queste difficoltà, aveva «*smesso di guardare*». Decidono quindi di fare una prova. Questo è il racconto di lui:

«Andammo in studio e mi misi in posa. "Dai, dimmi cosa vedi". "C'è un alone giallo chiaro che sfuma al bianco che contorna bene tutto il tuo corpo. A livello della testa, esternamente c'è un colore arancio che sfuma nel rosa chiaro".
"Guarda se vedi qualcosa negli organi". "A livello dello stomaco ci sono delle palline grigiastre che si muovono velocemente e che si estendono alla prima parte dell'intestino. Dalle dita delle tue mani escono due fasci luminosi molto belli". "Vedi altro intorno al corpo?". "Sulla tua spalla destra c'è una sagoma luminosa come di un uccello. Ci sono poi due sagome luminose una alla tua destra ed una alla tua sinistra. Mi danno molta pace".
"Prova a guardare se vedi qualcosa lungo la linea mediana del corpo a livello di pube, pancia, stomaco, petto, gola, fronte". "Vedo come un vortice a livello del basso ventre, come una ruota luminosa di colore arancio che gira. Ce n'è una anche nello stomaco, quella pero è gialla, nel petto ce n'è una verde, nella gola azzurra..."».[25]

Marlene, la veggente medium, vede quindi i «*chakra*» a occhio nudo. Pierluigi ha la sua illuminazione e ce la racconta così:

«Mentre Marlene faceva il segno della croce[26] e ringraziava io rimasi ad ascoltare l'insieme di sensazioni che mi pervadevano.
Un fremito di eccitazione percorreva il mio corpo intero, la mia mente intravedeva avventure in spazi inesplorati ed opportunità grandiose nella direzione di una scienza della coscienza, il mio animo gioiva e subito dopo si ridimensionava: Marlene non avrebbe mai accettato, come ovvio, di essere usata come una macchina ed io non lo desideravo. Abbandonati i sogni di gloria restava comunque la realtà di una dimensione nuova che si era aperta davanti ai miei occhi.
Marlene non sapeva nulla di aura e *chakras*, ma li vedeva, confermandone in modo inequivocabile l'esistenza. Questa nuova consapevolezza mi imponeva un cambiamento radicale: mai più avrei potuto comportarmi come se non sapessi dell'esistenza di corpi sottili, *chakras*, entità spirituali. Le esperienze che avevo compiuto in Brasile negli anni precedenti già mi avevano aperto ad una nuova sensibilità, ma ora era diverso, mi trovavo

---

[24] Quindi una specie di... martire della New Age.
[25] MARLENE SILVEIRA e PIERLUIGI LATTUADA, *op. cit.*, p. 12.
[26] Bellissimo questo segno di croce! Marlene era forse «*cristiana*»?

39

di fronte a conferme assolutamente tangibili e verificabili costantemente circa l'esistenza di un mondo sottile[27] altrettanto reale quanto quello materico. Stava nascendo la Biotransenergetica».[28]

Nessuno dei due pensa, neppure per un attimo, ad una manifestazione di origine preternaturale. Si accettano queste strane visioni di vortici e colori come se si trattasse di una scoperta scientifica.

È nata così la Biotransenergetica. Per i due coniugi si tratta di una specie di folgorazione sulla via di Damasco.

b. Ora i due psicoterapeuti ci spiegano la teoria che sta dietro alla Biotransenergetica. La teoria è costituita da un girovagare senza limiti nel mondo delle «*energie*», degli spiriti, degli stati di trance, delle entità buone e cattive, dei rituali sacri, del taoismo, dell'induismo, dello sciamanismo e delle religioni animistiche dell'Africa e del Brasile.

Tutto questo completamente immerso nel grande pentolone della cultura New Age.

«Nello specifico, questo significò orientare il nostro comportamento alla luce delle seguenti valutazioni:
- *Ogni manifestazione materica sembra coincidere con una manifestazione energetica*. L'affermazione di Einstein per il quale la materia altro non sarebbe che un campo di energia ad alta densità trova conferma, oltre che nelle formule matematiche o nei laboratori dei fisici, anche alla *"osservazione sottile"* di chi sa vedere.
- Le diverse manifestazioni del vivente sono pertanto riconoscibili come *manifestazioni energetiche*.
- I diversi livelli di manifestazione del vivente (fisico, biologico, emotivo, mentale...) sono espressione di una *diversa qualità dell'energia vitale*.
- La diversa qualità dell'energia vitale dipende dal "modo" col quale questa è organizzata all'interno del suo campo (*Transe*[29]).
- L'energia vitale, oltre che misurabile con diversi apparecchi e fotografabile con la macchina Kirlian, *è visibile a chi abbia sviluppato una certa sensibilità*.[30]

---

[27] I termini «*mondo sottile*» e «*mondo materico*» appartengono al mondo esoterico.

[28] Marlene Silveira e Pierluigi Lattuada, *op. cit.*, pp. 12-13.

[29] O «*Trance*». Siamo nel bel mezzo delle manifestazioni spiritistiche e medianiche.

[30] Questa «*sensibilità*» non è altro che la medianità. Ma sono queste le strane forze, o i «*poteri*», che si possono usare per curare le nevrosi o le psicosi?

– Essa appare sotto forma di minuscole *"palline"* o particelle luminose in movimento incessante e diversamente colorate. Il movimento risulta tanto più armonico, cioè le particelle si muovono liberamente e si rispettano vicendevolmente, quanto più il campo, cioè l'organismo, è sano e vitale. L'armonia è riconoscibile inoltre dal punto di vista cromatico. Colori chiari, tenui, luminosi, esprimono benessere. Abbiamo chiamato:

isomorfismo del benessere

quel quadro clinico che presenta movimento, libertà e rispetto nel comportamento delle particelle, luminosità e vivacità nei colori. Abbiamo invece chiamato:

isomorfismo del malessere

quel quadro per il quale le particelle si sovrappongono, e ostacolandosi determinano stasi nel flusso così come opacità ed oscurità nei colori.

– È possibile pertanto leggere ogni processo vitale organico in chiave di movimento o stasi, luminosità od oscurità, vivacità od opacità cromatica.

– Una lettura *energetica* mediante la *"visione sottile"* offre vantaggi straordinari rispetto a qualsiasi altro tipo di diagnosi:

- *È possibile individuare i disturbi prima ancora che si manifestino* sul piano organico.
- *La lettura è diretta* e pertanto consente di avere un quadro in tempo reale delle diverse attività dell'organismo.
- *Il margine di errore è pressoché nullo* dal momento che *"si vede"* quello che sta avvenendo.
- Si ha un quadro dinamico e interconnesso dal momento che *si vedono i movimenti dell'energia* e le relazioni tra i vari sistemi, apparati, organi e funzioni.[31]
- Si ha inoltre *un quadro unitario* su diversi livelli dal momento che una lettura energetica significa leggere contemporaneamente il piano delle *manifestazioni fisiche, biologiche, emotive, mentali e spirituali*.
- La visione sottile consente *una chiara lettura delle manifestazioni spirituali. Essa ci svela inequivocabilmente un mondo di entità non materiche che interagiscono con i piani della materia»*.[32]

---

[31] «N.B. Qualora non si fosse in grado di *"vedere"* direttamente esistono sistemi indiretti quali la visualizzazione ad occhi chiusi o il contatto delle mani col campo aurico che consente di *"leggere"* l'energia mediante il *"sentire"*» [ibid., p. 16] - *[Nota del testo]*.

[32] Marlene Silveira e Pierluigi Lattuada, *op. cit.*, pp. 14-16.

C'è solo un problema, che per fare la diagnosi ci vuole un medium, e che sia... speciale. Sono questi gli stessi temi che abbiamo già trovato nella lettera della signora Rattazzi e nell'agopuntura. Infatti si tratta sempre dello stesso miscuglio di esoterismo, magia e religioni moniste non cristiane:

> «Il flusso dell'energia nell'organismo scorre pertanto su diversi livelli e lungo percorsi preferenziali. Le diverse medicine tradizionali, soprattutto orientali hanno codificato tali percorsi preferenziali in diversi modi (meridiani, nadi, ecc.). Esistono anche dei centri, specie di *"cervelli energetici"* che dirigono tale flusso.
> Esattamente come nel caso della rete ferroviaria, le stazioni, i centri direzionali di controllo e smistamento. Questi centri sono stati studiati a fondo nella tradizione Indù e descritti nei Veda con il termine sanscrito di *chakra...*».[33]

c. I centri di energia non sono ancora sufficienti, quindi ora si introducono entità inquietanti: gli «*Orixàs*»:

> «La tradizione primaria che si snoda lungo la storia dell'umanità è venuta definendosi nei lunghi millenni del nomadismo ed ha lasciato in eredità alle civiltà stanziali il culto della natura.
> Le grandi religioni morali sorte in seguito allo strutturarsi della vita sociale nelle città hanno però finito col sottrarre la divinità dalla natura per collocarla nell'alto dei cieli.
> Il recupero della religione originaria pre-morale ci consente di restituire la divinità alle forze elementali vivendo così in modo sacro il rapporto con la natura. Nella tradizione Iorubà, tradizione Africana che ha poi seguito gli schiavi diffondendosi nel centro e sud America animando i culti sincretici di quelle regioni, le forze elementali o divinità che abitano ogni manifestazione della natura vengono chiamati Orixàs.
> Nell'Umbanda, ad esempio, tradizione alla quale prevalentemente attingeremo nella nostra esposizione: l'Orixà dell'acqua salata è Iemanjà, così come quello dell'acqua dolce si chiama Oxum o quello del fuoco e delle montagne Xangò mentre quello dei vegetali Oxossi, della terra Nanà, del metallo Ogun, dell'aria Iansà e via di seguito».[34]

---

[33] Ibid., p. 16.
[34] Si veda P. L. LATTUADA, «*Sciamanesimo Brasiliano*», Xenia ed., Milano, 1989 [ibid., p. 105].

Notare come si prenda subito posizione contro le religioni «*morali*», come il cristianesimo, per riaffermare il valore delle religioni «*pre-morali*», le religioni della natura. Gli uomini insomma:

> «...hanno... finito col sottrarre la divinità dalla natura per collocarla nell'alto dei cieli».

Subito poi i due autori ci spiegano che gli Orixàs sono in relazione con gli stati emotivi e il comportamento degli uomini:

> «Ogni Orixà inoltre rappresenta particolari caratteristiche del comportamento umano, particolari attitudini e potenzialità.
> Attraverso la danza, i mantras, i simboli, i colori, i profumi, le erbe, i cibi è possibile entrare in contatto ed armonizzarsi con una o l'altra di queste forze e pertanto risvegliarne in sé le caratteristiche.
> La Biotransenergetica ha sviluppato una serie di pratiche che consentono di realizzare tale processo».[35]

Ora, come si fa a controllare queste forze-divinità? «*Elementare, Watson...!*». Per mezzo della

> «...danza, i mantras, i simboli, i colori, i profumi, le erbe, i cibi è possibile entrare in contatto ed armonizzarsi con una o l'altra di queste forze e pertanto risvegliarne in sé le caratteristiche».

Che bello!

d. Successivamente si introducono elementi di yoga, ma anch'essi legati a loro volta al taoismo, oltre che all'induismo:

> «Tra le pratiche di nuova concezione, elaborate in base alle osservazioni delle modificazioni nell'aura e alle indicazioni attinte da una dimensione spirituale superconscia, il respiro di terra e cielo rappresenta, in biotransenergetica, uno degli strumenti principali per la pulizia del campo energetico e per l'apertura dei *chakra*...».[36]

Si ricomincia quindi con il concetto cinese che sta alla base dell'agopuntura: l'uomo sta in mezzo tra il cielo e la terra e «*soffi*» dalla terra e dal cielo lo attraversano (lo *yin* e lo *yang*).
Anche qui ritroviamo concetti adottati oggi con accenti scientifici

---

[35] MARLENE SILVEIRA e PIERLUIGI LATTUADA, *op. cit.*, pp. 105-106.
[36] Ibid.., p. 138.

da tante riviste ad alta tiratura, che di scientifico fra le proprie finalità, non hanno proprio nulla.

e. Infine la grande novità: lo yoga con gli spiriti! Questa è proprio una trovata New Age:

«Si tratta di una pratica [di respiro] di nuova concezione il cui obbiettivo è l'integrazione e l'armonizzazione delle polarità.

Attraverso la contrazione esasperata si tende ad attingere alle bande di tensione più profonde, luogo dei nodi inconsci più radicati per portarli alla luce attraverso suono e movimento.

La successiva espansione vuole consentire l'accesso a quegli spazi di integrazione, pace ed armonia, dove le tenebre vengono dissolte dalla luce, i blocchi sciolti dal fluire della vita.

Mediante il respiro Exù-Oxalà viene data espressione alle entità più nascoste ed oscure, riconoscibili come pensieri impuri, desideri immorali, istinti repressi, emozioni rimosse, viene data libertà agli ossessori, riconoscibili come condizionamenti culturali, sociali, morali, psicologici, ci si purifica, in una parola dagli *"schemi di interferenza"* più intimi e personali verso una dimensione più armonica e transpersonale».[37]

La cosa più incredibile: espirando

«si tende ad attingere alle bande di tensione più profonde, luogo dei nodi inconsci più radicati»,

mentre inspirando si ha

«l'accesso a quegli spazi di integrazione, pace ed armonia, dove le tenebre vengono dissolte dalla luce, i blocchi sciolti dal fluire della vita».

È tutto qui: sempre più facile! La confusione però tra «*entità*» ed «*emozioni*» è totale. Questa tecnica bisognerebbe insegnarla anche agli esorcisti.

f. Una parte del libro ora è riservata alle «*guide spirituali*», le stesse che si incontrano in pranoterapia,[38] o quelle descritte dalla signora Rattazzi:

---

[37] MARLENE SILVEIRA e PIERLUIGI LATTUADA, *op. cit.*, pp. 138-139.
[38] Vedi «*Una voce grida...!*», n. 4, pp. 17-25.

«Sembra il caso di spendere due parole sul concetto di *"guida spirituale"*. Sono numerose le tradizioni esoteriche, le religioni medianiche che forniscono spiegazioni a proposito delle guide.

La stessa religione cattolica riconosce nell'angelo custode l'entità spirituale che ci protegge, ci guida e ci orienta. Non vogliamo proporre ulteriori spiegazioni, ma, ancora una volta, semplicemente riportare la nostra esperienza.

A chi sa vedere i livelli sottili, ai margini del campo energetico di ogni essere umano, nella stragrande maggioranza dei casi, sono riconoscibili una o più sagome di luce.

Ogni sagoma appare in stretto contatto con il nostro campo e spesso lo nutre con raggi di energia luminosa. Si nota l'assenza di queste forme luminose in persone particolarmente sofferenti, malvagie o gravemente depresse, viceversa esseri di notevole spessore umano e spirituale solitamente ne posseggono più di una.

Ricordiamo il caso di un monaco tibetano residente a Pomaia che presentava nel suo campo ben cinque entità di luce. Sembra che il contatto con le nostre guide si faccia tanto più stretto quanto più noi ne creiamo le condizioni.

Un comportamento equilibrato, l'amore verso noi stessi e verso il nostro prossimo, un atteggiamento meditativo e soprattutto *la preghiera*[39] sembrano creare tali condizioni.

Spesso siamo avvolti dall'energia della nostra guida, ma raramente, nel quotidiano, ce ne rendiamo conto perché siamo abituati a pensare alla dimensione spirituale come a qualcosa di trascendente e straordinario.[40] Si tratta invece di una dimensione che ci accompagna in ogni istante della nostra esistenza, ma che per essere avvertita necessita di una attenzione particolare.

Comunemente viviamo in un *"transe ordinario"*, vale a dire in uno stato di coscienza proiettato verso l'esterno, verso le risposte che gli altri si attendono da noi, verso le preoccupazioni materiali legate al potere, al successo, al denaro, all'affermazione, alle gratificazioni personali o anche alla semplice sopravvivenza. In questo modo, così come un sordastro avverte solo certi toni più grossolani e meno altri più acuti, siamo in grado di riconoscere solo le informazioni più evidenti al nostro livello di sensibilità.

Quando *"cambiamo transe"* raggiungendo così uno stato di coscienza più meditativo, attento verso l'interno, verso ciò che sentiamo, ciò che vediamo, ciò che vogliamo, cominciamo a renderci conto della presenza dentro

---

[39] Sarebbe interessante domandare *a chi* viene rivolta la preghiera?
[40] Colpa del Cristianesimo, naturalmente...

di una *"natura intima"* che sa ciò che per noi è bene o male, che ci guida e ci orienta. Tale natura intima altro non è che la nostra *"guida spirituale"* la quale comunica attraverso sensazioni, emozioni, bisogni, desideri, intuizioni, immagini, voci e così via».[41]

Insomma chi sa vedere i «*corpi sottili*» (ed è quindi un medium) vedrebbe facilmente gli angeli custodi o altre «*entità spirituali*» (o meglio sarebbe più giusto chiamarle «*spiritiche*»). In stato di «*trance*» costoro cominciano a rendersi conto:

«...della presenza dentro di una *"natura intima"* che sa ciò che per noi è bene o male, che ci guida e ci orienta.[42] Tale natura intima altro non è che la nostra *"guida spirituale"* la quale ci comunica attraverso sensazioni, emozioni, bisogni, desideri, intuizioni, immagini, voci e così via».

Non quindi lo Spirito Santo «*Maestro interiore dell'anima*», ma spiriti di incerta natura. La verità è che con «*le guide spirituali*» siamo nel mezzo del paranormale, se non addirittura del preternaturale. Chi conduce allora la terapia, lo psicoterapeuta o gli Orixàs?

g. Ora il discorso diventa impregnato di esoterismo e il tutto si mescola in una inseparabile miscela di religioni orientali, magia, «*potenziale umano*» e una specie di misticismo corrotto.

«Si tratta di una pratica di autoguarigione di nuova concezione, ma che con ogni probabilità *trae le sue origini nella millenaria tradizione taoista*. Infatti, pur trascurando il fatto che ci è stata trasmessa da un'entità del popolo d'Oriente, la sua azione è diretta ad attivare le energie dei *nostri diversi corpi*, seguendo una chiave di lettura indubbiamente mutuata dalla medicina tradizionale Cinese.
I Cinesi parlano di Shen, lo spirito che, attraverso le trasformazioni (Hua) genera il Jing (principio vitale, essenza) che rappresenta la trama sottile, la vitalità sottostante a tutte le manifestazioni che alimenta il Chi (soffio) o *"unità celeste"* del principio vitale, il quale a sua volta genera lo Xing (forma) o *"diversità terrestre"* del principio vitale.
La pratica di canalizzazione mediante il soffio celeste dirige l'essenza spirituale nel corpo fisico per la cura degli organi, il nutrimento della energia vitale, la purificazione».[43]

---

[41] Marlene Silveira e Pierluigi Lattuada, *op. cit.*, pp. 154-155.
[42] Non posso non pensare a certe «*veggenti*» italiane, che vedono gli angeli custodi alla destra dei comuni mortali ed alla sinistra... dei sacerdoti.
[43] Marlene Silveira e Pierluigi Lattuada, *op. cit.*, p. 160.

Così, per guarire, siamo arrivati al «*Channeling*», la forma New Age dello spiritismo classico.

h. Si incontra anche un sottocapitolo dal titolo blasfemo: «*Corpo di Dio*». Vediamo di che si tratta:

> «Si tratta di una pratica di nuova concezione... nella quale sono riconoscibili tratti caratteristici delle diverse tradizioni yoga quali, ad esempio il Krya o il Tantra.
> Decidendo di divulgare pratiche come questa ci siamo trovati di fronte a questioni di ordine etico e morale. (...)
> Da parte nostra, la *"voce che parla dentro"*[44] ci spinge a divulgare ciò che ci viene trasmesso e così faremo. (...)
> La pratica ha inizio con il canto di un mantra, il mantra degli Orixàs... [segue il mantra con l'invocazione degli Orixàs]. Anche la fase conclusiva della pratica si realizza mediante la recitazione di un mantra. Un mantra che deriva dalla tradizione tantrica Ananda Marga e che suona così: *"Baba Nam Kevalam"*. Il suo significato può venire inteso in questi termini: *"La coscienza suprema è tutto, tutto è coscienza suprema"*. (...)
> Da questo punto contatti la forza dell'Orixà che senti più affine e cantando il suo mantra mentalmente, in ispirazione la senti salire di *chakra* in *chakra* veicolata dal punto di luce, la senti arrivare al terzo occhio e da lì portarsi di lato fino alle tempie.
> In espirazione la senti dalle tempie ritornare al terzo occhio, uscirvi per rientrare dalla tua pancia ed arrivare di nuovo alla base della colonna. Ed il ciclo riprende.
> Quando senti la forza dell'Orixà nutrire il tuo corpo, allora ti rendi conto che *"tu sei lui"* (...) con la consapevolezza che *"tutto è coscienza suprema"*».[45]

Ancora una volta il grido infernale della prima ribellione: «**Io sono DIO!...**». Gesù ci ha detto però anche il seguito di questa vicenda:

> «*Io vedevo satana cadere dal cielo come la folgore*» (Lc 10,18).

i. Infine un'ultima affermazione: «*Il linguaggio divino*», che ci fa comprendere l'estrema confusione di chi vive nelle tenebre e non è più in grado di vedere la luce di Cristo:

> «Antiche meditazioni sembrano rifarsi a qualcosa di simile, ma, per quanto ci riguarda, si tratta di una pratica di nuova concezione ricevuta per via

---

[44] Chi sarà mai questa voce?
[45] MARLENE SILVEIRA e PIERLUIGI LATTUADA, *op. cit.*, pp. 162-165.

medianica. Essa presenta tre fasi che possono venire eseguite in gruppo ma anche individualmente.

– Liberare la bestia

Seduto/a, sdraiato/a supino/a o in movimento per la stanza inizi a liberare *suoni senza significato* che stanno fermi nei tuoi visceri e nella profondità delle tue cellule.[46]
Ti fai trascinare dal suono e dal movimento conseguente senza ritegno. Non ti occupi di altro se non di dare libero sfogo alle voci che ti abitano.

– Uscire dalla gabbia

Ora ti muovi per la stanza, come se fossi in gabbia, la gabbia delle strutture espresse dal significato delle parole, e reciti un linguaggio senza nessun senso apparente osservandoti mentre lo fai.
L'enfasi è sull'osservazione di te che parli parole senza significato, le parole del divino che ti abita.

– Il verbo

Ora ti siedi in silenzio. Il silenzio del flusso che ti scorre dentro, del tuo ritmo naturale produce parole. Tu senti una voce che da dentro ti parla, questa volta con un senso, con un profondo significato per te.
Dai voce al verbo che nasce dal silenzio e resti ad ascoltarti parlare».[47]

In questa descrizione si parla di «*suoni senza significato che stanno fermi nei tuoi visceri*» e non posso non pensare che:

«Nel nostro ventre, nella zona attorno all'ombelico, risiede la nostra anima, vivono le nostre emozioni più vere e più profonde.
Scendendo nell'abisso dentro di noi possiamo ritrovare noi stessi e *la nostra essenza di luce*, le emozioni che ci appartengono veramente, **le nostre divinità interiori**»;

oppure al:

«...**divino, il nostro divino**, dentro di noi e non fuori, nelle nostre emozioni e non nella mente...».

Dall'abisso da cui siamo partiti, alle «*divinità interiori*», che in realtà non sarebbero altro che «*spiriti*» (gli Orixàs), alla conclusione

---

[46] Non sarà per caso il parlare in lingue di cui parlava san Paolo nella *1 Cor* 14? Bisogna solo ricordare che anche Satana «*parla in lingue...*».
[47] MARLENE SILVEIRA e PIERLUIGI LATTUADA, *op. cit.*, pp. 168-169.

scontata, infine, che gli «*spiriti*», io stesso e tutto quanto insomma mi circonda, diventi addirittura DIO.

Ma il nostro Dio è proprio un'altra cosa.

Testimonianza

Questa testimonianza viene da una giovane signora, che ho incontrato la prima volta quando, ancora appassionata di agopuntura, era totalmente infatuata dalla medicina tradizionale cinese.

Oggi, dopo alcuni anni di cura spirituale e vari esorcismi ha ritrovato il proprio equilibrio e la pace:

«Mi chiamo Sabrina ed ho 30 anni. Quando mi sono rivolta ad un agopuntore non conoscevo Gesù Cristo ed ignoravo i dogmi della fede cristiana e qualsiasi precetto della Chiesa Cattolica, come ad esempio partecipare alla Santa Messa la domenica.

Queste, a 18 anni, pur avendo ricevuto il Battesimo, la Comunione e la Cresima, erano le mie condizioni spirituali ed inoltre vivevo nel peccato.

Dalla nascita la mia vita era stata un susseguirsi di malattie e disgrazie, di ricoveri in ospedale e visite mediche, ma anche con gli esami clinici più sofisticati i medici non riuscivano a diagnosticare niente di significativo...

A scuola ero una studentessa decisamente brillante, ma ben presto le mie condizioni di salute peggiorarono al punto da bloccarmi negli studi, rendendo la mia carriera scolastica diversa da come avrei desiderato che fosse.

Non avevo veri amici perché avevo l'impressione che tra me e gli altri ci fosse un muro invisibile, e tanto era viva questa sensazione, tanto era grande la mia sofferenza.

Quando l'agopuntore mi vide per la prima volta, soltanto toccandomi i polsi ed osservandomi elencò con precisione tutte le malattie che avevo avuto dalla nascita e risalì persino ad un morbillo che mia madre aveva avuto quando era al secondo mese di gravidanza.

Pensai di aver incontrato un bravo medico e con la speranza di guarire riposi tutta la mia fiducia in quell'uomo.

Cominciarono le sedute di agopuntura molto dolorose e penose, durante le quali mi venivano inseriti fino a 27 aghi in tutto il corpo che venivano poi manipolati in senso circolare: sulla punta delle dita dei piedi, sulla lingua e sulla schiena e poi fatta sdraiare in posizione prona per 20-30 minuti, senza poter capire nemmeno io come potessi resistere.

Ogni volta che mi sdraiavo sulla schiena piena di aghi e sentivo molto dolore l'agopuntore diceva che quella parte del mio corpo con il dolore non era mia e che dovevo fare come se non lo fosse; così ben presto non sentii più dolore.

49

Avevo però l'impressione di perdere contatto e controllo del mio corpo, mi sembrava di *"vedermi vivere"* e sentivo la maggior parte del mio corpo come *"occupata"*.

Ci fu un miglioramento di tutti i miei malesseri fisici ed io iniziai ad interessarmi alla medicina cinese frequentando due corsi specifici e due corsi di massaggio tradizionale cinese nella scuola dove insegnava il mio agopuntore.

La medicina tradizionale cinese divenne la mia fede, ci pensavo e ne parlavo ogni momento, i miei ragionamenti erano in perfetto stile taoista. L'unico mio desiderio di bene consisteva nel volere equilibrare le energie *"yin"* e *" yang"* per guarire le malattie.

Non sorridevo più e tutto quello che prima mi appassionava e mi commuoveva come la natura, la letteratura, i miei animali, mi lasciava indifferente. Ero diventata insensibile.

Ero sempre oppressa, avevo sogni premonitori (sempre e solo disgrazie) e visioni che mi gettavano in una cupa depressione ed in una dimensione irreale: ero sempre debolissima, pallida e mi sentivo confusa ed angustiata.

Ero certa che quei *"poteri"* che iniziavano ad agire in me, me li avesse dati quel dio astratto e lontano che conoscevo allora ed incominciai a pregarlo di togliermeli.

Persi ogni parametro di bene e di male, e tutto nella mia mente si mescolava in un caos terrificante.

Persi il controllo dei *"poteri"* che avevo scoperto di avere, e capii che non erano miei.

Quotidianamente si susseguivano episodi di telepatia, lettura del pensiero e soprattutto diagnosi di malattie; dalla mia bocca senza che mi potessi controllare uscivano parole di diagnosi molto precise.

Alla scuola di agopuntura ebbi il mio attestato con 30 e lode, ero stimata, corteggiata e mi dicevano che ero una persona speciale. Per me era un successo, ma non sapevo che farne.

Mi sentivo sempre più sola, perché nessuno sapeva che la vita per me era un inferno.

Scoprii che dovevo esercitare la pranoterapia imponendo le mani ai limoni che si mummificavano ed all'acqua che, quando mi concentravo, acquistava l'aroma che volevo. Inoltre qualsiasi oggetto appeso ad un filo nelle mie mani ruotava ed oscillava come impazzito.

Scoprii così anche la radioestesia, che un mio familiare già praticava.

Ero sicura che sarei morta presto e contemporaneamente avevo paura ed ero spinta al suicidio da visioni terrificanti: il mio letto, il materasso ed il cuscino si muovevano e sentivo respirare freddo vicino al mio viso, non riposavo più, vedevo immagini nere con la coda dell'occhio, ed alcune volte mi sentivo penetrare da qualcosa. Stavo perdendo la salute mentale.

Naturalmente non collegai tutto ciò con l'agopuntura, notai soltanto che mi erano stati dati quei *"poteri"* ed ormai erano trascorsi tre anni al ritmo di una seduta di agopuntura a settimana.

Mi rivolsi a Dio, pensai di recitare un Padre Nostro, ma non riuscivo a ricordarlo, trovai tra le cose di mia madre un libricino del Rosario con scritta la preghiera del Pater, ma facevo una fatica sovrumana a recitarlo, confondevo le parole e mi sentivo stringere la gola.

Una domenica ebbi il desiderio di recarmi alla Messa, ma pochi metri lontano da casa fui presa da un prurito tremendo alle gambe, che mi costrinse a tornare a casa. Una volta a casa ogni sintomo sparì.

In quel periodo l'agopuntore mi propose di lavorare nel suo studio come assistente e come massaggiatrice e pratica di moxibustione e mi fece l'allettante proposta di un periodo di tempo da trascorrere in Cina, con lui ed altre persone, per frequentare corsi di medicina cinese.

Ero molto eccitata perché avevo raggiunto ciò che desideravo e soprattutto perché stimavo l'agopuntore, che era diventato per me una specie di idolo. Ero felice che egli ricambiasse la mia stima (anche se forse da parte sua la cosa non era così limpida). Avevo raggiunto il successo, ma anche l'apice della sofferenza.

A questo punto Gesù è venuto a salvarmi. Un'amica, non credente, mi consigliò di andare in una casa di preghiera per *"farmi benedire"*.

A lei lo aveva detto un paziente di suo marito medico.

Ci andai con la speranza di parlare con qualcuno e di ricevere qualche parola buona.

Trovai un sacerdote che elencò tutti i miei peccati ed io non avevo che da rispondere: *"Sì, l'ho fatto"*.

Il mio stupore era grande soprattutto perché non sapevo di avere fatto per tanto tempo tutte le cose che dispiacevano a Dio. In quel momento sentii di amare Dio e ad ogni peccato dicevo *"non lo farò ancora"*.

Ero pentita, ma non schiacciata dal senso di colpa, volevo conoscere Dio. Avevo 22 anni e per la prima volta mi sentii dire che Gesù mi amava. Non ebbi alcun dubbio. Mi recai subito alla Santa Messa (da quella volta ci vado ogni giorno) piansi tantissimo, ma ero finalmente beata anche nella sofferenza. Caddi a terra e gridai.

Anche mia madre si convertì quel giorno. La sera stessa troncai ogni rapporto con l'agopuntore, decidendo di non recarmi più all'appuntamento settimanale.

Rinunciai con molto entusiasmo al lavoro ed a tutto ciò in cui avevo creduto e per cui avevo studiato: la medicina cinese.

Nessuno mi spiegò perché l'agopuntura non può conciliarsi con il Cristianesimo, ma credo me l'abbia spiegato lo Spirito Santo che in me quel giorno agì con potenza e divise il bene dal male...

Una settimana dopo partecipai ad un seminario di spiritualità... e durante l'invocazione del nome di Gesù ebbi manifestazioni molto violente.

Ero distrutta dal punto di vista spirituale, mentale e fisico e non potevo assolutamente fidarmi dei miei pensieri e delle mie emozioni, perché erano completamente deviati.

Riuscii a capirlo e decisi di fidarmi della Parola di Dio, che mi accorsi che spesso era l'esatto contrario di ciò che sentivo. Ho anche avuto bisogno di essere seguita per alcuni mesi da un sacerdote esorcista che ha ripetutamente pregato su di me.

Pian piano, con l'aiuto amorevole dei fratelli... e di mia madre, con l'Eucaristia quotidiana, le mie sofferenze diminuirono, ma non erano ancora scomparse.

Per molto tempo durante la Messa ho avuto dolori lancinanti in corrispondenza dei punti sottoposti all'agopuntura, oltre ad una grande sofferenza mentale, la più dura da affrontare.

Sono trascorsi otto anni dal giorno che ho incontrato il Signore, e sono rinata.

Ringrazio il Signore, il Dio Vivente, il mio Gesù con tutta me stessa, perché mi ha salvata e perché non ha permesso che io facessi ad altre persone, con la medicina cinese, il male che era stato fatto a me.

Signore Gesù, se attraverso questa esperienza di dolore ho incontrato la tua infinita misericordia, io dico: Amen! Alleluia! Amen Signore!».[48]

---

[48] Questa testimonianza è stata ripresa da: «*Una voce grida...!*», n. 13, p. 21.

2. «È lui il perfido e astuto incantatore...»

1. Esiste il «Male assoluto»?

Ad ascoltare ciò che generalmente, anche in ambito pastorale, si sente dire sul Diavolo e sulla realtà complessa e anche paurosa del «*male*», si resta assai perplessi. Allora, si è quasi sperduti dinanzi alle soluzioni blande che vengono proposte in un tentativo di sfuggire alle risposte reali, riducendo tutto a psicologismo o, ancora peggio, a patologia.

Questo senso di disagio davanti alle pallide spiegazioni della realtà che ci circonda è particolarmente evidente dopo il terribile shock dell'11 settembre 2001, quando con gli attacchi aerei suicidi al WTC di New York, ed al Pentagono di Washington, con migliaia di innocenti uccisi, tutto l'Occidente è piombato all'improvviso in uno stato di insicurezza, come mai aveva conosciuto in questi ultimi secoli. Questo evento pauroso è solo frutto della pazzia?

Si sa: se uno è malato di mente, anche le sue azioni più brutte sono solo frutto della malattia, perché la persona non è responsabile del male che compie. Se è ammalato, tutt'al più bisognerebbe curarlo: serve una clinica psichiatrica. E allora perché fare una guerra? Ma in mancanza del grande manicomio è possibile vivere, lavorare, sposarsi, avere figli, andare a scuola, ecc.? In caso di grandi epidemie è possibile ricorrere a vaccinazioni di massa, ma in questo caso è possibile vaccinarsi contro la follia? E se non fosse una pazzia, ma invece esistesse «*il male assoluto*»?

Se fosse così, allora cosa fare? Come si vede è nato un grande dilemma culturale e, di conseguenza, anche religioso: Satana esiste?

L'uomo è proprio così malvagio, o c'è una forza molto più malvagia di lui che tuttavia lo influenza, o lo domina, ed a cui ognuno è chiamato ad opporsi?

Le grandi guerre mondiali del secolo scorso avevano ancora, anche se appena comprensibile, una loro logica alla luce delle grandi ideologie del XX secolo e del vecchio nazionalismo europeo, ma adesso, il terrorismo ha una logica solo umana, o diventa quasi la personificazione di un male più grande?

Forse il credente deve cominciare a ripensare al Vangelo ed alle verità in esso contenute, senza le paure inconsce di non essere alla moda, o a quelle più profonde di dover scegliere la «*via della vita*»,[1] abbandonando quindi i richiami e le seduzioni del mondo.

In tutta l'Europa si nota già una ricerca di valori che fino a qualche anno fa era completamente inesistente e sono apparsi anche alcuni indicatori che stanno a significare che una crisi di pensiero è in atto.

Molto modestamente, con questo libro vorrei contribuire anch'io a questo ripensamento.

2. Il Magistero della Chiesa insegna

Paolo VI, uno dei grandi Papi che hanno guidato la Chiesa durante il XX secolo, ha avuto tre famosi interventi sull'argomento del diavolo e sulla realtà tenebrosa che rappresenta. Questi interventi non sono sfuggiti neppure alla stampa laica ed essi sono:

a) l'omelia del 29 giugno 1972;
b) l'allocuzione del 15 novembre dello stesso anno;
c) il discorso tenuto durante l'udienza generale del 23 febbraio 1977.[2]

Nel secondo di questi testi, il Papa parlò molto chiaramente dell'esistenza del diavolo e della sua influenza sulla vita e la storia degli uomini:

«*Il male non è più soltanto una deficienza, ma un'efficienza, un essere vivo, spirituale, pervertito e pervertitore. Terribile realtà. Misteriosa e paurosa. Esce dal quadro dell'insegnamento biblico ed ecclesiastico chi si rifiuta di riconoscerla esistente*; ovvero chi ne fa un principio a sé stante, non avente essa pure, come ogni creatura, origine da Dio; oppure la spiega come una pseu-

---

[1] *Dt* 30,15.
[2] Cf «*Insegnamenti di Paolo VI*», vol. X, Città del Vaticano, Tip. Poliglotta Vaticana, 1973, 703-709; 1.168-1.173; vol. XV, ivi. 1978, 191ss. Cf A. TASSINARIO, «*Il diavolo secondo l'insegnamento recente della Chiesa*», Roma, Antonianum, 1984, 197-264.

do-realtà, una personificazione concettuale e fantastica delle cause ignote dei nostri malanni. [...].

Sappiamo così che questo Essere oscuro e conturbante esiste davvero e che con proditoria astuzia agisce ancora; è il nemico occulto che semina errori e sventure nella storia umana. [...]. *È lui il perfido e astuto incantatore*, che in noi sa insinuarsi, per via dei sensi, della fantasia, della concupiscenza, della logica utopistica, o di disordinati contatti sociali nel gioco del nostro operare, per introdurvi deviazioni, altrettanto nocive quanto all'apparenza conformi alle nostre strutture fisiche o psichiche, o alle nostre istintive, profonde aspirazioni».[3]

Aggiungeva poi:

«Sarebbe questo sul Demonio e sull'influsso, che egli può esercitare sulle singole persone, come su comunità, su intere società, o su avvenimenti, *un capitolo molto importante della dottrina cattolica da ristudiare, mentre oggi poco lo è.*

Si pensa da alcuni di trovare negli studi psicanalitici e psichiatrici o in esperienze spirituali, oggi purtroppo tanto diffuse in alcuni Paesi, un sufficiente compenso. Si teme di ricadere in vecchie teorie manichee o in paurose divagazioni fantastiche e superstiziose.

Oggi si preferisce mostrarsi forti e spregiudicati, atteggiarsi a *positivisti*, salvo poi prestar fede a tante gratuite ubbie magiche o popolari, o peggio aprire la propria anima [...] alle esperienze licenziose dei sensi, a quelle deleterie degli stupefacenti, come pure alle seduzioni ideologiche degli errori di moda, fessure queste attraverso le quali il maligno può facilmente penetrare e alterare l'umana mentalità. [...].

I segni del maligno sembrano talora farsi evidenti. Potremo supporre la sua sinistra azione là dove la negazione di Dio si fa radicale, sottile e assurda, dove la menzogna si afferma ipocrita e potente, contro la verità evidente, dove l'amore è spento da un egoismo freddo e crudele, dove il nome di Cristo è impugnato con odio cosciente e ribelle, dove lo spirito del Vangelo è mistificato e smentito, dove la disperazione si afferma come l'ultima parola».[4]

I punti dottrinali espressi da Paolo VI sono stati successivamente sintetizzati, in quel definitivo documento del Magistero, che è il Ca-

---

[3] PAOLO VI, allocuzione pontificia all'udienza generale del 15/11/1972.
[4] «*Insegnamenti di Paolo VI*», vol. X, cit., 1.169-1.172. Cf anche SACRA CONGREGAZIONE PER LA DOTTRINA DELLA FEDE, «*Fede cristiana e demonologia*», in *Osservatore Romano*, 26 giugno 1975, 6s.

techismo della Chiesa Cattolica, dove, nella parte riguardante il «*Padre Nostro*» – la preghiera che Gesù stesso ci ha insegnato – viene spiegato così il senso delle parole «*liberaci dal male*»:

> «In questa richiesta, il Male non è un'astrazione, indica invece una persona: Satana, il Maligno, l'angelo che si oppone a Dio. Il *"diavolo"* [*"dia-bolos"*, colui che *"si getta di traverso"*] è colui che *"vuole ostacolare"* il Disegno di Dio e la sua *"opera di salvezza"* compiuta in Cristo».[5]

Dinanzi ad un insegnamento del Magistero, così chiaramente proposto, il credente non ha altra scelta che quella di accettarlo con serietà.

Il male non sgorga soltanto dal cuore cattivo dell'uomo, dove «*il peccato abita*»,[6] ma da una «*potenza malvagia*» che approfitta di questo cuore cattivo per insediarvisi.

Il cristiano tuttavia è chiamato a ricordare continuamente la visione integrale dell'uomo e della storia quale emerge da tutta la Rivelazione: e questa è certamente una visione ottimista.

Il discepolo di Gesù che la fa sua, crede e spera nella risurrezione di Gesù Divino Maestro, «*chiave, centro e fine di tutta la storia umana*»[7] e nello stesso tempo annuncio sicuro della fedeltà di Dio.

Il gesuita p. Mucci scrive:

> «La demonologia... non è una dottrina a sé stante, ma, come già nel Nuovo Testamento, essa è sottoposta a quella che un teologo ha definito *"riduzione cristologica"* in quanto essa può essere valutata soltanto sullo sfondo dell'opera liberatrice dell'uomo attuata da Cristo.[8]
> Si devono perciò rimuovere due atteggiamenti entrambi erronei: quello di chi fa del diavolo un mito o una personificazione astratta del male morale e quello di chi fanaticamente vede dovunque il diavolo, nella creazione e nella storia, come se egli potesse vincere anche coloro che alla sua azione non cedono con libero assenso.
> La creazione e gli uomini sono stati redenti da Cristo che garantisce la salvezza a chi crede e confida in lui.[9]

---

[5] *Catechismo della Chiesa Cattolica*, n. 2851. Cf U. VANNI, «*La preghiera del Signore: "Il Padre Nostro"*», *Catechismo della Chiesa Cattolica. Testo integrale e commento teologico*, a cura di R. FISICHELLA [Piemme - Casale Monferrato (AL) (1993)], 1.176-1.186.

[6] *Rm* 7,17.20.

[7] CONC. ECUM. VAT. II, «*Gaudium et Spes*», n. 10.

[8] Cf S. RAPONI, «*Demonio*», in «*Dizionario di Spiritualità dei Laici*», vol. I, a cura di E. Ancilli, Milano OR, 1981, 205.

[9] O. BATTAGLIA, «*Gesù e il demonio*», in *Convivium Assisiense*, 3 (1995), 3-47.

Cristo ha vinto lo spirito del male; questi non può impedire la nostra salvezza senza che noi stessi lo vogliamo. Il luogo naturale del demonio, nell'immagine cristiana del mondo, è nello sfondo della vittoria di Cristo [...].

Il cristiano, anche se ora è apparentemente schiacciato dalle forze del male, pregusta già la manifestazione futura della vittoria di Cristo.

D'altra parte, la vittoria di Cristo non significa che il ruolo attivo di Satana appartenga esclusivamente al passato. Anche questo sofisma viene spesso ripetuto da quelli che vogliono far dimenticare Satana.

Il Nuovo Testamento considera al contrario il "tempo della Chiesa", in cui viviamo, come un periodo nel quale Satana è particolarmente attivo. [...]. Il tempo presente è un'epoca di prova, di tentazione. [...]. Perciò l'atteggiamento del discepolo di Cristo di fronte a Satana è la vigilanza e la lotta (cf 1 Pt 5,8).

I due atteggiamenti dialettici, quello della gioia trionfale e quello della lotta vigilante, si uniscono nell'esperienza cristiana della speranza che sa che Cristo ha vinto per noi, ma sa anche che noi diventiamo partecipi della sua vittoria, superando insieme con lui le sue prove (cf Rm 6,5-6; 8,17; 2 Tm 2,11-12). Cristo non ci risparmia lo scontro con il diavolo, ma fa sì che insieme con lui lo vinciamo"[10]».[11]

Possiamo concludere quindi che anche la libertà che Dio concede a Satana rientra nel piano provvidenziale di Dio e non intacca minimamente la salvezza operata per noi da Gesù.

La Parola di Dio ci insegna che nel deserto, sulla croce e nel sepolcro, Gesù ha sempre vinto e questo suo potere lo ha passato alla Chiesa, che è il suo Corpo. Satana, infatti, può solo fare ciò che Dio gli permette.

Il cristiano vero, perciò, non teme mai il diavolo più del dovuto, perché non può dimenticare la promessa di Gesù:

«Ecco, io vi ho dato il potere di camminare sopra i serpenti e gli scorpioni e sopra ogni potenza del nemico; nulla vi potrà danneggiare» (Lc 10,19).

Tuttavia, proprio perché:

«La nostra battaglia... non è contro creature fatte di sangue e di carne, ma contro i Principati e le Potestà, contro i dominatori di questo mondo di tenebra, contro gli spiriti del male che abitano nelle regioni celesti» (Ef 6,12),

[10] M. FLICK, «Riflessioni su Satana oggi», in Rassegna di Teologia 20 (1979), 64s.
[11] G. MUCCI, «La Civiltà Cattolica», quaderno 3620, II 121-132 (21 aprile 2001).

il credente indossa sempre «*l'armatura di Dio*»[12] il cui primo «*pezzo*», non a caso, è «*la verità*». Ma la verità oggi è sufficientemente proclamata, insegnata e difesa?

3. «...i fumi di Satana nel tempio di Dio»

Durante un convegno organizzato dagli esorcisti del Piemonte, mons. Giuseppe Pollano ha analizzato in modo assai interessante la famosa frase che Paolo VI aveva pronunciato nella storica omelia del 1972,[13] in cui aveva esclamato di avere l'impressione che:

> «da qualche fessura sia entrato il fumo di Satana nel tempio di Dio».

L'analisi partiva da un'osservazione molto semplice: che l'attuale cultura ecclesiale tende a sottovalutare l'azione «*ordinaria*» di Satana, essendo disposta a considerare solo l'azione «*straordinaria*» (da affrontare con l'esorcismo) ed a considerare quasi nulla tutto il resto. La sensibilità pastorale alla verità di questa azione «*ordinaria*» è quindi assai carente, malgrado il Magistero affermi il contrario:

> «...la realtà demoniaca, attestata concretamente da quello che chiamiamo il mistero del male, rimane ancora oggi un enigma che avvolge la vita cristiana».[14]

L'espressione di Paolo VI sembra volta magisterialmente al recupero della comprensione teologica del problema del Male, per un insegnamento sereno, ma anche realistico, su come operare il «*discernimento pratico della vita del popolo di Dio*». Il relatore poi passava ad esaminare i due termini «*fumo*» e «*tempio di Dio*» e concludeva dicendo che il primo termine sta ad indicare:

> «un concetto di penetrazione invasiva, inarrestabile, anche subdola e inavvertita... e un concetto di confusione, vana apparenza e anche di esalazione nociva perché tossica».

Il secondo, invece:

---

[12] Cf *Ef* 6,10-18.
[13] PAOLO VI, «*Resistite fortes in fide*», omelia del 29/06/1972.
[14] SACRA CONGREGAZIONE PER LA DOTTRINA DELLA FEDE, «*Fede cristiana e demonologia*», 26/06/75, EV 5, 1393.

«*denota un'altra e non meno grave preoccupazione di Paolo VI: il "tempio" non è semplicemente il Popolo di Dio. C'è di più*: infatti il Pontefice nella medesima omelia parla del Concilio Vaticano II, turbato nei suoi frutti "*da qualcosa di preternaturale*".

Ora il Concilio è Chiesa al massimo livello di impegno e responsabilità. In questo caso la denuncia del Pontefice diviene grave e ancora una volta nuova.

Il "*tempio*" è nella Chiesa il luogo eccellente, quello in cui si regolano i rapporti con Dio nel modo giusto e dal quale di conseguenza emanano tutti i principi rassicuranti, perché fondativi e sostenitori dell'intera vita del Popolo di Dio.

Esso è il cuore della sua vitalità nella verità e nella Comunione. Allora "*il fumo di Satana nel tempio di Dio*" può diventare il titolo di una tragedia ecclesiale: è qui utile allora ricordare, per denunciarle, le strategie sataniche dirette a destabilizzare prima la santità, poi l'esistenza cristiana».

Il relatore conclude quindi le sue riflessioni indicando quattro strategie messe in atto dal maligno:

a) la *sostituzione dei fini*;
b) il *ribaltamento dei valori*;
c) il *ricatto su un valore enfatizzato*;
d) il *declassamento della carità*.

Combinando ora queste osservazioni con quelle fatte da Paolo VI nell'allocuzione del 15 novembre 1972, ho creduto di riuscire a mettere insieme un quadro abbastanza organico, ma soprattutto informativo su «*i fumi di Satana nel tempio di Dio*».

4. «...cinti i fianchi con la verità»

La prima cosa che ogni cattolico credente non deve mai dimenticare è la sua chiamata a diventare un «*inviato*» di Dio, per essere, nelle parole stesse di Gesù: «*sale della terra*» e «*luce del mondo*»,[15] un sale che non può perdere «*il suo sapore*» ed una «*lucerna*» che non si accende per metterla «*sotto il moggio*», perché – dice Gesù – «*non può restare nascosta una città collocata sopra un monte*».

Il Concilio Vaticano II riafferma poi questa vocazione all'evangelizzazione ed alla santità per tutta la Chiesa, quindi anche per ogni suo membro:

[15] *Mt* 5,13-15.

59

«La Chiesa... fornita dei doni del suo fondatore e osservando fedelmente i suoi precetti di carità, umiltà e abnegazione, riceve la missione di annunciare e instaurare in tutte le genti il Regno di Cristo e di Dio, e di questo Regno costituisce in terra il germe e l'inizio. Intanto, mentre va lentamente crescendo, anela al Regno perfetto, e con tutte le sue forze spera e brama di unirsi col suo Re nella gloria».[16]

I capitoli che seguono in questo libro saranno soprattutto rivolti a questo scopo: illustrare i principali filoni con cui – nella dizione del Papa – *«il perfido e astuto incantatore»* è in azione per intossicare la vita del Popolo di Dio.

Cercherò quindi di illustrare alcuni dei tanti modi con cui l'ingannatore si mimetizza, si maschera, si traveste folcloristicamente, o si presenta troppo sfacciatamente per essere preso sul serio e combattuto in modo adeguato da chi dovrebbe farlo.

Il suo scopo principale, non è di rovinare l'uomo con la possessione – anche perché può fare solo ciò che Dio gli permette – ma piuttosto di confondere e scolorire l'idea stessa del Salvatore nel cuore del cristiano, che non sia stato adeguatamente evangelizzato e poi catechizzato fino a fargli prendere coscienza della sua preziosa unicità davanti a Dio che lo ama.

Cominciamo allora a fare chiarezza proclamando la verità, perché Cristo regni. Le nostre armi devono essere l'annuncio della Buona Novella e la vita sacramentale, ambedue vissute con l'amore e la serietà che meritano e, direbbe san Paolo:

«...avendo come calzatura ai piedi lo zelo per propagare il vangelo della pace» (Ef 6,15).

Un recente documento della CEI, propone *«alcune decisive attenzioni»*, la prima delle quali suona così:

«Anzitutto il fuoco della missione dovrà *animare l'intera formazione cristiana*, in tutte le sue tappe e in tutte le sue manifestazioni.
Non può restare un capitolo che si aggiunge a parte.
Perché non c'è verità di Dio, non c'è aspetto del Vangelo che non abbia in sé, implicitamente o esplicitamente, una nativa direzione universale. L'i-

---

[16] Conc. Ecum. Vat. II, *«Lumen Gentium»*, 5.

tinerario della formazione cristiana *deve essere missionario fin dall'inizio,* non soltanto nelle sue ultime tappe, quasi a conclusione».[17]

Le cattive piante della superstizione, dell'occulto, della magia esoterica, e avanti di questo passo, fino al satanismo, non si combattono tacendo o sminuendo la verità, ma proclamandola con chiarezza, per evitare che, a causa dell'ignoranza, anche una sola persona, per cui Gesù è morto, debba soffrire o si perda per sempre.

Bisognerebbe meditare bene san Paolo quando scrive ai Corinzi:

«Perciò, investiti di questo ministero per la misericordia che ci è stata usata, non ci perdiamo d'animo; al contrario, rifiutando le dissimulazioni vergognose, senza comportarci con astuzia né falsificando la parola di Dio, ma annunziando apertamente la verità, ci presentiamo davanti a ogni coscienza, al cospetto di Dio. E se il nostro vangelo rimane velato, lo è per coloro che si perdono, ai quali il dio di questo mondo ha accecato la mente incredula, perché non vedano lo splendore del glorioso vangelo di Cristo che è immagine di Dio. Noi infatti non predichiamo noi stessi, ma Cristo Gesù Signore; quanto a noi, siamo i vostri servitori per amore di Gesù. E Dio che disse: Rifulga la luce dalle tenebre, rifulse nei nostri cuori, per far risplendere la conoscenza della gloria divina che rifulge sul volto di Cristo» (2 Cor 4,1-6).

La soluzione di tutto è solo Gesù Cristo e la sua Parola. Il silenzio sulle verità di Dio, non serve che a far crescere la paura ed a coltivare la superstizione.[18]

Gli ultimi sondaggi condotti in Europa, indicano appunto la crescita sproporzionata del ricorso alla magia e all'occulto, a danno della fede.

Se la Parola di Dio anziché essere proclamata sarà appena sussurrata, o taciuta, il vuoto che si formerà sarà sicuramente riempito da una diversa «parola», la «parola» di qualcuno che è... diverso da Dio.

---

[17] CONSIGLIO EPISCOPALE PERMANENTE DELLA CEI, «*L'amore di Cristo ci sospinge*», 6°; 4 aprile 1999.

[18] RAPPORTO EURISPES, «*I soldi del diavolo - ovvero il mercato dell'occulto*» (1989) riporta nelle conclusioni: «*Dai dati della ricerca si evidenzia chiaramente che il processo di modernizzazione... non sembra aver intaccato la "fiducia" aprioristica nell'intervento di forze magiche nella vita quotidiana... La cosiddetta gente comune di fronte all'imponderabile, si rivolge... a persone dotate di poteri*» [http://www.eurispes.com/].

5. «...io pongo oggi davanti a te la vita e il bene, la morte e il male»

Un cattivo modo di fare catechesi è senza dubbio quello di parlare di Satana senza mettere in evidenza che Dio veglia continuamente sui suoi figli e non permetterà mai che succeda loro un danno irreparabile.

Se noi ci abbandoniamo a lui con fiducia e crediamo che da ogni male Dio è capace di trarre un bene molto più grande, allora possiamo stare in pace, sentirci sicuri in lui e tranquilli nel suo amore.

Proclamare la verità anche su questo aspetto della vita cristiana è quindi un dovere molto grande, ed il Papa Paolo VI affermava che quello dell'azione del demonio sugli individui e sulle comunità:

> «...sarebbe un capitolo molto importante della dottrina cattolica da ristudiare, mentre oggi *poco lo è...*».

Mi sembra importante perciò indicare fin da ora i prossimi capitoli che riguarderanno la Magia in tutte le sue forme, l'Esoterismo, la Stregoneria, il Satanismo, il Panteismo, lo Spiritismo, gli «*Spiriti guida*» e la Medianità, l'Astrologia ed il Tantrismo, cercando di mostrare i modi più vari con cui «*il perfido e astuto incantatore*» si «*mette di traverso*». Questi obiettivi che in qualche modo mi sono stati suggeriti sia dalle parole di mons. Pollano, che da quelle di Paolo VI ritengo di sintetizzarli così:

1. «*sostituzione dei fini*»: creazione di «*piccoli assoluti*» per i quali valga la pena di vivere e morire come se Dio non ci fosse;
2. «*ribaltamento dei valori*»: con un gioco di spostamento dei valori con cui si sostituisce con un bene «*minore*», che pure è doveroso, il bene «*massimo*». L'esempio più tipico – e molto diffuso – è la sostituzione del primo comandamento di Gesù («*il più grande comandamento*» [Mt 22,36-39]) con il secondo;
3. «*ricatto su un valore enfatizzato*»: è un sistema molto astuto, mediante il quale chi si dice cristiano è forzato su un valore (p.es. la solidarietà, che è un valore irrinunciabile), ma presentato in un modo tale che se l'individuo non lo assume come prioritario viene giudicato indegno del Vangelo;
4. «*declassamento della carità*»: è un sistema letale che toglie via l'amore dal suo compito di essere anima della Chiesa e lo sostituisce

con quelle che sono considerate le forze vincenti: la *legge*, la potenza della ragione, il potere economico, politico, ecc. L'amore viene emarginato come il «*carisma*» del santo, non compreso invece come «*vocazione universale*»;[19]

5. «*esperienze spiritiche*»: spiritismo, channeling, «*Spiriti guida*», Pranoterapia, parte dell'Agopuntura, il «*Movimento della speranza*», ecc. La Scrittura liquida tutto con una frase: «*chiunque fa queste cose è in abominio al Signore*»;[20]

6. «*paurose divagazioni fantastiche*»: fiori di Bach, divinazione, cartomanzia;

7. «*...e superstiziose*»: superstizione, astrologia;

8. «*atteggiamenti da positivisti*»: tutto è spiegabile con la parapsicologia e con la psichiatria;

9. «*gratuite ubbie magiche*»: stregoneria wicca e aradica;

10. «*...o popolari*»: superstizione, magia popolare;

11. «*esperienze licenziose dei sensi*»: magia sessuale, stregoneria aradica;

12. «*seduzioni ideologiche degli errori di moda*»: New Age, panteismo, omeopatia, reiki, pranoterapia, «*Dinamica Mentale di Base*» (DMB).

Concludo con le parole di mons. Pollano:

«La testimonianza degli esorcisti riguardo al depauperamento ecclesiale interno sarebbe da evidenziare perché essi affrontano i risultati distruttivi della non-preghiera, della confusione, dell'orgoglio, del non-amore».

È necessario ricordarci sempre che la Scrittura ci mette in guardia; la parola di Dio, è alla portata di tutti; non ci devono essere scuse per esserne dispensati:

«*Vedi, io pongo oggi davanti a te la vita e il bene, la morte e il male; poiché io oggi ti comando di amare il Signore tuo Dio, di camminare per le sue vie, di osservare i suoi comandi, le sue leggi e le sue norme, perché tu viva e ti moltiplichi e il Signore tuo Dio ti benedica nel paese che tu stai per entrare a prendere in possesso. Ma se il tuo cuore si volge indietro e se tu non ascolti e ti lasci trascinare a prostrarti davanti ad altri dei e a servirli, io vi dichiaro oggi che certo perirete, che non avrete vita lunga nel paese di cui state per entrare in possesso passando il Giordano. Prendo oggi a testimoni contro di voi il cielo e la terra: io ti ho posto davanti la vita e la morte, la benedizione e la maledizione; scegli dunque la vita, per-*

---

[19] CONC. ECUM. VAT. II, «*Lumen Gentium*», 5.
[20] *Dt* 18,12.

ché viva tu e la tua discendenza, amando il Signore tuo Dio, obbedendo alla sua voce e tenendoti unito a lui, poiché è lui la tua vita e la tua longevità, per poter così abitare sulla terra che il Signore ha giurato di dare ai tuoi padri, Abramo, Isacco e Giacobbe» (Dt 30,15-20).

Accettarla significa scegliere la vita, rifiutarla significa condannarsi alla morte.

6. «Vattene Satana! Vattene!»

Le parole riportate sotto sono le indicazioni per il cammino verso la Pasqua, che il Santo Padre Giovanni Paolo II ha pronunciato durante l'Angelus, nella prima domenica di Quaresima, dell'anno 2002.

«La Chiesa, esperta maestra di umanità e di santità, ci addita strumenti antichi e sempre nuovi per il quotidiano combattimento contro le suggestioni del male: sono la preghiera, i sacramenti, la penitenza, l'ascolto attento della Parola di Dio, la vigilanza, il digiuno...
"Vattene Satana! Vattene!". L'atteggiamento deciso del Messia costituisce per noi un esempio ed un invito a seguirlo con coraggiosa determinazione. Il demonio, *"principe di questo mondo"*, continua anche oggi la sua subdola azione.
Ogni uomo, oltre che dalla propria concupiscenza e dal cattivo esempio degli altri, è tentato anche dal demonio e lo è ancor più quando meno se ne avvede.
Quante volte con leggerezza egli cede alle fallaci lusinghe della carne e del maligno, e sperimenta poi amare delusioni. Occorre rimanere vigilanti per reagire con prontezza ad ogni attacco della tentazione».

Mi auguro con questo libro di aiutare tanti fratelli e tante sorelle a prendere coscienza di ciò che dice il Papa e, con la potenza di Gesù Cristo, poter dire anche loro come Gesù: «Vattene Satana! Vattene!».

Testimonianza

Questa testimonianza viene da una giovane signora che è stata indotta dai discorsi di un'amica ad addentrarsi in una strada tipicamente pericolosa del nostro tempo: «*La Dinamica Mentale di Base*».[21]

---

[21] La DMB sembra una versione italiana del «*Silva Mind Control*», sulla cui origine, pratica e conseguenze spirituali c'è anche una notevole letteratura cristiana. Cf CARLOS

Una via contrassegnata da ciò che S.S. Paolo VI ha chiamato le:

«...seduzioni ideologiche degli errori di moda, fessure queste attraverso le quali il maligno può facilmente penetrare e alterare l'umana mentalità».

L'autrice della testimonianza esprime con chiarezza i pericoli nascosti e la filosofia sottesa a tale tecnica, cose tuttavia mai esplicitamente mostrate. Basti pensare che i sacerdoti possono iscriversi al corso gratis. Avere cura pastorale significa anche istruirsi sulle mille vie che vengono battute dal «*perfido e astuto incantatore*», sempre a caccia di vittime ingenue.

«Ho frequentato dei Corsi di Dinamica Mentale di Base alcuni anni fa. Ciò che mi ha spinta a parteciparvi è stata la mia disperazione e la mia incapacità a trovare una soluzione ad una intricata situazione in cui mi trovavo immersa e che opprimeva la mia vita.

A quel tempo mi ritenevo una credente, ma la mia fede non permeava in modo profondo la mia vita, tanto che non avevo mai pensato di affidare il mio problema a Dio, perché fosse lui ad indicarmi la via.

Sinceramente, non pensavo neppure che ciò potesse accadere e credevo che la soluzione, in qualche modo, non potesse che arrivare da me, puntando su me stessa, come, d'altro canto, avevo sempre fatto nella mia vita.

Pensandoci a distanza di tempo, forse è stata proprio la mia presunzione ed il mio orgoglio di dover sempre e comunque riuscire a trovare da me stessa la soluzione alle cose, anche a quelle più intricate ed "impossibili" che mi ha portata a frequentare il mio primo corso di D.M.B.

Me ne aveva parlato tempo addietro una mia amica (che lo aveva lei stessa frequentato): me ne aveva accennato a grandi linee, parlandomi di tecniche di rilassamento, che permettono di risolvere da sé grandi e piccoli problemi, tenendo comunque avvolto in una alone di mistero questo corso che, come diceva – e come viene poi ripetutamente detto durante il corso – doveva essere "vissuto" personalmente, perché raccontarlo avrebbe rovinato parte dell'esperienza stessa del corso.

Non ero poi così convinta dell'"effetto miracoloso" di questo corso, ma, data la disperazione in cui mi trovavo *"non avevo niente da perdere"*: se veramente queste tecniche funzionavano, avrei risolto il mio problema, altrimenti sarei rimasta semplicemente allo stesso punto. D'altro canto, appariva come un corso innocuo, senza particolari fini politici o religiosi, aperto a chiunque e, soprattutto, supporta-

A. MANTICA, «*Problems of Silva Mind Control*», «*The Journal of Christian Healing*», vol. 1, 2, p. 25, (1979); RALPH RATH, «*Silva Mind Control - is it Really Demonic?*», «*The Journal of Christian Healing*», vol. 2, 2 (1980), p. 4.

to dal fatto che l'associazione che promuoveva tali corsi era stata approvata come Ente Morale, volta, quindi, a fini umanitari e senza scopo di lucro.

Il corso fu per me, come per molti altri partecipanti oltre le nostre aspettative. Al termine pensavo di avere il mondo nelle mie mani.

Per ogni situazione problematica c'era la tecnica giusta che, se effettuata giornalmente e costantemente, avrebbe portato alla soluzione del problema.

Cominciai così a ripetere i corsi ed a frequentare le riunioni che, mensilmente, si svolgevano, fermamente convinta della validità di tali corsi – che mi permettevano un aumento della mia *"crescita personale"* – ed intenzionata a convincere altre persone a parteciparvi (misura, questa, per verificare l'effettiva... *"crescita personale"*).

Purtroppo, però, i miei occhi non vedevano, o non volevano vedere, la realtà: la situazione problematica che mi aveva spinta a partecipare a questi corsi non era affatto migliorata, anzi continuava a peggiorare.

In più non mi rendevo conto di quelli che erano o potevano essere i gravissimi effetti collaterali dei quali mi sono resa pienamente conto soltanto da poco, dopo aver incontrato Gesù.

Il motivo per cui, circa cinque anni fa, ho smesso di frequentare corsi e riunioni di D.M.B. è legata ad una concomitanza di avvenimenti che solo ora mi rendo conto essere stati dovuti alla protezione di Dio su di me e di cui ho abbondantemente beneficiato.

A quel tempo avevo, infatti, solo la vaga impressione che venisse un po' troppo spesso messo in dubbio il mio comportamento e, soprattutto, i miei sentimenti, da parte delle persone che avevano, rispetto a me, fatto una maggiore "crescita personale", cosa che, forse, in quel momento, da sola, non mi avrebbe fatto lasciare questa associazione se, contemporaneamente, non si fossero verificati dei contrasti interni fra i responsabili, cosa questa che mi fece sorgere il dubbio sulla coerenza fra il loro comportamento e ciò che invitavano gli altri a fare.

Ora, però gli effetti collaterali mi risultano decisamente più chiari e, soprattutto, più gravi. In base a ciò che io ho potuto vedere, il risultato più disastroso e devastante è stato lo sfacelo delle famiglie: molte persone, ancora molto giovani, erano già separate, altre coppie, inizialmente felici, si sono separate dopo aver frequentato questi corsi.

Sono rimasta sconcertata dal modo improvviso e quasi folle con cui una ragazza, sposata da pochi anni, ha lasciato il proprio marito.

Ho, inoltre, vissuto personalmente l'insistente pressione che è stata esercitata su di me, perché lasciassi quello che allora era il mio fidanzato (e che, ora, è mio marito).

Ancora oggi mi chiedo perché continuassero a mettere in dubbio il nostro rapporto, come se lasciare il proprio marito o la propria moglie o il fidanzato/a, fosse una prova della propria forza e la dimostrazione che ogni persona può bastare a se stessa e fare a meno di tutto e di tutti. Una conferma a ciò è legata alla tendenza alla trasgressività a tutti i costi, alla euforia insensata ed alla esaltazione di sé a cui tendono, dopo un po', quasi tutti quelli che partecipano a questi corsi.

Quello che, però, rimane dopo tutto questo sono la solitudine, i rimorsi e, molto spesso, la difficoltà o l'incapacità di ricostruire ciò che si è volontariamente distrutto.

Inoltre – e ciò è ancora più grave – questi corsi tendono a lasciare aperti degli spiragli verso altri corsi, altre "scuole", altre sètte, che prospettano esperienze nuove, o strane, o di sfida, e che allontanano sempre di più le persone da Dio».

3. Maghi, «poteri» e magia: un altro universo

1. Introduzione

Fin dall'antichità, di fronte ad un mondo che lo schiaccia, davanti ad esseri che gli incutono paura, oppure davanti a qualcosa o qualcuno che egli vuol dominare, l'uomo cerca di acquistare poteri che oltrepassino le sue sole forze e che siano capaci di renderlo in qualche modo padrone del proprio destino; cioè, in qualche modo come Dio. Se i metodi oggi sono talvolta mutati rispetto ai tempi di cui parla la Bibbia (ed in realtà non lo sono molto), il desiderio di dominare l'ignoto rimane radicato nel cuore dell'uomo e porta a pratiche analoghe. L'uomo, insomma, è sempre lì, nella torre di Babele, per appropriarsi di Dio, o per combattere contro Dio. Già dai primi libri della Bibbia noi conosciamo tutto lo spettro delle pratiche magiche degli Egiziani e dei Caldei, nonché le ripetute cadute dello stesso popolo di Dio, che continuamente viene attratto da questo tipo di peccato. La voce di Dio tuona dal Sinai:

> «*Ascolta Israele, io sono il Signore tuo Dio... Non avrai altri dei di fronte a me*» (*Es* 20,2-3).

Ma il popolo non ascolta e continua a peccare contro questo comandamento, non solo con l'idolatria del vitello d'oro, con i pali sacri ed i boschetti sacri, ma anche e soprattutto con la magia in tutte le sue forme: divinazione, stregoneria, spiritismo e negromanzia, arti magiche, astrologia, fatture, malocchio, l'arte dei nodi e dei nastri magici... ecc.

2. L'inganno della magia e dei «poteri»

Quanto spiritismo, magia e medianità si mescolino assieme in un groviglio senza fine ce lo mostra Gianni Musso, un missionario italiano che opera in Amazzonia. Riporta, infatti, di una guarigione «*magica*» operata da un medium spiritista, sulla gamba di una donna, il cui male però era, a sua volta, la conseguenza di un «*maleficio*»:

> «Tipiche sono le guarigioni medianiche, dovute all'intervento di persone che *"lavorano"* attraverso lo spirito di Gregorio Hernandez, medico venezuelano morto in concetto di santità. Un racconto del genere l'ho ascoltato dalla bocca della protagonista stessa, in una sperduta fattoria dell'Amazzonia colombiana.
> Questa donna aveva un misterioso male alle gambe, tanto che non riusciva a camminare. Un giorno uno spiritista, presentatosi come devoto di questo *"san Gregorio"*, si offrì di aiutarla.[1]
> Si fece assegnare una stanza per la notte, dove fece allestire un altare con candele accese e un recipiente pieno d'acqua; da solo, per sei ore, continuò a invocare il santo medico. Per tutto quel tempo la donna, ritiratasi sola in un'altra parte della casa, provò intensi dolori nella gamba malata, come se le mani invisibili di un chirurgo la stessero operando senza anestesia. Alla fine della preghiera del medium, si sentì completamente guarita. Dopo tanti anni, la gamba è ancora in perfette condizioni. La causa di quella malattia, mi raccontò la donna, era dovuta a una forma di comunissimo maleficio di tipo feticista: si rappresenta una persona in un fantoccio e lo s'infilza con un ago per far soffrire la vittima raffigurata. Tutte le operazioni riferite nel racconto presentano i caratteri della stregoneria.
> Il maleficio provocato per via *"imitativa"*, popolarmente chiamata *"fattura"*, è autentica magia nera.
> Ma anche la rimozione del male rientra nello stesso ambito, pur trattandosi di magia bianca. Lo confermano il fatto che il *"presunto santo"* non viene invocato, ma evocato, la segretezza e stravaganza del rituale, l'immediatezza e automatismo della *"terapia a distanza"* e il fatto stesso di reagire a una precedente azione magica».[2]

3. La lotta contro il Vangelo

I missionari cattolici in tutto il mondo incontrano sempre la magia come nemico, a dimostrazione di quanto sia grande l'attacco contro

---

[1] Non è poi sorprendente, visto che tanti maghi ed occultisti dicono di essere «*figli spirituale di p. Pio*» recentemente dichiarato «santo». Naturalmente, non è vero, perché san Pio da Pietrelcina era un implacabile avversario dell'occulto e dello spiritismo.

[2] G. Musso, [http://www.missionariconsolata.it/mc/Articoli/1998/marzo/stregoneria.htm].

Dio da parte di questo mondo intriso di demoniaco. Scrive ancora p. Musso:

> «La forma più comune incontrata in Colombia potrebbe definirsi *"magia popolare delle campagne"*; ha origini antichissime e non è stata per nulla scalfita da cinque secoli di evangelizzazione.[3]
> Anzi, sciamani e stregoni sono in aumento, come testimoniano i missionari incontrati nel Caquetá, e il ricorso alle loro arti è un fenomeno generalizzato tra tutte le popolazioni della regione. Le cause sono molteplici: paura e diffidenza verso gli altri, difficoltà economiche, ignoranza e suggestione dei mezzi di comunicazione, sempre amanti del sensazionale. Alla base di tutto, però, c'è la cultura popolare, fatta di credenze e racconti tramandati di bocca in bocca, che parlano di rumori strani, apparizioni misteriose di defunti, demoni e mostri di ogni genere, patti stipulati col demonio, interventi di persone dotate di poteri sovrumani per risolvere difficoltà insormontabili».[4]

Per rendersi conto delle stupidaggini che la superstizione comporta riporto quanto trovato su internet, sotto la voce: *«Come difendersi dal Malocchio»*:[5]

1. «Preparate un composto ottenuto mescolando un pugno di muschio colto all'alba nei pressi di un ruscello, situato in altitudine tra i cinquecento e gli ottocento metri; dieci piantine di trifoglio; peli di gatto nero. Ponete in un litro di acqua e fate bollire, mettete il tutto, poi, a raffreddare sul davanzale della finestra, in una notte di luna piena. La mattina seguente frizionate il corpo con il preparato ottenuto».
2. «Andate in chiesa e fatevi il segno della croce a mezzanotte recitando il *Pater* per sette venerdì di fila, avendo cura di iniziare il primo venerdì del mese di uno qualsiasi dei dodici mesi».
3. «Procuratevi un ciocca di capelli della persona che ha fatto il malocchio e mischiatela con un ciuffetto di capelli di una ragazza vergine. Mescolate queste ciocche a un pugnetto di terra; il composto andrà sistemato sopra un crocifisso di legno, poi brucerete il tutto.

---

[3] La nostra non è stata scalfita neppure da 20 secoli di evangelizzazione.
[4] Il problema vero sta nella risposta a queste domande: che cosa è stato fatto per educare a fondo il popolo cristiano e cambiare questa realtà? Scegliendo il silenzio, non si è forse scelto di essere complici del male e della superstizione?
[5] http://digilander.iol.it/spyroso/malocchio.htm.

I capelli della giovane pura annulleranno l'effetto malefico dell'incantesimo, chiamando a testimone Dio di ciò che fate. Abbiate cura che i capelli della vergine siano più numerosi di quelli presi alla persona che ha fatto la fattura».

Chi sa che cosa succederebbe se il muschio fosse colto al tramonto? E se l'altezza massima raggiungibile fosse quella di 450 metri? Cosa succederebbe se a mezzanotte la chiesa fosse chiusa?[6]

Che succederebbe se, sbagliando a contare, avvenisse che il numero dei capelli della «ragazza vergine» fossero 2 o 3 *«in meno»* di quella che ha fatto il malocchio? E se, per caso, non fosse a portata di mano (o di forbice) una ragazza... pura, sarebbe poi, certamente,... un disastro totale.

Eppure ci sono dei *«battezzati»* – che dovrebbero essere addirittura *«figli di Dio»* – che credono di potersi difendere dal male con mezzi così... eccezionali. Aveva ragione Einstein quando affermava:

«Solo due cose sono infinite: Dio... e la stupidità umana».

4. Malefici e stregoneria

La *"stregoneria"* è sempre peccato grave, perché include l'invocazione del demonio, e questo, chiaramente, è contro la virtù della religione, anche se la sua gravità sarebbe in genere attenuata – come abbiamo visto prima – dall'ignoranza e dalla paura sconsiderata.

Tuttavia colpisce che in questo campo si riscontri grande superficialità e confusione sia nella catechesi, che nella pastoralità. Ancora p. Gianni Musso, che ha visto di persona gli effetti sconvolgenti della magia e della stregoneria, scrive dalla sua missione in Colombia:

«Esistono davvero i "malefici"? Sono efficaci? Magia e stregoneria sono frutto di forze demoniache? Di fronte a tali domande la gente si divide in due categorie: alcuni vedono il demónio dappertutto; altri non ci credono affatto. A ingarbugliare la matassa intervengono la parapsicologia, calderone pseudo-scientifico in cui si fa bollire ogni fenomeno poco chiaro, e certi pseudo-teologi che vogliono spiegare tutto con i lumi della ragione, usando argomenti tutt'altro che razionali.

---

[6] Evidentemente questo rito lo potrebbe fare solo il parroco, il viceparroco, o la perpetua.

Sull'esistenza e azione del maligno la dottrina cattolica non ha dubbi; ma se ne sente parlare sempre meno. Ai nostri giorni il demonio non è preso abbastanza sul serio, anche da chi di dovere. Eppure il nostro mondo "civilizzato" sembra mostrare un crescente interesse per il satanismo e i suoi addetti: maghi e spiritisti, imbroglioni e fattucchieri, astrologhi e divinatori. È pur vero che Satana non è onnipotente; la sua azione dipende dalla misteriosa permissione di Dio, il quale ha affidato alla chiesa vari mezzi per contrastarne il potere: sacramenti e sacramentali, preghiera ed esorcismi».[7]

Forse un po' più di attenzione – e di... compassione per i sofferenti – non guasterebbe proprio, e sarebbe anche cosa gradita a Dio.

5. I «poteri» dei maghi vengono da Dio?

Sappiamo bene che fin dalla notte dei tempi l'uomo è ricorso alla magia, ha cercato cioè «*di acquistare "poteri" che oltrepassino le sue sole forze e che siano capaci di renderlo in qualche modo padrone del proprio destino*»; cioè l'uomo ha sempre cercato in qualche modo di *diventare Dio*.

La Scrittura ci mostra non solo come questa tendenza sia generale presso i popoli pagani, ma anche come sia spesso la tentazione ricorrente di Israele, che – vivendo in mezzo ai pagani – è continuamente tentato di imitarli. Anche oggi il desiderio di dominare l'ignoto rimane radicato nel cuore dell'uomo come in quello di ieri e conduce a pratiche analoghe.

Per allontanarci da questo inganno, la voce di Dio continua a gridare:

«*Ascolta Israele, io sono il Signore tuo Dio... Non avrai altri dei di fronte a me*» (*Es* 20,2-3).

Anche parecchi cristiani oggi consultano l'oroscopo, credendo di aver a che fare con influssi puramente naturali.

Questo sfruttamento della credulità popolare è un vero flagello sociale, perché il fatalismo spegne la speranza, ipotecando il nostro avvenire in un *determinismo* implacabile.

---

[7] Anche l'educazione permanente e radicale del popolo cristiano. (Vedi nota n. 3).

La cosa diventa oltremodo scandalosa e indice del livello a cui è giunto un certo cristianesimo, quando alcuni anni fa perfino una rivista cattolica di grande tiratura come «*Jesus*» pubblicava l'oroscopo mensile.[8]

I cristiani debbono ricordarsi che Gesù Cristo è venuto a liberarli dalla tirannia degli spiriti celesti, che reggono il corso degli astri; diceva san Paolo ai Galati:

> «...*un tempo per la vostra ignoranza di Dio, eravate sottomessi a divinità, che in realtà non lo sono; ora invece che avete conosciuto Dio, anzi da lui siete stati conosciuti, non potete di nuovo rivolgervi a quei deboli e miserabili elementi ai quali di nuovo, come un tempo, volete servire? ...Temo per voi che io mi sia affaticato invano a vostro riguardo*» (*Gal* 4,8-11).

Che direbbe oggi san Paolo di coloro che vanno in chiesa, si accostano ai sacramenti, e poi credono all'astrologia, all'oroscopo e a cose analoghe?

6. Il Nuovo Testamento e lo scontro con la magia

Fin dall'inizio la diffusione del Vangelo si scontra ripetutamente con la magia; cioè l'annuncio della Buona Novella deve subito affrontare un problema molto importante: può l'uomo entrare in possesso delle forze spirituali? Quando il cristianesimo comincia a diffondersi cozza inevitabilmente con personaggi dotati di «*poteri straordinari*», che, perciò, compiono grandi prodigi. C'erano numerosi maghi, indovini, esorcisti e guaritori, anche ambulanti, che esercitavano i propri «*poteri*», meravigliando la gente comune. Sarà con costoro che gli evangelizzatori si dovranno a più riprese misurare. Filippo in Samaria compiva miracoli durante la sua evangelizzazione, ma dicono gli Atti:

> «*V'era da tempo in città un tale di nome Simone, dedito alla magia, il quale mandava in visibilio la popolazione di Samaria, spacciandosi per un personaggio straordinario. A lui aderivano tutti, piccoli e grandi, esclamando: "Questi è la potenza di Dio, quella che è chiamata Grande". Gli davano ascolto perché per*

---

[8] A rendere più seria la cosa, non va dimenticato che la rivista «*Jesus*» è in vendita, per i fedeli, nelle chiese. Una rivista cattolica non può pensare solo all'aspetto commerciale.

*molto tempo li aveva fatti strabiliare con le sue magie. Ma quando cominciarono a credere a Filippo, che recava la buona novella del regno di Dio e del nome di Gesù Cristo, uomini e donne si facevano battezzare. Anche Simone credette, fu battezzato e non si staccava più da Filippo. **Era fuori di sé nel vedere i segni e i grandi prodigi che avvenivano**» (At 8,9-13).*

Si intuisce facilmente che la conversione di Simone fosse viziata dal senso distorto di *possedere* i carismi e quindi *la potenza*. Simone brama così tanto questa potenza che:

«*...vedendo che lo Spirito veniva conferito con l'imposizione delle mani degli apostoli, offrì loro del denaro dicendo: "Date anche a me **questo potere**, perché a chiunque io imponga le mani, egli riceva lo Spirito Santo". Ma Pietro gli rispose: "Il tuo denaro vada con te in perdizione, perché hai osato pensare di acquistare con denaro il dono di Dio. Non v'è parte né sorte alcuna di te in questa cosa, perché il tuo cuore non è retto davanti a Dio... Ti vedo infatti chiuso in fiele amaro e lacci di iniquità"*» (At 8,18-23).

Si badi bene che Simone è battezzato (oggi potremmo dire perfino che ha ricevuto la cresima), si è inserito nella comunità cristiana, ma, attratto dalla potenza e dal prestigio che vede negli Apostoli, vorrebbe poter disporre per conto suo dello Spirito Santo. È pure disposto a pagare molto bene... Questo episodio è assai importante per farci capire con quale attenzione e con quale forza la giovane Chiesa scarti recisamente le contraffazioni che potevano darsi di Cristo e dello Spirito.

Anche oggi si pone questo stesso problema nella Chiesa[9] ed è necessario tirare la linea di confine, per scartare ciò che è contraffazione di carismi o, peggio ancora, negazione del carisma, in nome di supposti «*poteri naturali*».

Il problema più grave è dato dalla presenza, anche nei movimenti religiosi, di individui che si ostinano ad usare la «*pranoterapia*», o «*bioenergia*» per curare le malattie. È questa infatti una forma di medicina alternativa, nata da influenze indù, spiritiste e parapsicologiche, mescolate assieme, e che si è diffusa notevolmente anche in ambienti religiosi cristiani, per la scarsa attenzione prestata ai risvolti magici e spiritistici che i cosiddetti pranoterapeuti usano ed in cui credono.

---

[9] Specialmente nel «*Rinnovamento nello Spirito*» ed in altri movimenti carismatici.

Nei movimenti carismatici il problema diventa acuto soprattutto perché coloro che sono impregnati di tali teorie, o filosofie, confondono l'uso di supposti *«fluidi»* radianti dalle loro mani,[10] con la preghiera di guarigione; quindi confondono un *«potere»*, più o meno reale, ed in ogni caso di dubbia origine, con un dono dello Spirito Santo. Credono così, sulla base di foto Kirlian delle proprie mani, di operare guarigioni con il proprio *«fluido»*, chiamandolo poi – molto ipocritamente – *«un dono di Dio»*.

In una intervista concessa al giornalista RAI, Ignazio Artizzu,[11] il Card. Ratzinger, alla domanda sulla pranoterapia, così risponde con il consueto acume e con la sua grandissima lucidità:

> «D - Tra le varie ramificazioni della New Age c'è la cosiddetta "medicina alternativa", nella quale ha un posto importante la pranoterapia. Alcune persone affermano di possedere un fluido nelle mani che può curare i malati, e lo confondono con il carisma delle guarigioni...
>
> R - Il carisma delle guarigioni si manifesta in primo luogo nella assenza totale di elementi di magia e si realizza in uno spirito di preghiera. Le guarigioni operate dal Signore e su suo mandato dagli apostoli sono espressione di preghiera. Non si usano mezzi e contesti spirituali alieni dalla fede e dalla ragione. I carismi, a differenza dei poteri e dei fluidi vantati da queste persone, si sottomettono alla verità e al potere di Dio e non introducono altri elementi. *Gli altri casi sono espressione **di un terribile mondo sotterraneo**, che – per molto tempo piuttosto nascosto – oggi di nuovo, in una fase di ripaganizzazione, viene allo scoperto»*.

Il fenomeno della grande diffusione di queste pratiche tra il popolo cristiano, che prega e vive la vita nello Spirito, è comune soprattutto in Italia. Nelle altre nazioni è quasi sconosciuto, perché, a differenza di quanto avviene tra noi, già da tempo sono state ben tirate le linee di confine tra ciò che è genuinamente dello Spirito e ciò che non lo è.

---

[10] L'idea stessa di *«fluido»* è di origine spiritica. Per accertarsi, cf P.A. GRAMAGLIA, *«Esoterismo, Magia, Cristianesimo - Fatti, persone e false promesse»* [Piemme - Casale Monferrato (AL) (1991)], *«Spiritismo e Cristianesimo»*, pp. 27-102.

[11] Intervista riportata su *«Una voce grida...!»*, n. 9, marzo 1999, p. 18.

7. Chi c'è dietro la magia?

Che il diavolo operi nel mondo è certo, san Pietro ci mette in guardia:

«*Siate temperanti, vigilate. Il vostro nemico, il diavolo, come leone ruggente va in giro, cercando chi divorare. Resistetegli saldi nella fede*» (*1 Pt* 5,8-9),

e il Papa attuale, Giovanni Paolo II, quando si recò, il 24/5/1987 a Monte San Angelo (FG), nel santuario dedicato all'Arcangelo Michele, al termine della preghiera spiegò:

«Sono venuto per venerare ed invocare l'Arcangelo Michele, perché protegga e difenda la Santa Chiesa... Questa lotta contro il demonio, che contraddistingue la sua figura, è attuale anche oggi, perché il demonio è ancora vivo ed operante nel mondo».

Sempre il Card. Ratzinger, in una intervista di qualche anno fa, alla domanda: «Eminenza, cosa è la magia?», ci ha regalato questa interessante definizione:

«È l'uso di forze apparentemente misteriose per avere un dominio sulla realtà fisica e anche psicologica. Il tentativo, cioè, di strumentalizzare le potenze soprannaturali per il proprio uso. Con la magia si esce dal campo della razionalità e dell'utilizzo delle forze fisiche insegnate dalla scienza. Si cerca – e a volte anche si trova – un modo di impadronirsi della realtà con forze sconosciute. Può essere in molti casi una truffa, ma può anche darsi che con elementi che si sottraggono alla razionalità si possa entrare in un certo dominio della realtà».

È proprio una bella definizione. Oltretutto si nota come il Cardinale non escluda affatto la capacità della magia di funzionare e quindi «*con elementi che si sottraggono alla razionalità si possa entrare in un certo dominio della realtà*».

Cosa potranno essere mai questi «*elementi*»? Il cristiano li conosce, perché sa che la propria esistenza è immersa dentro la battaglia spirituale fin dal momento della sua nascita. Il Concilio afferma:

«Tutta intera la storia umana è infatti pervasa da una lotta tremenda contro le potenze delle tenebre; lotta cominciata fin dalle origini del mondo, destinata a durare, come dice il Signore,[12] fino all'ultimo giorno. Inserito

---

[12] Cf *Mt* 24,13; 13,24-30 e 36-43.

in questa battaglia, l'uomo deve combattere senza soste per poter restare unito al bene, né può conseguire la sua interiore unità se non a prezzo di grandi fatiche, con l'aiuto della grazia di Dio».[13]

Questi «*elementi*» san Paolo ce li indica chiaramente come i nostri «*nemici*»:

> «*La nostra battaglia infatti non è contro creature fatte di sangue e di carne, ma contro i Principati e le Potestà, contro i dominatori di questo mondo di tenebra, contro gli spiriti del male che abitano le regioni celesti*» (*Ef* 6,12).

8. La figura del mago

La stragrande maggioranza delle persone che si auto-pubblicizzano come maghi, attraverso i giornali, le radio, le televisioni, i numeri telefonici speciali e altri mass-media in gran parte sono ciarlatani, non conoscono la vera magia, ma si limitano a sfruttare la credulità, la superstizione e, troppo spesso, il dolore delle persone che si rivolgono a loro. Il mago vero è colui che conforma il proprio credo e la propria vita ad un culto pagano e satanico.

Egli si ritiene capace di dare la salvezza sia a se stesso, che a chi si rivolge a lui; infatti sappiamo che tutte le conoscenze gnostiche e tutte le grandi eresie si sono sviluppate attorno al concetto di auto-salvezza determinato dall'apprendimento di testi occulti. Il mago non ha bisogno di Gesù Cristo perché si reputa autosufficiente.

Il credo dei maghi e delle streghe[14] consiste soprattutto in quattro punti: la disciplina ascetica, il distacco dal mondo, l'ascolto del maestro e l'illuminazione interiore. Così insegnano i testi antichi e segreti:

1. il «*sapere*» deve essere nascosto e riservato all'*iniziato*, la sua diffusione presso i non iniziati determina lo sconvolgimento della mente e dell'anima del mago;
2. da ciò deriva la grande superiorità degli *iniziati* rispetto a coloro che non lo sono. Cioè essi si credono capaci di pensieri inaccessibili ai comuni mortali;
3. questa superiorità di pensiero che essi si attribuiscono, è secondo

---

[13] Conc. Ecum. Vat. II, «*Gaudium et Spes*», 37.
[14] «*Strega*» è un termine che non è considerato dispregiativo, anzi, ai nostri giorni, le donne dedite alla stregoneria Wicca o Aradica si gloriano di questo nome.

loro necessaria per superare la grande difficoltà dei procedimenti da compiere durante i vari rituali magici e l'enorme preparazione «*spirituale*» che questi richiedono.

In realtà anche tra loro c'è molta confusione[15] e le scuole iniziatiche da cui provengono sono le più diverse.

Bisogna però prendere atto che nella autentica magia moderna non c'è spazio per persone sprovvedute o ignoranti; spesso, infatti, coloro che la praticano sono laureati e quindi si nota come la «*concezione gnostica dell'universo e della realtà*» sia entrata anche nelle menti più scientifiche e razionali, portando alla falsificazione del pensiero religioso e del codice morale umano. Questa è la porta da cui entrano tutti i concetti e gli impieghi delle medicine alternative.

Tutto il loro universo rientra quindi in una concezione *religiosa*, certamente molto discutibile da un punto di vista scientifico, ma senza dubbio diversa, speculare e inaccettabile per un cristiano. Questa è la ragione per cui il pensiero gnostico è inconciliabile con la nostra fede.

9. La religione dei maghi e delle streghe

La religione dei maghi e delle streghe è tipicamente *politeista* e *satanica*.

Politeista perché parte dal punto di vista del rifiuto delle religioni tradizionali e va alla ricerca, sia della sua libertà da queste, che della ribellione alle gerarchie ecclesiastiche, in quanto la Chiesa non è vista come la «*dimora di Dio*» (*Ef* 2,22), ma come una crudele organizzazione, che tende a soffocare l'uomo.

Satanica perché ogni iniziazione del mago o della strega avviene attraverso un patto di sangue, o particolari rituali sessuali, compiuti esplicitamente come un'offerta a Satana, attraverso i quali il neofita si impegna a servire il maligno e ottenere in cambio il potere sulla mente e sull'esistenza altrui, oltre ad un guadagno economico illimitato.

Ad esempio, la magia evocatoria[16] cerca di chiamare angeli, de-

---

[15] Ciò non fa meraviglia, infatti Satana, l'antagonista di Dio, è soprattutto spirito di confusione.
[16] Evocare = chiamare affinché ci sia una manifestazione.

moni, spiriti, spiriti della natura (detti elementali) e perfino dèi delle religioni antiche, per sottometterli al proprio volere. Anche coloro che affermano di rifarsi solo all'aiuto di Dio e dei santi rientrano in realtà in una concezione pagana della religiosità, per cui Dio si sottometterebbe al volere e al potere del mago e l'insieme dei santi sarebbe equiparato all'Olimpo.

Infatti come potrebbe mai un «*credente*» pensare di avere la capacità di sentirsi più forte di Dio, tanto da credere che Dio sia *obbligato* a rispondere ai riti che egli compie e ai suoi voleri? Le forze che concorrono a fare in modo che certi riti possano avere effetto sono, infatti, di natura tutt'altro che divina e tutti i maghi lo sanno molto bene.

Per capire meglio ciò che crede il mago possiamo accennare anche ad un altro fenomeno che può sembrarci particolarmente difficile da comprendere: anche i maghi e le streghe svolgono un'intensa vita «*spirituale*» e di «*preghiera*».[17] Cosa sia la «*preghiera*» per un mago è difficile da spiegare perché, ogni mago avverte la divinità secondo la propria individualità e la invoca come meglio crede.

La stregoneria – non dimentichiamolo mai – è una «*religione*» politeista e pagana e quindi ogni fenomeno naturale e ogni dio assume un ruolo e un nome specifico e va invocato in modo adeguato alla sua manifestazione e alla sua dignità; ogni divinità ha i suoi riti, i suoi gesti e le sue «*preghiere*» che possono anche cambiare in rapporto al luogo dove vengono effettuate. La «*preghiera*» va fatta sempre in un tempio e il tempio in questione è rappresentato principalmente dal corpo di chi prega, dalla sua mente e dalla sua emotività. Per questa ragione tanti riti hanno uno sfondo sessuale: servono per unirsi alle proprie divinità all'interno del corpo e all'interno della sensibilità di una persona.

Forse sono riuscito a mettere in evidenza questo groviglio di follia pagana nel primo capitolo di questo libro, quando ho esaminato come una giornalista, che tiene una rubrica «*New Age*» su una nota rivista femminile,[18] risponda ad una lettrice sconcertata da esercizi medianici, suggeriti da un libro esoterico di Igor Sibaldi. In quel libro l'autore parlava di come contattare gli spiriti guida (i «*maestri invisibili*») che si trovano «*in basso, nel profondo, nell'abisso*», impaurendo la lettrice. La giornalista rispondeva parlando del corpo:

---

[17] I capitoli seguenti cercheranno di mettere in luce questo aspetto.
[18] ILARIA RATTAZZI, «*Grazia*», n. 51/52, 01/01/1999, p. 126.

«...dal punto di vista energetico, la testa corrisponde al cielo dal quale si scende lungo il collo, il petto, lo stomaco fino a raggiungere l'abisso che sono il nostro ventre, le viscere. Nel nostro ventre, nella zona attorno all'ombelico, risiede la nostra anima... Scendendo nell'abisso dentro di noi possiamo ritrovare noi stessi e la nostra essenza di luce... le nostre divinità interiori. Non degli dei esteriori e astratti... E così scopriamo gli spiriti guida come parte di noi... Noi troviamo il divino, il nostro divino, dentro di noi e non fuori, nelle nostre emozioni e non nella mente, nella nostra terra (ventre) e non nel nostro cielo (testa)...».

Cosa significa questo parlare di dei, di «divino in noi», di dei che troviamo nella nostra terra (ventre) e non nel nostro cielo (testa)? C'è qualcosa di lontanamente imparentato con il cristianesimo? O si tratta proprio di una rivolta pagana contro il Dio della Rivelazione?

Altre volte vengono invece costruiti templi appositi, dove i maghi si riuniscono per «pregare» e per svolgere i propri riti e possono trovarvi i simboli esoterici appropriati e i «campi magnetico-magici» già «aperti», pronti per l'uso.

Anche l'ascesi è per loro molto importante: moltissimi rituali prevedono prolungate purificazioni di colui che deve poi operare, attraverso veglie, digiuni, flagellazioni, esposizione alle intemperie e cose simili e chi crede davvero nella magia si sottopone volentieri a queste pratiche, cercando di acquistare così i «poteri» o la «forza» necessaria per operare.

Essendo politeisti, la loro fede non è in un Dio unico, trascendente e immanente, ma tutto è assoggettato a divinità diverse, che vengono invocate ed evocate secondo la necessità del momento. Non vi è assolutamente il concetto di «sacramento», ma tutta la natura è presenza della divinità sulla terra. Sono così immersi in profondità nel panteismo.

Non esiste naturalmente nemmeno il concetto di bene e di male, quindi non c'è il peccato, perciò la magia non prevede né la confessione né il perdono di Dio per i propri peccati. In conseguenza ogni mago organizza la propria vita interiore come meglio crede, pensando che comunque quello che può risultare malefico per uno risulta invece altamente benefico per un altro e... siamo in pareggio.

Il mago infine pensa di essere l'unico intermediario tra gli dèi (o le «forze») e gli uomini. Non combatte apertamente la religione cattolica (a meno che non appartenga pienamente ad una setta satanica), ma semplicemente l'ignora, o la usa, ma una cosa è certa: pur non condividendone né gli insegnamenti, né la vita, la usa come presentazione per chi si rivolge a lui pensando di rimanere ancora legato alla Chiesa.

Tipico è infatti l'abuso delle frasi del Vangelo, del nome del Papa o della sua benedizione, ostentatamente esposta in un quadro appeso al muro,[19] per farsi una falsa pubblicità di «*uomo di Dio*»,[20] mentre invece si tratta proprio del contrario. Bisogna quindi comprendere – e soprattutto far comprendere – che niente del mondo della magia può convivere con il Cristianesimo.

10. La magia fiorisce sopra il vuoto della fede

Alcuni anni fa il «*Teologo*» di «*Famiglia Cristiana*», perplesso, scriveva:

«Più che documentato è il moltiplicarsi delle sètte e il proliferare del ricorso alla magia (sia "bianca" che "nera", satanismo non escluso) e alla *divinazione*, che della magia è un rilevante correlato. Essa costituisce un arcipelago assai frastagliato: *astrologia* (indovinare il futuro libero degli uo-

---

[19] Per far credere che il mago sia un cattolico praticante e fedele e che il Papa avesse approvato e benedetto... la sua professione, quando invece queste pergamene si possono ottenere in Vaticano solo lasciando il proprio nome e cognome.

[20] Nella loro pubblicità si trovano spesso frasi evangeliche o confusi riferimenti alla Chiesa. Come esempio, riporto integralmente il volantino pubblicitario di un mago siciliano: «Il Profeta François, il profeta dei profeti, NON HA CONFRONTI, TUTTO VEDE, TUTTO PREVEDE, CAVALIERE DEL TEMPIO, meriti acquisiti al servizio di Dio della CHIESA ECUMENICA UNIVERSALE come Padre Esorcista. Per l'unione di tutte le religioni "Bombay - Roma - Los Angeles - Tokio - Brasilia"... UOMO DI DIO - BENEDETTO DAL PAPA - propria voce di Dio, bocca di lui, SERVO DI DIO, celebre per MIRACOLI, VEDE ciò che è nascosto agli uomini e che Dio gli mostra affinché ne parli agli Uomini!!! LA MORTE NON VIENE DA DIO! MA DAL PECCATO (furono gli empi). DIO È AMORE - DIO È LUCE... Il segreto dei segreti dell'ALTA MAGIA Suprema BIANCA, ROSSA, NERA è NELLE SUE MANI. Amuleti, Talismani, Filtri Magici... In possesso del Catechismo Magico delle Scienze Segrete, per il dominio sopra gli Spiriti e sulle Persone... "PADRONE ASSOLUTO DELLE MALATTIE"... IO SONO LA RISURREZIONE E LA VITA, CHI CREDE IN ME ANCHE DOPO LA MORTE VIVRÀ; v.s.g. DIO FA SOFFRIRE I GIUSTI PER PURIFICARLI DAI LORO DIFETTI. Imparate da me che sono MITE ED UMILE DI CUORE... "NEL REGNO DI DIO VI SARÀ LA GRAZIA"... È UN GRANDE DONO E UN GRANDE MEZZO DI SALVEZZA CHE VOGLIO DARE ALL'UMANITÀ. SICUREZZA DI CHI È UNITO A DIO. IL SIGNORE È LA MIA LUCE E LA MIA SALVEZZA, DI CHI HO DA TEMERE? "Signore tu solo hai parole di vita eterna"... "DOVE GLI ALTRI FALLISCONO". "IL CELEBRE DIVINO MAESTRO CAVALIERE PROF. FRANÇOIS - RISOLVE - AIUTA - CONSIGLIA..."». E continua vaneggiando nello stesso stile.

mini desumendolo dagli astri e dal loro ordinamento); *cartomanzia* (predizione dell'avvenire attraverso carte, tarocchi e cristalli); *chiromanzia* (decodificazione delle linee della mano); *spiritismo e negromanzia* (ricorso agli spiriti dei morti per disvelare il futuro)».[21]

La nostra cultura, proseguiva Mattai, è una cultura ambivalente. È una cultura che cerca una migliore qualità di vita, ma nello stesso tempo sceglie l'aborto. Nello stesso modo:

«...è cultura segnata dal culto dell'empiricamente verificabile, ma anche da spinte verso l'irrazionale e lo straordinario, inverificabile scientificamente... *Scienza e tecnologia hanno deluso... Le ideologie forti sono cadute...* Di qui il senso del vuoto e l'angoscia che ne deriva con la spinta verso forme irrazionali compensatrici... Il fenomeno del cosiddetto *secolarismo*... ha portato all'irrilevanza di Dio nella progettazione della vita personale... Della religione in molte persone sono rimaste soltanto alcune pratiche esteriori e del messaggio cristiano è stata fatta una cernita ispirata a criteri del tutto soggettivi... Tali fatti che si sono verificati non senza responsabilità ecclesiali (carenze nella catechesi, evangelizzazione e prassi sacramentale) hanno facilitato l'insorgenza delle sètte e la proliferazione magica... Si è parlato di ritorno di Dio... In realtà "torna la religione, non la fede, sono le para-scienze e le sètte a far discepoli, non le Chiese..." (Enzo Bianchi)... Se una nuova evangelizzazione non saprà colmare vuoti e deficienze del passato, è facile prevedere... l'insorgenza del magico, l'espansione dell'irrazionalità e il settarismo sfoceranno in fanatismi con i loro tristi cortei di intolleranza e di morte...».

Lo sforzo di questo libro è proprio di colmare questo vuoto e preparare una nuova evangelizzazione che, tenendo conto di ciò che non è stato fatto, si prodighi per salvare il popolo cristiano dal sincretismo religioso e culturale, ridonando rinnovato vigore alle grandi speranze finora deluse e portando più persone possibili **ad incontrare il Dio di Gesù Cristo.**

Testimonianza

Questa testimonianza viene da una casalinga che ha sofferto per lunghi anni gli effetti drammatici della stregoneria. Un incontro ge-

---

[21] Giuseppe Mattai, «*Famiglia Cristiana*», n. 43 (1994), p. 19.

nuino con il Signore ha liberato la sua vita da quella tremenda sofferenza.

«Ho 41 anni e la mia vita è stata molto provata. Ho avuto dei genitori molto severi e incapaci di dare amore, ci insegnavano che nella vita bisognava solo lavorare; baci e carezze erano solo sciocchezze. Mio padre era sempre pronto a picchiare me, mia madre ed i miei fratelli.

Tutti vivevamo nella paura. Quando avevo 11-12 anni sono stata ripetutamente molestata sessualmente da uno zio e da un fratello, ma non potevo dirlo ai miei genitori, perché ero convinta che mi avrebbero picchiata ancora. A 15 anni avevo già avuto molti rapporti sessuali con vari coetanei. Poi conobbi un ragazzo a cui volevo bene, ma di cui non ero affatto innamorata, e gli chiesi di sposarmi, pur di andare via al più presto da casa e lui accettò. Ebbi due figli e la mia vita scorreva molto tranquillamente. Dopo alcuni anni sereni, fummo costretti a cambiare paese e qui cominciarono i guai. Dopo alcuni mesi da quando ci eravamo trasferiti ebbi un litigio con una vicina, mai sospettando, malgrado la mia dolorosa infanzia, quanto la cattiveria umana possa essere crudele.

Dopo alcuni giorni cominciai ad avvertire strani dolori allo stomaco e all'intestino, sempre dopo la mezzanotte, mentre dalla mia bocca usciva una schiuma bianca e filamentosa. Mi allarmai e cominciai così la trafila dei medici. La diagnosi fu molto confusa: depressione, ansia, epilessia, schizofrenia...

Le mie giornate le passavo tra Ospedali, Pronto Soccorsi e Guardie Mediche, Stavo così male che neanche 14 compresse e capsule di ansiolitici ed antidepressivi al giorno potevano darmi sollievo.

Un giorno venne da me una parente e mi trovò che stavo molto male, avevo stampata in volto la disperazione. Mi disse che lei era uscita fuori da una brutta depressione per mezzo di una maga cartomante e mi chiese se volevo provare. La disperazione era tale che accettai.

La maga mi disse che avevo una fattura terribile, che bisognava lavorare molto e lei non era in grado di farlo. Mi disse che a Palermo aveva un amico mago che poteva fare il lavoro. Mi chiese tre milioni e mezzo di lire, che le diedi, poi venne a casa mia. Alcuni giorni dopo ero ossessionata dal pensiero del suicidio, mentre il malessere peggiorava. Mio marito non capiva cosa stesse succedendo, allora gli spiegai tutto. Egli telefonò alla maga per interrompere ciò che stava facendo, ma ormai – disse la maga – era troppo tardi. Andando dai maghi avevo peggiorato tutto. I figli mi davano fastidio e con mio marito cercavo sempre una ragione per litigare: ero diventata una bestia.

Una signora, impietositasi, mi presentò un sacerdote a cui chiesi di venire a benedirmi la casa e lui accettò. Mentre faceva la benedizione in cucina, nel reparto notte si scatenò un rumore tremendo.

Il sacerdote si spaventò, poi si fece coraggio ed andò a vedere, ma non trovò nulla di rotto o di strano: tutto era in ordine. Quando tornò in cucina però mi trovò che bestemmiavo contro il quadro di Gesù e parlavo in una lingua sconosciuta.

Qualche giorno più tardi mi portò ad una Messa celebrata da un noto esorcista. Durante la Messa mi scatenai violentemente e ci vollero cinque uomini robusti per tenermi ferma.

Quando tornai a casa il sacerdote chiese a mio marito da quanto tempo stessi così male ed egli spiegò che questa storia durava ormai da nove anni. Il sacerdote disse di non temere e di fare ciò che l'esorcista aveva detto di fare: recitare ogni giorno la preghiera di liberazione e poi andare da lui quando avessi potuto.

Io sentivo un odio di morte per l'esorcista. Quando egli pregò su di me, imponendomi le mani sul capo, cominciai subito a vomitare quella schiuma bianca filamentosa, poi mi fece riposare e mi disse che qualcuno aveva messo qualcosa di malefico nel cibo o nelle bevande che avevo ingerito. Non riuscivo a crederci.

Intanto il venerdì ed il sabato mi piaceva andare a ballare e lì conobbi altri uomini con cui commisi adulterio. Cominciai anche a bere, perché l'alcol mi dava allegria, ma quando tornavo a casa i problemi ricominciavano. La vita divenne un inferno. Ad un certo punto tentai il suicidio: ingoiai 60 compresse di ansiolitici ed antidepressivi ed andai in coma. Mi fu fatta la lavanda gastrica, ma con sorpresa dei medici non trovarono nulla. Fui salva per miracolo.

Tornata a casa cominciai a pregare, anche se con molta fatica. Mio marito mi stette vicino con tanta pazienza e tanto amore.

Mi misi sotto la cura dell'esorcista della diocesi e cominciai a ricevere ogni giorno l'Eucaristia. I primi tempi stavo malissimo, poi cominciai a stare sempre meglio. Ancora però c'era dentro di me una resistenza che non capivo ed ancora al momento di ricevere l'Eucaristia mi venivano in mente delle tremende bestemmie.

Cominciai allora a fare spesso l'adorazione davanti al Santissimo Sacramento, ed un giorno, mentre pregavo – e mi sentivo malissimo – mi venne da vomitare e sentii come se dallo stomaco si staccasse qualcosa. Quando ripresi le forze, insieme con mio marito pulimmo per terra con uno straccio e poi decidemmo di bruciarlo. Lo abbiamo portato in un campo vicino a casa, vi abbiamo versato sopra alcool, benzina e "diavolina" (che serve per accendere il fuoco), ma lo straccio non bruciava in alcun modo. Allora mi inginocchiai e chiesi al Padre che se in quello straccio ci fosse qualcosa che non andava, questo bruciasse. In un attimo lo straccio divenne una palla di fuoco di colore verde fosforescente e divenne cenere. Benedicemmo le ceneri con acqua santa e da quel giorno i miei malesseri cominciarono a diradarsi.

Entrai in un Gruppo di preghiera e cominciai a leggere ogni giorno il Nuovo Testamento. Frequentai delle settimane di spiritualità dove imparai quanto grande è l'amore del Padre per me. La Parola di Dio mi spinse a perdonare tutti coloro che mi avevano fatto male.

Adesso cominciavo a stare sempre meglio, abbandonai pian piano tutti gli psicofarmaci che prendevo. Sentivo che il Signore mi aveva perdonata e che mi aveva preso per mano e mi conduceva lui, che è Via, Verità e Vita, sempre più verso la pace e la serenità.

Oggi sono una creatura nuova e la mia famiglia è colma di gioia.

Grazie Gesù di tutto quello che hai fatto per me».

4. Gli artigli del maligno: esoterismo, occultismo e stregoneria

1. La via della vita o quella della morte?

Il Catechismo insegna quanto segue:

«Tutte le forme di divinazione sono da respingere: ricorso a Satana o ai dèmoni, evocazione dei morti o altre pratiche che a torto si ritiene che "svelino" l'avvenire. La consultazione degli oroscopi, l'astrologia, la chiromanzia, l'interpretazione dei presagi e delle sorti, i fenomeni di veggenza, il ricorso ai medium occultano una volontà di dominio sul tempo, sulla storia e infine sugli uomini e insieme un desiderio di rendersi propizie le potenze nascoste. Sono in contraddizione con l'onore e il rispetto, congiunto a timore amante, che dobbiamo a Dio solo».[1]

«Tutte le pratiche di magia e di stregoneria con le quali si pretende di sottomettere le potenze occulte per porle al proprio servizio e ottenere un potere soprannaturale sul prossimo – fosse anche per procurargli la salute – sono gravemente contrarie alla virtù della religione.

Tali pratiche sono ancor più da condannare quando si accompagnano ad un'intenzione di nuocere ad altri o quando in esse si ricorre all'intervento dei demoni. Anche portare gli amuleti è biasimevole».[2]

Quanto affermato dal *Catechismo della Chiesa Cattolica* è certamente un punto fermo, che non dovrebbe mai essere messo in discussione.

Chiaramente, anche se brevemente e non esaurientemente, il Catechismo mette bene in guardia i fedeli, non solo dal praticare, ma anche dal seguire, o dall'appoggiarsi, a forme di divinazione e di magia, senza fare distinzione fra bianca, nera, buona, cattiva o simili.

---

[1] *Catechismo della Chiesa Cattolica*: 2116.
[2] Ibid., 2117.

2. Curiosità o credulità?

Il mondo dell'occulto, dell'irragionevole, della magia, della manipolazione dell'irreale, o del paranormale, sta seducendo anche molti bravi cristiani che, tormentati da angosce o incertezze sul proprio avvenire, non rimangono completamente indifferenti a domande come:

> «Sono in un mare di difficoltà, che mi cadono addosso senza tregua: ho forse subito un maleficio?»; «Posso mettermi in contatto con mio figlio defunto, almeno per rassicurarmi sull'esistenza della vita ultraterrena?»; «È permesso credere all'oroscopo?», ecc.

Mi rendo ben conto che ognuna di queste domande meriterebbe di essere trattata da sola e esaurientemente, ma non è possibile farlo in questa sede.

Vorrei però fornire dei criteri generali, delle linee guida, per comprendere almeno i più comuni pericoli nascosti nell'occulto.

Gli operatori pastorali dovrebbero farsi un'idea più chiara di questi problemi e delle aspettative che creano nelle persone, dei danni spirituali prodotti dalle pratiche occulte e da altre pratiche dello stesso genere.

Le riviste esoteriche e astrologiche come «*Astra*», «*L'Iniziato*», «*Il Giornale dei Misteri*», «*Sirio*», «*L'Aurora*», ecc., sono sempre più vendute.

I sondaggi effettuati in questi ultimi tempi indicano che circa il 50% delle persone regolarmente «*praticanti la Chiesa*» crede nell'astrologia, più del 30% crede nella reincarnazione, più del 15% ha contattato almeno una volta un operatore dell'occulto e circa il 20% ha tentato di mettersi in comunicazione con i defunti o ha assistito ad una seduta spiritica.

Queste cifre ci dicono qualcosa? Possiamo pensare che il problema non ci riguardi e che non riguardi la nostra comunità, ma non è così.

3. La superstizione: terreno fecondo della magia

Il primo subdolo «*sentimento*» anticristiano che si insinua nella mente dell'uomo è sempre quello della superstizione: questa nasce dalla paura di essere in balia di forze ostili, che si pensa di poter neutralizzare con oggetti, formule o riti i quali non hanno invece nessun significato reale, ma che, forse proprio per questo, sembrano essere circondati da forze o entità che si radicano nel «*mistero*». Il fascino esercitato da questo mistero è la base della magia e l'opposto di una vita vissuta nella fiducia in Dio.

La magia implica una particolare visione del mondo, in cui si crede che esistano un complesso di «*forze occulte*», capaci di influire sulla vita dell'uomo, e un insieme di pratiche rituali, capaci di dominarle e di sfruttarne la potenza per ottenere gli effetti desiderati.

L'eventuale invocazione di Dio ha solo uno scopo di funzionalità ed è inoltre subordinata alle «*forze occulte*» ed agli effetti che si desiderano ottenere. Come si vede, tutto ciò che ha a che fare con la magia non può essere neppure confinante con la vita cristiana. Spesso, purtroppo, tutti noi siamo vittime di collegamenti inconsci tra l'uso di oggetti ordinari della vita quotidiana e avvenimenti negativi, o gioiosi, che ci sono capitati; se poi questi avvenimenti si sono casualmente ripetuti più di una volta, allora, spinti dalla nostra ansia, siamo portati ad attribuire un'azione fausta o nefasta, a oggetti, numeri, azioni, parole e qualsiasi altra cosa possa servire a non assumerci la responsabilità delle nostre azioni o di quelle di altri.

La superstizione alimenta sempre una dipendenza da qualcosa e quando questa non è più sufficiente, si scivola nell'*esoterismo* o nell'*occultismo*.

Il punto fondamentale del «*credo esoterico*» è che l'*esoterismo* consista nella rivelazione di una tradizione nascosta che per migliaia di anni è stata espressa solo attraverso simboli, miti, religioni e filosofie.

L'*occultismo* invece viene fatto dipendere dal potere che «*esseri superiori*» avrebbero trasmesso ad alcuni uomini tramite *un'iniziazione* fatta su un *neofita* da un occultista di livello superiore. Questo è il mondo della magia, della stregoneria e dell'alchimia.

Il mago e lo stregone sono accusati di ottenere i propri poteri da Satana in persona e ciò non è sempre un assurdo (come l'approccio superficiale di molti vorrebbe farci credere), perché l'iniziazione avviene spesso con un patto di sangue in cui il neofita si impegna a servire le forze maligne per poter ottenere in cambio il potere sulla mente e sull'esistenza altrui e, soprattutto, grandi guadagni economici.

È chiaro che, per il cristiano, dopo tali riti, appare del tutto senza fondamento la distinzione tra magia nera, bianca, rossa, d'oro, ecc.,[3] perché il mago, attraverso riti particolari – presentati come antichissimi, ma che spesso sono solo invenzioni recenti con significati e segni arbitrariamente collegati all'antichità – si rivolge sempre alle forze del male per ottenere ciò che si prefigge. Uno studio di alcuni anni fa riporta quanto segue:

> «Una forma fondamentale, praticata dal 97% degli operatori magici, è la cartomanzia, che utilizza le carte da gioco per indagare gli eventi futuri. La presenza delle carte da gioco è documentata in Occidente a partire dalla fine del 1300. I Tarocchi, mazzo di 78 carte comunemente adoperate oggi, furono inventate nelle corti italiane (probabilmente a Milano o a Ferrara) nella seconda metà del 1400.
> Lungi dal contenere un sapere "orientale" ed iniziatico (come comunemente si dice nelle "scuole" di cartomanzia), i Tarocchi sono il risultato iconografico del mondo di allegorie e di simboli tardo-medievali e rinascimentali».[4]

I maghi e le streghe – in genere persone di buona cultura e di estrazione sociale medio-alta, con rapporti affettivi stabili e ben radicati – si riuniscono solitamente 13 volte all'anno, in giorni prefissati e in gruppi di 13; il numero 13 ha sempre avuto un grande significato magico-esoterico.

Questo riguarda però «*le congreghe*» organizzate, mentre la stragrande maggioranza di persone che si definiscono maghi e streghe sono per lo più autodidatti e quindi di più bassa cultura esoterica e isolate.

A dir la verità, i loro incantesimi sembrano essere più utili per le cifre elevate richieste in compenso dei loro servigi, che per ciò che riescono a compiere realmente. Ritengo tuttavia che anche la più blanda invocazione magica o spiritica lasci le sue «*cicatrici*». La Scrittura ci scongiura:

> «*...Non praticherete alcuna sorta di divinazione o di magia... Non vi rivolgerete ai negromanti, né agli indovini; non li consulterete **per non contaminarvi per mezzo loro**. Io sono il Signore vostro Dio*» (*Lv* 19,26b.31).

---

[3] La magia nera agirebbe per produrre il male; la bianca il bene; la rossa avrebbe effetti sull'amore; quella d'oro dovrebbe produrre ricchezza.

[4] Rapporto Eurispes, «*I Soldi del Diavolo: ovvero il Mercato dell'Occulto*», cap. III «*I Poteri del Mago*» (1989).

4. Streghe e Maghi

L'iniziazione della *strega* è emblematica: avviene sempre in una notte di plenilunio o novilunio, perché tali nottate sono ritenute le migliori come congiunzioni astrali e favorirebbero una grande concentrazione di energia cosmica da mettere a disposizione della neo-strega.

Il «*Gran Sacerdote*» la introduce nella padronanza degli elementi primari e dei quattro punti cardinali, con un rito pieno di simbolismi e allusioni. Il rito avviene sempre all'interno di un cerchio, disegnato in terra, entro cui è inscritto un pentacolo, cioè una stella a cinque punte. Si ritiene che ciò funzioni come protezione, partendo dal concetto che in ogni rito magico vengono evocate le forze infernali. È necessario quindi che il «*Gran sacerdote*» e la novella strega, rimangano sempre dentro al cerchio, perché solo in questo modo quelle forze non potranno nuocere alle streghe e agli stregoni a cui rimarranno invece completamente sottomesse.[5]

Ci si rivolge poi alla terra, all'acqua, all'aria e al fuoco chiedendo che questi elementi si sottopongano al volere della strega e al volere delle forze dominatrici che ella invocherà. Il rito si conclude con un rapporto sessuale contro natura fra il «*Gran Sacerdote*» e la neo-strega; anche questo non è un fatto nuovo: da sempre la magia che usa elementi sessuali è ritenuta *la più potente e invincibile*.[6] Dopo questo rito, alla strega sarà richiesto per un po' di tempo il più completo silenzio e, da allora in poi, ogni defezione verrà severamente punita.

L'iniziazione del *mago* invece è più simile all'ordinazione presbiterale, unita al conferimento dell'investitura a un cavaliere, e solo qualche volta avviene con un «*patto di sangue*».

Per i maghi e gli occultisti rappresenta un appetitoso boccone essere «*ordinati*» da un vescovo consacrato in una «*piccola chiesa*», ovvero nelle chiese derivate da vescovi scismatici dalla Chiesa Cattolica. Ciò naturalmente vale anche per i preti. Questi «*vescovi*», infatti, anche se di fatto sono scomunicati, derivano da una reale e «*legittima*» successione apostolica e quindi vengono usati per impadronirsi dei

---

[5] C'è da immaginarsi il terrore dei demoni dinanzi... ad un cerchio tracciato in terra...

[6] Se ne tratterà più diffusamente nel cap. 5.

«*poteri*» legati al sacerdozio e all'episcopato. A dimostrazione che non c'è niente di nuovo sotto il sole, va notato quanto questa sia la stessa logica della richiesta che fu fatta a san Pietro dal mago Simone, in Samaria (cf *At* 8,9-24).

In realtà, anche qui – come per il satanismo – non è difficile reperire almeno qualche *ex-sacerdote* che si presti ad essere mago e a trasmettere i poteri del proprio stato ai neofiti che ne facciano richiesta.

Da noi è questo il caso di un ex-padre gesuita, il ben noto mago Aleph, che opera in varie città italiane, il quale, dopo aver esercitato la magia per un po' di tempo all'interno del proprio sacerdozio, ha deciso di lasciare il ministero sacerdotale nella Chiesa, proprio per poter più facilmente ordinare altri stregoni, secondo l'usanza occultista. Lui stesso non ha mai fatto mistero del suo passato e anzi se ne è sempre servito e vantato.

5. Magia e stregoneria sono così lontane da Satana?

Quando si parla di stregoneria e di magia si fa riferimento ad un mondo certamente alieno a quello cristiano, ma di sicuro non tutti si rendono conto di quanto questo mondo sia antagonista al cristianesimo e invece molto contiguo al regno di Satana.

Capisco come non bastino poche righe per convincere i lettori più reticenti, tuttavia credo opportuno riportare un brano significativo da un libro sulla parapsicologia. Il brano tratta di un'intervista ad un mago, condotta da un noto ricercatore. Cerchiamo di vederne i dettagli:

> «Di particolare interesse mi sembra il colloquio da me tenuto il ... 1978 con un giovane di bella presenza, praticante magia nera da anni, con visibili guadagni, in una città industrializzata e progredita come...
> D. - Lei pratica la magia nera?
> R. - Esercito questa professione da anni.
> D. - Da chi è stato iniziato?
> R. - Da mio nonno,[7] quando ancora ero ragazzo. Egli mi ha anche trasmesso il turibolo e la spada.
> D. - Quando si serve di tali mezzi?
> R. - Quando devo sprigionare incensi o bruciare erbe aromatiche, cioè du-

---

[7] Da notare come «*i poteri*» si trasmettano generazionalmente. Vedere nel volume 2 il cap. 2.

rante le invocazioni e per i cerimoniali delle evocazioni; della spada per difendermi dagli attacchi delle Potenze.[8]

D. - Chi sono queste Potenze?[9]

R. - Delle entità spirituali che io invoco o evoco, regolarmente, che compaiono al segno del mio comando ora con bell'aspetto, ora con aspetto terrificante.

D. - Usa droghe?

R. - Non mi è consentito di risponderle. Le entità non permettono.

D. - Lei crede in Satana?

R. - *Certamente, perché lo incontro regolarmente,* ma non è poi così irriverente come i profani possono credere o pensare. La fede è essenziale.

D. - Si raccoglie spesso in preghiera?

R. - Spessissimo, altrimenti le entità mi castigano.

D. - Che genere di castigo?

R. - Pene corporali o spirituali, a seconda dei casi.

D. - Ha molti clienti?

R. - Diciamo: diversi...

D. - Perché vengono da lei?

R. - Per ottenere rivendicazione di qualcosa che è stato commesso contro di loro. Solitamente si tratta di beghe con vicini, di delusioni d'amore o di insuccessi sul lavoro.

D. - Lei ottiene sempre lo scopo prefisso?

R. - Nella stragrande maggioranza dei casi, sì.

D. - Che tecniche usa?

R. - Quelle che ho imparato nel mio "esercizio di potere", operando a "distanza".

D. - A che area culturale appartengono queste persone?

R. - Sono dei ceti più disparati, ricchi o poveri indifferentemente. Essi accusano sempre "grave motivo di offesa", per cui chiedono "vendetta".

D. - I suoi procedimenti sono sbrigativi oppure necessitano di un certo spazio di tempo per attuarsi?

---

[8] Possiamo immaginare il duello... con la spada, tra il mago e... gli spiriti. Ma l'Apostolo Paolo ci dice che: «*La nostra battaglia... non è* **contro creature fatte di sangue e di carne**, *ma contro i Principati e le Potestà, contro i dominatori di questo mondo di tenebra, contro gli spiriti del male che abitano nelle regioni celesti*» (*Ef* 6,11-12).

[9] Cf *Rm* 8,38-39. L'Apostolo scrive: «*Io sono infatti persuaso che né morte né vita, né angeli né principati, né presente né avvenire, né potenze, né altezza né profondità, né alcun'altra creatura potrà mai separarci dall'amore di Dio, in Cristo Gesù, nostro Signore*».

Mentre agli Efesini ne specifica anche la natura: «*Anche voi eravate morti per le vostre colpe e i vostri peccati, nei quali un tempo viveste alla maniera di questo mondo, seguendo il principe delle potenze dell'aria,* **quello spirito che ora opera negli uomini ribelli**» (*Ef* 2,1-2); per cui, naturalmente e certamente, opera anche... nel mago.

R. - Dipende dalla gravità dei casi. È come per gli ammalati, in medicina. Tante volte una pillola fa bene subito, tante altre bisogna continuare, tante altre ancora... si prosegue per diversi mesi e non si ottiene nulla.

D. - Si fa pagare per questo?

R. - La mia è una professione come tante altre...

D. - Da chi ha avuto questo suo "diploma" ad esercitare?

R. - Noi apparteniamo tutti ad una setta, dal cui capo abbiamo ordini direzionali o liturgici, e che siamo impegnati ad incontrare con periodicità.

D. - Potrei saperne il nome?

R. - No, perché non lo so neppure io, in quanto il gran maestro non si mostra mai in volto e poi perché siamo legati al segreto. Anzi, la prego, non pubblichi queste notizie perché potrei anche essere punito per questo, né faccia mai il mio nome alla stampa. Non chiedo pubblicità perché se lo volessi i mezzi non mancherebbero, sia sul piano pubblicitario che su quello finanziario. Chi ha bisogno di me s'informa: lo sa per vie traverse e clandestine e mi sa trovare... chi cerca trova».[10]

Questa intervista, più di tante argomentazioni, ci illumina sulla crisi della nostra attuale cultura cristiana.

Ha perso, infatti, gran parte del suo significato ciò che insegnava sant'Agostino: cioè che, come la Chiesa rappresenta il corpo di Cristo, così *la moltitudine degli empi e degli apostati* (cioè i maghi, le streghe, gli stregoni, gli indovini, gli esoteristi ed i satanisti, nel loro insieme)[11] rappresenti – senza mezze misure – *«il corpo del diavolo»*:

«La moltitudine degli empi costituisce anche *il corpo del diavolo*, il cui capo è il diavolo stesso. Tale moltitudine è costituita soprattutto da coloro che sono caduti come dal cielo, staccandosi da Cristo e dalla Chiesa. Lucifero, che sorgeva al mattino e che cadde,[12] *può vedersi nella schiatta di coloro, che apostatano da Cristo e dalla Chiesa».[13]

Sant'Agostino queste cose le sapeva e le insegnava, mentre oggi sembrano appartenere al regno delle favole o delle superstizioni medievali.

[10] LEONARDO MONTOLI, «*La Ricerca Parapsicologica Oggi - Documenti e prospettive - Parapsicologia: Scienza Frode o Illusione?*» [Mursia ed., Milano (1978)], pp. 43-44.

[11] P. GIUSEPPE BENTIVEGNA s.j., «*Effusione dello Spirito Santo e Doni Carismatici - La Testimonianza di Sant'Agostino*» [Ed. RnS - Roma (1995)], p. 117.

[12] Cf Is 14,12.

[13] SANT'AGOSTINO, «*De Gen. Ad litt.*», 11, 24, 31 (PL 34, 442).

Ma è così la realtà? Sono sicuro di no. Credo che avesse proprio ragione il grande vescovo di Ippona.

Per convincersene basta leggere quanto riportato in un testo satanista:

«In fondo tutta la Magia proviene da un *unico* calderone... Non è forse il Magus per eccellenza, colui che conosce una vastità di tecniche e pratiche, di qualsiasi specie, in modo da scegliere quella più appropriata...? **Allo stesso modo il Satanista amplierà continuamente la propria conoscenza magica...».**[14]

Il Satanismo non ha quindi alcuna paura di dichiararsi parte del mondo della magia, anzi fa risalire l'origine della magia ad «un *unico* calderone», cioè... a Satana stesso. Perché allora non dire sempre la verità quando si parla di magia? Perché cercare di ridurre il tutto a credenze sciocche di persone ignoranti e culturalmente impreparate?

6. Cos'è l'Esoterismo?

Qualche nozione generale sull'*esoterismo* può farci meglio comprendere quanto esso sia in contrasto con il cristianesimo vivo.

L'esoterismo presume di dare una spiegazione completa dell'universo (della sua creazione e del suo divenire), non opponendosi alle scienze sperimentali, ma superandole e completandole. L'uomo, secondo questa dottrina, si compone di tre principi:

- il principio fisico, di origine **terrena**, il corpo;
- il principio astrale, di origine **astrale** (che è il «*perispirito*» degli spiritisti);
- il principio spirituale, di origine **divina**.

Ciò che non può essere percepito dai sensi lo si scopre soltanto mediante il confronto: «*ciò che sta in alto è come ciò che sta in basso*»; perciò per conoscere Dio bisogna conoscere l'uomo, poiché quest'ultimo racchiude una scintilla del Divino Cosmico e la realizzazione di sé diventa la strada più breve per raggiungere Dio. Come si vede que-

---

[14] «*Compendium Daemonii - la dottrina maledetta*», a cura de «*Il Tempio di Satana*», www.iltempiodisatana.org, pp. 128-129.

sto concetto racchiude sempre il germe della tentazione dell'Eden: *uomo = Dio*.

Tutto ciò che proviene dal piano *divino* ha sempre un riflesso sul piano *astrale* ed è quindi realizzato pienamente nel piano *fisico*.

Una definizione dell'esoterismo più sofisticata, dice così:

> «Esoterismo - (dal greco *esoterikós*, "consono", "relativo all'interiore"). Orientamento Spirituale, velato da un linguaggio simbolico, e che si esprime attraverso le liturgie dell'iniziazione. È dunque una sapienza (la *Philosophia perennis*) riservata alle cerchie degli eletti, di coloro che hanno bussato, affinché fossero aperte le porte che ricondurrebbero alle origini, alla matrice che è al di là dei condizionamenti degli stati molteplici dell'Essere. Il corpo dottrinario esoterico può dirsi universale, per l'Uomo, essendo attestata la sua presenza, tanto negli orizzonti culturali di livello etnologico, quanto nella storia dell'Asia e dell'Occidente».[15]

L'esoterismo è senz'altro una religione, anche se molti gruppi si presentano come semplici filoni filosofici, o vie di conoscenza delle leggi nascoste dell'universo. Nella sua essenza più vera, l'esoterismo è una *religione pagana*: il suo Dio non è certamente quello della Bibbia.

Si potrebbe restare ingannati dall'ampio uso della Scrittura e della tradizione cristiana che viene fatto nell'esoterismo, ma questo è solo uno specchietto per allodole.

Il Vangelo di Giovanni è molto citato e viene accolto come «*La Sorgente*», ma unito al Vangelo secondo Tommaso e agli apocrifi gnostici. Il nome di Cristo e le sue parole ritornano correntemente negli insegnamenti, ma tutto è falsato: Cristo che non è il Figlio di Dio, ma solo un *Maestro*, un *Grande Iniziato*, un *Rivelatore di Conoscenza*. Insomma solo un grande esoterista. Eppure il fenomeno magico-esoterico è molto diffuso. Riporto da un comunicato ANSA del 1992:

> «In Italia sono attivi oltre 600 gruppi magico-esoterici, spesso emanazione di vere e proprie sètte o di circoli occulti; inoltre ogni anno almeno 12 milioni di italiani ricorrono ai maghi».[16]

---

[15] Leonardo Montoli, *op. cit.*, p. 216.
[16] Comunicato ANSA, 09/11/1992, 20:07.

7. ...e lo Gnosticismo?

Lo Gnosticismo è un'eresia del secolo II e III, che tentò di sostituire alla semplice fede una conoscenza del divino più elevata e perfetta, accessibile solo a pochi (quindi una fede non per tutti, ma solo per «*iniziati*»).

Lo Gnosticismo prende il nome da «*gnosi*», che significa «*conoscenza*». Nella accezione più comune «*gnosticismo*» indica un sistema filosofico che pretende di conciliare tutte le religioni e di spiegarne il senso profondo con una conoscenza «*esoterica*» delle cose divine, comunicabili per mezzo della tradizione e riservate agli «*iniziati*».

Lo gnosticismo del nostro tempo è quasi sempre legato però, non solo al mondo dell'occulto e dell'esoterismo, ma è anche influenzato moltissimo dal panteismo delle religioni orientali, che essendo monistiche (tutto è «*Uno*») tendono ad identificare il Creatore con il creato. Perciò tutto nella creazione è Dio. In questo modo, non solo l'uomo – ogni uomo – è Dio, ma anche il mare, l'erba, i fiori, tutto è Dio, perfino... gli escrementi di vacca. Forse questo può andare bene in India, dove le vacche sono considerate «*sacre*», ma... le nostre? Questo modo di guardare a Dio è caratteristico di ciò che viene indicato come una religione «*panteistica*»: esiste un unico «*tutto*» e tutto è in «*tutto*».

È il «*tutto*» della grande *Energia Cosmica*, divina, impersonale, universale, la quale si manifesta attraverso emanazioni successive, che determinano i diversi aspetti e i diversi gradi dell'universo.[17] Alla base della scala sta la «*materia*» puramente materiale e grossolana, che però emette anch'essa delle vibrazioni. Segue poi la «*materia sottile*» dello spirito, scintilla e vibrazione del *Divino Cosmico*, nel cui centro risiede il «*Sé*».

Solo pochi riescono però a riconoscerlo, gli altri sono inevitabilmente soggetti a un male terribile: l'ignoranza. La salvezza è data quindi dalla «*gnosi*»: la conoscenza integrale che ci apre all'unica Salvezza, mediante la scoperta della vera natura dell'«*Io*»: è questo un lungo itinerario – naturalmente iniziatico – che passa attraverso la purificazione del *Karma* personale (che è il debito che ogni uomo ha accumulato con le proprie azioni cattive nelle vite precedentemente vissute).

---

[17] Più diffusamente parleremo del Panteismo nella parte III.

Questa purificazione – attraverso il ciclo delle rinascite, o reincarnazioni – ricondurrebbe l'uomo a ridiventare nientemeno che... Dio: e di nuovo siamo al punto di partenza: siamo tornati nell'Eden, dinanzi al serpente.

Roberta Grillo scrive una bella pagina, molto sintetica, sullo Gnosticismo, che vale proprio la pena di leggere:

«Con andamento... serpentino, la gnosi fluisce attraverso i secoli, dando linfa vitale a eresie, sette ed a mille correnti di pensiero, spesso assai diverse tra loro; ma tutte orientate... in senso antibiblico ed anticristiano. È così che ritroviamo l'immagine del serpente a far da emblema per alcuni grandi movimenti iniziatici, raffigurato a circondare la stella a sei punte di Salomone: il simbolo cabalistico dei *Rosacroce,* una setta esoterica fondata nel XVII secolo. Eccola ancora nel cerchio del "serpente che si morde la coda", con al centro l'Occhio onniveggente del Grande Architetto dell'Universo, il logo delle logge della Massoneria.

"Larvatus prodeo, avanzo mascherato" è il motto del Serpente gnostico, impegnato a convincere e a conquistare per vie traverse, sotto cento metamorfosi, le coscienze. A dimostrare quanto profondo e determinante sia stato attraverso i secoli, l'influsso della gnosi sull'evolversi del pensiero e del costume nel mondo occidentale fino ai nostri giorni, e quale sia stato il suo essenziale orientamento, riportiamo un giudizio di Umberto Eco – testimone insospettabile, data la sua comprovata laicità – riportata da Vittorio Messori.[18]

"Qualcuno ha detto – e l'autore de *Il pendolo di Foucault* sembra essere d'accordo con loro – che la storia dell'Occidente è la storia dei tentativi della mentalità gnostica di contrastare il cristianesimo o di inquinarlo dall'interno. Da Simon Mago, che gli apostoli incontrano in Samaria (*At* 8), sino alle eresie dell'età patristica e quelle medioevali (i Catari, gli Albigiesi e mille altri); da certi filoni dell'umanesimo rinascimentale sino all'illuminismo settecentesco; dalla massoneria (soprattutto, come ammette Eco, quella di "rito scozzese") sino a certo romanticismo; dall'idealismo al fascismo, al nazismo, al marx-leninismo, all'occultismo; all'esoterismo, alla cultura della droga ed alle culture post-moderne *tout court*: in tutto questo, la "malattia gnostica", travestita in mille forme, si è infiltrata ed ha insidiato la prospettiva evangelica"».

Gran parte del pensiero e della cultura moderna è quindi gnostica ed anticristiana proprio nella sua natura più profonda. La *gnosi*

---

[18] VITTORIO MESSORI, *«Pensare la storia»* [Ed. San Paolo, Cinisello Balsamo, 1992].

quindi, come un terribile serpente sotterraneo, scava spazi insospettabili ed insospettati nella cultura del nostro tempo, preparando nicchie diaboliche ove confluiscono le correnti misteriche più antiche, dai riti iniziatici egizi, alle sètte iniziatiche ebraiche e tutto si mescola nel magma velenoso dello gnosticismo, che raggiunge poi i *talk show* televisivi, i giornali, le riviste culturali e popolari, per insinuarsi da lì nella mente dei giovani, avvelenando così il terreno dove dovrebbe crescere il Cristianesimo vero.

Coloro poi che operano alla divulgazione di queste idee non hanno esitazioni nell'investire tempo e denaro con grande impegno. Alcuni anni fa il noto presentatore televisivo Marco Columbro – che da anni prepara in Val d'Orcia (Toscana) un ambizioso progetto *New Age*, chiamato «*Arcobaleno*», che si occuperà di «*ricerca spirituale*», con la partecipazione di guru occidentali ed orientali – dichiarava in un'intervista:

> «Senz'altro il centro *"Arcobaleno"* è il mio futuro, però devo dire che, essendo impegnato *nella divulgazione della scienza dello spirito*, è importante che rimanga un personaggio conosciuto, perché solo in questo modo la mia divulgazione diventa *penetrante*».[19]

8. I movimenti magici

Massimo Introvigne nel suo libro *Il cappello del Mago*,[20] classifica molto accuratamente i vari movimenti magici. Cercherò quindi anch'io di seguire la sua suddivisione. Parlando di questi gruppi bisogna tener presente che si tratta quasi sempre di organizzazioni che sono molto strettamente suddivise secondo gradi iniziatici. Fra questi gruppi ci sono i *Rosacroce*, la *Golden Dawn*, la *Chiesa Cattolica Gnostica* e numerosi altri.

La stranezza di questi movimenti magici è che le persone solitamente non sono legate ad un solo gruppo, ma a diversi (anche in contrasto tra loro), convinte come sono, che ricevere più iniziazioni è certamente meglio che riceverne una sola: l'iniziazione quindi non è più un'affiliazione a un determinato gruppo, ma diventa un modo per

---

[19] CLAUDIA MARANGONI, da «*Onda Tivù*», «*Il Resto del Carlino*», 9 dic. 1999.
[20] M. INTROVIGNE, «*Il Cappello del Mago*» [Ed. Sugarco - Milano (1990)], parte II, pp. 141-156; 176-215; 233-333.

ottenere tutto il potere esoterico variamente racchiuso nelle varie organizzazioni.

a. Le «fraternità universali» e gli «ordini pitagorici»[21]

Alcune organizzazioni magiche si presentano come «fraternità» e propongono un cammino di perfezionamento spirituale attraverso passaggi successivi (chiamati «gradi»), facendo appello a una verità universale, che sarebbe precedente a tutte le tradizioni e a tutte le religioni e su cui dovrebbe formarsi una nuova unità degli uomini.

Questa fraternità è nello stesso tempo sia «fraterna» che gerarchica, perché diretta da «iniziati», che hanno raggiunto la qualifica di «maestri».

Di questo gruppo fanno parte movimenti come la «Grande Fraternità Universale», l'«Ordine Ermetista Tetramegisto e Mistico» (O∴H∴T∴M∴ - i quattro puntini dopo le lettere indicano la sacralità del numero quattro), l'«Associazione Pitagorica», la «Nuova Acropoli», ecc.

Una particolare attenzione merita «Nuova Acropoli». Questo movimento negli ultimi anni si è infiltrato in associazioni culturali e religiose, attirando molti consensi e simpatie. Si presenta infatti come un movimento ecologico e, forse ancor di più, pronto a far sentire la propria voce per il restauro e la conservazione dei monumenti.

Ciò ne favorisce in modo speciale l'infiltrazione nelle parrocchie e nei gruppi religiosi. Organizza anche, a prezzi stracciati, viaggi culturali in Egitto, Perù, oppure a Chartres, ma la ragione di questi viaggi è solo la visita e la scoperta di luoghi magico-esoterici.

b. Gli «ordini rosacruciani»

Fra i più conosciuti si trovano l'«Ordine Cabalistico della Rosa-Croce», la «Fraternitas Rosicruciana Antiqua», la «Fraternitas Rosae Crucis», i «Fratelli Anziani della Rosa Croce» (= «F.A.R+C.»), e, per finire, i notissimi «Lectorium Rosicrucianum» e «A.M.O.R.C» («Antico e Mistico Ordine Rosae-Crucis»). Questi ultimi due movimenti contano ormai alcuni milioni di seguaci nel mondo fra i quali moltissimi – purtroppo – sono: «cattolici praticanti».

---

[21] PITAGORA, allievo di sacerdoti egizi, fu certamente un «grande iniziato» e forse il primo tra i «maestri» occidentali a organizzare una comunità di «esoteristi».

Queste organizzazioni si diffondono principalmente tramite corrispondenza e cicli di conferenze sulla cosmologia esoterica, sull'antropologia filosofico-occultista, sulla reincarnazione, sullo sviluppo della coscienza subcosciente, sulla levitazione, sulla chiaroveggenza e altre simili amenità, che come si può facilmente vedere, hanno sicuramente poco in comune con la fede cristiana.

c. «Ordini templari» e «chiese gnostiche»

Da ricordare la «Chiesa Gioannita», l'«Ordine del Tempio Rinnovato», il «Movimento Gnostico», la «Chiesa Gnostica», la «Chiesa Gnostico Cattolica». Quest'ultima, nonostante il nome, non potrebbe essere... meno cattolica. Essa è nata, infatti, dal tedesco Theodor Reuss, che fu anche l'iniziatore di Aleister Crowley (di cui parleremo nel capitolo che riguarda il satanismo).

Introvigne afferma che Theodor Reuss era contemporaneamente:

«...il capo dell'O.T.O.[22] e Gran Maestro... di una delle branche del Rito di Memphis e Misraim – una organizzazione tipica di un certo occultismo massonico».[23]

A questo «rito» apparteneva anche Francesco Brunelli, uno dei più grandi maghi del nostro tempo, famoso in tutta Europa, e naturalmente dotato di grandi «poteri».[24] Ciò sta ad indicare come tutto il mondo esoterico e magico che ci circonda sia intensamente cucito attraverso fitti fili culturali ed organizzativi, con molteplici altre realtà esoteriche, tra le più varie.

Le diverse «Chiese gnostiche» nascono per lo più da scismi dell'O.T.O. e quella «cattolica» abbina la magia sessuale,[25] al satanismo, al vudù haitiano, allo spiritismo e alla magia egizia.

[22] **Ordo Templis Orientis**, organizzazione magico occultista di cui farà parte anche Aleister Crowley, mago e satanista moderno. Origina nel mondo della magia cerimoniale il cui centro è la **Golden Dawn**. Questa organizzazione era nata a sua volta da alcuni massoni dissidenti, perché «insoddisfatti per la mancanza di interesse per l'occultismo che notano nella massoneria ufficiale» [cf M. INTROVIGNE, «Il Cappello del Mago», Sugarco ed., p. 25].
[23] M. INTROVIGNE, op. cit., p. 26.
[24] Era «vescovo» e «primate» della **Chiesa Gnostica Italiana**, era stato ordinato da un «episcopus vagans» e celebrava Messa – naturalmente «gnostica» – ma... consacrava.
[25] Come si vede la magia sessuale si inserisce abbondantemente nei più svariati spazi del mondo magico esoterico.

Al suo interno vi è una scala gerarchica di tipo cattolico con vescovo, presbitero, diacono, accolito. Vi si celebrano «*messe gnostiche*» e rituali vari piuttosto aberranti. Anche di questa chiesa si possono vedere spesso i manifesti affissi nelle più grandi città italiane.

d. Magia cerimoniale e magia orientale

Numerosissimi gruppi fanno parte della magia cerimoniale e la differenza fondamentale tra magia cerimoniale e magia iniziatica è che, benché in entrambe si parli di iniziazione, l'accento della magia cerimoniale viene posto sull'efficacia delle cerimonie e dei riti, non sulla legittimità della catena iniziatica. Sarebbe eccessivo in questa sede parlare di questi gruppi come ne parla uno studioso del calibro di Introvigne, a cui rimandiamo chi vuol saperne di più, perciò ricorderemo solo i nomi dei principali; come la «*Golden Dawn*», l'«*Ordo Templi Orientis*» («*O.T.O.*»), il «*Tempio della Gioventù Psichica*», il cosiddetto «*T.O.P.Y.*»[26] e soprattutto la «*Fratellanza di Miriam*».

Alla magia orientale appartengono invece gruppi di origine teosofica ed antroposofica con sfumature tantriche e di esoterismo cristiano. I più noti sono: l'«*Arista*», l'«*Ordine Esoterico del Loto Bianco*», e il «*Graal*».

e. Esoterismo cristiano

Con questo nome si vuole intendere quei gruppi che ritengono Gesù Cristo come l'iniziatore di un movimento magico-esoterico: un grande iniziato, pervenuto a una conoscenza superiore, che avrebbe trasmesso solo a un circolo chiuso: i dodici apostoli.[27]

Si è cercato in tal modo di fare un «*ritorno al Cristo*» da parte di ambienti interessati alla magia cerimoniale, e perfino iniziatica, di cui sono state proposte delle versioni «*cristiane*» o almeno cristianeggianti.

Alcuni pensano che potrebbe essere un ponte per recuperare alla

---

[26] Il *T.O.P.Y.* si basa su procedimenti di magia legati al «*lavaggio del cervello*» e con molti collegamenti al mondo della musica rock, di cui si serve come veicolo pubblicitario.

[27] Certamente nell'esoterismo cristiano Gesù non è né Figlio di Dio, né Dio lui stesso.

fede tanti di coloro che si sono dati all'esoterismo, ma le chiese cristiane credono invece (e a buona ragione) che sarebbe un modo per portare via da Cristo tanti «cristiani» che sono affascinati dall'esoterismo. Ne fanno parte le «Amicizie spirituali», l'«Ordine del Santo Graal», l'«Associazione Archeosofica», l'«Ordine essenico occidentale» e tanti altri.

Per indicarne alcune caratteristiche – ed anche i pericoli – riporto, da «Il Cappello del Mago» di Introvigne, alcuni passi riguardanti l'«Ordine essenico occidentale» (soprattutto riferiti a Paolo M. Virio):

> «...Non mancavano sacerdoti interessati all'occultismo, o comunque disponibili a lunghe discussioni con il gruppo degli esoteristi cristiani... Nel suo Il conseguimento celestiale "Erim" aveva peraltro insistito sulla peculiarità della sua via che richiede vere coppie (sempre più rare nel mondo moderno), coniugi cristianamente formati e insieme esotericamente qualificati. Al di fuori di queste qualificazioni, insiste "Erim", non nascono "corpi di luce" ma fantasmi in cui si incarnano i demoni, grazie anche agli "stregoni intellettuali" che sono peraltro "molto rari, come i santi di cui sono l'inversione"...
> Per Virio, del resto, la "Grande Opera" permette la costruzione di un "corpo di luce" solo attraverso "la sospensione e il mutamento di polarità dell'energia sessuale" che esclude ogni "concupiscenza e voluttà". Alcuni discepoli attuali di Virio sottolineano come, nella tradizione trasmessa dalla moglie Luciana, si insegnasse particolarmente la via della non emissione del seme...
> Questa via – con la dottrina del corpo di luce come scopo (che Virio avrebbe realizzato, tanto che dalla sua camera la moglie avrebbe visto filtrare una grande luce) – richiama (almeno in questo contesto) una teoria delle reincarnazioni e della possibilità di liberarsene, che la scuola di Virio considera perfettamente compatibile con il cattolicesimo. Virio e la moglie continuavano del resto a frequentare i sacramenti – pure ritenendosi membri anche di una "chiesa esoterica" –, appartenevano al Terzo Ordine Carmelitano e, negli ultimi anni, si consideravano particolarmente legati a padre Pio...».[28]

Cosa possano avere a che fare con il Cristianesimo queste idee, credo che il lettore se ne renda conto da solo. Da notare tuttavia come in questo mondo strano dell'esoterismo e dell'occulto di mezzo ci siano sempre, in un modo o nell'altro, il sesso e la magia sessuale.

---

[28] M. INTROVIGNE, op. cit., p. 330.

Uno degli aspetti più caratteristici della magia esoterica, come vedremo in seguito, è l'uso rituale e ossessivo del sesso.

La magia cerimoniale, la magia orientale, la stregoneria e l'esoterismo in tutte le sue sfumature e naturalmente il satanismo, sembrano considerarlo il punto centrale della loro attività.

Ne rimando perciò la trattazione specifica ai successivi capitoli, anche per fornire a tutti coloro che ne fossero rimasti in qualche modo invischiati gli strumenti più idonei al raggiungimento della propria liberazione.[29]

9. Prepararsi per saper rispondere e per evangelizzare

Quanto accennato è solo uno sguardo generale sull'infinità dei gruppi sorti intorno all'idea dell'esoterismo e della magia e con i quali possiamo avere a che fare. Ma di questo non c'è da stupirci più di tanto, perché da sempre l'uomo ha cercato di impadronirsi delle forze della natura, della mente dell'uomo e del principio creatore, per porli al proprio servizio.

La nostra vocazione cristiana ci impegna a portare avanti un'incessante opera di evangelizzazione, di illuminazione e di prevenzione, sviluppando al massimo le potenzialità e le ricchezze della nostra fede, coerentemente innestate nella nostra vita quotidiana. Tutto ciò ci trasforma in *testimoni* credibili, capaci quindi di dare risposte adeguate alle aspirazioni e alle domande della gente e su cui ognuno possa riflettere e interrogarsi.

Ma da tutto ciò nasce inevitabilmente il dovere di prepararci seriamente su questi argomenti, sulle conseguenze disastrose sia ai fini della salvezza eterna, che di una equilibrata salute fisica ed emozionale.

Conseguenze che possono colpire sia chi abbia praticato la magia esoterica o chi, anche involontariamente, ne sia rimasto intrappolato.

Lo scopo è certamente quello di riuscire ad illuminare con indicazioni sicure coloro che sono stati coinvolti nell'occulto, nella magia e nell'esoterismo – per aiutarli a trovare il modo di liberarsi dai legami nefasti che hanno contratto – e, contemporaneamente, poter offrire ai

---

[29] Vedere i capitoli 5, 6 e la parte finale del capitolo 7.

sacerdoti o agli operatori pastorali, un aiuto per orientarli nella cura di chi si rivolge loro per consigli spirituali in questo campo.

Non dimentichiamo mai, infine – e non stanchiamoci di ricordarlo ai nostri fratelli – ciò che dice la Scrittura:

> «*Io sono l'Alfa e l'Omega, il Principio e la Fine. A colui che ha sete darò gratuitamente acqua della fonte della vita. Chi sarà vittorioso erediterà questi beni; io sarò il suo Dio ed egli sarà mio figlio. Ma per i vili e gli increduli, gli abietti e gli omicidi, gl'immorali, **i fattucchieri, gli idolatri e per tutti i mentitori** è riservato lo stagno ardente di fuoco e di zolfo. È questa la seconda morte!*» (*Ap* 21,6-8).

Questo dovere di informazione e di educazione non prevede tregue e trascurarlo è certamente un grave peccato di omissione. Per non cadere in questo peccato è necessario denunciare il problema per mettere in guardia tutti coloro che possono essere salvati dall'inganno. Scrive Daniel Ange in «*Balsamo è il tuo Nome*»:

> «Tutte le forme di occultismo: criptestesia – telepatia e veggenza – carto e chiromanzia, ecc., come pure i loro diversi metodi di suggestione (ipnosi, magnetismo), *dovrebbero essere denunciate con il più estremo vigore*. Non si tratta più di settori semplicemente ambigui, ma di terreni privilegiati delle operazioni del principe delle tenebre. Perciò essi portano a spaventose rovine».[30]

Commentando il documento della CET «*A Proposito di Magia e di Demonologia*»,[31] L. Moia riporta quanto emerge dallo stesso:

> «Allo sbocco del labirinto magico... ci può essere il maligno. E anche nei casi meno gravi, in ambienti permeati da forme magiche, occultistiche o superstiziose, è facile che le persone vengano afflitte da psicopatologie più o meno preoccupanti o comunque da disturbi della personalità».[32]

Aderire alla preoccupazione dei Vescovi toscani significa avere una cura pastorale piena di carità cristiana, ignorarla è omissione grave.

---

[30] DANIEL ANGE, «*Balsamo è il tuo nome*» [Ed. Ancora - Milano (1982)], pp. 330-331.
[31] «*Nota Pastorale della Conferenza Episcopale Toscana*», 1 giugno 1994.
[32] LUCIANO MOIA, «*La Voce*», 23 aprile (1994), p. 10.

Testimonianza

Questa testimonianza è parte del racconto che una donna fa della propria vita e delle proprie sofferenze. Fin da bambina manifestava capacità medianiche e – come accade di frequente – proprio a causa della medianità, è poi caduta nella trappola tesagli da altre persone «*medianiche*», che l'hanno ridotta in una specie di schiavitù. Il fatto che persone di questo genere si riconoscano e si trovino, sta già forse ad indicare quanto di preternaturale si nasconda dietro la magia, lo spiritismo e la medianità.

«Quando incontrai G. e divenni la sua amante il mio matrimonio ben presto si sgretolò e io e mio marito ci separammo. G., in quella circostanza, mi disse di avermi "aiutata" affinché la separazione avvenisse in modo indolore per tutti. Comincia qui il periodo più scottante della mia vita in cui tutto sembrò precipitare in un abisso senza fine. Ma questo è anche il tempo in cui Dio è intervenuto con fermezza per porre fine alle mie scelleratezze.

Dopo la partenza di mio marito G. si interessò a me più del solito. Cominciò a frequentare assiduamente la mia casa, a..., ed a farsi voler bene dai miei figli. Altri due suoi amici, uno in particolare (rivelatosi poi il capogruppo) cominciarono a frequentare la mia casa insieme con lui. Pranzo e cena, tutto il giorno nelle festività e ogni sera fino a tarda notte nei giorni lavorativi. Inizialmente ne fui contenta, data la mia intimità con G., ma in seguito cominciai a sentirmi come prigioniera in un modo dal quale non potevo, né volevo, liberarmi.

I discorsi erano sempre di un certo tipo. Mi resi ben conto che il paranormale era il centro, anzi il senso stesso, della loro vita. Li ammiravo, ne ero affascinata. Avrei voluto esser come loro. Avevo iniziato qualche mese prima a fare esperienze paranormali quando G. mi guardava. Avvertivo un senso di fluidità, oserei dire di liquidità, tra me e lui. In seguito (e la cosa allora mi piacque) riusciva a comunicarmi il suo "spirito" che probabilmente mi visitava e mi faceva sentire come senza forze e mi immobilizzava. Cominciarono anche le esperienze notturne: terrificanti e incontrollabili. Erano sensazioni simili a quelle che avevo avuto in passato, ma ora mi spaventavano perché adesso ero consapevole della loro provenienza. Cominciai ad avere veramente paura. Uno di loro, il più anziano dei suoi amici, mi diede una preghiera da recitare durante il verificarsi di questi episodi.

Tale preghiera si rivelò in seguito indirizzata ad un demonio. Ammetto di averla recitata spesso, in buona fede. A volte recitavo il Padre Nostro, ma Dio era lontano mille miglia dai miei intimi pensieri.

Quando questa presenza si fece prepotente provammo la scrittura automatica. Soffrii moltissimo: credetti di morire. Dopo un paio di tentativi di scarso successo, riuscimmo a far parlare questa entità, che puntualmente si presentava, ma solo in loro presenza. Si manifestò una donna accorata e piangente, che versava in gravi sofferenze a causa del rimorso per aver ceduto, pur contro il suo desiderio, ma per ingiunzione del marito, la sua piccola bimba ad un potente (il conte Camillo Benso di Cavour, a suo dire ora all'inferno), il quale la traviò. In quella occasione lo spirito rivelò il suo nome: Aurelia.

Parente del conte e nobile del tempo. Il nome della figlia non lo ricordo. Ci chiese che in aiuto suo e della figlia fossero accesi dei lumini a san Crispino, san Damiano e san Cristoforo. In cambio mi prometteva la sua guida e la sua protezione.

Dopo questi episodi l'interesse dei tre e di G. in particolare, si trasferì alla famiglia di mia sorella, che nel frattempo aveva avuto modo di conoscere e frequentare. Mia sorella era pure separata e viveva con le sue belle figlie. G. si disse innamorato follemente della più giovane, solo diciannovenne, e proclamò a tutti il suo grande amore, che definì incontro profondo di due spiriti e si disse ansioso di sposarla al più presto. Io mi sentii abbandonata e tradita in quel momento per me così delicato. Per G. non contavo più nulla. Adesso comprendo che ero stata solo una pedina per arrivare ad uno scopo ben preciso.

I miei rapporti con mia sorella si guastarono, con mia nipote c'era astio e rivalità, con mia madre solo litigi e rancori, perfino con i miei bambini c'era profonda incomprensione. La loro sofferenza era grande nel sentirsi trascurati. Perfino i parenti, gli amici ed i vicini di casa mi evitavano. La mia bella nipote R. era stata parzialmente già iniziata. Praticava da alcune settimane la scrittura automatica e l'avevano convinta della loro buona fede. Le avevano detto che lo spirito di Isabella di Spagna era in lei e che era la predestinata a raccogliere un grande patrimonio spirituale: avrebbe infatti partorito una creatura speciale di sesso femminile.

A lei, credendola la prescelta, rivelarono di essere membri del movimento spirituale, segretissimo, dei Rosacroce, i cui misteri sono rivelati solo a pochi e sceltissimi iniziati.

Io ed altri della mia famiglia siamo stati le loro cavie.

Per mia fortuna, in questo periodo Dio mi ha tratto in salvo, facendomi incontrare un santo sacerdote esorcista, che – Dio lo benedica – mi condusse dal mio vescovo per il primo esorcismo.

Lì si manifestarono terribili presenze e cominciò la mia liberazione. Da allora ho avuto tante preghiere di esorcismo e tanto aiuto spirituale da questo caro sacerdote e sono diventata una nuova creatura. Ancora oggi, però, dopo cinque anni, sono ancora disturbata di notte, anche se, naturalmente, non come prima. Durante l'esorcismo, per anni, la presenza demoniaca si manifestava, tra smorfie orrende e dolorose, affermando di non potermi lasciare che a prezzo della mia vita. Ma io non avevo paura: era come se assistessi ad una farsa recitata da altri.

Dirò grazie in eterno al mio Salvatore, Gesù Cristo, che mi ha liberato da tante dipendenze e che ogni giorno dimostra la sua presenza nella mia vita. Prego incessantemente Gesù e la Vergine Maria.

Gesù mi ha già dato la fede, che non avevo, la libertà dalla mia schiavitù sessuale e psicologica da G., mi ha dato perseveranza, misericordia e carità.

Ho donato la mia vita interamente a Gesù e gli ho chiesto di diventare la vera guida dei miei figli».

Parte II

DALLA MAGIA SESSUALE
AL SATANISMO

La magia sessuale è la più diffusa delle pratiche magiche del nostro tempo. I costumi e le mode contemporanee ne favoriscono certamente la diffusione per tanti motivi, non ultimo quello di considerare il sesso un comune «divertimento».

Con questo presupposto ludico e l'allentarsi dei costumi, il sesso perde facilmente il suo valore di «amicizia coniugale» e di sacramento, per diventare «passatempo» e quindi facilmente indirizzabile a fini utilitaristici, o alla ricerca di nuove sensazioni, o di «peack esperiences».

L'uomo ha perduto l'idea meravigliosa di essere stato creato «*ad immagine di Dio*» (*Gn* 1,27), di un Dio che è «*comunione*» e quindi l'uomo di oggi non cerca di vivere immerso in comunione con Dio e con il proprio coniuge e non vede più la propria mascolinità e femminilità come un dono di comunione, ma come uno strumento di dominio edonistico ed egoistico sull'altro. Il sesso quindi diventa strumento di potenza, quando non addirittura di sopraffazione. Il pensiero e la vita di gran parte degli uomini e delle donne del nostro tempo è impregnato di questa visione satanica dell'*altro*, visto solo come mezzo per l'utilizzo che se ne può fare.

La donna usa una quantità elevatissima del tempo di cui dispone nell'ossessione idolatrica del proprio corpo, per accrescere la sua capacità di seduzione e potere affermare, di conseguenza, il proprio supposto valore, come ebbrezza di dominio illimitato sul maschio, utilizzando poi questo dominio o per il successo, o per la carriera, o semplicemente per soddisfare la propria peccaminosa vanità.

L'uomo, a sua volta, cerca di usare la donna come oggetto di soddisfazione genitale e di dominio personale, attraverso la passione, o la propria prepotenza fisica, o il denaro di cui dispone, o la pressione sociale che sa utilizzare adeguatamente e perfino sfruttando i bisogni dei figli – fatto a cui è certamente molto sensibile la donna-madre.

Questi comportamenti d'altro canto non fanno altro che rafforzare l'idea del sesso come strumento di potere, manifestando perfino un risvolto psicologico di maggiore eccitazione e soddisfazione sessuale. Il demonio sa bene come blandire ed illudere i suoi servitori.

Con filoni culturali di tale sapore non è difficile passare all'uso del sesso per ottenere vari «*poteri magici*». Questi «*poteri*» si ottengono anche attraverso il sesso effettuato «*con partners inconsapevoli*».

In persone dotate di poteri medianici il peccato sessuale è già diffusamente e comunemente usato come strumento di schiavitù per legare a sé le ingenue vittime, ma spesso si trasforma in un «*rito*» per il raggiungimento di ulteriori, straordinari, «*poteri magici*».

Riflettendo sulla genesi di questi «*poteri*», sul loro sviluppo nello stato di immersione nel peccato e sulle terribili potenze che vengono evocate, non è difficile scorgervi lo spaventoso volto dell'infernale regista. Perciò il percorso dalla magia sessuale, alla stregoneria ed infine al satanismo, non è certamente né difficile, né estenuante, anzi sembra quasi inevitabile. Per cui colui che riesce ad evitare la totale degenerazione, lo deve più all'intervento della divina misericordia che al semplice caso.

Nel mondo attuale, post-cristiano e neo-pagano, dove partendo dalla ordinaria pubblicità fino alla pornografia, il corpo femminile viene sempre esibito come oggetto di egoistico piacere, non è difficile comprendere il trionfo della magia sessuale. Il Santo Padre Giovanni Paolo II ha scritto:

«...la storia non è semplicemente un progresso necessario verso il meglio, bensì un evento di libertà, ed anzi un combattimento fra libertà che si oppongono tra loro, cioè secondo la nota espressione di S. Agostino, un conflitto tra due amori: l'amore di Dio spinto sino al disprezzo di sé, e l'amore di sé spinto fino al disprezzo di Dio».[1]

Se l'uomo è «*icona di Cristo*» ogni sforzo del Maligno sarà diretto a deturparne l'immagine. È in questa direzione che si muove appunto la magia sessuale fino al repellente satanismo, ove l'accanimento contro l'Uomo-Dio, Gesù Cristo, raggiunge il massimo livello dell'odio infernale e la perversione sessuale il suo culmine più rivoltante.

---

[1] GIOVANNI PAOLO II, Esort. Apost. «*Familiaris Consortio*», 6.

5. Neo-paganesimo post-cristiano: la Magia Sessuale

1. La magia sessuale

Spesso, durante colloqui pastorali, cercando di aiutare le persone a vivere una vita matrimoniale ed affettiva più equilibrata e serena e dare loro consigli spirituali su come vivere bene il matrimonio, cioè come un *sacramento* pieno della grazia di Dio, si arriva a scoprire che alla base di tanti fallimenti o difficoltà c'è molto spesso una interferenza spirituale.

Questa interferenza è dovuta, in genere, alla medianità, all'occulto e in non pochi casi alla magia sessuale, che quasi sempre la donna subisce senza esserne consapevole.

Che le conseguenze spirituali della magia sessuale siano gravi è facile da capirsi, infatti tutto ciò che è magico – e quindi è un «*abominio*» davanti a Dio – avviene durante il tempo in cui la persona è immersa nel peccato di fornicazione, o di adulterio, quindi molto aperta all'attacco spirituale, non essendo protetta dalla grazia di Dio.[2]

La magia sessuale non è altro che il tentativo molto elaborato di preparare un grande ritorno al paganesimo decadente, il tutto condito con una pesante salsa di magia rituale e connotazioni pseudo-filosofiche, che dovrebbero, a loro volta, fungere da ponte levatoio per un facile trasbordo al «*cristianesimo esoterico*». Tutto questo, per i cultori della magia sessuale, dovrebbe fornire un'importante saldatura sincretistica con il pensiero religioso più superficiale e quindi

---

[2] Una volta ho incontrato una donna schiacciata da un tremendo senso di colpa (ed era, forse, una grazia!), perché, durante un amplesso con un suo amante, aveva chiesto a Satana di liberarla da suo marito, seguendo un rito che aveva letto in un libro di magia. In tre settimane suo marito, ancora trentenne e apparentemente pieno di salute, era morto per leucemia fulminante. Solo un caso?

rendere l'insieme facilmente accettabile ad una vasto strato di pubblico.

La pratica della magia sessuale è sempre unita a elementi astrologici centrati sul ciclo lunare, simbolo da sempre del ciclo mestruale e alla luna, a sua volta legata a Diana, l'antica dea pagana.

Il seguente passo, preso da un sito italiano su internet, è estremamente significativo nel mostrare la miscela degli elementi suddetti:

> «Avrete bisogno di una stanza molto tranquilla, dove ogni rumore esterno venga eliminato, e dove non dovrà entrare nessuno; preparate il profumo della forza planetaria che volete attirare. L'inizio deve essere fatto il primo giorno del terzo quarto di luna e durante questa fase la donna non dovrà accedere alla camera.
>
> Passato questo periodo che durerà sette giorni, potrete far entrare la vostra compagna, illuminate la stanza del colore prescelto, ...parlando il meno possibile, nel momento che giudicherete il più propizio procedete al congiungimento, aumentate il vostro desiderio facendolo coincidere con l'intensità massima al compimento, *l'orazione in comune dovrà essere ripetuta per quarantun giorni, ogni tre giorni.*
>
> Dopo questo periodo se tutto sarà stato eseguito nel modo giusto, le facoltà o la forza desiderata saranno acquisite. *Il rito di amore magico* può essere compiuto per molti fini, tanto vari quanto varia è la vita stessa».[3]

La ricerca quasi monastica del silenzio, il luogo «*in clausura*», il profumo che ricorda l'incenso delle funzioni cristiane, perfino l'amplesso che viene chiamato «*orazione in comune*», fanno pensare che si stia parlando della celebrazione liturgica di un «*sacramento*».

Insieme a questo però sono presenti gli elementi esoterici («*L'inizio deve essere fatto il primo giorno del terzo quarto di luna... sette giorni... quarantun giorni...*[4] *...ogni tre giorni...*») e magici («*...non dovrà entrare nessuno... se eseguito nel modo giusto, le facoltà o la forza desiderata saranno acquisite...*»). Ci sarebbe anche da chiedersi: che valore ha la donna se non quello di essere «*strumento*»? Ma questo concetto è cristiano?

In questo miscuglio di oscenamente «*sacro*» e di satanicamente perverso sta la chiave che permette al maligno di radicarsi nella vita dell'individuo. La ricerca dei «*poteri*» fa il resto. Non dimentichiamo

---

[3] Dal sito http://web.tiscali.it/stregoneria/1/menu/entr.htm, oggi chiuso.

[4] Curiosamente: un ciclo e mezzo della donna ed anche una luna piena più mezza luna come simbologia esoterica.

mai che nella terribile sequenza del peccato di cui parla san Giovanni l'Evangelista indica come culmine, proprio ciò che Satana pone nel cuore dell'uomo per più farlo assomigliare a se stesso: «*la superbia della vita*».

> «*Non amate né il mondo né le cose del mondo! Se uno ama il mondo, l'amore del Padre non è in lui; perché tutto quello che è nel mondo, la concupiscenza della carne, la concupiscenza degli occhi e la superbia della vita, non viene dal Padre ma dal mondo*» (1 Gv 2,15-16).

Questa è l'essenza della magia: *essere uguale a Dio*. Che cos'altro è la ricerca dei «*poteri*», se non il desiderio luciferino di *essere come Dio*?

2. La «mistica» della magia sessuale

La magia sessuale trae la propria filosofia di vita e la propria giustificazione dall'*esoterismo*, che, da sempre, è impastato di attività che, in qualche modo, si rifanno ad un atteggiamento di «*adorazione*» della «*forza sessuale*», vista sempre come un mezzo indispensabile per entrare in contatto con il «*divino*»,[5] quindi con i «*poteri*», ossia con la capacità di dominare non solo le forze della natura, ma anche di dominare la storia e la vita degli altri uomini. In poche parole: *diventare Dio*.

Le radici teoriche di questa filosofia affondano sia nel Panteismo, che nello Gnosticismo e si mescolano liberamente sia con il Tantrismo orientale che con l'antica magia rinascimentale nostrana. Qual è quindi l'essenza e il fondamento della magia sessuale? Bisogna comprendere che in ogni *tradizione esoterica e iniziatica* si parte dall'idea:

> «...che la possibilità di provocare per via extranormale, magica, determinati fenomeni e di influenzare leggi e processi è condizionata essenzialmente da uno stato speciale nell'operatore, stato che potremmo chiamare di "autotrascendimento attivo". Si tratta di superare, con una qualche tecnica, i limiti della coscienza puramente individuale legata all'organismo fisico e al suo mentale. È una specie di esaltazione, controparte attiva di ciò che nei mistici è l'*estasi*.[6]

---

[5] Divino? Con quale «*divino*» entra in contatto l'uomo che vive nel peccato sessuale?

[6] Addirittura l'estasi mistica ed un peccato sessuale sarebbero equivalenti. Il mago si ritiene, infatti, sempre un uomo spirituale.

Ebbene, già da Platone fu riconosciuta la possibilità che l'Eros metta l'uomo in tale stato, al segno che egli assimilò chi è trasportato dall'Eros al veggente, all'iniziato dionisiaco, al profeta, al vate.

Considerando più tecnicamente le cose, *per giungere a tanto occorre destare e usare la forza del sesso nella sua dimensione più profonda, elementare, andante di là delle semplici sensazioni e della stessa concupiscenza carnale.* Congiungendosi, in questo presupposto, con una donna... può determinarsi uno stato di "apertura", *il contatto col soprasensibile, contatto che per la sua stessa natura può rendere possibili azioni a carattere magico, sopranormale...*[7] Proprio nell'apice di questa esperienza dovrebbe essere il momento *"operativo"*... [in cui l'operatore] *...dovrebbe usare immagini, lanciare ordini, procedere a "proiezioni" e ad evocazioni...*[8]

Il discepolo che accetta le direttive di magia sessuale apprende il modo di esercitare... [*i poteri*] con l'aiuto di mezzi materiali che facilitano il lavoro e che danno le chiavi *per l'acquisto di una forza la quale, a seconda dei casi, con la rapidità di un lampo, può apportare la benedizione o la dannazione.* Tale forza rassomiglia *a quella che scatena la furia degli elementi della natura; ma l'iniziato, avvertito e sapiente, la padroneggia vittoriosamente».*[9]

A questo punto, nella presentazione della magia sessuale, altri elementi filosofici vengono introdotti nel calderone ribollente dell'*esoterismo* magico-sessuale.

«Bisogna tenere ben in mente che l'intero universo, tutti gli esseri viventi senza eccezione alcuna, sono retti dal principio di due forze contrarie esercitanti l'una sull'altra una fatale attrazione. Si può parlare, qui, di una forza positiva e di una forza negativa, forze che si ritrovano nel bene e nel male, nell'emissione e nella ricezione, nella vita e nella morte, nell'idea e nell'azione, nell'uomo e nella donna (poli magnetici positivo l'uno e l'altro negativo sul piano materiale, mentre sul piano sottile la donna è il polo attivo, l'uomo il polo negativo).

La scienza dei Misteri ci insegna che come nella natura il sesso del maschio attira il sesso della femmina, del pari possiamo attirare la forza o la forma desiderata, creando ciò che ne rappresenta il negativo o l'opposto. *Questo è il principio basilare di ogni magia*; nessuna legge gli è superiore... Essa rappresenta la concretizzazione di una energia scaturente dall'unione

[7] Anche in: http://pub45.ezboard.com/fmisterofrm1.showMessage?topicID=9. topic

[8] Evocazioni...? Chi viene evocato...? Quali «entità» saranno presenti?

[9] http://www.magiaonline.net/corsi/magia_sessuale.htm

di due poli opposti: del positivo col negativo...[10] In certe condizioni ben determinate *ci si può servire di questa corrente per influenzare le leggi nelle loro manifestazioni più lontane.*[11] Per induzione nella sfera materiale, si creano le cause degli effetti desiderati. I pensieri, le idee, le inclinazioni e le origini degli individui durante il rapporto lasciano una loro impronta nella sfera *astrale o sottile*. Queste impronte non si palesano che in seguito e non sempre derivano dalle qualità ereditarie del singolo. Tuttavia esse agiscono sempre sui fatti e sugli atti *nella sfera astrale o sottile*».

Un esempio significativo di questa «*religione*» si ritrova – qui di seguito – nel «*Credo di Eulis*», dove elementi gnostici, panteistici e pagani si mescolano a concetti tratti all'esoterismo classico e da influenze orientali, oltre che da stati alterati di coscienza:

«La Confraternita di Eulis crede nell'esistenza di grandi schiere di esseri e di intelligenze possenti, di natura né umana, né materiale, di fronte alle quali il più sublime genio della terra non è che un granellino di sabbia sulle pendici maestose di una montagna, che una goccia di un oceano immenso...

La Confraternita di Eulis crede nella realtà di questi mondi, invisibili all'occhio comune; vi crede, perché i suoi iniziati li hanno contemplati nello stato di esaltazione spirituale chiamato sialan. Questi iniziati hanno attestato che tali mondi non hanno origine dalla nostra terra, né da un qualche altro mondo simile al nostro. Gli esseri che li abitano conoscono *misteri* di un ordine superiore e insegnano, fra l'altro, che **la vera potenza dello spirito** *si acquista con l'ausilio della forza sessuale*,[12] i due elementi essendo complementari. Ma non ci si può mettere in relazione con questi esseri coi metodi dei circoli medianici, né col sistema mesmerico;[13] quanto ai

---

[10] Questa sarebbe la filosofia esoterica della magia sessuale. Da qui si scende però, di degradazione in degradazione, fino a raggiungere livelli sempre più repellenti. C'è da inorridire. Per es. Reuss afferma che nell'O.T.O. «*il segreto centrale... fu sviluppato attorno al Parsifal di Richard Wagner*». La Lancia ed il Graal rappresentano ovviamente gli organi sessuali maschili e femminili... con ciò che consegue. Inoltre propone l'uso del «*sangue femminile*» come se si trattasse di una liturgia di... comunione. Ma il fondo si trova molto più giù. Ciò sta ad indicare un atteggiamento mentale (e spirituale) così contorto e osceno, che definirlo perverso è poco, forse sarebbe più giusto chiamarlo con il suo vero nome: ...satanico. [http://www.cyberlink.ch/~koenig/cefalu.htm]. Reuss è, tra l'altro, il fondatore della «*Chiesa Gnostico Cattolica*» (v. p. 101).

[11] Insomma, si diventa... Dio? Siamo sempre nell'Eden di fronte al serpente.

[12] È possibile che «*la potenza dello spirito*» venga dal peccato e dalla depravazione?

[13] Anton Mesmer; in pratica l'inventore della pranoterapia. Sosteneva che tutte le cose dell'universo, e quindi anche il corpo umano, sarebbero attraversate da un flus-

mezzi intellettuali abituali, essi a tale riguardo non possono essere di alcun aiuto.

Soltanto l'esaltazione sialan... permette di evocarne le immagini... perché sono spiriti sovraumani, intelligenze, sapienze ed energie.[14] Li chiamiamo le Nereidi e la saggezza da essi insegnata è *"la dottrina di Eulis"*. Noi, membri della Confraternita di Eulis, crediamo in Dio,[15] ne riconosciamo l'onnipotenza e l'onnipresenza; crediamo anche che l'uomo è stato creato a Sua immagine.[16]

Crediamo nella Natura, che per noi è la manifestazione della Intelligenza Suprema, e affermiamo che Dio esiste dovunque e all'interno di ognuno di noi.[17] Contemplando la Natura... basandoci sulla nostra esperienza personale e lasciandoci guidare dalla sapienza che ci è stata rivelata,[18] **affermiamo che il sesso è la forza principale e fondamentale in ogni essere, la forza più potente della Natura**, la più caratteristica testimonianza nel microcosmo di Dio quale potenza creatrice».[19]

Spiegando questa teoria p. La Grua, esorcista di Palermo, scrive:

«Questi opposti sono tenuti in equilibrio dalla forza misteriosa dell'Uno. Il sentiero che conduce all'Uno passa attraverso la riconciliazione degli opposti... Sperimentare tutte le cose, come vuole il mago, significa sperimentare gli opposti per unificarli, dominarli e trovare la giustizia, l'equilibrio: così abbiamo tesi, antitesi e sintesi.

*Questa teoria trova largo campo nella **magia sessuale*** che a cominciare dal secolo scorso ha avuto grande seguito. *Essa è presente in molti movimenti*

---

so invisibile di corrente magnetica. Egli sosteneva che la salute dipende dall'armonia tra il *«fluido»* interno dell'individuo e quello esterno (e siamo esattamente dove sta oggi il pensiero New Age e di gran parte delle medicine alternative) e di possedere la capacità di dirigere con la mente il suo *«fluido»*, e così guarire le malattie dei suoi pazienti. In realtà, come riconosceva lui stesso, ma non voleva che si dicesse, la sua maggior forza non era il *«fluido»* magnetico, ma il potere di suggestione.

[14] «*...spiriti sovraumani, intelligenze, sapienze ed energie...*». È questo un classico parlare gnostico e New Age, in cui, tutto ciò che dovrebbe essere *«spirito»* è sempre riconducibile ad *«energia»*, ma, per noi cristiani: Dio è *«energia»*?

[15] Qual è il suo nome? Sarebbe bello sapere come si chiama e chi è questo Dio.

[16] Ma il concetto non è quello della Bibbia, ma solo che siamo, o diventiamo... Dio.

[17] Ciò non è tuttavia uguale al pensiero di Paolo quando scrive: *«Non sono più io che vivo, ma Cristo vive in me»* (Gal 2,20), ma, invece, è il concetto totalmente panteistico del Dio **immanente**, tutto diverso dal Dio cristiano, che Gesù ci ha rivelato. Da notare come magia, esoterismo, panteismo e gnosticismo siano sempre presenti.

[18] Questo concetto non è cristiano, ma gnostico. La rivelazione infatti non viene da Gesù Cristo, ma dagli *«esseri superiori»* descritti prima. In pratica: dagli... *«spiriti»*.

[19] http://digilander.iol.it/asmo1/credo.htm

magici e in molte sette esoteriche sia orientali che occidentali. L'unione tra i due sessi crea l'equilibrio della sintesi ed è fonte di vita. L'atto sessuale non va etichettato, per i maghi, come impuro, peccaminoso o trasgressivo. Ciò che è impuro, è indegno per l'uomo spirituale, come si ritiene essere il mago. Egli si mortifica, fa digiuni, si sottomette a rinunzie e digiuni. Nel *Grìmorìo* di Onorio è descritto come il mago deve comportarsi, le preghiere che deve recitare; *ma si indulge anche al ricorso a pratiche sessuali...*

Dall'unione tra cielo e terra mediante la pioggia nasce la vita, l'erba, l'albero, che tendono in alto e congiungono idealmente terra e cielo. *Quando questa teoria passa al mondo della stregoneria, allora la pratica sessuale diventa comune».[20]*

Questa è quindi la via che introduce la magia sessuale in tutto il mondo esoterico-magico e la diffonde senza fine.

3. Sesso, peccato e farneticazioni gnostiche

Si può dire che il movimento gnostico sia esistito da sempre come nemico implacabile della Verità, infatti è sempre una dottrina sincretistica, caratterizzata dall'opposizione alla Verità rivelata. Proprio per questa sua caratteristica questa filosofia per «*iniziati*» diventa facilmente un contenitore per ogni doppiezza ed ogni perversione. Da esso sgorgano quindi tutte le depravazioni della magia sessuale e tutte le aberrazione dei sacrifici rituali (anche umani) e del satanismo.

Maurizio Blondet in un suo recente libro parla, tra l'altro, del movimento dei «*Sabbatei*», nato nel 1666 da un certo Sabbatai Zevi, un ebreo pazzo ed esaltato, che si credeva il Messia[21] e il cui credo fondamentale era espresso nella modifica della preghiera di lode del mattino al Dio «*che consente ciò che è vietato*». Sabbatai Zevi si fa un lar-

---

[20] G. Costanzo, M. La Grua, G. Savagnone, «*Magia e Fede*» [Ed. ISTINA - Siracusa (1996)], pp. 45-46.

[21] Gershom Scholem, il massimo studioso del messianismo ebraico, lo descrive così: «*...un uomo affetto da grave squilibrio mentale, oscillante tra l'euforia dell'estasi e l'angoscia della malinconia*». La sua religione si basa soprattutto nell'infrangere la «legge», cosa per un ebreo estremamente grave, considerando il grande rispetto che essi provano per la legge di Dio [Maurizio Blondet, *Cronache dell'Anticristo* (Ed. Effedieffe - Milano - 2001), p. 1].

go seguito, ma quando viene portato davanti al sultano che gli pone la scelta: di dichiararsi Messia e soffrire il martirio, o convertirsi all'Islam, sceglie l'Islam.

La matrice gnostica si manifesta tra i suoi seguaci che lo seguono nell'apostasia (*«Sabbatai è sceso nell'abisso, per redimere le scintille di luce; bisogna seguirlo»*) secondo una logica tutta antinomica.

«Per "antinomismo" – scrive Blondet – si intende la tendenza di certi gruppi mistici (o gnostici) ad affrancarsi dalla legge (nomos), o a considerarsi liberi rispetto ad ogni legge. Gli eletti, gli iniziati, sarebbero *"al di là del bene e del male"*; tutto è permesso loro.

Questo atteggiamento sbocca invariabilmente in esiti di immoralismo sessuale, di nichilismo e superbia; spesso anche in una vera e propria adorazione della Vita intesa come bios e libidine, di cui è ipostasi la Donna, la Grande Madre (e Grande Prostituta). Dottrine antinomiche sono state professate da certe sètte gnostiche. Una certa tendenza a dichiarare che "i Comandamenti non valgono più" nella "Nuova età" spirituale o messianica percorre – duramente repressa dalla Chiesa – anche il Cattolicesimo (per esempio in Gioacchino da Fiore). Anche nel protestantesimo sono sorte sètte antinomiame (come gli Anabattisti di Münster); nell'ortodossia slava occorre ricordare la setta orgiastica dei Klysti,[22] di cui fece parte Rasputin,[23] il tenebroso guaritore accolto alla corte dell'ultimo Zar. L'autorità dogmatica altrettanto invariabilmente, addita nell'antinomismo un segno dell'azione infaticabile di Satana».[24]

«Ora nel 1666 è apparso un gruppo umano che fa della dissimulazione un dovere sacro, del celarsi una pratica costante, e che inoltre è pronto a "mettere in discussione tutti i valori tradizionali". Ossia che considera ogni norma e legge, sacra o civile, come violabile, mentre pubblicamente la rispetta. A volte fino alla aberrazione, all'orgia, all'incesto».[25]

---

[22] A cui si rifarà (vedi oltre) ALEISTER CROWLEY.

[23] RASPUTIN, GRIGORIJ EFIMOVIC; monaco, santone e mago, grazie alla favorevole impressione suscitata sulla zarina Alessandra, di temperamento mistico e preoccupata dell'incerta salute del figlio Alessio. Si conquistò così una crescente influenza nella famiglia reale, riuscì in breve tempo a dirigere egli stesso gli affari religiosi russi, e poi a influenzare pure le decisioni politiche. Personalità complessa e ambigua, dedita in privato a una vita licenziosa (la giustificava affermando che si doveva prima peccare per potersi redimere), contribuì notevolmente al discredito dello zar e del potere imperiale. Per mettere termine a questo discredito alcune importanti personalità lo uccisero in un agguato il 30 dicembre 1916.

[24] MAURIZIO BLONDET, *op. cit.*, nota a p. 7.

[25] Ibid., p. 7.

Cecilia Gatto-Trocchi, docente di Antropologia culturale all'Università di Perugia descrive:

«...un gruppo... chiamato *Gnosi e Antropologia*, che fa conferenze apparentemente innocenti sulla magia dei Celti o l'interpretazione dei sogni. Dopo le conferenze, attraverso progressive iniziazioni (che mi sono sorbita quando feci la ricerca *Viaggio nella magia*) il maestro (erede di un certo Samael di Bogotà in Colombia) rivela segreti magici dopo due anni di lezioni. Le rivelazioni sconvolgenti *sono legate a pratiche sessuali*: il segreto dei segreti è che l'uomo deve trattenere il seme, durante l'amplesso, il più possibile per trasformarlo in una, non ben identificata, "aquila d'oro". Dopo tale prodezza sia l'uomo che la donna (è così beneficiata) *possono accedere al potere magico e assoggettare tutto e tutti al loro volere*. La magia in fondo è questo: il desiderio di rendere docile la realtà ai propri voleri, con riti e cerimonie appropriati. Questo desiderio ha accompagnato la specie umana per migliaia di anni: gli dei dell'antico Egitto e di Babilonia operavano incantesimi e scongiuri annunciando prodigi, come qualsiasi mago che si rispetti.

Oggi il disincanto del mondo, la razionalizzazione della società, la cosiddetta neutralità affettiva (leggi "chi se ne frega degli altri"), la scomparsa della dimensione religiosa, hanno lasciato un vuoto tra la gente comune che vive, ama, soffre e muore e che – giustamente – vuole sapere perché. "Credo nell'astrologia da quando ho smesso di credere in Dio", mi ha detto uno studente sincero. Così la magia e le altre forme di pensiero esoterico assolvono ad una funzione consolatoria che talvolta sortisce effetti sconcertanti».[26]

Fermarsi a riflettere un poco su quanto affermato dalla Gatto-Trocchi, forse non ci farebbe male e aiuterebbe i cristiani ad uscire dalla palude delle troppe pigrizie e delle colpevoli tolleranze, oltre che dalla immensa ignoranza a proposito del mondo che ci circonda.

Sarà mai possibile evangelizzare questo mondo senza conoscerne i modi di pensare, le debolezze o le angosce? E come si potrà annunciare Cristo al mondo, rimanendo chiusi dentro le nostre arcaiche e polverose torri d'avorio, senza conoscere il modo di pensare del mondo? Senza conoscerne le confusioni e le falsità coperte di modernità? San Paolo poteva scrivere ai Corinzi:

---

[26] CECILIA GATTO-TROCCHI, «*Il Settimanale*», «*Inchiesta: Tutti in fila dai "maghi"*», 26 febbraio 1994.

«Infatti, pur essendo libero da tutti, mi sono fatto servo di tutti per guadagnarne il maggior numero: mi sono fatto Giudeo con i Giudei, per guadagnare i Giudei; con coloro che sono sotto la legge sono diventato come uno che è sotto la legge, pur non essendo sotto la legge, allo scopo di guadagnare coloro che sono sotto la legge. Con coloro che non hanno legge sono diventato come uno che è senza legge, pur non essendo senza la legge di Dio, anzi essendo nella legge di Cristo, per guadagnare coloro che sono senza legge. Mi sono fatto debole con i deboli, per guadagnare i deboli; mi sono fatto tutto a tutti, per salvare ad ogni costo qualcuno. Tutto io faccio per il vangelo, per diventarne partecipe con loro» (1 Cor 9,19-23).

Noi possiamo dire altrettanto? E siamo capaci e disposti ad affrontare l'inevitabile scontro culturale con un mondo che mette in discussione non solo le idee, ma perfino la logica e la razionalità?

Il mondo della magia, infatti, non può essere affrontato se non conoscendone i mille volti ed i mille travestimenti, che gli sono propri, e distruggendone con decisione i vari piloni nascosti su cui si regge.

4. Un problema marginale?

Troppa della forza del mondo della magia, e specialmente della magia sessuale, che è la più diffusa e praticata, si basa su una tolleranza colpevole del mondo cristiano-cattolico, che ignora, o finge di ignorare, lo straordinario potere distruttivo che tali pratiche producono, non solo nella mente, ma anche nella vita di tante persone, che – come direbbe Ezechiele – vengono esposte alla cattura *«come uccelli»* (Ez 13,20).

Proprio in uno studio di qualche anno fa, sulla magia in Italia, ci sono le cifre che ci dovrebbero far riflettere:[27]

«Tutta la gamma degli operatori magici, dai tradizionali ai rampanti, dagli occultisti agli esoterici, intrattiene un rapporto molto preciso con il sesso: esso entra come *ingrediente non marginale* nell'assetto dei rapporti tra cliente e mago. Occorre fare una distinzione tra operatori maschi e femmine, in quanto le tematiche sessuali assumono orientamenti diversi. Accade molto frequentemente che i maghi maschi chiedano alle loro clienti prestazioni sessuali. Il rituale prevede una iniziale "visita" con palpeggiamenti per individuare fatture, malocchi e negatività; in seguito si

---

[27] Rapporto EURISPES, «I Soldi del Diavolo», cap. V: «I rituali erotici» (1989).

passa a pratiche sessuali complete. Assai difficile è identificare quantitativamente tale fenomeno: da un sondaggio preliminare risulta che il 59% dei maghi tradizionali ritiene che il "massaggio" erotico giovi al rapporto con il paziente.

I rampanti sono più accorti: prima di intrattenere rapporti sessuali tendono ad instaurare una relazione di dipendenza con la cliente per poi suggerire, alludere e evocare la possibilità di uno scambio *"energetico"* di tipo sessuale.

A volte le avances sono più dirette. I quotidiani hanno riportato il caso di un presunto sensitivo di Venezia accusato di aver approfittato di una cliente, una ragazza diciassettenne... Per quanto riguarda le operatrici donne, il meccanismo di gestione del sesso è assai diverso. Entra, infatti, in gioco il meccanismo della seduzione, prevalentemente nel gruppo delle rampanti. I pazienti abituali instaurano con le operatrici un transfert fortemente erotizzato...

Il paziente che instaura un transfert erotico resta invischiato profondamente nel rapporto (specie se è psicolabile) e il tutto si risolve in una continua e sistematica estorsione di denaro. D'altro canto è difficile stabilire con precisione i reali rapporti di tipo sessuale che intercorrono tra cliente e operatrice, anche se si manifesta un'atmosfera di indubbia dimestichezza erotica.

Nei gruppi esoterici le donne più fervide si atteggiano a "sacerdotesse dell'occulto", ostentano una sorta di sacralità assai vistosa e si dichiarano felici di mettere a disposizione le loro prestazioni sessuali a vantaggio del capo carismatico e dei seguaci più accreditati».

Quali saranno le conseguenze spirituali di un tale uso del sesso, su chi lo subisce, penso che non sia difficile comprenderlo. Se infatti, durante il rapporto sessuale il mago o la maga si rivolge, «*in preghiera*», alle sue *divinità preternaturali*, questo fatto non può non influenzare anche la sprovveduta partner, con tutte le conseguenze spirituali che seguiranno.

San Paolo, parlando della fornicazione con prostitute, scrive ai Corinzi:

«*Non sapete che i vostri corpi sono membra di Cristo? Prenderò dunque le membra di Cristo e ne farò membra di una prostituta? Non sia mai! O non sapete voi che chi si unisce alla prostituta forma con essa un corpo solo? I due saranno, è detto, un corpo solo*» (1 Cor 6,15-16).

Sorgono subito alcune terribili domande. A Corinto si trattava solo di fornicazione, ma in questo caso si tratta *solo* di un peccato sessuale? Nel caso della magia sessuale con chi si forma «*un solo corpo*»? Solo con la persona del mago, o della maga? Oppure siamo davanti all'orrore dell'inferno ed alla personificazione del male? I danni spirituali ed emozionali sono riconducibili solo ad un peccato di fornicazione? Cosa si può fare per rimediarli?

5. Schiavitù e liberazione

Questa storia «*vera*» racconta come in una parabola un passaggio straordinario dalla schiavitù della magia alla libertà dei figli di Dio.

Tempo fa venne a parlare con me una regista televisiva di una nota emittente nazionale cercando di capire perché ogni volta che entrava in chiesa, o si metteva a pregare, si sentisse male. La sua vita privata era molto disordinata tanto che passava da una relazione all'altra con grande superficialità, ma anche con grande rammarico per il suo comportamento.

«Tutto cominciò – racconta – dopo l'inizio di una strana e angosciosa relazione con un noto attore, che ebbe occasione di lavorare con me.
Prima di allora conducevo una vita normale ed avevo l'abitudine di iniziare la mia giornata passando in chiesa.
Conobbi l'uomo in questione perché decisi di contattarlo per uno sceneggiato. Normalmente il contatto avviene telefonicamente e l'attore viene convocato negli uffici specifici. In questo caso le cose furono diverse. L'uomo era influenzato e l'unico modo di potergli parlare era quello di raggiungerlo a casa sua. Ero molto interessata a lui come professionista, avevo una certa fretta, e per questi motivi fui io a raggiungerlo. Stranamente – non lo faccio mai – non avevo con me né l'autista, né la segretaria, perché ambedue si erano ammalati proprio quel giorno.
Dopo aver fatto conoscenza, parlammo di lavoro per un'ora buona (erano circa le 18), ma dovemmo interrompere poi la nostra trattativa a causa di un fortissimo, intollerabile, mal di testa e mal di pancia che mi avevano colpita all'improvviso. "Sdraiati sul divano e rilassati! – mi disse – Dicono che io ho un fluido buono, capace di far passare il dolore...". Stavo così male che accettai. Caddi in un sonno profondo in cui provai la sensazione di essere sottoposta ad un intensissimo interrogatorio riguardante le aree più personali della mia vita. Quando mi risvegliai, il mal di testa ed il mal di pancia erano spariti. Mi accorsi di essere completamente vestita, ma di non essere più sul divano, ma sul suo letto, ed erano le 9 di mattina.

124

"Cosa è successo?...", domandai. "Ti sei addormentata così profondamente che non ho avuto il coraggio di svegliarti. Allora ti ho portato sul mio letto ed ho dormito io sul divano". Uscii di corsa per andare in ufficio e lui mi salutò dicendomi: "Mi cercherai...". Ebbe inizio l'incubo. Da quel momento quell'uomo divenne per me un'ossessione, un pensiero fisso e così martellante che dopo due giorni di questa vita lo chiamai. Lui, per nulla sorpreso rispose: "Lo sapevo che mi avresti cercato oggi...". C'incontrammo la sera stessa e la mattina successiva, senza sapere perché, mi risvegliai nel suo letto. Questa volta completamente svestita.

Non parlavamo più di lavoro, ma lui mi sopraffaceva con discorsi esclusivamente di natura esoterica, durante i quali cercava in tutti i modi di distruggere la mia fede cristiana. Mi insegnò a leggere le carte, ad interpretare gli *"oracoli"*, ecc. A scadenza di tre giorni m'invitava a dormire a casa sua. So che avevamo rapporti e che durante questi perdevo conoscenza.

Una sera mi invitò ad una festa tra amici. Arrivammo alla festa intorno alle 21 e mi fu subito offerto qualcosa da bere e pochi minuti dopo lui disse: "Andiamo a casa!". "Come?... A casa? Ma se siamo appena arrivati!...". "Cosa dici?... Guarda l'ora!...". Erano le 2 di notte, ma credevo che fossero passati solo pochi istanti. Durante il viaggio di ritorno con alcuni suoi amici, continuava a ridere e scherzare che non mi fossi accorta del tempo passato così velocemente.

Per lavoro dovetti trasferirmi temporaneamente a Milano, ma lui, con il pensiero si metteva in contatto con me, al punto che io non potevo stare lontana da lui e spesso, abbandonando il lavoro dovevo volare per incontrarlo. Non mangiavo più, non dormivo, non riuscivo a lavorare, ho interrotto i rapporti con tutti i miei amici ed i miei familiari.

Lui aveva altre donne, ma ogni volta che avrei voluto rimproverarlo di ciò, una forza superiore mi chiudeva la bocca ed i pensieri nella mia mente venivano cancellati. Non ero più una persona, ero diventata un oggetto».

Capii che la donna aveva bisogno di liberazione. Solo così avrebbe potuto ritrovare se stessa. Le consigliai di recarsi da un noto e saggio sacerdote esorcista per essere aiutata. Il racconto riprende:

«Appena il sacerdote cominciò a pregare per me appoggiando le sue mani sul mio capo, caddi a terra priva di sensi. Quando mi alzai mi sentii trasformata: serena. Come se sentisse che qualcosa stava avvenendo, quell'uomo mi cercò sul cellulare, mentre ero ancora in presenza dell'esorcista, per la prima volta gli dissi: "Lasciami in pace!... Non cercarmi più!". Non si arrese subito, ma Gesù mi aveva liberata e la sua grazia non mi permise di ricadere con lui. Il suo potere di chiamarmi mentalmente era finito ed io – fuori dal tunnel oscuro in cui mi trovavo – ho ritrovato la mia dignità di figlia di Dio».

Una storia così drammatica è purtroppo più comune di quanto non si creda. Questa perversione spirituale si diffonde certamente anche a causa del rilassamento dei costumi, ma – non va trascurato – anche a causa della trascuratezza con cui si affronta (o si ignora) questo aspetto della magia, che crea un numero impressionante di schiavi (o forse sarebbe più preciso dire di... schiave) e di vite umane inevitabilmente avvelenate e rovinate.

Davanti a questo scempio san Paolo certamente non tacerebbe, ma griderebbe a gran voce:

«Non lasciatevi legare al giogo estraneo degli infedeli. Quale rapporto infatti ci può essere tra la giustizia e l'iniquità, o quale unione tra la luce e le tenebre? Quale intesa tra Cristo e Beliar, o quale collaborazione tra un fedele e un infedele? Quale accordo tra il tempio di Dio e gli idoli?» (2 Cor 6,14-16).

6. Sesso e «potenza» magica

Uno degli aspetti più significativi e caratteristici dell'esoterismo è costituito dal suo modo, ossessivo e rituale nello stesso tempo, di rapportarsi al sesso, che viene visto come il *«mezzo»* necessario per eccellenza, per impadronirsi di grandi *«energie»* da impiegare poi per gli scopi che il mago o l'esoterista di turno intendono raggiungere.

Qui di seguito riporto quanto ho trovato su internet, sotto la voce *«Operazioni magiche»*:

«L'unione sessuale deve essere considerata come una preghiera.[28] Quando l'atto sessuale è perfetto, l'unione dell'uomo con la donna si compie su tutti i piani dell'essere dell'uno e dell'altra e allora le loro forze si duplicano in alto come in basso. Se l'uomo e la donna desiderano la stessa cosa, ciò è il meglio; ma la *preghiera* di una sola persona non è meno efficace, perché nell'orgasmo amoroso, essa trasporta anche la potenza creatrice dell'altra...*[29]

---

[28] A chi sarà mai rivolta questa preghiera? Non certo al Dio di Gesù Cristo.

[29] Da notare il senso «sacro» che viene attribuito all'unione sessuale e come questo sia vicino (anche se totalmente capovolto) a ciò che scriveva Paolo ai Corinzi: «...se un nostro fratello ha la moglie non credente e questa consente a rimanere con lui, non la ripudi; e

L'unione a finalità magiche non deve avere un carattere carnale, mirate ad un'unione profonda. Se seguite questi principi, l'atto sessuale sarà una fonte di *forze spirituali*[30] *e corporee...*[31] Mantenete segrete le vostre intenzioni, *il silenzio concentra la forza e la moltiplica.*

Formulate in precedenza il vostro desiderio e non dimenticatelo neanche un istante per tutta la durata del rapporto. *Prima, durante e dopo l'atto sessuale abbiate l'immagine netta di ciò che volete realizzare...*

Non vedete troppo frequentemente la vostra donna, dormite in camere separate[32]... nell'addormentarvi confidate in voi stesso e nella forza delle *entità superiori.*[33] Non dimenticate che l'amore è la radice della vita, dall'amore nascono le passioni, gli slanci e gli impulsi, buoni o cattivi, *la fiamma divina o quella umana, i demoni o gli dei».*[34]

Poi si passa a descrivere l'atto finale del rapporto e si conclude spiegando nei dettagli come viverlo e quale è il suo significato:

«*...Se allora l'uomo soggiace all'influenza della passione carnale, dell'istinto animale, egli si perde, si disgrega si uccide, ed effetti negativi ne deriveranno anche per la donna.* Anche la possibilità di rigenerarsi e di assorbire *le forze occulte*[35] diffuse nell'ambiente va perduta. Se l'uomo desidera veementemente una *forza*, o un *potere* e se mantiene vivo il desiderio *dall'inizio fino alla fine*, ci si può attendere la realizzazione di tale desiderio.[36] *Tutte le forze e i poteri procedono dall'aspetto femminile della divinità, dal quale deriva anche ogni impulso».*

---

una donna che abbia il marito non credente, se questi consente a rimanere con lei, non lo ripudi: perché il marito non credente viene reso santo dalla moglie credente e la moglie non credente viene resa santa dal marito credente; altrimenti i vostri figli sarebbero impuri, mentre invece sono santi...» (1 Cor 7,12-14).

[30] Spirituali...? Che significa?

[31] Si invita a far sì che i due concludano l'atto in perfetta coincidenza *«perché è solo in tal guisa che la magia del rito si realizza».* Qualora non succeda, si apre la necessità di... doverlo ripetere.

[32] Non potrà quindi trattarsi di una moglie, ma solo di un'amante. È interessante notare come l'atto magico debba compiersi per forza solo nello stato di peccato.

[33] *«Entità superiori»*...? Non sarebbe meglio chiamarle con il loro vero nome: ...demoni?

[34] http://digilander.iol.it/asmo1/

[35] Forze occulte che debbono essere *«assorbite»*? Quante saranno le persone che hanno subito un tale disastro spirituale? E cosa si fa per loro? Perché tanta cecità ed indifferenza? Gesù: *«Vedendo le folle ne sentì compassione, perché erano stanche e sfinite, come pecore senza pastore»* (Mt 9,36). Anche noi sentiamo la stessa compassione?

[36] Potenza di un *«sacramento invertito»* usato da Satana per i suoi fini e per quelli del suo servo esoterico. Ciò che sorprende però, è il silenzio e la passività di chi non denuncia un simile orrore e lascia che dilaghi tra l'indifferenza generale.

Dopo una descrizione così piena di orrore è necessario riflettere: che cosa viene fatto, da chi ha il compito di educare e istruire, per mettere in evidenza questo perverso elemento di distruzione spirituale?

Quale insegnamento viene messo in atto per proteggere le persone più giovani, più sprovvedute, meno accorte e preparate, dal non cadere in questa trappola così pericolosa?

Il Vangelo di Marco ci racconta la decapitazione di Giovanni Battista, ordinata da Erode, a causa della rabbia feroce di Erodiade, sua adultera amante (era infatti la moglie di suo fratello); questa vile sentenza era stata perpetrata nel silenzio politico ed opportunista dei Giudei, ma a questo punto Gesù si presenta come il Buon Pastore che nutre e cura con amore la folla umana. Con la sua parola e la moltiplicazione dei pani sazia le folle che lo seguono:

«Sbarcando, vide molta folla e si commosse per loro, perché erano come pecore senza pastore, e si mise a insegnare loro molte cose» (Mc 6,34).

Questa mia fatica – a questo punto anche difficile – vuol essere proprio questo: un tentativo di illustrare qualcosa di poco noto, affinché divenga strumento di cura ed aiuto pastorale e ci siano sempre più persone messe in guardia contro l'orrore, la disperazione e perfino il suicidio, che conseguono la caduta tra le grinfie degli operatori di pratiche di magia sessuale.

L'abbandono del popolo al suo destino, certo non piace a Dio, che dice:

«Ora a voi questo monito, o sacerdoti. Se non mi ascolterete e non vi prenderete a cuore di dar gloria al mio nome, dice il Signore degli eserciti, manderò su di voi la maledizione e cambierò in maledizioni le vostre benedizioni. Anzi le ho già maledette, perché nessuno tra di voi se la prende a cuore» (Ml 2,1-2).

Mi conforta il profeta Zaccaria che mette in guardia i pastori affinché riprendano a guidare il popolo che è sbandato a causa della divinazione e della magia:

«Poiché gli strumenti divinatori dicono menzogne,
gli indovini vedono il falso,
raccontano sogni fallaci,
danno vane consolazioni:
per questo vanno vagando come pecore,
sono oppressi, perché senza pastore» (Zc 10,2).

Gli uomini tenteranno sempre di conciliarsi le potenze occulte, o modificare gli eventi della vita, con pratiche pagane – ce lo insegna la Parola di Dio, oltre che la storia – ma il vero aiuto si trova solo in Dio. Tacere su questo punto diventa complicità con il male, diventa colpa, peccato.

Per questo Ezechiele riporterà le terribili parole di Dio:

> «*Figlio dell'uomo, profetizza contro i pastori d'Israele, predici e riferisci ai pastori: Dice il Signore Dio: Guai ai pastori d'Israele, che pascono se stessi! I pastori non dovrebbero forse pascere il gregge?... non pascolate il gregge. Non avete reso la forza alle pecore deboli, non avete curato le inferme, non avete fasciato quelle ferite, non avete riportato le disperse. Non siete andati in cerca delle smarrite... Per colpa del pastore si sono disperse e son preda di tutte le bestie selvatiche: sono sbandate...*» (Ez 34,2-5).

Credo che, davanti al dilagare di questo male, il tempo del silenzio e dei sussurri ovattati e increduli debba proprio terminare.

La teologia insegna che il Maligno può agire solo influenzando la psiche, ma ciò che conta è l'assenso volontario dell'uomo, come specifica un documento della «*Congregazione per la Dottrina della Fede*»:

> «Sui peccatori, il diavolo esercita solo un influsso morale, commisurato del resto all'accoglienza che ciascuno consente alla sua ispirazione, poiché tra Satana e la coscienza personale resta sempre la distanza spirituale che separa la sua "menzogna" dall'acquiescenza che noi possiamo darle o rifiutarle».[37]

Ma se manca la conoscenza della verità, sarà sempre possibile per il cristiano ordinario rifiutare la «menzogna»?

7. Il delirio di «onnipotenza»

La ricerca della «*potenza magica*» per mezzo dell'impiego del sesso, inserito in un contesto di magia sessuale, quasi si trattasse di un rito sacro, è uno dei punti centrali di tutta la magia esoterica e non. Il seguente brano ne illustra bene la «*sacralità magica*» e come il mago vede il suo operare all'interno di un rito quasi... religioso:

---

[37] CONGREGAZIONE PER LA DOTTRINA DELLA FEDE, «*Fede Cristiana e Demonologia*»; «*Enchiridion Vaticanum*», V, 831-879.

«Questa tecnica di magia sessuale propizia lo sviluppo e la visione della luce astrale. Una volta creato lo stato fluidico potrai scagliare un'immagine nella realtà: questa immagine sarà REALTÀ.

Il fuoco dell'Eros, abitualmente polarizzato verso il basso, ossia verso il sesso e la natura animale, va isolato nel corpo fluidico ed alimentato tanto da produrvi lo stato di esaltazione necessario, affinché si costituisca quel particolare stato, dal quale la proiezione magica è resa in atto... È necessario, in questo grado almeno, che l'eros, strumento dell'opera, *non sia già desiderio sessuale, brama sessuale,* ma appunto amore, qualcosa di più sottile e vasto, che avvolge tutta l'altra persona, come desiderio di tutta l'altra persona, senza polarizzazione fisica; ma non per questo l'intensità deve esser minore.

Ti si può anche dire: **devi desiderare l'anima, l'essere dell'altra**[38] così come si può desiderare il corpo di essa. *Bada che se questa condizione non è rigorosamente realizzata* non solo l'operazione sarà inefficace, ma *saresti esposto* **a non lievi pericoli psichici**».[39]

Il mago, per mezzo del rito sessuale cerca il *«potere assoluto»*. Il seguente brano che riguarda l'uso del sesso orgiastico per ottenere grandi, straordinari *«poteri»*, illustra in maniera assai significativa questo approccio:

«*Dall'unione sessuale deriva un forte flusso di energia,* che è moltiplicato dal numero degli amplessi. Gli stregoni sanno come utilizzare questa energia ai propri fini, e molti partecipano regolarmente a orge sessuali per usufruire di questa fonte abbondante di energia.

L'orgia *intesa come una cerimonia magica da celebrarsi ritualmente, mette a disposizione di chi sa sfruttarla una quantità di forza che può essere impiegata per gli scopi più straordinari.* Il momento migliore per attuare l'incantesimo sarebbe l'attimo più vicino che precede l'inizio dell'orgia. Non esiste limitazione al tipo di incantesimo che si vuole attuare, *l'orgia accende l'energia del mago, la sua forza diventa incontenibile,* le streghe tuttavia non ricorrono alle orge per operazioni di poco conto, ma solo per incantesimi *che tendono ad influenzare vite intere.* Per spezzare situazioni, e crearne di nuove, è spesso necessaria l'energia liberatoria sprigionata nel corso di un'orgia. Lo stesso atto sessuale può essere utilizzato a fini magici, non è necessario *che entrambi i partner siano a conoscenza della cosa.* Una strega o uno stregone *possono sfruttare per operazioni magiche l'energia derivante dall'unione*

---

[38] Che significa *«desiderare l'anima»* per chi fa magia sessuale?
[39] [http://www.magiaonline.net/Wicca/tecnicasessuale.htm].

con amanti inconsapevoli.[40] Le operazioni di questo tipo sono tuttavia difficili e necessitano di una lunga preparazione, anche *perché l'energia sprigionata* **ha una forza terrificante***».*[41]

Come si vede, l'ingresso in questo mondo, significa l'ingresso in un mondo violento, pervertito ed eminemente falso, tutte caratteristiche proprie del demonio. Rimanere coinvolti in questa ragnatela è *molto pericoloso*, perché – la mia esperienza me lo conferma e la mia convinzione me lo fa affermare con sicurezza – in queste situazioni la presenza dominante è quella del *demonio*, che, in un momento di intenso peccato, ha tutte le possibilità di dominare il cuore dei partecipanti, di farli suoi e di condurli alla rovina eterna. Basti pensare che anche i maghi sono consci della possibilità di un *"pericolo"*, tanto che i loro testi affermano:

> «Esistono delle norme più o meno accettate *volte* a *ridurre la pericolosità di queste pratiche*, *le quali in stati alterati possono produrre effetti negativi e difficilmente controllabili».*[42]

Effetti disastrosi si manifestano anche in quelle «*amanti inconsapevoli*» che per varie ragioni, spesso anche a causa di mezzi che hanno ottenebrato la loro capacità di volere, quali l'uso di droghe (quasi sempre cocaina), sono cadute in balia del mago.

Le conseguenze spirituali durano anni e – se non si interviene opportunamente – anche per tutta la vita.

8. Un conflitto infinito

Tutto intorno a noi tende a separarci da quel mondo di Angeli e di Santi al quale diciamo di credere ogni volta che recitiamo il Simbolo della nostra fede. Noi siamo immersi in una creazione infinitamente più vasta di quanto non siamo in grado neppure di immaginare. Una creazione in cui la realtà visibile e quella invisibile non sono tra loro impenetrabili, ma che si compenetrano l'una nell'altra. Se limitiamo

---

[40] Forse questa è la cosa più allarmante. Dal punto di vista della vita spirituale, che cosa potrebbe succedere nella vita di questi «*amanti inconsapevoli*» dopo esperienze di questo tipo? Il silenzio usato a tale proposito non ha certamente risvolti pastorali.

[41] «*Magia e streghe della Luna Nera*»; [http://digilander.iol.it/asmo1/]

[42] Magia sessuale, «*La dottrina occidentale*» [http://www.stregoneria.it/dottrocc.htm].

tutta la meravigliosa capacità creatrice di Dio solo al mondo del visibile, dello sperimentabile, di ciò che è scientificamente appurabile, incorriamo nella automutilazione delle nostre qualità interiori. Il mondo razionalistico che ci siamo creati può diventare la nostra oscura prigione.

Un giorno, certamente, conosceremo la verità senza veli e vedremo Dio «*faccia a faccia*», ma se ci lasceremo incatenare dalla cultura di moda, quanta felicità in meno potremo gustare! L'amore di Dio ci scorrerà vicino, ma noi non lo potremo gustare, perché la nostra vita trascorrerà senza veramente conoscere con chi possiamo vivere nella gioia e contro chi dobbiamo lottare. Scrive Daniel Ange:

> «Poiché una rivolta ha infranto l'armonia di questo mondo invisibile; esso non è più, e non è ancora, quello che Dio sognava.
> Perché Dio ha accettato tutti i rischi dell'amore, ecco che degli esseri tessuti di luce un giorno hanno potuto dire: non voglio essere amato.
> Di colpo, la creazione restò spaccata: immenso dramma delle origini.
> Ed ecco, una sera, l'uomo si è più o meno coinvolto nella tragica ecatombe: si è lasciato possedere, ha giocato il gioco del Perfido. Si sono stabilite connivenze segrete, si è imposto un dominio;
> *"Il mondo intero giace sotto il potere del Maligno"* (1 Gv 5,19):
> e lui lo sa.[43] Da quel momento più nulla è retto, né innocente, né puro nel creato. Misteriose interferenze disturbano le relazioni. I nostri rapporti con esso sono gravati da una pesante ipoteca: un'ambiguità fondamentale li falsa in partenza. Le cose più innocenti potranno essere ricuperate dagli angeli decaduti, le più naturali pervertite, le più anodine perturbate. Nel bel campo di grano, col favore della notte, il Nemico ha seminato la zizzania!
> La nostra natura vera, la verità del nostro essere, rimane quella che è uscita dalle mani di Dio, sua icona vivente: ma essendo stata contaminata, corrotta, essa deve essere restaurata: o piuttosto, creata di nuovo. E neppure questo può avvenire senza lacerazioni».[44]

Forse nulla come la magia sessuale cerca di distruggere l'uomo che è «*icona vivente*» di Dio. L'accanirsi in questa direzione del Maligno ci parla solo del suo odio contro Dio e, di conseguenza, della sua rabbia contro l'uomo, creato a «*immagine e somiglianza*» di Dio.

---

[43] Cf *Mt* 4,9.
[44] DANIEL ANGE, «*Balsamo è il tuo nome*» [Ed. Ancora - Milano (1982)], pp. 222-223.

L'uomo e la creazione dopo il peccato sussistono solo, o come crescita che discende dalla grazia, o come distruzione che viene dal peccato.

L'uomo non è più un terreno neutro e... siamo in guerra.

*«La nostra battaglia infatti non è contro creature fatte di sangue e di carne, ma contro i Principati e le Potestà, contro i dominatori di questo mondo di tenebra, **contro gli spiriti del male** che abitano nelle regioni celesti»* (Ef 6,12).

Questi «*Principati e Potestà*», sono stati già vinti da Gesù, e poco è il tempo loro rimasto, ma essi continuano a devastare il mondo con la loro azione perversa. Scrive Daniel Ange:

«Certamente, la nostra libertà fondamentale non può essere alienata (*Rm* 8,38): il "cuore del cuore" dell'uomo resta per essi invulnerabile, almeno finché rifiuta di scendere a patti. Ma il loro influsso si estende a tutti i campi in cui la nostra libertà può essere condizionata: le vie di tali condizionamenti sono da essi conosciute, e facilmente manipolate.

C'è un terreno insidioso più di tutti: quello dello *psichismo*, nel senso paolino. È l'ambito dove il nostro spirito si radica nella materia e nel cosmo, il sottofondo della nostra libertà, che comprende carattere, sensibilità, temperamento, eredità: ossia tutto ciò che abitualmente qualifichiamo come *"naturale"*. L'uomo psichico è colui che vive al livello delle pulsioni, delle tendenze, delle opinioni, come della sua immaginativa. Quando, per dichiararle innocenti, diciamo di queste cose: *"è naturale"*, ci facciamo complici del loro ricupero da parte degli Spiriti del Male. Noi disconosciamo il fatto che esse sono pervertite dal peccato originale, e perciò non possono sbocciare e fiorire senza essere prima ricreate, ossia senza passare attraverso una morte e una risurrezione; così ci collochiamo sul piano di una saggezza tutta umana, quella dei *"principi di questo mondo"* e per la quale le esigenze della vita dello Spirito sembrano follia (*1 Cor* 2,6)».[45]

Questa area dello *psichismo* è certamente quella più facilmente colpita e sfruttata dalla magia sessuale ed il campo di battaglia è coperto di vittime.

Signore...! Ti chiediamo misericordia.

---

[45] Daniel Ange, *op. cit.*, pp. 322-323.

9. Legami magici per... costruire il Matrimonio?

La Scrittura insegna che la sessualità è stata inserita nella creazione in vista del matrimonio, e che questo è qualcosa che si compie e si costruisce con il diretto intervento di Dio. Gesù stesso ce lo spiega in modo chiaro, rispondendo ad alcuni farisei:

> «Non avete letto che il Creatore da principio li creò maschio e femmina e disse: Per questo l'uomo lascerà suo padre e sua madre e si unirà a sua moglie e i due saranno una carne sola? Così che non sono più due, ma una carne sola. Quello che dunque **Dio ha congiunto**, l'uomo non lo separi» (Mt 19,4-6).

Tuttavia, nel tempo odierno, numerosissimi sono coloro che si rivolgono alla magia per avere la donna che desiderano, per legare un fidanzato e «costringerlo» al matrimonio, per trattenere un marito, che si teme sia attratto da qualcun'altra.

Bisogna allora porsi qualche domanda:

- Un «sacramento» può essere costruito sopra riti magici?
- Questo paganesimo dilagante non è stato forse la stesso sanguinario avversario del Cristianesimo quando questo sorgeva?
- Chi pratica questi approcci al matrimonio può dirsi cristiano?
- Può costui, o costei, ricevere l'Eucaristia?

Un classico esempio sono i cosiddetti «legami d'amore» o «filtri d'amore». Sono infatti più numerosi di quanto non si creda i matrimoni o i fidanzamenti distrutti dall'intervento della magia.

E questo perché non si è informati di quanto accade quando un mago prepara un sortilegio per fare innamorare o riavvicinare una persona.

Il mago si impossessa di fotografie, data e luogo di nascita, oggetti personali, indumenti, capelli, ecc. della vittima designata.

Quasi sempre di notte il mago inizia i suoi riti magici, rappresentati da spilli, corde che legano, candele, iscrizioni ecc. con i quali invia «spiriti schiavisti». Questi spiriti legano le due persone le quali ricevono la temporanea illusione di provare un sentimento d'amore molto intenso.

Un gran numero poi di azioni magiche vengono compiute dai diretti interessati che vengono guidati dal mago sul modo di compierli. Esempi tipici sono costituiti dal versare un po' di sangue mestruale della donna (anche seccato e polverizzato[46]) nel caffè che berrà il marito o il fidanzato, dallo strofinare aglio sulla schiena del marito durante l'amplesso recitando strane *«preghiere»* per aumentarne il desiderio, ecc.

La cosa grave è che queste pratiche, per quanto apparentemente stupide, all'inizio sembrano persino avere uno straordinario effetto positivo legando ulteriormente le persone al mondo oscuro della magia.

Se sciocchezze superstiziose di tale natura hanno un qualche effetto, allora bisogna riflettere, perché ciò sta ad indicare che non si tratta solo di sciocchezze, ma sono intervenuti legami con spiriti impuri.[47]

Talvolta il mago si spinge a chiedere (e ottiene) rapporti sessuali *«magici»* con la cliente. Le conseguenze...? È vero in molti casi il mago è solo un ciarlatano,[48] ma è sempre, solo un ciarlatano...?

Una volta che l'obbiettivo matrimonio sia stato raggiunto, spesso per entrambe le persone ha inizio il vero e proprio tormento: odio, incomprensioni, liti senza un preciso motivo, tradimenti, malattie e molte altre difficoltà. Il legame creato dal mago è destinato quasi sempre a spezzarsi nella realtà specifica del fidanzamento o del matrimonio, mentre dal punto di vista spirituale le conseguenze sono molto gravi e permanenti.

Le vittime del sortilegio restano in schiavitù degli spiriti inviatigli. Schiavitù che comporta tormento, disperazione, distruzione ecc. che può durare tutta la vita. La salvezza sta nel ricorso all'aiuto di Gesù Cristo, l'unico in grado di liberarle per sempre perché:

«Il figlio dell'uomo è apparso per distruggere le opere del diavolo» (1 Gv 3,8).

Da questo pericolo non sono esclusi i cosiddetti autodidatti e cioè tutte quelle persone che, consultando libri o riviste di magia, cercano fortuna successo e amore. Chi pratica l'occulto almeno una volta nel-

---

[46] Ancora il valore esoterico del ciclo della donna legato al ciclo della Luna-Diana.

[47] Forse niente come queste osservazioni è in grado di distruggere la prosopopea sciocca dell'eresia razionalista, che dichiara inesistente il maligno e solo *«innocue sciocchezze»* la magia ed i suoi riti.

[48] Anche se è pur vero che gran parte della magia si riduce in ciarlataneria di bassa qualità. Tuttavia va osservato che anche questa è peccato, in quanto *«sfruttamento della credulità altrui»* (Catechismo della Chiesa Cattolica: 2117).

la propria vita, apre le porte alle forze del male, le quali stabiliscono inevitabilmente attrazione e legame verso ogni tipo di idoli.

Va inoltre considerato il peso della paura che viene introdotta nella mente della *«vittima»* che si ritrova così completamente in balia dell'operatore o dell'operatrice della magia stessa.[49] Bisogna credere che solo il potere di Gesù è in grado di liberare l'uomo da questa schiavitù.

È necessario enfatizzare nella catechesi, nelle omelie ed in ogni possibile occasione che non esistono né persone, né mezzi, né rituali magici, che in qualche modo siano in grado di *«annullare»* o *«togliere»* malefici o legami sessuali.[50] L'Eucaristia e le preghiere di liberazione – nei casi più gravi l'esorcismo – sono gli unici mezzi per la liberazione da qualsiasi influenza magica.

10. Alla riscoperta del Matrimonio come sacramento

A questo punto bisognerebbe dire che si rende necessaria una più profonda e più accurata preparazione al sacramento del matrimonio. I coniugi cristiani, che divenissero coscienti che il rapporto coniugale è una *«liturgia sacra»*, diventerebbero i primi educatori dei propri figli in quest'area.

Coniugi cristiani ben preparati potrebbero creare un terreno molto fecondo per far radicare i princìpi della morale evangelica nei loro figli che a loro volta aiuterebbero a propagare idee cristiane tra i propri amici.

---

[49] L'occultista RANDOLPH (esperto della magia sessuale di ALEISTER CROWLEY) mette in guardia chiunque dall'usare questa tecnica per fini illegittimi, o se la persona *«frena o ferma il rito a metà... non dimenticate che se il rito si spezza, sia la persona alla quale è legato, che la persona che lo fa... non solo perderete chi amate, ma perderete tutto quello che vi interessa...».* Questi riti sono sempre in linea con la presenza sottesa di... «entità». Quali...? [http://pub45.ezboard.com/fmisterofrm1.showMessage?topicID=4.topic].

[50] Ibid. Per spiegare il legame sessuale basta leggere perché si fa magia sessuale: *«La produzione di una influenza magnetica in vista dell'assoggettamento della donna all'uomo o dell'uomo alla donna. - La realizzazione di un progetto o di un preciso desiderio dell'operatore, qualunque esso sia»...* e via di questo passo. Si può quindi comprendere perché in genere non sia sufficiente una semplice confessione (che, se ben fatta, libera certamente dal peccato), per eliminare anche le conseguenze dolorose e persistenti dell'operazione magica. In alcuni casi infatti sarà necessario l'intervento della Chiesa per mezzo dell'esorcista.

Perché ciò possa avvenire – e sarebbe una benedizione per tutta la Chiesa – bisognerebbe che i coniugi cattolici sapessero bene che il loro atto coniugale «*è un sacramento*», quindi come tale andrebbe vissuto, non solo in preghiera, ma in «*comunione di persone*» come afferma il Papa, quando parla del matrimonio.

La cosa amara e sorprendente è che queste cose – anche se in modo capovolto, orrendo ed osceno – sono ben conosciute dagli esoteristi, ma ignorate dai coniugi cattolici, per cui il rapporto sessuale nel matrimonio, anziché la celebrazione di un sacramento, rimane una manifestazione «*affettiva*» più o meno intensa, quando non semplicemente uno sfogo a carattere puramente biologico. Gli operatori della magia sessuale sanno invece che in quel momento sono presenti «*entità*» non certo innocue.

A quale corso di preparazione al matrimonio si insegna ai futuri sposi la *sacralità* dell'atto coniugale sacramentale, o Matrimonio?

Eppure il pensiero del Magistero è molto chiaro:

> «Il matrimonio cristiano, come tutti i sacramenti che "sono ordinati alla santificazione degli uomini, alla edificazione del corpo di Cristo e, infine, a rendere culto a Dio",[51] *è in se stesso un atto liturgico* di glorificazione di Dio in Gesù Cristo e nella chiesa: celebrandolo i coniugi cristiani professano la loro gratitudine a Dio per il sublime dono ad essi elargito di poter rivivere nella loro esistenza coniugale e familiare l'amore stesso di Dio per gli uomini e del Signore Gesù per la chiesa sua sposa».[52]

Questa è la bellezza vera che dobbiamo e vogliamo proclamare senza timore e ininterrottamente, per annunciare a tutti la gioia dell'amore di Dio e combattere il dilagare della magia sessuale.

Testimonianze

Questa prima testimonianza racconta di una trappola distruttiva in cui è caduta, senza rendersene ben conto, una giovane donna ed ha dovuto poi lottare per alcuni anni per venirne fuori.

«Avevo circa 18 anni e frequentavo il liceo in un paese del sud, con risultati più che soddisfacenti. Tuttavia, nella mia vita, come nello studio, soprattutto nei ri-

---

[51] CONC. ECUM. VAT. II, Cost. sulla sacra liturgia «*Sacrosanctum concilium*», 59.
[52] GIOVANNI PAOLO II, Esortazione Apostolica «*Familiaris Consortio*», 56.

guardi della concentrazione, cominciavo ad avvertire il peso di tutto il mio personale bagaglio di conflitti familiari e di interrogativi esistenziali e spirituali a cui non riuscivo a trovare una risposta. Fu allora che ascoltai per caso, alla radio, un annuncio pubblicitario riguardante un *Istituto* di cosiddetta medicina alternativa (pranoterapia, bio-energia, digitopressione, massaggio shiatsu, ipnosi, ecc.) di cui allora conoscevo ben poco.

L'idea di poter curare il mio attuale esaurimento e nel contempo di procurare un senso alla mia spasmodica ricerca di verità (chi era Dio?... chi era Gesù Cristo?... quale era il suo rapporto con l'uomo?... che senso avesse la sofferenza?... la morte?... ecc.) cominciò ad attrarre la mia attenzione ed a spingermi a visitare tale *Istituto*. L'ambiente era suddiviso in stanze che fungevano da piccoli *"studi medici"*, con sofisticate apparecchiature per somministrare ai pazienti le terapie preliminari (magnetoterapia, ecc.) prima di passare alla fase cruciale della seduta ipnotica e pranoterapeutica guidata dal *"professore"*, direttore e responsabile dell'*Istituto*, che vantava tra i suoi vari diplomi, persino un "Master" californiano.

Cominciai così a frequentare l'*Istituto* ed a sottopormi regolarmente a queste terapie per alcuni mesi, vinta dal fascino suggestivo che questa figura riusciva ad incutere nei suoi pazienti, tra cui io, appunto.

Ciò che mi generava perplessità, stupore e insieme suggestione, era una manipolazione (sotto forma di pressione con le dita) che il *"professore"* aveva eseguito dietro la mia nuca, al di sotto delle orecchie, sostenendo che ciò avrebbe consentito l'instaurarsi di una sorta di *"legame protettivo"*, benefico e salutare, in grado di permettermi, anche a distanza, mediante l'evocazione di un *"simbolo"* (costituito dalla sigla magico-iniziatica: *"33X"*), un miglioramento del mio stato di salute e delle mie facoltà di apprendimento e concentrazione. Alcuni di noi avevano ricevuto una foto del *"professore"*, che erano invitati a guardare durante l'evocazione del *"simbolo"* anche stando nella propria casa.

Finita la cura, smisi di frequentare l'*Istituto* per circa un anno e mezzo. Nel frattempo, tra mille traversie di vita, cresceva in me un senso forte di angoscia interiore e di oppressione, che non sapevo spiegarmi, come le mille domande rimaste irrisolte, anche per la mia ignoranza della dottrina cattolica e della religione in cui ero nata.

A questo disagio si accompagnava un malessere fisico diffuso, che mi convinse a sottopormi ad un serio check-up medico, magari in ospedale. Quando ormai avevo preso questa decisione – in maniera per me assolutamente inspiegabile – mi ritrovai, dopo circa due anni che non lo frequentavo più, a telefonare di nuovo al suddetto *Istituto*. Fui invitata a visitare la nuova sede – un vero residence – per discuterne insieme al *"professore"*. E così feci.

Ero allora una studentessa universitaria, al primo anno della facoltà di psicologia ed avevo cominciato ad aprirmi alla lettura di testi delle Edizioni Mediterranee, sul senso della vita e dell'aldilà, in una parola mi stavo avvicinando inconsapevolmente alla concezione esoterica del mondo, affamata com'ero di verità, di conoscenza e, soprattutto, di... fare esperienza di Dio.

Questa volta il *"professore"* mi rivelò, oltre alle sue "capacità cliniche" e "terapeutiche", la sua identità di *"maestro"*, in quanto precedentemente *"iniziato"* da un altro *"maestro"* alla conoscenza della *"Verità"*. Una *"verità iniziatica"* che egli avrebbe potuto insegnarmi e trasmettermi, facendo di me – nelle sue parole – *"un'allieva sapientissima"*, oltre che, naturalmente, curare i miei disturbi, data l'ampia gamma di possibilità terapeutiche di cui disponeva l'*Istituto*, che era frequentato da una vasta clientela di pazienti, fra cui molte persone consacrate. Fu così che, contrariamente alla mia decisione iniziale di rivolgermi alla medicina ufficiale, mi ritrovai a diventare dapprima paziente e poi "socia" dell'*Istituto*, al fine di svolgere una sorta di tirocinio o apprendistato, data anche la specificità dei miei studi.

Il prezzo di tutto questo era (oltre ad una tessera di lire 2.000.000 annui), la richiesta di una fiducia cieca e di una obbedienza incondizionata al *"maestro"*.

Questa obbedienza, come avrei ben presto scoperto, era ottenuta per mezzo di "pseudo-preghiere" eseguite nella "cappella" privata dell'*Istituto*, interamente tappezzata di immagini sacre, oltre che per mezzo di pratiche e riti – a cui avevo avuto il "privilegio" di partecipare insieme a pochi *"eletti"* – nella quale il *"maestro"* diceva di invocare Dio e l'Arcangelo Michele, dopo i suoi devoti digiuni.

La cosa più repellente e dolorosa per me era che ricevevo dei trattamenti con ipnosi e quando "uscivo" dall'ipnosi, dovevo subire pratiche sessuali che lui eseguiva su di me, diceva, perché glielo *"ordinavano"* gli *"spiriti"*.

Non ho il più pallido ricordo di come sia successo la prima volta, forse ero ipnotizzata, so solo che ero diventata la sua *"amante"*, malgrado il fatto che in questa funzione lo odiassi totalmente e mi facesse ribrezzo perfino la sua voce. Eppure non ero in grado né di impedirlo, né di staccarmi da lui. Ho imparato così ad odiare me stessa, perdendo completamente la mia autostima e non comprendendo più chi fossi diventata.

Dentro di me cresceva un tormento inesprimibile, oltre a quanto detto sopra, anche a causa del conflitto fra alcune incoerenze che vedevo nella pratica di vita quotidiana dell'*Istituto*, e i miei principi personali, compresi i pochi rimasugli di Catechismo che mi erano rimasti in mente dalla mia Prima Comunione. Naturalmente questo mio tormento veniva spiegato dal *"maestro"* come causato dalla mia poca fede nella sua persona e nel suo *"credo"*, tanto che venivo incitata a non pregare più per conto mio, giacché *"non sapevo farlo"*, ma ad affidarmi interamente nelle mani del *"maestro"* ed alle sue preghiere *"più pure"* ed *"alte"* delle mie.

Così, benché a volte provassi l'impulso forte di non tornarci più, in modo *inspiegabile*, mi ripresentavo sistematicamente a quegli appuntamenti "terapeutici", come se fossi sospinta da una forza a cui non riuscivo ad opporre resistenza.

Allo stesso modo non seppi porre resistenza alla prospettiva (allettante...) di trasferirmi presso una città del nord, per occupare una sede dell'Istituto, in qualità di segretaria. Partii nel settembre del 1987 e mi trovai subito in un mare di guai, perché l'*Istituto* attraversava problemi finanziari. In quel periodo i dubbi sulla vera identità del *"maestro"* cominciarono ad attanagliarmi con sempre maggiore intensità, ma non sapevo come fare per avere luce e venire fuori da quell'abisso in cui mi trovavo, perché tale era il mio vissuto.

Nei mesi successivi del 1988, benché avessi ottenuto un certo sollievo ai miei sintomi fisici, il mio malessere interiore cresceva in maniera incontenibile, ma sicuramente qualcuno stava pregando per me. Avvertii infatti, il desiderio o l'ispirazione di pregare il rosario, cosa a me abbastanza sconosciuta. Dopo essermene procurato uno, cominciai a recitarlo tutte le sere. Credo fermamente che l'intervento di Dio, in quella situazione senza via di uscita, sia proprio stato mediato dall'intercessione di Maria – tra l'altro considerata *"dio"* dal *"maestro"*, nell'ambito della sua scuola di pensiero sincretistico ed esoterico, ove, in fondo, lui stesso si considerava... Dio. Una serie di eventi mi condussero infatti a conoscere il movimento cattolico del Rinnovamento nello Spirito, dove cominciai, con autentico orrore, a rendermi conto della trappola infernale nella quale ero caduta: il *"maestro"* non era altro che un mago e l'*Istituto* una frode finanziaria, oltre che una prigione fatta di occultismo, sesso e morte.

Lasciai così quella sede in modo definitivo nel maggio 1988 e fui braccata per mesi dalle telefonate, a cui ovviamente mi negavo: mi davano la caccia come ad una preda, perché ero un'infedele, che aveva tradito e si era data alla fuga.

Nel luglio di quell'anno ebbi l'incontro determinante non solo per quella situazione, ma per tutta la mia vita. Nel corso di un seminario di evangelizzazione conobbi dei fratelli che pregarono su di me.

Fu una svolta decisiva, perché io – in balia di un'immensa confusione interiore, ideologica e spirituale – ancora difendevo il *"credo"* reincarnazionista e idee affini. Con l'invocazione dello Spirito Santo vidi crollare tutto ciò come menzogna, falsità, inganno, tenebre, attecchite per azione magica e perversa sul terreno della mia ingenuità e buona fede. Ebbi invece la possibilità, o meglio, la grazia, di sperimentare la presenza onnipotente del Cristo-Dio, quello rivelato dalla Sacra Scrittura, che io non conoscevo ancora.

Non potrò mai dimenticare quel momento e l'immensa gratitudine che proverò sempre e che non saprò esprimere a quei fratelli, per aver permesso a Gesù di raggiungermi.

Cominciò così il mio doloroso cammino in salita, fatto di conoscenza e di crescita nella fede, di riappropriazione del mio battesimo e di affrancamento, per mezzo di numerosi esorcismi, dai legami occulti contratti a contatto con quell'ambiente e con il *"maestro"*, che prometteva tutto a tutti, quasi fosse un nuovo Messia. Ancor oggi alle soglie dei 40 anni, dopo sofferenze innumerevoli e prove indicibili che sembravano distruggere la mia vita e la mia persona, questo cammino prosegue, illuminato da una sola certezza: voglio continuare ad accogliere Gesù

Cristo come mio unico personale Salvatore, come l'unico Signore e Dio, vivo e vero, per poi poter dire alla fine di questa mia esistenza terrena: io sono di Cristo e Cristo è con me! Amen!».

* * *

L'uso dell'aggiunta di qualche goccia di sangue mestruale al caffè che si fa poi bere all'inconscio fidanzato o marito, con la convinzione di poterlo legare con un legame amoroso molto intenso, è una forma assai diffusa di magia popolare, che presenta spesso conseguenze assai tragiche per la vita matrimoniale e perfino per la salute. Non si tratta di «*magia sessuale*» vera e propria, ma di qualcosa che ne sta ai margini.

Questo racconto è assai illuminante e forse capace di farci capire quale potrebbe essere il legame orrendo tra magia e salute. Ne sono stato testimone oculare, insieme con alcuni anziani della mia Comunità!

«Mi trovavo presso un santuario mariano, durante la festa della Madonna a cui era dedicata la chiesa. La festa era grande ed i pellegrini assai numerosi.

Poco prima di pranzo mentre stavo parlando con alcuni membri della mia Comunità per preparare una settimana di spiritualità, ci avvicina una coppia di giovani sposi e ci chiedono una preghiera per lui, che il giorno successivo avrebbe dovuto entrare in ospedale.

Sulla testa infatti, presentava una ciste di almeno due centimetri di lunghezza a forma di oliva. La ciste era molto ben visibile perché l'uomo era quasi completamente calvo e secondo i medici che lo avevano esaminato, doveva essere subito asportata ed esaminata, perché presentava il sospetto di essere di natura neoplasica maligna.

Trovammo una stanza adatta e cominciammo la preghiera di guarigione, ma subito, con una parola di conoscenza, il Signore ci rivelò che il problema principale di quell'uomo era che aveva avuto numerosi contatti con l'occulto... mai confessati.

L'uomo confermò quanto il Signore ci aveva rivelato e si disse pronto a mettere il tutto davanti a Dio. Mentre lui andava nel santuario per confessarsi, la moglie si sedette e chiese anche lei una preghiera. Subito il Signore ci rivelò lo stesso peccato anche in lei. Perciò anche lei venne invitata a recarsi a confessare.

Mentre la moglie si stava confessando, il marito tornò e ricominciammo la preghiera. Di nuovo, tuttavia, il Signore ci rivelò che non tutto l'occulto era stato deposto dinanzi a lui nel sacramento della Riconciliazione. Dopo un breve colloquio ed alcune precisazioni venne quindi invitato a concludere di nuovo, con la Confessione, il totale ritorno al Signore. Questa volta... per davvero!

Mentre egli andava a cercarsi un altro sacerdote per la confessione (in quanto quello da cui precedentemente si era confessato nel frattempo, aveva lasciato il confessionale per andare a pranzo), la moglie, che intanto si era confessata, tornò per ricevere la sua preghiera.

Con nostro totale sconcerto il Signore di nuovo ci avvertì che il legame con l'occulto non era stato ancora interrotto. Eravamo sorpresi e spazientiti, ma non avremmo mai immaginato ciò che stavamo per ascoltare. La donna scoppiò a piangere e ammise tra lacrime e singhiozzi, di aver fatto un *"legame d'amore"* per suo marito, mettendo sangue mestruale nel caffè che aveva preparato per lui, con lo scopo di legarlo a sé. Aggiunse poi che – pur rendendosi conto della gravità del fatto – non aveva mai confessato questa cosa ad un sacerdote frenata... dalla vergogna. Spaventatissima, ci scongiurava di non farlo assolutamente sapere al marito, e, finalmente rassicurata, uscì per confessarsi di nuovo.

Il marito intanto, seduto sulla scalinata del santuario, si stava confessando con un frate e lei si pose in disparte in attesa che il marito avesse finito e mentre il marito – dopo la sua confessione definitiva – lentamente tornava da noi per poter finalmente ricevere la sua bramata preghiera di guarigione, la moglie confessava la sua... magia.

Appena il marito si sedette dinanzi a noi, i miei occhi caddero istintivamente sulla sua testa e debbo dire che rimasi più che sorpreso, addirittura sconcertato... Non riuscivo a credere a ciò che vedevo... la ciste era sparita. Non solo non era più visibile, ma anche al tatto non si avvertiva altro che la pelle liscia e normale.

Un miracolo...? Chiamatelo come volete. Credo che si sia trattato della manifestazione della potenza di un sacramento e della distruzione – per azione divina – delle conseguenze di un'azione magica.

Mi rendo conto che il racconto sembra una... favola. Se non lo avessi vissuto di persona, forse non ci avrei creduto neppure io. Eppure posso testimoniare davanti a Dio la veridicità di ciò che ho raccontato e che può essere testimoniata anche da altri, presenti a tutta la vicenda.

Affermo quindi non solo di raccontare la verità, ma anche di aver visto in azione la potenza di Dio e la grazia immensa e inaspettata di un sacramento.

Alla fine della S. Messa i due coniugi fecero una loro stupefatta testimonianza, senza spiegare naturalmente i particolari, ma affermando che dopo aver confessato di essere stati a contatto con la magia, il Signore aveva improvvisamente e meravigliosamente guarito lui dalla brutta ciste.

Rimane tuttavia sempre da riflettere, con serietà, sull'orrore della magia e le sue tante, pericolose, conseguenze».

6. Neo-paganesimo femminista: stregoneria «Wicca» e «Aradica»

1. Stregoneria Wicca

Nell'ambito del femminismo religioso militante esiste una forma particolare di culto della «*Dea*», che prevede l'evocazione di spiriti femminili, riti magici e balli intorno a un calderone di liquido fumante, da parte di donne che si auto-proclamano apertamente: *streghe*. Questa forma di stregoneria si chiama *Wicca*. Il nome in realtà è stato creato facendolo derivare, con un po' di fantasia, da un'antica parola inglese «*wicce*» = *stregone*. *Wicca* sarebbe il suo femminile – equivalente quindi a *strega* – e afferma di rifarsi all'autentica «*vecchia religione*» dell'Europa precristiana. Si presenta quindi come una «*religione*» e considera i suoi «*riti*» magici neo-pagani, più «*autentici*» dei rituali cattolici in quanto più antichi.

La *Wicca* si presenta perciò come una religione «*pagana*», anche se naturalmente non tutti i pagani e neo-pagani si considerano «*streghe*» o «*stregoni*», o appartengono alla *Wicca*.

Il rapporto fra neo-paganesimo e neo-stregoneria è in relazione con la cosiddetta «*eresia Murray*», una controversia storiografica strettamente collegata con le origini stesse del movimento inglese chiamato *Wicca*.

La controversia nasce con la tesi di una nota egittologa di professione – e storica della stregoneria per passione – Margaret Alice Murray, che a partire dal 1917 pubblica numerosi scritti sulle streghe che culminano nel 1931 con «*Il dio delle streghe*». Essa era influenzata a sua volta dalle ricerche molto discusse, del folklorista americano Charles Godfrey Leland, condotte soprattutto in Italia.[1]

---

[1] Che darà origine alla neo-stregoneria Aradica.

Margaret Murray sostiene che la stregoneria è semplicemente la «*vecchia religione*» dell'Europa pre-cristiana, sopravvissuta in modo segreto alle persecuzioni. L'Inquisizione la processava e la condannava come satanismo, mentre si trattava piuttosto di un culto dualista di un principio maschile e di uno femminile di origine antichissima. La stregoneria combattuta dall'Inquisizione era nella sostanza, secondo Margaret Murray, l'autentica «*religione pagana*». Ella sosteneva che la stregoneria colpita dall'Inquisizione non aveva nulla a che fare con il satanismo, ma piuttosto con una vecchia religione etrusco-romana, basata sul duplice culto di Diana e di un «*dio con le corna*» erroneamente interpretato come il diavolo. Questa vecchia religione sarebbe stata soprattutto un rito della fertilità e della natura. Gli storici studiosi del fenomeno della stregoneria medievale non sono assolutamente d'accordo con lei e molti hanno approfittato di questa controversia per concludere che la stregoneria medievale esisteva solo nella mente degli inquisitori. Le streghe e la stregoneria erano quindi solo una tragica invenzione.

Dagli anni '70 tuttavia la tendenza dominante nella storiografia accademica cambia soprattutto per merito di storici come Carlo Ginzburg, che a partire da esempi specifici, suggeriscono una via media che non accetta né la tesi di Margaret Murray né la contro-tesi che la stregoneria sarebbe una pura creazione degli inquisitori. L'Inquisizione, quindi, non ha inventato la stregoneria, perché vari elementi di superstizione – in parte antichi, in parte maggiore assai più recenti – che derivavano da una diffusa cultura popolare e che esistevano autonomamente, si sarebbero sviluppati anche senza i processi degli inquisitori.

Tuttavia gli stessi elementi che ricordano in modo più preciso tradizioni pre-cristiane e pagane potrebbero provenire dagli inquisitori stessi, che (a differenza degli inquisiti) erano certamente dotati di una buona cultura classica. PL. Zoccatelli scrive:

> «È più saggio concludere, secondo questi storici, che il nucleo autentico della stregoneria medioevale e protomoderna comprende esperienze estatiche popolari, che rimangono tuttavia molto diverse da quelle della religione pagana, così come era esistita prima del Cristianesimo... i processi per stregoneria – peraltro minori per numero di quanto storici precedenti avessero creduto – nascono *"dal basso"*, dalle accuse e dalla diffidenza popolari verso figure (prevalentemente femminili, ma anche ma-

schili) marginali e sospette, che l'autorità cerca semmai di incanalare e controllare.

Queste figure marginali potevano avere diverse forme di comportamento considerato antisociale, ma non praticavano nessun tipo – neppure, salvo in casi rari e locali, folklorico – di religiosità alternativa o pre-cristiana. I creatori della *Wicca* utilizzano, sostanzialmente, l'*"eresia Murray"*. Se infatti la religione pagana aveva avuto una continuazione segreta nella stregoneria, non era incredibile che – sempre in segreto – fosse continuata fino ai giorni nostri e se ne potessero trovare ancora oggi eredi autentici».[2]

Da queste opere di moderna stregoneria è nata la nuova religione: la *Wicca*; che adora una «*dea*» e che è soprattutto un ritorno alle religioni pagane della natura. Le streghe della *Wicca* credono che intonandosi con la dea (la luna), possono usare incantesimi magici per raggiungere i loro desideri. La *Wicca* enfatizza in ogni occasione i legami con «*Madre Natura*». Nell'aprile del 1974 il Concilio delle Streghe Americane adottò una serie di principi che rappresentano il «*credo wiccano*», esprimendo la loro fede nel panteismo, nell'astrologia e nei poteri psichici.[3]

La *Wicca* usa i Tarocchi, il *pendolino* (la *radioestesia*), il *channeling*, la sfera di cristallo, la lettura della mano, la lettura dei fondi del tè o del caffè e la numerologia. Le streghe della *Wicca* chiamano Dio: l'*Ultima Divinità*. La loro divinità è costituita di due parti: il «*dio*» e la «*dea*».

Quest'ultima viene spesso chiamata «*Madre Terra*» o «*Madre Natura*».

La *Wicca* inoltre, incoraggia l'uso dello spiritismo, di diversi stili di divinazione e l'uso di incantesimi magici, soprattutto per legami amorosi.

È profondamente radicata in credenze pagane e panteiste (reincarnazione, «*karma*» e panteismo). Perciò coloro che praticano la *Wicca* credono nella legge del «*karma*».[4]

Una parte del loro credo è, naturalmente, la *reincarnazione*. Esse

[2] Pierluigi Zoccatelli, «*Streghe oggi: la Wicca o Neo-Stregoneria*»; «*Una voce grida...!*», n. 15, sett. 2000, p. 12.

[3] Raymond Buckland, «*Buckland's Complete Book of Witchcraft*» [St. Paul, Levelling Publication - St Paul (1990)], pp. 9-10.

[4] Ibid., p. 18.

credono che tutto ciò che appartiene al regno animale abbia un'anima; ma la reincarnazione non è a caso: un cane si reincarnerà in un altro cane, un gatto si reincarnerà sempre in un gatto e un essere umano in un essere umano.

I poteri magici sono il mezzo con cui le streghe della *Wicca* cercano di ottenere ciò che vogliono, ma perché questi poteri possano essere efficaci, devono essere fatti in modo preciso. Le cose più importanti per compiere bene la magia sono il tempo giusto, il sentire adeguato e – cosa molto importante – è il canto per l'incantesimo.

Il canto ritmico può infatti intensificare l'emozione. La maggior parte dei riti magici sembra vengano effettuati stando completamente nudi, sia che la strega sia sola o in gruppo.

La corrente principale (quella che si riconosce nella stessa parola *Wicca*) riconosce nel suo credo, che la magia può essere costruttiva o distruttiva, per questo per loro vale la legge del «*Rede*», che dice:

«*Se non fa male a nessuno, fai ciò che vuoi*»,

che è semplicemente una modifica della legge di Crowley,[5] con l'importante correttivo dell'invito a non danneggiare nessuno. Un'altra legge della *Wicca* è data dalla «*Legge del tre*» secondo cui sia il bene sia il male fatto ad altri ritornano «*tre volte ricambiati*».

La Wicca non ha un'organizzazione internazionale unitaria, né, veramente, nemmeno organizzazioni nazionali. Non vi è neppure una dottrina unitaria, e il riferimento al politeismo è interpretato in modi molto diversi (così come diverso è il tipo di «*esistenza*» attribuito alle divinità).

I rituali presentano importanti variazioni da gruppo a gruppo, anche se i riferimenti all'originario «*Libro delle ombre*» di Gardner pervadono quasi tutto il movimento. Il mondo della *Wicca* (e della neostregoneria in genere, perché non tutti accettano l'etichetta *Wicca*) è una costellazione di piccoli gruppi che si ritrovano in festival annuali, leggono gli stessi giornali e frequentano le stesse librerie, pur mantenendosi tuttavia divisi.

Non vi è dubbio tuttavia che siano parte di un movimento, infatti spesso assumono nomi come «*federazione*» o perfino «*Chiesa*», che

---

[5] La «*legge*» dell'O.T.O. di A. Crowley dice: «*Fa' ciò che vuoi, sarà tutta la legge*».

sono chiare indicazioni del loro proposito di organizzarsi. Scrive A. Menegotto:[6]

«Dal punto di vista dottrinale, la sottolineatura del valore del politeismo come fermento di libertà e di rifiuto delle gerarchie si ricollega al carattere effimero della maggioranza dei gruppi della *Wicca*. È altrettanto vero che le *"streghe"* e gli *"stregoni"* si sentono, in genere, parte dello stesso movimento, nonostante le loro divergenze. In questo senso, è forse meno essenziale di quanto molti credono la distinzione fra vari filoni: *"gardneriani ortodossi"*; gruppi *"ereditari"* (i cui iniziatori mettono in dubbio il resoconto di Gardner, ma affermano di avere trovato autentiche tradizioni stregoniche nella propria famiglia); *"alexandriani"* – che derivano dal colorito Alex Sanders... (il quale rivendicava a sua volta una tradizione familiare che gli sarebbe stata trasmessa dalla nonna), *"dianici"* (di impronta femminista, diffusi soprattutto negli Stati Uniti intorno a figure come Miriam Simos, *"Starhawk"*, e Zsuzsanna Szilágy, *"Z Budapest"*), *"eclettici"*.
Si tratta di un movimento – composto in genere da persone di cultura elevata, di ceto medio-alto – che ha compiuto negli ultimi anni un notevole sforzo di pubbliche relazioni per migliorare la propria immagine e distinguersi dal satanismo e dalla magia sessuale di tipo crowleyano».

La *Wicca* propone una «*magia*» che diventa, per il praticante, una religione, a proposito della quale la categoria di «*religione della natura*» è quella che incontra il consenso maggiore fra gli studiosi recenti.

Anche in Italia esistono numerosi gruppi, o «*congreghe*», e tanti praticanti individuali, che accettano i principi generali, così come sono stati elaborati da Gardner ed applicati in Inghilterra e negli Stati Uniti. Altri pensano invece, che la struttura e le regole della *Wicca* siano tipicamente anglosassoni e non si applichino necessariamente alla ricca tradizione della stregoneria italiana.[7]

---

[6] ANDREA MENEGOTTO, «La Wicca oggi»; «Una voce grida...!», n. 15, sett. 2000, p. 12.

[7] Per mostrare quanto si tratti di una «*religione*» riportiamo quanto trovato in un sito *Wicca* [http://it.geocities.com/mnickyit/index.html]. Questa dichiarazione è una proclamazione di fede... wiccan: «*Un Wiccan non si distingue per il fatto che esegue dei rituali o rispetta determinate festività. Un Wiccan è colui (o colei) che sente nel proprio cuore la presenza della DEA: cioè la percepisce nei propri pensieri ed azioni. Tutto il resto è una bellissima sensazione che si concretizza nella Nostra vita. La WICCA è la Nostra Fede!*».
Quanti cattolici nel fare una dichiarazione equivalente a proposito della propria fede si sentirebbero in serio imbarazzo?

147

2. Stregoneria Aradica

La neo-stregoneria detta Aradica prende origine da Charles God-frey Leland, che trascorse molti anni studiando le tradizioni di stregoneria in Europa e soprattutto in Italia dove, scrive Massimo Introvigne:

> «...fu iniziato in un culto stregonico della Romagna-Toscana da una donna che egli volle sempre identificare con il solo pseudonimo di "Maddalena". Nel 1897 "Maddalena", a Colle Val d'Elsa avrebbe consegnato a Leland il manoscritto da cui poi egli trasse il libro *"Aradia, o il vangelo delle Streghe"*, pubblicato nel 1899. Il testo presenta due diverse versioni del mito di unione della dea primordiale, Diana, la regina delle streghe, con il suo "doppio" solare, da lei stessa emanato, Lucifero; dalla loro unione nasce Aradia, destinata a venire sulla terra con la missione messianica di insegnare la stregoneria all'umanità, perché questa possa liberarsi dai suoi oppressori. Molti riti e cerimonie di Aradia sono passati integralmente nella moderna neo-stregoneria insieme con la prescrizione (peraltro non seguita oggi da tutti i gruppi) di danzare nudi (e, occasionalmente, unirsi sessualmente durante le cerimonie) come espressione di protesta e libertà.
>
> Meno comune è il continuo riferimento di Leland alla lotta contro gli oppressori, i "ricchi", i "padroni" appoggiati dal Cristianesimo dominante. Leland sembra aver mescolato al suo lavoro di raccolta di ballate e tradizioni, elementi magici delle campagne italiane, con spunti anarchici e socialisti, o... aver frammisto agli elementi folklorici le sue stesse idee radicali e socialiste».[8]

Le streghe e gli stregoni nelle varie derivazioni si riunirebbero nella *«congrega»*, cioè in gruppi di dodici, più un leader di sesso maschile, che nelle cerimonie impersona il *«dio con le corna»*, inteso come una parodia del Cristo e dei dodici apostoli. Ma se il *«dio con le corna»* non è il diavolo poco ci manca, infatti, perché bisognerebbe *«parodiare»* Cristo?

Per diventare strega in una congrega, bisogna prima passare per un'iniziazione, successivamente le streghe avanzano nella gerarchia attraverso una serie di passi o gradi rituali. Va notato che ogni rito che si compie, porta in sé comportamenti e liturgie sempre fondamental-

---

[8] Massimo Introvigne, *«Il Cappello del Mago»* [Sugarco - Milano (1980)], p. 349.

mente e volutamente anticristiane, piene della luciferina ribellione contro Dio.

La strega e lo stregone non hanno alcun bisogno di Dio.

3. La spinta anticristiana della stregoneria

Già da due capitoli ci muoviamo su un terreno fortemente inclinato verso l'inferno. È vero che la stregoneria ha compiuto negli ultimi anni un notevole sforzo di pubbliche relazioni per migliorare la propria immagine e distinguersi dal satanismo e dalla magia sessuale di tipo crowleyano, ma gli sforzi non sono approdati a molto, perché il problema sta proprio nel ritorno al paganesimo con la rabbia... di Giuliano l'Apostata.

Per comprendere perché la «*religione*» della stregoneria aradica sia innatamente e ferocemente anticristiana basta leggere la storia blasfema da cui trae la propria origine:

«Diana amava ardentemente suo fratello Lucifero, il Dio della Luna e del Sole, il Dio della Luce, che tanto andava orgoglioso della propria bellezza e che a cagione di tale orgoglio fu scacciato dal Paradiso.

Diana generò a suo fratello una figlia che fu chiamata Aradia (Erodiade).[9] È vero che tu sei uno spirito, ma sei nata per essere ancora mortale, e tu devi andare sulla Terra e far da maestra a donne e uomini che avranno volontà di imparare alla tua scuola che di sortilegio sarà fatta... E tu sarai la prima delle streghe, la prima d'esse al mondo conosciuta. Insegnerai l'arte d'avvelenare i signori nei loro palazzi, di legare[10] lo spirito dell'oppressore. E dove incontri un ricco contadino avaro insegnerai alle streghe tue discepole come rovinare il suo raccolto con tempesta, folgore e baleno, con grandine e con vento.[11]

Quando un prete t'arrecherà danno con le sue benedizioni, danno doppio tu gli renderai nel mio nome di Diana regina delle streghe...

---

[9] Ci ricorda qualcuna, è vero? Erodiade era infatti la convivente di Erode, che chiese la testa di san Giovanni Battista.

[10] **legatura**: arte di paralizzare e bloccare le facoltà umane mediante incantesimi. (La nota non è mia, ma... originale).

[11] Queste minacce ci fanno ricordare le «*Rogazioni*» con cui un tempo il sacerdote ed i fedeli andavano in processione nelle campagne e, dopo una liturgia adeguata, pregavano per la protezione dei raccolti. Il sacerdote diceva: «*A fulgure et tempestatis*» (*Dal fulmine e dalla tempesta*)... Il popolo rispondeva: «*Libera nos, Domine!*» (*Liberaci, o Signore!*). Ci si proteggeva contro Aradia, la figlia di Lucifero, e... le streghe?

Quando nobili e preti vi diranno: "Dovete credere nel Padre, nel Figlio e in Maria", rispondetegli sempre: Il vostro Dio Padre, suo Figlio e Maria sono tre diavoli... Il vero Dio Padre non è il vostro; ed io sono venuta a distruggere i malvagi, e li distruggerò...

Or quando Aradia ebbe appreso le pratiche della stregoneria e come con esse distruggere la malvagia razza degli oppressori, ella impartì tali conoscenze alle sue discepole, e disse loro: Quando io avrò lasciato questo mondo, di qualsiasi cosa abbisognate, una volta al mese, quando la luna è piena, venite in luogo deserto, nella selva, tutte insieme, e *adorate, adorate lo spirito possente di mia madre Diana*; e colei che voglia apprendere la stregoneria, e ancor non abbia penetrato d'essa i più profondi segreti, mia madre gliel'insegnerà; i segreti di tutte le cose ancora sconosciute... E così, dalla schiavitù sarete liberi: liberi in ogni cosa voi sarete! E in segno di tale libertà nudi vi mostrerete, uomini e donne. E questo fino a quando l'ultimo degli oppressori non sia morto».

Leggendo quanto riportato sopra si rimane stupiti e turbati dal furore anticristiano professato dalle... «*adoratrici*» di Diana e dal loro parlare blasfemo e rabbioso. In verità quella rabbia non sembra umana, ma piuttosto... satanica. Come «*religione*» non c'è male! Vero?

Bisogna anche sapere che varie cartomanti italiane appartengono a qualche ramo della stregoneria e molte usano anche libri di magia rituale.

4. Stregoneria: ponte verso il satanismo?

Alcuni gruppi hanno proposto di evitare i termini «*streghe*» e «*stregoneria*», preferendo parlare in modo meno provocatorio di «*paganesimo*», ma la maggioranza tuttavia non ha alcuna intenzione di cambiare nome.

Nei paesi anglosassoni, dove la *Wicca* è più forte, si è cercato di superare la fase in cui il movimento era «*soprattutto contro*» il Cristianesimo, ponendosi in modo più propositivo e avviando perfino caute esperienze di dialogo con altre religioni, comprese alcune denominazioni cristiane. È stato fatto anche un «*manifesto*» d'intenti molto buoni, che, parlando della *Wicca* e della stregoneria in genere, afferma:

«– La *Wicca* è una religione con un cammino evolutivo che non è basato sulla distruzione di quello altrui, ma sulla costruzione di quello proprio.

– La *Wicca* non è nata per odio contro altri culti, ma dall'amore per gli Dei e per l'uomo.

– La *Wicca* ha rispetto per la percezione del sacro di ogni uomo, avendo più di altri dimostrato tolleranza nei confronti degli altri credi religiosi, anche se ha un'ostilità di fondo per quanto riguarda le limitazioni sociali imposte da alcuni stati attraverso le religioni e viceversa imposte da alcune religioni attraverso il potere degli stati. Ma ci trova ancora più ostili il fatto che non comprendiamo e non condividiamo il danno di un credo contro un altro, dalla violazione dei luoghi sacri alle guerre di religione, alle offese fini a se stesse, sotto qualunque credo questi possano essere riproposti...».[12]

Il problema però non è dato dalle buone intenzioni di convivenza, ma dal fatto che l'istinto anticristiano perdura (per es. su «*Come Diana generò Aradia*»). In altri casi emerge la volontà di ignorare il Cristianesimo e di risalire il corso della storia, come se questo non fosse mai esistito e ciò rappresenta un tentativo talvolta grossolano, talvolta culturalmente più raffinato, di critica aperta al Cristianesimo e di instaurazione di un mondo dove l'Evento cristiano della Incarnazione, Morte e Risurrezione di Gesù Cristo è osteggiato o ignorato.

Malgrado i tentativi di distaccarsi dal satanismo resta tuttavia il fatto che la stregoneria con la sua ricerca dei «*poteri*» che vengono dalla «*natura*», si trova strettamente collegata alla magia sessuale, da cui non è facile certamente distaccarsi per tutti i mille collegamenti che l'esoterismo ha tessuto tra il ciclo della donna ed il ciclo lunare, tra lo gnosticismo ed il panteismo, tra l'uomo e gli dei (o le «*energie personificate*») del paganesimo. Il segno più significativo di ciò? La loro stessa affermazione:

«Il vero Dio Padre non è il vostro...»,

implicitamente quindi è il *loro*, cioè: Lucifero... cacciato dal Paradiso.

Miriam Simos «Starhawk», una delle più famose streghe Aradiche americane – pur non ricorrendo alla brutalità anticristiana di un'altra famosa «*strega*» femminista: Z. Budapest – ritiene tuttavia che il Vecchio ed il Nuovo Testamento siano così profondamente imbevuti della figura patriarcale di Dio, che è impossibile «salvarli» in

---

[12] [http://digilander.iol.it/segretidistrega/].

151

senso *ecofemminista*, perciò propone un'alleanza tra New Age e neo-paganesimo femminista e scrive:

«...l'oppressione degli uomini nel sistema patriarcale, dominato da Dio Padre, è forse meno ovvia, ma non è meno tragica di quella delle donne. Gli uomini sono incoraggiati ad identificarsi con un modello che nessun essere umano può emulare con successo: a essere i mini-sovrani di angusti universi. Sono divisi in se stessi, fra un sé "spirituale", che dovrebbe essere il conquistatore, e le loro nature di base, animali ed emozionali, che dovrebbero essere conquistate. Sono in guerra con se stessi: in Occidente per "vincere" il peccato; in Oriente per "vincere" il desiderio, o l'ego. Pochi sfuggono senza danni a questa guerra. Gli uomini perdono il contatto con i loro sentimenti e i loro corpi diventano [...] "zombi maschili di successo"».[13]

Tutta questa guerra dove condurrà coloro che scendono in campo contro Dio? Una risposta adeguata ce la dà un sito dei missionari della Consolata (stranamente ripreso anche da un sito di magia italiano[14]):

«La stregoneria non è un fenomeno folcloristico. Essa produce effetti devastanti su intere generazioni: nei discendenti di una persona invischiata nelle arti magiche, possono presentarsi a ripetizione fenomeni estremamente gravi, *come spregiudicatezza morale, alcolismo, droga, suicidi, morte violenta*. Non basta, quindi, guarire i singoli individui; a volte si richiede di agire con la preghiera e l'esorcismo sull'albero genealogico».[15]

Altro punto notevole da esaminare è il rito di iniziazione della strega:[16]

«L'aspirante all'iniziazione, nel chiederla, usa questa interessante formula: "Vengo da voi, perché desidero vedere". Il rito preliminare è detto "rimozione degli ostacoli"; dall'anima e dal corpo dell'aspirante devesi allontanare quanto si oppone a che questi divenga una buona strega. Più in concreto, viene detto che con questa operazione, eseguita dal-

---

[13] STARHAWK, «*The Spiral Dance. A Rebirth of the Ancient Religion of the Great Goddess*» [Harper & Row - New York - San Francisco (1979)], p. 9.

[14] [http://www.magiaonline.net/Wicca/magiaamazzonica.htm].

[15] G. MUSSO, http://www.missionariconsolata.it/mc/Articoli/1998/marzo/stregoneria.htm

[16] [http://www.magiaonline.net/Wicca/iniziazionedellastrega.htm]; *Stregoneria*; «*Iniziazione della strega*».

l'iniziatore, l'anima della novizia è liberata "dagli occhi, dal cervello e dalle viscere", cosa il cui significato simbolico è evidente... Con ciò però l'iniziazione non è ancora completa. Essa diviene tale in virtù del contatto con "influenze" ulteriori, *concepite sotto specie di **spiriti coadiutori che debbono unirsi all'anima del neofita**. Non è in potere del neofita scegliere tali spiriti*; essi verranno di loro iniziativa una volta che ci si sia sottoposti a certe lunghe ed aspre discipline, in un luogo solitario e in cospetto della natura. Nel riguardo, si tratta di acquistare, con sforzo e concentrazione mentale, un nuovo inesplicabile potere: esser capaci di veder sé stessi come uno scheletro. Ciò è inteso come uno spogliarsi della carne e del sangue materiali, così che non resti, appunto, nulla fuor delle ossa, che la nuova iniziata sa vedere e nominare usando non la lingua ordinaria, ma il linguaggio sacro della strega, appreso dal suo istruttore. E questo stesso linguaggio viene usato per la sua definitiva consacrazione».[17]

Queste iniziazioni e queste pratiche è facile comprendere a che tipo di vita e di pensieri porteranno la strega. Certamente il rischio di perdere Dio per sempre è dietro l'angolo. Ma forse non è così facile comprendere se, quando e dove la stregoneria condurrà l'iniziata... oltre. Quale sarà il prossimo passo? Sarà possibile fermarsi e tornare indietro?

Anche queste preoccupazioni però sono di scarso peso, se si prende in considerazione ciò che scrive sulla stregoneria Leonardo Montoli:

«Alla luna... tutte le religioni primitive e la *scienza delle corrispondenze* hanno associato la polivalenza di simboli ed analogie, riassumibili in quattro complessi fondamentali:
1 – luna-pioggia-fecondità-donna-serpente-morte-rigenerazione universale;
2 – luna-donna-fecondità;
3 – luna-pioggia-fecondità;
4 – luna-serpente-magia.
Su ciascuno di questi ruoli la stregoneria gioca il suo ruolo di primo ordine. Come si osserva dai dati la luna è parimenti associata ai culti agrari, funebri, magici e sessuali, con genesi talora incomprensibile e misteriosa: di qui il misterico come caratteriologia di fondo.

---

[17] «*Consacrazione*» quindi che equivale ad una vera apertura volontaria ad una «*possessione*». Da parte di chi avvenga, non risulta molto difficile immaginarlo.

Inoltre la stregoneria gioca sull'azione dialettica dei doppi: bene-male, giorno-notte, visibile-invisibile, carne-verbo, e così via. Tutti questi dualismi, non sono gnostici, ma primitivi...

Tale simbolismo, in stregoneria, nonostante il passaggio... dal politeismo al monoteismo, viene mantenuto intatto, come intatto si mantiene il pluralismo divino, proprio perché Satana, simbolo per eccellenza del male, è non solo il Padrone di questo mondo, il Principe delle tenebre, ma anche e soprattutto il Signore della Legione...

Non è la Chiesa cristiana che attribuisce alla stregoneria il culto di Satana, ma è invece la stregoneria che ingloba Satana nel proprio contesto proclamandolo suo Signore e dedicandogli una preghiera particolare, il Padre Nostro in negativo, essendo egli l'antagonista, l'avversario, l'omicida, il rappresentante di tutte quelle divinità... che essa aveva per secoli cercato di comprendere ed amare. La diversificazione è evidente: nel Cristianesimo Satana è l'angelo caduto per effetto della sua ribellione e della sua volontà di potenza; in stregoneria egli è, per le stesse ragioni, il dio-antagonista, il doppio».[18]

5. Una religione «sfida»

Montoli nel suo libro riporta un'intervista al padre gesuita Vittorio de Bernardi, conoscitore del mondo dell'occulto e della stregoneria. Questo ci permette di lasciarci spiegare alcune delle caratteristiche più sottili e interessanti della stregoneria. Per esempio apprendiamo che la stregoneria è una religione «*totemica*», cioè che tra i membri della «*congrega*» si stabiliscono legami di «*parentela*»:[19]

«...tra il singolo e la comunità di appartenenza e tra il clan e un corpo celeste (luna) o fenomeno naturale (notte) una volta stabilito quel determinato totem come oggetto di tale rapporto».[20]

Questa parentela può essere *diretta*, per discendenza tra affini, oppure *ideologica*, per mezzo della trasmissione del *totem*:

«Entrambe queste categorie si ritengono parentelari in quanto si considerano discendenti, eredi ed uniche beneficiarie dell'antenato mitico che

[18] LEONARDO MONTOLI, *op. cit.*, pp. 156-157.

[19] ÉMILE DURKHEIM, «*Le forme elementari della vita religiosa*» [Newton Compton editori - Roma (1973)], p. 99.

[20] LEONARDO MONTOLI, *op. cit.*, p. 153.

è il divino e che rende divino il clan stesso (parentela mistica) essendo proprio il clan un frammento del corpo divino...[21]
La strega riconosce di essere, in rapporto totemico, figlia ed erede diretta delle tenebre, della Luna-Diana, Ecate, Satana, Shiva o altra divinità similare legata comunque al buio – dipendendo dalla legge di partecipazione in vigore nel sistema totemico».[22]

Tutto questo era stato già chiaramente mostrato negli scongiuri e nei riti precedentemente descritti o accennati. Ciò che viene trasmesso per ereditarietà è l'intero corpo dei simbolismi, oppure un oggetto che si usa nelle pratiche di magia nera e per le evocazioni: per esempio il turibolo,[23] o la coppa. Proprio del sistema totemico è il culto di particolari animali o piante. Nei siti di stregoneria i nomi di animali o piante per indicare le streghe, ma con connotazioni mistiche, sono molto comuni,[24] tale culto viene definito *zoolatrico* e *fitolatrico*.[25]

Il mito dell'antenato disnoico poi viene riportato secondo ciò che Mircea Eliade definisce «cratofania».[26] Paul Huson riporta questo mito in modo quasi identico a quanto riportato nelle pagine precedenti, confermando quindi la effettiva realtà del credo della stregoneria Aradica:

> «In principio la Grande Tenebra, Diana, si divise in due forze uguali ed opposte, notte e giorno. La notte era governata dalla stessa Diana, la luna; il giorno dal suo *alter ego* e fratello, Lucifero, il sole. Diana, dal momento che la luna segue sempre il sole attraverso il cielo, si innamorò di suo fratello il sole, e lo sedusse prendendo la forma del suo gatto. Il risultato di questa unione fu una figlia, Aradia o Herodia, l'archetipica "avatar" o patronessa di tutte le streghe».[27]

---

[21] Purtroppo nemmeno i cristiani, che pure sono realmente «*corpo di Cristo*», vivono la loro realtà divina così intensamente come la stregoneria vive la propria appartenenza a ciò che SANT'AGOSTINO chiama «*il corpo del diavolo*».

[22] Ibid.

[23] Nell'intervista al mago riportata nel capitolo 4, pp. 92-94, egli diceva di aver ricevuto dal nonno il turibolo e la spada.

[24] Si incontrano infatti facilmente nomi come «*Lupa*», oppure «*Blue Rose*», ecc.

[25] JAMES G. FRAZER, «*Totemismo*» [Newton Compton editori - Roma (1973)].

[26] Voce utilizzata dagli storici delle Religioni per indicare una forma di manifestazione del sacro. Nella stregoneria è l'apparizione dell'archetipico potere del demonio.

[27] PAUL HUSON, «*Il Dominio della Magia Nera*» [Astrolabio - Roma (1971)], p. 9.

Questa «*religione*» poi dà origine ad una «*Chiesa*» che a sua volta è disposta in tre livelli: la *docente*, la *discente* e la *gaudente*. Cioè quello che *insegna*, che *apprende* e che «*gode*».

> «Quest'ultima è formata da coloro che si sentono e si proclamano *"beati in Satana"* **per aver assolto l'impegno del maleficio e della maledizione...** Essa assolve il detto – contrapposto al cristiano –: "Extra Ecclesiam nullum malum" ed ha potere legislativo, dispositivo dottrinale nell'interno del sistema e *maleficatore per l'esterno del sistema stesso.* Il suo contenuto "eucaristico"... cioè la credenza nel male e nel potere del male, è oggetto di culto e di fede disnoica, basato sul pantelismo per cui *tutto è volontà.* Il fine della dottrina praticata in questa chiesa è **onorare Satana e la sua legione** *in tutte le sue leggi*, coi diritti e i doveri inerenti, *sempre in osservanza del "patto" indicativo di alleanza diabolica*».[28]

Rimangono ancora possibili dubbi sul legame stretto tra stregoneria, magia e satanismo?

6. Alta magia: il «tiroclerismo»

Quando l'uomo comincia a muoversi ai livelli qui descritti sembra di non essere più capace di fermarsi. Se esaminiamo con un po' d'attenzione questo «*potere di evocazione*» ci si rende conto che la pericolosità delle cose che si fanno in magia ed in stregoneria è di altissimo spessore. Ci si renderà conto anche che l'operatore si muove in un mondo di «*entità invisibili*» («*spiriti*») che compiono cose molto spinte nel campo del preternaturale. Queste operazioni poi permettono di mettersi in contatto «*con assenti*», che poi non sono altro che persone. Ci domandiamo: Quali saranno gli effetti su queste «*ignare*» persone? Come saranno influenzate? Che conseguenze spirituali avranno? E le domande naturalmente non possono finire qui.

> «Il tiroclerismo, o potere di evocazione, che permette di mettersi in contatto con assenti e con entità invisibili, è assai difficile da esercitare. Il tempo che meglio conviene a questo genere di operazioni è la notte, a causa della sua relativa tranquillità. Però occorrono molti mesi di pazienza, talvolta perfino anni, per acquistare in questo campo una sufficiente capacità».

---

[28] Leonardo Montoli, *op. cit.*, pp. 157-158.

Cerchiamo di capire in cosa consiste questo potere evocatorio:

«Fissate nel vostro mentale una immagine o una luce, senza distrarvi. Concentrate l'attenzione su questa immagine o luce e respingete decisamente ogni altra immagine o fantasma che in quel momento cercasse di captare la vostra mente. Vi sarà impossibile praticare l'alta magia se non svilupperete dapprima, e se poi non rafforzerete in voi stessi, la facoltà regale del tiroclerismo che vi renderà padroni del vostro mentale. L'uomo volgare è lo schiavo di lembi di immagini e di pensieri che passano in folla caotica nel suo cervello non organizzato.

Siate il signore delle vostre facoltà acquistate o riorganizzate da voi stessi. Allora, e solo allora potrete evocare *le gerarchie* che presiedono alle principali qualità umane, personificandole in un certo modo: la scienza, la saggezza, la lealtà, la franchezza, il coraggio, la clemenza, la giustizia, la logica, la poesia, la magia e che si riflettono nei diversi rami del sapere umano: la geometria, l'igiene, la dialettica, la psicologia e la filosofia, la guerra, la medicina, la giurisprudenza, la musica, l'astronomia e l'astrologia, l'amore, la voluttà e l'amicizia».[29]

Questo modo di parlare è già esplicito in tante cose: c'è già un accenno all'esoterismo in cui l'iniziato si differenzia nettamente da quello che viene chiamato «*l'uomo volgare*», cioè colui che è «*essoterico*» e quindi «*uomo comune*». Ma adesso viene anche il bello di questa realtà:

«Le qualità umane corrispondono, nell'invisibile, *a entità distinte* e allo stesso modo che ci è impossibile dedicarci simultaneamente a tutte le scienze insegnate nelle università, del pari è impossibile mettersi in contatto con tutte le *gerarchie* che, come abbiamo detto, presiedono alla manifestazione delle qualità e delle facoltà umane. Così... bisogna anzitutto stabilire con esattezza quale è la particolare *gerarchia* con la quale vogliamo unirci. Inoltre bisogna conoscere le leggi particolari che ne definiscono l'essenza o che ne sono la promanazione. Non è permesso rivelare al profano tali leggi, ma ognuno ha la possibilità di scoprirne le corrispondenze nella scienza umana che le riflettono».

Si parla adesso di gerarchie di «*entità*» e ciò ci fa pensare a san Paolo che scrive ai Romani:

---

[29] Curioso che tra i «*diversi rami del sapere umano*» ci sia «*l'amore, la voluttà e l'amicizia*». Forse c'è anche una laurea in «*voluttà*»?

«*Io sono infatti persuaso che né morte né vita, né angeli né principati, né presente né avvenire, né potenze, né altezza né profondità, né alcun'altra creatura potrà mai separarci dall'amore di Dio, in Cristo Gesù, nostro Signore*» (Rm 8,38-39).

L'Apostolo afferma: che cosa importano tutte le forze che si trovano nell'universo, palesi od occulte che siano? Una cosa sola conta: l'amore che Dio ha per noi. Ma non è così per la strega o lo stregone. Infatti:

«Dedicatevi dunque allo studio delle varie discipline e cercate di penetrarne lo spirito e le leggi segrete... *Circa i nomi delle gerarchie o delle entità, alcuni di essi possono venire trovati nelle stesse religioni ufficiali*. Ma anche se non intraprendete una ricerca in questo campo esoterico, i nomi veri, essenziali potrete conoscerli quando avrete penetrato le essenze... Quando, nel corso delle esercitazioni di tiroclerismo, sarete riusciti a stabilire il contatto con una *gerarchia*, l'influenza che ne riceverete si manterrà per un certo tempo, il che vi impedirà di aver subito contatti con un'altra *gerarchia*, le leggi di questa essendo diverse. Così bisognerà aspettare, a seconda dei casi, da tre a sette mesi prima di tentare la nuova esperienza».

Fin qui – anche se pericoloso – sembra tutto astratto, in fondo si tratta di «*entità*» forse un po' difficili da far credere e digerire allo scettico di professione, ma adesso la cosa cambia e si comincia a parlare di persone.

«Per mettervi in rapporto con una persona assente voltatevi in direzione del luogo geografico dove essa si trova e ricostruite con l'immaginazione la sua fisionomia e il suo ambiente. Se agirete metodicamente *ogni notte alla stessa ora*, sentirete a poco a poco che l'immagine evocata prende vita in voi. Presto sarà in voi al primo richiamo, come una presenza che vi penetrerà e, nel contempo, vi avvolgerà. Ne sentirete l'influenza e il calore, *e voi potrete suggerirle quel che vorrete: un'idea o un sentimento*. Ma potete continuare finché la persona evocata durante l'esercizio di tiroclerismo si staccherà da voi e in un certo modo si esteriorizzerà a poco a poco, dapprima come un'ombra trasparente, *poi come se fosse reale*.
Giunti a tanto, un saldo flesso si sarà creato fra voi e la persona che vi interessa e, *volendolo potrà stabilirsi una vostra collaborazione in un dato dominio*. Se siete un artigiano della Grande Opera, non desidererete però la corrispondenza magica con un altro essere umano che per un fine utile alla causa sacra.[30] In tal caso, *le entità superiori vi verranno più facilmente in aiu-*

---

[30] «*Causa sacra*»...? Quale sarebbe?

to e favoriranno la vostra relazione occulta col collaboratore desiderato... non lamentatevi se invece di riconoscenza e amore egli dimostrerà disgusto e perfino odio. Si è che *le entità a cui è soggetto si vendicano in tal guisa*, perché la vostra azione le turba e le irrita... Se desiderate entrare in rapporto con un assente per uno scopo personale e egoistico, *le forze superiori verranno assai più lentamente in vostro aiuto, e per ottenere il risultato occorrerà una maggiore pazienza, esercitata per un più lungo tempo.* Tuttavia, perseverando, raggiungerete egualmente lo scopo, perché l'uomo può padroneggiare e assoggettare le forze invisibili, **anche se i suoi fini non sono nobili.**[31] Questa è la grande responsabilità dell'essere umano e la ragione per la quale gli iniziati hanno circondato certe loro speciali conoscenze con gli spessi velami del mistero».

Credo che questo sia sufficiente a farci vedere l'abisso in cui si muove il mago, la strega e l'esoterista in genere. Ma «*la responsabilità dell'essere umano*» non è confinata entro i confini dell'esoterico e della sua falsa moralità, ma ben si estende al di fuori.

Infatti secondo quale etica ci si mette in contatto con le «*entità*» e si può prendere una persona e «*suggerirle*» qualunque cosa il mago o la strega vorrebbe, indipendentemente dal fatto che questa sia «*un'idea o un sentimento*»? Che cosa si potrà far *pensare*, o far *sentire*, ad una persona «*ignara*» perché *non iniziata*?[32]

7. Come reagisce il cristiano?

Chiaramente il cristiano non può scendere a compromessi di sorta con questo mondo *malato* di esoterismo e magia. Il cristiano sa bene infatti che dietro a queste manifestazioni si muove «*il perfido e astuto ingannatore*» e se ne tiene alla larga. Ma dato quanto detto sopra, qualche volta potrebbe non bastare. Si potrebbe, infatti, cadere nella trappola *di essere diretti da una mente estranea*. Certamente non sarà facile convincere i vari cultori dello scetticismo esasperato, ma per i cristiani dovrebbe essere più semplice; hanno anche ricevuto un avvertimento da Gesù:

> «*Ecco: io vi mando come pecore in mezzo ai lupi; siate dunque **prudenti come i serpenti** e semplici come le colombe*» (Mt 10,16).

---

[31] Utile a sapersi, per fare il discernimento spirituale su quali entità sono presenti.
[32] Forse vale la pena di rileggersi la testimonianza della regista TV a p. 124.

Crediamo che non sia un caso che Gesù abbia scelto il serpente come simbolo dell'astuzia. Questa frase la ritroviamo infatti anche nella Genesi quando si dice che:

> *«Il serpente era la più astuta di tutte le bestie selvatiche fatte dal Signore Dio» (Gn 3,1).*

Ma quella bestia era il diavolo. Coloro che si mettono in contatto con le *«entità»*, consultano *«spiriti»* di assai dubbia reputazione e questo la Parola di Dio non ce lo permette:

> *«Non vi rivolgete ai negromanti né agli indovini; non li consultate per non contaminarvi per mezzo loro. Io sono il Signore, vostro Dio» (Lv 19,31).*

Se la Scrittura mette in evidenza il pericolo di contaminazioni che si possono contrarre consultando tali persone; immaginiamo quindi quali potrebbero essere le conseguenze per chi dovesse cadere nella loro rete, avere rapporti sessuali con loro, diventare un *«contattato»*, ecc.

Un modo per difendersi tuttavia esiste: bisogna tornare al Signore con tutto il cuore, ricevere l'Eucaristia tutti i giorni e vivere in stato di grazia. Facendo così, Dio sarà la nostra fortezza inespugnabile.

Ricordiamoci inoltre, che poiché satana è il padre della menzogna i suoi presagi non portano nemmeno il marchio della verità:

> *«Voi non date retta ai vostri profeti né ai vostri indovini né ai vostri sognatori né ai vostri maghi né ai vostri stregoni... Costoro vi predicono menzogne per allontanarvi dal vostro paese e perché io vi disperda e così andiate in rovina» (Ger 27,9-10).*

8. «L'attaccamento al denaro è la radice di tutti i mali»

Come abbiamo visto prima la stregoneria è qualcosa su cui non bisognerebbe mai scherzare e che non bisogna sottovalutare; ma forse bisogna anche guardare al perché nel *«manifesto»* della stregoneria Aradica, riportato precedentemente, troviamo:

> *«E dove incontri un ricco contadino avaro insegnerai alle streghe tue discepole come rovinare il suo raccolto con tempesta, folgore e baleno, con grandine e con vento».*

Cioè l'attaccamento al denaro e l'avarizia diventano l'input iniziale e la strada maestra per essere aggrediti dalla stregoneria. Il punto debole, ove si rimane più facilmente soggetti alle forze del male. San Paolo nella prima lettera a Timoteo lo metteva in guardia contro il cadere schiavo del denaro con queste decise parole:

> «*L'attaccamento al denaro infatti è* **la radice di tutti i mali**; *per il suo sfrenato desiderio alcuni hanno deviato dalla fede e si sono da se stessi tormentati con molti dolori*» (*1 Tm* 6,10).

Jean Pylia, noto scrittore del Benin e coordinatore nazionale del Rinnovamento carismatico cattolico del suo paese, ha scritto un bel libro pieno di meravigliose testimonianze con cui ci aiuta a capire che la generosità ed il distacco dal denaro costituiscono la molla per vivere felici e per aprire il cuore a Dio. Vale proprio la fatica di ascoltare una di queste testimonianze per la sua straordinaria capacità di illuminarci in un'area ove forse è necessario riflettere di più:

> «Dare a Dio è un'opera che onora Gesù nostro Salvatore; infatti, Dio ha effuso "da lui su di noi abbondantemente" lo Spirito (*Tt* 3,16), sorgente di tutte le grazie, per mezzo del quale trionfiamo su satana che, senza sosta, tenta di spingerci a scegliere il denaro a scapito dell'amore.
>
> Ecco la confessione di una strega convertita al Signore, che dimostra come, a proposito della decima,[33] satana ci manipola e ci fa cadere per avere il diritto di perseguitarci:
>
> "Se vogliamo aiutare qualcuno a dilapidare il suo denaro lo orientiamo verso l'alcool... Se è una donna le 'mettiamo addosso' uno spirito d'ambizione. Essa sentirà il bisogno di entrare in possesso di tutto ciò che le cade sotto gli occhi. Avrà soprattutto desiderio di fasce e gioielli d'oro; sarà golosa di cibi di qualità. Tutto l'attirerà e, dopo aver speso tutto il denaro, si prostituirà per soddisfare le sue voglie. Spingiamo altre donne ad ammassare dei beni senza poterli godere. Possiamo anche utilizzare il sistema delle disgrazie impreviste e ripetute per rovinare un uomo".
>
> Le fu domandato in che modo fosse possibile sfuggirvi ed evitare di incorrere in queste disgrazie:
>
> "Non abbiamo alcun potere contro colui che paga regolarmente la sua decima. Noi siamo le maledizioni che Dio ha promesso a coloro che non assolvono l'impegno della decima. Allo stesso modo ci è difficile dilapidare i fondi di chi compie opere di carità; Dio non ci lascia portare a termine il male e si irrita contro di noi. Per riparare a questa situazione noi

---

[33] La decima è l'uso, ripreso dall'Antico Testamento (cf *Dt* 14,22-27), che consiste nell'offrire la decima parte del proprio guadagno al Signore, o poi nel Nuovo Testamento alla Chiesa.

penetriamo nel cuore dei fedeli perché non paghino la loro decima. Suggeriamo loro: 'Se togliete qualcosa dal poco denaro che possedete, cosa vi resterà?'. Si ricorderanno allora delle tante spese da fare. Se questi fedeli seguono i cattivi consigli che diamo loro, sarà facile per noi rovinarli. Non potranno pagare i loro debiti ed i mille progetti che non smetteranno di elaborare, e non si fermeranno fino a che tutto il denaro in loro possesso sarà scomparso.

Non è bene scherzare con la decima, poiché essa è un'istituzione divina che concorre alla protezione di coloro che la pagano onestamente. Sono molti coloro dei quali ho distrutto le ricchezze perché non pagano la decima e non compiono opere di carità. State attenti perché è bene avere pietà degli altri"».[34]

Questo aspetto della vita cristiana è sempre molto trascurato e non considerato nella sua giusta dimensione, eppure tutto ciò che abbiamo ricevuto in dono: talenti, forze, capacità, il nostro denaro, tutto proviene da lui e noi potremo disporne, finché lui ce lo permetterà, per la durata della nostra vita. Con la grazia del battesimo, ogni cristiano ha ricevuto la sapienza e l'intelligenza per comprendere ciò che è gradito a Dio e la forza per compierlo.

Anche Gesù, in questo campo, ha dato esempio di obbedienza pagando per Pietro e per se stesso la tassa annuale per il tempio, anche se essendo «*figlio*», naturalmente, non ne fosse obbligato. Resta pertanto il comando biblico:

«*Chi dà, lo faccia con semplicità*» (*Rm* 12,8).

Forse tante difficoltà economiche, spesso inaspettate, vengono proprio dal trascurare questo semplice comando di Dio. Perciò:

«*Portate le decime intere nel tesoro del tempio,*
perché ci sia cibo nella mia casa;
poi mettetemi pure alla prova in questo
dice il Signore degli eserciti –
se io non vi aprirò le cateratte del cielo
e non riverserò su di voi benedizioni abbondanti» (*Ml* 3,10).

---

[34] JEAN PYLIA, «*Dare come un Figlio di Re*» [Ed. RnS - Roma (1996)], pp. 77-79.

Testimonianza

Questa testimonianza, assai angosciosa, ci è stata data da una madre che ha avuto due anni di grande sofferenza per un'azione di stregoneria fatta sul suo bambino. Fortunatamente per lei, la cura di un bravo sacerdote esorcista alla fine ha potuto risolvere il problema e oggi il bambino è guarito e sta bene, anche se al momento in cui è stata scritta la testimonianza, la liberazione non era ancora completata.

«Mi chiamo Rita, ho 40 anni; sono sposata da 15 e mio marito, medico, ne ha 46. Abbiamo tre figli: P. di 14 anni, MR. di 11 ed il più piccolo Sandro di 4. Purtroppo alcuni anni fa mio marito conobbe una donna, M.E., sposata, la quale gli chiese di andare a vivere con lei!

Non dico quello che è successo nella mia casa dopo che mio marito conobbe questa donna: discussioni, lotte, pianti miei e dei figli più grandi. Io non sapevo più che cosa fare per fargli cambiare idea; volevo che capisse che quello che stava facendo era assurdo; volevo tenere unita la mia famiglia a tutti i costi. Ho pregato tanto, ho fatto novene a Gesù Misericordioso, ma la sola cosa che successe fu che qualche mese più tardi rimasi incinta di Sandro. Quando ebbi la conferma della mia gravidanza, mio marito si arrabbiò molto, mi accusò che l'avevo ingannato, che il figlio non era suo, che era un bastardo, che i suoi figli erano solo i primi due, che quando sarebbe nato lo avrebbe gettato dalla finestra... ecc. Con il passar del tempo le cose peggiorarono, la nostra casa era diventata un inferno.

Poi nacque Sandro (prematuro, di sole 30 settimane di gestazione) con una serie infinita di patologie: infezione da listeria; emorragia cerebrale; meningite ed infine idrocefalo, che richiese l'intervento chirurgico e derivazione cerebro-peritoneale. Per tutti i medici Sandro doveva rimanere cerebroleso. Invece le cose non sono andate così. Grazie alle tante preghiere Sandro superò tutto ed ora è un bambino normalissimo.

Mentre Sandro era ricoverato, mio marito sembrava voler rimanere con noi. Ma non fu così; M.E. si separò da suo marito, telefonava continuamente, si vedevano spesso e tutto ritornò come prima, anzi peggio. Lei insisteva perché mio marito abbandonasse la nostra famiglia e andasse ad abitare con lei. Una mattina, spazzolando un paio di pantaloni di mio marito, in tasca trovai una lettera di M.E. Naturalmente la lessi e tra le altre cose dichiarava che lei voleva sbarazzarsi di me; diceva che poteva farlo, perché conosceva certe persone capaci di questo. Venni poi a conoscenza che queste persone praticavano la stregoneria.

A questo punto comprendo che M.E. era una che, oltre a non avere scrupoli nel rovinare le famiglie, praticava l'occultismo e probabilmente era in questo modo che era riuscita ad ingannare mio marito; infatti qualche tempo dopo mio marito andò a vivere con lei.

Ci separammo legalmente ed io rimasi sola con i miei figli. I figli più grandi ripudiarono il loro padre. Quando lui veniva a trovarli durante la settimana, lo ignoravano completamente; solo il piccolo Sandro giocava e parlava con il papà. Da mio marito venni poi a sapere che a M.E. dava tanto fastidio che lui pensasse ancora ai figli...

Una sera d'estate dell'anno scorso successe una cosa inspiegabile: stavo passeggiando con i miei figli e con mia madre, quando all'improvviso il piccolo Sandro mi guardò impaurito e assunse un atteggiamento strano: non mi riconosceva più. Aveva paura di me, che ero la sua mamma, si mise a piangere, cercò rifugio tra le braccia della nonna e dei fratelli, ma della mamma non ne voleva sapere. Questo durò circa un'ora. Poi tutto tornò normale. Il giorno seguente era come non fosse successo niente, il bambino non ricordava niente.

Passò circa un mese. Una sera, dopo quasi un'ora di sonno, improvvisamente il bambino si svegliò con un grido, corsi subito in camera e lo vidi tutto irrigidito e piangente, lo chiamai, ma non mi rispondeva, aveva gli occhi sbarrati e piangeva. Tutto questo durò circa cinque minuti, poi si tranquillizzò e si riaddormentò.

Al mattino seguente chiamai subito il medico che (data la precedente patologia) seguiva i controlli neuropsichiatrici di Sandro. Egli mi mandò in ospedale per fare un elettro-encefalogramma. Tutto negativo! Il bambino non aveva niente e anche spiegando bene l'accaduto della sera prima, mi disse che Sandro non aveva niente, non erano convulsioni. Questo mi tranquillizzò molto, perché io ne ero convinta che non si trattasse di un fatto clinico.

Questi episodi però continuarono, io naturalmente continuai i controlli neuropsichiatrici, ma nessuna patologia è stata mai riscontrata.

Una sera il bambino giocava con i fratelli e improvvisamente si alzò e corse subito da me, premendosi un ginocchio, mi disse: "Mamma, qui c'è uno spino che mi punge forte, forte". Lì per lì non diedi tanto peso alla cosa, ma quando dopo un'ora di sonno si svegliò gridando ed irrigidito, sbarrava gli occhietti, dicendomi di avere tanto male alle gambe. Pensai subito a M.E. e alle sue amiche.

Un pomeriggio di agosto di quest'anno, Sandro ebbe una crisi veramente forte. Durò quasi mezz'ora. Arrivai a fargli, su consiglio del medico, anche una iniezione di Valium, ma questa non diede nessun risultato, infatti il bambino continuava a piangere ed a lamentarsi dello "spino" nel ginocchio. A questo punto incominciai a pensare che tutto ciò fosse effetto di "fatture" o di stregoneria.

Un'altra sera, appena incominciata la crisi, noi iniziammo a pregare con forza e la crisi finì. Poi le cose si sono aggravate. Infatti un mattino di qualche settimana fa (normalmente succede la sera, ma questa volta avvenne al mattino, prima di svegliarsi; è sempre nel sonno che succede) Sandro ha avuto una crisi fortissima. Rimase rigido per circa 20 minuti. La nostra preghiera continuò per tutto questo tempo e finalmente Sandro si calmò.

Tre sere dopo la crisi si ripeté e questa volta al termine della crisi il bambino vomitò una schiuma bianca. La cosa strana è che non vomitò il cibo che aveva da poco ingerito, ma solo schiuma bianca.

164

Un particolare che ho notato è che tali crisi sono *sempre* precedute, qualche ora prima, dal pungere dello "spino" alle ginocchia del bambino. Ho la convinzione che Sandro durante le crisi sia cosciente, poiché al mattino dopo la crisi mi dice che durante la notte ha avuto male alle ginocchia ed anche alla testa.

Una volta infatti mi ha detto che alla sera gli era venuto tanto male alla testa che non era più capace di parlare.

Un altro fatto che mi racconta è che talvolta vede in camera, durante la crisi, una persona che non conosce e che non la vede bene, ma un po' nell'ombra, con contorni non ben definiti.

Comunque le cose mi sembrano veramente gravi, gli episodi sono ormai abbastanza frequenti e sempre accompagnati alla fine da vomito schiumoso.

Credo fermamente, però, nella potenza e nell'amore del Signore per liberare il mio piccolo Sandro».[35]

---

[35] Se era stregoneria, quale sarà stata la legge morale della strega? Il «*Rede*»?

7. Un fenomeno raccapricciante: il satanismo

1. Folklore o realtà?

Viviamo in un tempo strano: basta guardare i *talk shows* della televisione, specialmente i più famosi, e ci è dato di imbatterci ripetitivamente in pornostars, omosessuali, travestiti, maghi, esoteristi e... satanisti. Non si comprende bene se ci si vuol far intendere che questi siano personaggi da ascoltare per la loro... originalità, o che invece quello che fanno e dicono sia una realtà da accettare senza storcere il naso. Parlare di storcere il naso non è fuori posto, perché questo è un tempo veramente fortunato per tutto ciò che puzza di zolfo. Fuori di metafora, è un momento speciale per Satana. Dalla musica rock, ai films, alla televisione, si fa un gran parlare di lui, molti ne sono terrorizzati, altri affascinati. Eppure sui movimenti satanici si sa molto poco, e ciò che si sa, si sa male. Scrive Introvigne nel suo «*Il cappello del Mago*»:

> «Non vi è terreno che lo specialista della religiosità marginale avverta come più scivoloso e infido di quello del satanismo... Nasce così una strana situazione in cui, mentre si moltiplica una letteratura scientifica sul diavolo, rarissime sono le indagini sul satanismo e soprattutto sul satanismo contemporaneo, giacché molti autori preferiscono muoversi sul terreno più sicuro dei fenomeni del passato».[1]

Tuttavia una cosa è certa: magia, spiritismo, esoterismo e satanismo sono strettamente legati in un intreccio che, senza forzature di sorta, possiamo chiamare tranquillamente... infernale.[2] Il collante che lega

---

[1] M. INTROVIGNE, «*Il cappello del Mago - I nuovi movimenti magici, dallo spiritismo al satanismo*» [Sugarco Edizioni - Milano (1990)], p. 367.

[2] Anche l'opera appena citata di Introvigne già nel titolo ci dà ragione.

tutte queste esperienze è poi la *medianità*, congenita od acquisita che sia, ed il mezzo impiegato sembra essere sempre la magia sessuale.

In questo capitolo cercherò di chiarire un po' la storia del satanismo pur riconoscendo che, per capirsi bene, forse quasi ogni capoverso meriterebbe di essere trattato più ampiamente. Chi volesse saperne di più, tuttavia può sempre consultare la succitata opera di Introvigne.

2. Che cos'è il satanismo

Il satanismo è essenzialmente costituito dall'adorazione di Satana al posto del vero Dio. Esistono naturalmente diverse forme di satanismo. C'è l'invocazione del demonio nell'«*Umbanda*» brasiliana, ci sono le messe nere, mentre nella chiesa di Satana vengono presi in considerazione altri simboli. Uno di questi è il Caprone. L'origine della raffigurazione del Principe delle Tenebre nella forma di un Caprone è da ricercare nell'antica Grecia. Durante le feste in onore del dio Dioniso, che venivano allestite nel marzo di ogni anno, al coro degli eroi si contrapponeva il coro dei satiri (uomini-capro).

Tutti i satanisti, qualsiasi sia la loro forma di adorazione, tuttavia, negano completamente la presenza di Dio nella loro vita, rendendo solo ed esclusivamente culto a Satana, che considerano come loro unico «signore».

Durante i riti satanici possono essere sacrificati animali, di cui si mangia la carne cruda e viene bevuto il sangue mescolato a vino (in una specie di sguaiata ironia dell'Eucaristia), si praticano comunemente abusi sessuali e si compiono anche altri riti repellenti e disgustosi.

I giovani seguaci di qualche forma di satanismo sono poi più di quanto non si creda e generalmente essi vi aderiscono con lo scopo di riuscire a possedere, con l'aiuto del demonio, grandi poteri magici, convinti di avere in tal modo la possibilità di ottenere tutto ciò che desiderano: specialmente sesso.

3. Cenni storici

Non è una novità legata all'epoca attuale l'evocazione o l'adorazione degli spiriti del male, o la celebrazione di riti che esaltano la perversione in tutte le sue forme. La Bibbia ne parla a lungo e ne abbiamo notizia già dai culti egizi, o assiro-babilonesi.

Il *culto di Lilith*, per esempio, che è un demone femmina. La sua figura risale al folclore babilonese, ebraico e islamico. Lilith era la donna che Dio, prima di Eva, avrebbe posto accanto ad Adamo, nel paradiso terrestre. Lilith era stata creata insieme con Adamo, ma appena prese coscienza di essere creata dalla stessa materia del suo compagno, si ribellò e non accettò di rimanere sottomessa all'uomo. Il suo è un dissidio di tipo sessuale così forte, che essa decide di librarsi nell'aria e abbandonare Adamo. Per questo viene espulsa dall'Eden.

Si crede che Lilith divenga così una figura di spicco tra i demoni, addirittura la loro regina, con la caratteristica di avere continui accoppiamenti con i peggiori di essi. Secondo una variante è la consorte di Satana. Dalla sua unione con lui (o, secondo un'altra variante del racconto, con Adamo) sono nati gli spiriti maligni.

Nel Medio Evo si facevano degli incantesimi per proteggere i neonati dalla sua influenza. Si credeva anche che si presentasse agli uomini come una donna bellissima e seducente e dall'unione sessuale con loro nascessero i *Lilim* (demoni incarnati, che per lo più vengono sopraffatti dagli angeli del Signore). Lilith è quindi anche un simbolo del femminismo arrabbiato di qualche anno fa.[3] È anche molto evidente in questa figura la contiguità tra il satanismo e la magia sessuale.

Un altro esempio lo si riceve dalla mitologia iranica con la credenza nel demone *Ahriman* l'antagonista del mondo e dell'uomo, il principio del male e della distruzione. Egli è il capo di una legione di demoni minori, che comanda a suo piacimento e ai quali permette di impossessarsi dei corpi degli uomini che si sono dati a lui.

Nel mondo questo culto del Male continua anche oggi e ci sono popoli primitivi che si dedicano all'adorazione del diavolo per ottenerne benefici legati alla magia.[4] Bisogna tuttavia chiarire che i movimenti satanici, definiti tali, hanno riti e credi che nulla hanno a che fare con i suddetti culti.

---

[3] Strettamente legato anche alla stregoneria femminile.

[4] Cf riti Voo-doo, Santerìa, Macumba nel ramo della Quimbanda e della Pomba-Gira, oltre l'adorazione degli Exu, su cui si basa addirittura un trattamento psichiatrico, praticato anche in Italia.

I primi gruppi *satanici* si diffondono nel 1500 in Francia e in Inghilterra, con nomi bizzarri: come «*The damned crew*» (*La banda dannata*) e «*The Knights of the blade*» (*I cavalieri della lama*) e si caratterizzano per i rituali d'iniziazione, di adorazione dei demoni e per la parodia della liturgia cattolica, con particolari riferimenti osceni ai sacramenti specialmente al Battesimo e all'Eucaristia. In Francia si erano sviluppati nel filone occultista per ottenere «*poteri*» da Satana, in Inghilterra, invece, più come ribellione contro la religione dominante da parte dei liberi pensatori.

Fra questi gruppi verso il 1750 si ricorda «*Hell Fire Club*» (*Club del Fuoco dell'Inferno*, chiamato anche: «*HFC*»), attribuito forse falsamente, a sir Francis Dashwood, che invece aveva fondato, scrive Introvigne:

> «...una Fraternità chiamata verosimilmente Società di San Francesco con riferimento sia al nome di battesimo del suo fondatore, sia al desiderio di prendersi gioco della Chiesa Cattolica ed in particolare dei francescani».

Si racconta, ma da fonti poco attendibili, che sir Dashwood (che divenne anche Cancelliere dello Scacchiere), insieme con un gruppo di aristocratici libertini e deisti aveva trovato un'antica abbazia medievale ove:

> «...fondò un circolo guidato da "dodici miscredenti" che si riuniva nell'abbazia (o meglio l'ex-abbazia) di Medmenham per una serie di cene accompagnate da abbondanti libagioni, dove si declamavano versi osceni, si praticavano... riti che ricordavano curiosamente le "messe nere" francesi di un secolo prima, e spesso si rimaneva a dormire con le "suore" che erano pure ammesse alla "confraternita"...
> L'abbazia di Medmenham sarebbe stata organizzata secondo il modello letterario dell'abbazia di Thélèma di Rabelais, con il motto *"Do as you will"* (*Fa' ciò che vuoi*) – un'interessante anticipazione delle idee di Crowley – interpretato tuttavia in senso vitalistico (segui quanto la natura ti suggerisce, di qualunque cosa si tratti) e non direttamente satanista... È difficile, naturalmente, accertare a quali delle testimonianze contemporanee si debba prestare fede. Probabilmente coloro che negano il satanismo di Dashwood hanno presente come modello soprattutto il satanismo occultista, mentre non si può escludere che le cerimonie della Società di San Francesco rappresentino un esempio di satanismo razionalista o ludico».[5]

---

[5] M. INTROVIGNE, *op. cit.*, pp. 384-385.

Questo gruppo merita di essere menzionato perché molte cronache dell'epoca lo riportano come centro di perversione a cui si abbandonavano i presenti durante i riti. Fra i nomi riportati c'era B. Franklyn, che in seguito avrebbe riformato i testi liturgici protestanti, proprio come aveva fatto insieme a F. Dashwood con quelli cattolici.

Mezzo secolo più tardi questo gruppo era completamente scomparso, ma, sorprendentemente, anche oggi abbiamo movimenti che si riallacciano all'«HFC». Uno di questi – e che recluta i suoi membri fra gli studenti e i docenti della prestigiosa università di Yale – è: l'«*Order of Skull and Bones*» (*Ordine del teschio e delle ossa*). Sembra che quando era studente ne facesse addirittura parte l'ex presidente USA G. Bush e l'ex segretario di stato G. Schultz. Questi sono però solo gruppi locali e, per chi conosce il sistema delle «*fraternities*» nelle università USA, forse solo circoli goliardici spruzzati di esoterismo, mentre i movimenti internazionali sono tutt'altra cosa.

Gli studiosi moderni dividono il satanismo contemporaneo in diverse categorie, ma, per maggiore semplicità, ci limiteremo a descriverne solo i principali, anche se resta obbiettivamente difficile tirare nette linee di demarcazione tra loro.

4. Il satanismo crowleyano

Per satanismo crowleyano si intendono tutti quei movimenti che si rifanno ad Aleister Crowley (padre del satanismo moderno) e alla magia sessuale.[6] È necessario perciò dare alcune notizie sulla vita di Crowley e sui suoi insegnamenti.

Edward Alexander Crowley nacque nel 1875 a Leamington Spa, in Inghilterra, da una ricca famiglia appartenente ai *Plymouth Brethren*,[7] che caratterizza la sua infanzia con il rigidismo assoluto del protestantesimo radicale, ma già da giovane si rivelò fortemente ambizioso, violento, esibizionista e senza morale in tutto ciò che faceva. Co-

---

[6] La magia sessuale è un ingrediente assolutamente presente in tutti i campi della magia esoterica, collegata allo gnosticismo o al satanismo ludico od occultista. La stregoneria a sua volta si ricollega alla magia sessuale attraverso l'adorazione della Dea ed il suo dichiarato panteismo.

[7] Una denominazione protestante conservatrice, che ricerca lo spirito della Chiesa degli Apostoli.

minciò così a manifestare la sua vera aspirazione colui che pochi anni dopo sarebbe stato definito: «*l'uomo più perverso del mondo*».

Nel 1896 a Stoccolma, in piena notte, avvertì una «*presenza*» che gli annunciò che gli sarebbe stato dettato dal cielo un libro profetico. Questa visione lo confermò definitivamente nella sua scelta di diventare *mago*.

Si recò allora a Parigi – che era considerata la capitale delle sette esoteriche[8] – ma Crowley vi si fermò poco e continuò a viaggiare fino in Russia, dove frequentò vari gruppi gnostici e la setta dei «*khlysti*»,[9] i cui riti orgiastici gli rivelarono la potenza della magia sessuale. A 23 anni, Crowley – iniziato dall'alchimista Julian Baker – divenne membro della «*Golden Dawn*», dove si immerse nello studio dei segreti dell'occultismo e della magia esoterica. Nel 1904 sposò Rose Kelly e trascorse il viaggio di nozze al Cairo, compiendo riti magici all'interno della grande piramide, in cui si era fatto rinchiudere insieme alla moglie. Durante uno di questi riti la moglie in trance ripeteva al marito la frase: «Ti sta aspettando Horus».[10] Per tre giorni consecutivi anche Crowley cadde in trance e si mise in contatto con lui un'entità che si faceva chiamare *Aiwass* e che gli dettò i primi tre capitoli di «*Liber Al Vel Legis*» (*Il Libro della Legge*) e gli cambiò il nome in Aleister. Tre anni più tardi fondò un proprio ordine «*The Silver Star*» (*La Stella d'Argento*) ponendosi in aperto contrasto con la «*Golden Dawn*», perché i suoi membri si erano rifiutati di eleggerlo loro capo. Durante questo periodo Crowley iniziò ad abbinare l'esoterismo magico appreso nella «*Golden Dawn*» con la sua magia sessuale, ma tutto rimase piuttosto sospeso fino al momento in cui avvenne realmente la svolta della sua vita.

Nel 1912 conobbe Theodore Reuss, capo dell'ordine magico dell'«*Ordo Templi Orientis*» (*Ordine del tempio d'Oriente* = O.T.O.), che gli propone di mettersi a capo della branca inglese dell'O.T.O., prendendo il nome di *Baphomet*[11] (idolo demoniaco, che si vociferava fos-

---

[8] Si parlava molto allora di messe nere e di sabba orgiastici.

[9] In russo significa «*I flagellanti*», in realtà una setta orgiastica e depravata.

[10] Il dio egizio che presiedeva alla magia.

[11] Baphomet in realtà era il nome di un demone. Probabilmente l'esaltazione satanica di Crowley cominciò qui, anche se bisogna riconoscere che sia stata ben preparata dalle precedenti esperienze di magia sessuale ed altro.

se segretamente adorato dai Templari, prima della loro soppressione da parte di Filippo il Bello; anzi, questa fu una delle accuse al processo). Questo è ciò che Crowley attendeva per avere pieni poteri nel pensare e nell'agire e da questo momento nessuno riuscì più a porgli dei limiti. Si gettò infatti, con tutto se stesso, ad approfondire le conoscenze magiche, facendo uso anche dei rituali degli antichi egizi. Naturalmente condiva tutto con sesso e droga, fino all'esasperazione, con sacrifici di animali, con grande spargimento di sangue, e, qualcuno insinua, addirittura anche di sacrifici umani. I suoi rituali, legati a intrugli magici (i cui ingredienti principali erano sperma, sangue e urina) divennero ben presto famosi e verranno poi ripresi da molti gruppi satanici. Reuss però non era da meno di Crowley, e pubblicò un numero dell'«*Orifiamme*» dedicato tutto all'O.T.O. in cui dichiarava:

> «...il nostro ordine possiede la CHIAVE che apre tutti i segreti massonici ed ermetici, cioè **l'insegnamento della magia sessuale**, e questo insegnamento spiega – senza eccezioni – tutti i segreti della Massoneria e tutti i sistemi della religione».[12]

Nel 1920 si stabilì in Sicilia, a Cefalù, e in una fattoria semidiroccata fondò, la famosa «*Abbazia di Thélèma*», le cui regole derivano dal «*Liber Al Vel Legis*» in cui, fra l'altro, Crowley si autodefinisce «*il Maestro Therion*» e «*la grande bestia 666*» dell'Apocalisse. I fondamenti della «*legge di Thélèma*» sono due frasi:

> «*Amore è la legge, amore sotto il dominio della volontà*».
> «*Fa' ciò che vuoi, sarà tutta la legge*».

Nell'abbazia di Thélèma Crowley, tutto preso dal suo delirio sessuale e satanico, aveva dipinto sui muri affreschi in cui l'orrore faceva a gara con l'oscenità, e, sul pavimento, strani segni sui quali le sue donne si buttavano in delirio salmodiando formule insegnate da lui. Ben presto anche alcuni uomini entrarono nella sua folle organizzazione in cui il maestro, allucinato, puniva i suoi adepti, per le loro mancanze nell'esercizio rituale, facendoli stare nudi, a braccia tese

---

[12] THEODORE REUSS, «*Jubilaeum-Ausgabe der Orifiamme*» [Berlino 1912], p. 3. Da qui si vede come le idee sulla magia sessuale non fossero nuove, ma derivassero sia dalla magia di tipo occultistico che igienico-sessuale.

su rocce arroventate dal sole, poi marcandoli con un ferro incandescente.

La vita ossessionante che si conduceva portava tutti alla follia. Il giorno che Poupée, la sua figlia prediletta, morì di stenti malgrado le invocazioni all'entità Aiwass, la morte e la sciagura cominciarono ad aggirarsi attorno al tempio del mago nero. Nei primi mesi del 1924 quasi tutte le notti i contadini dei paraggi vedevano ardere dei fuochi con cori di grida terrificanti. Le orge ed i riti luciferini erano ripresi con maggior vigore e andarono avanti fino alla morte di uno dei discepoli di Crowley (che non si è mai potuto sapere se sia stato sacrificato, oppure si sia suicidato per disgusto o per totale follia).

A questo punto però la polizia ordinò la sua espulsione dall'Italia. Morì nel 1947, completamente annientato dalla droga, compiendo un ultimo atto demoniaco; poiché il medico non voleva dargli morfina, gli disse:

> «Dottore, dal momento che devo morire senza morfina per causa vostra, morirete anche voi subito dopo di me».

Qualche giorno dopo il suo decesso, il medico morì.

5. Il satanismo razionalista

Se Crowley si autodefinisce «*la bestia 666*» dell'Apocalisse, non è difficile identificare la «*seconda bestia*» (definito tale dallo stesso Crowley) in Anton Szandor LaVey, fondatore della «*Chiesa di Satana*».

Howard Levy nacque a Oakland nel 1930. Nel 1945, a soli 15 anni, lasciò la famiglia e trovò lavoro in un circo dove apprese diverse arti tra cui domare animali feroci e suonare l'organo. Passò poi a lavorare in un locale notturno, imparando tecniche illusioniste e ipnotizzanti. In questo periodo conobbe e frequentò una spogliarellista alle prime armi, Marilyn Monroe,[13] e cambiò il proprio nome in Anton Szandor LaVey.

Userà poi le conoscenze avute in questo ambiente per sviluppare i suoi *psicodrammi*, come chiama le messe nere e gli altri rituali sata-

---

[13] Non è improbabile che la triste vita e la sua morte per disperato suicidio sia da imputarsi alla sua relazione con ANTON LAVEY ed alle conseguenze spirituali sviluppatesi.

nici. Nel 1959 conobbe Kennet Anger, esoterista e seguace di Aleister Crowley, che lo introdusse nel mondo cinematografico di Hollywood.

Nel 1966, fondò ufficialmente la «*Chiesa di Satana*», si inserì in profondità nell'ambiente di Hollywood alimentando films a sfondo satanico e luciferino, come «*Lucifer Rising*» (*Il Sorgere di Lucifero*) ed altri. A questi film – oltre lo stesso LaVey che vi compare come attore – collaborano personaggi famosi come Mike Jagger dei Rolling Stones, registi come R. Polansky e noti attori iscritti alla «*Chiesa di Satana*», fra cui spiccano Sammy Davis jr. e Jane Mansfield. Scrive M. Introvigne:

> «Riconciliatosi con Anger, Beausoleil scriverà dal carcere la musica per la versione finale del film *Lucifer Rising* terminata nel 1980... Nel 1970 Anger definiva chiaramente la sua nozione di Lucifero come "il Dio della Luce – non il diavolo, questa è una diffamazione cristiana"; il film "è la festa di compleanno per l'Età dell'Acquario" e "Lucifero è l'Angelo Ribelle che sta dietro a tutto quanto sta succedendo oggi nel mondo. Il suo messaggio è che *la chiave della gioia è la disobbedienza*".
> Le ultime parole sono una citazione letterale dall'Inno a Lucifero di Crowley, e questo tipo di raffigurazione dell'Angelo Caduto – tipicamente crowleyana – non coincide con il satanismo di LaVey (dove Satana, per simbolico che sia, è effettivamente il diavolo), con cui quindi Anger non poteva che rompere... ma l'influenza di Anger sulla Chiesa di Satana è stata decisiva, e vi ha introdotto alcune delle idee e molto dello stile e del linguaggio di Crowley».[14]

Dal «battesimo» con rito satanico della propria figlia Zeena prende spunto per scrivere uno dei suoi libri più famosi «*The Satanic Rituals*» (*I Rituali Satanici*), che consiste nella parodia di tutti i sacramenti cristiani, la messa nera, ecc. Poco prima aveva pubblicato un altro testo fondamentale «*The Satan Bible*» (*La Bibbia di Satana*).

La storia della «*Chiesa di Satana*» da questo momento in poi diventa complessa a causa dei molteplici scismi e conseguenti scomuniche reciproche; continua però ad essere attiva e potente nel mondo anche per merito delle figlie di LaVey – Zeena e Karla – che sono le ambasciatrici ufficiali e le conferenziere del movimento.

---

[14] M. INTROVIGNE, *op. cit.*, p. 377.

6. Il satanismo «acido»

Lo studioso Massimo Introvigne lo descrive così:

«Per definizione il satanismo "acido" sfugge alle indagini ed agli inventari. È un fenomeno clandestino, composto da una costellazione di piccoli gruppi che... non vengono notati da nessuno se non quando le loro attività divengono chiaramente illegali e le autorità intervengono... La maggioranza dei gruppi di satanismo "acido"... corrisponde ad uno schema che tende a ripetersi: dieci quindici giovani tra i quattordici e i venticinque anni... si associano principalmente per procurarsi e consumare droga; la lettura di testi di satanismo e l'ascolto di musica rock "satanica"; l'inizio in segreto di riti rudimentali...; la scoperta, in seguito a reati che vanno da casi relativamente meno gravi di profanazione di chiese e cimiteri o sacrifici di animali fino ad episodi francamente raccapriccianti».[15]

Altri esempi di sètte sataniche, legati questa volta agli omicidi rituali, sono quelli scoperti a Matamoros in Messico con almeno quindici uccisioni, o quello dei componenti la sètta di Charles Manson, che dopo orge e perversioni di ogni genere, in preda a delirio omicida, una notte fecero una strage in due ville della California, uccidendo in una di queste anche Sharon Tate la giovane moglie, incinta, di Roman Polansky il regista di *Rosemary's baby*, un famoso film sul diavolo.

Nella trattazione del satanismo criminoso non si può fare a meno, tuttavia, di riportare quanto Aleister Crowley, nel «*Liber legis*», annotava, affermando di averlo scritto sotto dettatura del demonio Set:

«Il sangue migliore è quello mensile della Luna; poi il sangue fresco, di un bambino, sgocciolante dalla schiera celeste; poi quello dei nemici; poi quello del sacerdote o dei fedeli; infine quello di qualche animale. Brucialo: fanne pani e mangialo in mio onore...».

Michele Del Re, avvocato e professore universitario di diritto penale che ha girato il mondo per studiare i culti emergenti, in qualità di direttore di ricerca del C.N.R., osserva: «Inequivocabilmente ci si riferisce al sacrificio umano», e riporta dal «*Liber legis*» di Aleister Crowley, di cui abbiamo parlato in precedenza:

«Il rito supremo dovrebbe creare un'atmosfera particolare attraverso la morte della vittima. Con questo rito si potrebbe raggiungere il vertice del-

---

[15] M. INTROVIGNE, *op. cit.*, pp. 405-406.

l'Arte Magica. La cosa migliore sarebbe sacrificare una fanciulla, possibilmente vittima volontaria, perché, se fosse maldisposta al sacrificio, potrebbe introdurre una corrente ostile».[16]

In questo nostro mondo civile si consumano, nel delirio dell'adorazione di Satana, delitti tremendi. Il professore Michele C. Del Re, esprimendosi su una valutazione dei crimini satanici, tra l'altro, scrive:

«...se i crimini portati a conoscenza del pubblico, di natura satanista, sono all'incirca 1.500 ogni anno (mi riferisco al mondo occidentale, esclusa l'America latina), si può ritenere che il numero oscuro, quello che resta ignoto, è di 10 volte 1.500. Di questi quindicimila crimini satanici dovrebbero essere autori congreghe ed isolati, nel complesso circa 150.000 persone. Questo numero indicativo – cui portano anche altri indizi – si riferisce, ripeto, soltanto al mondo occidentale».[17]

7. Il «mostro di Firenze»: un satanista?

Addentrandosi in questi mondi di tenebra, ci si accorge che sono tante le coincidenze che collegano efferati delitti, attribuiti ad un serial killer, a certi riti criminosi, connessi alla magia sessuale. Analizzando un mistero tutto italiano, quello del «mostro di Firenze», non sorprende quanto scrive il giornalista Giorgio Medail, che, durante la sua inchiesta «Italia Misteriosa», fu contattato da uno strano personaggio (F.B.), che disse di aver fatto lunghe ricerche sui delitti di Firenze e, tra l'altro, affermò:

«Esiste una tradizione... secondo cui il sacrificio migliore per evocare i demoni è quello degli esseri umani. E infatti, ad esempio, nella dottrina di Aleister Crowley, si afferma che la morte più favorevole è quella che avviene durante l'orgasmo ed è chiamata *"mors justi"*.
Perché è scritto: ...fatemi morire la morte del giusto e fate che la mia fine estrema sia come la sua».[18]

Il giornalista commenta:

---

[16] MICHELE C. DEL RE, «*Prevenzione e Repressione del Satanismo Criminoso*», Pubblicazioni della Facoltà di Giurisprudenza dell'Università di Camerino [Jovene Editore (1994)], p. 54.

[17] Ibid.

[18] GIORGIO MEDAIL, «*Italia Misteriosa*» [Editoriale Albero, Milano (1987)], p. 30.

«Una simile affermazione non poteva che condurre agli innumerevoli e ancora misteriosi delitti del *mostro di Firenze* che, guarda caso, colpisce le sue vittime proprio mentre fanno l'amore».

Secondo questa interpretazione, infatti, il «*mostro*» altro non sarebbe che una frangia impazzita di un certo satanismo, che prevede il sacrificio proprio in quel fatale momento.

«"Ci sono – nel caso del mostro – tutti gli ingredienti necessari: l'orgasmo unito al momento del trapasso, il colpo vibrato con la pistola, col fuoco. In quel momento si liberano potenti energie, indispensabili per il mago che rafforza se stesso e il rituale che deve celebrare...".
"È pericoloso dire queste cose? Lei vuol mantenere l'anonimato...".
"Sì, (è la risposta pronta di F.B.) si toccano mondi molto pericolosi"».[19]

Maria Consolata Corti, regista alla RAI per dieci anni, ha raccontato:

«Il mostro di Firenze è un personaggio molto noto e potente, con una doppia identità, e fa parte di una terribile setta satanica. Mi ha confessato che i membri della setta uccidono l'uomo e la donna nell'atto di accoppiarsi, *per uccidere l'amore e colpire Dio*. Mi ha detto anche: – io strappo il pube o il seno con un coltello milleusi, e lo faccio non solo per odio, ma perché, secondo la setta, *durante l'atto sessuale il corpo libera energie di cui ci si può servire anche per curarsi o per aumentare la forza fisica*».[20]

Recentemente, ad avvalorare questa tesi, il settimanale Panorama ha riportato di strani «appunti di magia nera»[21] trovati, dopo la sua morte, in casa di Pacciani, il contadino accusato di essere il «mostro».[22]

[19] Ibid., pp. 30-31.
[20] MAURIZIO CARAVELLA, «*Visto*», n. 46, novembre 1990.
[21] Sono state trovate frasi che abbastanza esplicitamente richiamano riti di magia nera con ossa di morto per portare «*la vittima alla morte*», o riti contro il malocchio. [http://www.tgcom.it/ArticoloTgCom/articoli/articolo20239.shtml].
[22] «Spuntano gli appunti di magia vergati da Pietro Pacciani e finora mai entrati negli atti processuali dell'inchiesta sul mostro di Firenze. Dunque, prende sempre più corpo l'ipotesi investigativa che, dietro i delitti compiuti dal fantomatico assassino, ci fosse una setta satanica ad orchestrarli, di cui il contadino di Mercatale, morto prima dell'ultimo processo, e i cosiddetti compagni di merende, Giancarlo Lotti e Mario Vanni, condannati all'ergastolo, sarebbero stati gli esecutori materiali» [ibid.].

8. L'uomo è solo «un animale»?

Abbiamo citato tre filoni di chiese sataniche, perché sono rappresentativi della quasi totalità dei gruppi e la diffusione delle loro «*confraternite*» è a livello internazionale. Da quanto detto si vede però l'intrigo continuo tra esoterismo, magia sessuale e satanismo, che sono gli ingredienti principali su cui si muove tutto il mondo oscuro della magia ed i cui confini sono praticamente inesistenti. Una cosa però è certa, queste scelte di vita conducono ad atteggiamenti violentemente anticristiani e tutti coloro che hanno incontrato personaggi appartenenti a questo ambiente hanno sempre notato una ferocia anticristiana spiegabile solo con la loro affiliazione ai suddetti gruppi, e ciò anche in individui che, quando parlano delle cose più diverse, dimostrano atteggiamenti gentili, garbati e tolleranti. Non potrebbe essere altrimenti dato che essi hanno accettato che il Male viva in loro e che la loro vita sia consegnata a lui. Rimane ancora qualcosa da sottolineare e Introvigne lo fa con la solita perizia. Parlando dei rituali satanici scrive:

> «Questi... rituali rappresentano l'essenza del moderno satanismo, che non può – anche quando è "razionalista" – non definirsi in chiave anticristiana: teologicamente come provocazione e bestemmia nei confronti di Gesù Cristo con la "messa nera"; filosoficamente come rifiuto di quella differenza essenziale fra l'umanità e l'animalità che costituisce il primo dei *preambula fidei* nella Genesi giudeo-cristiana come nella filosofia greca».[23]

In Europa la maggiore densità di adoratori del diavolo – per quanto se ne sa dai giornali – sembra concentrarsi nelle città vertici del «*triangolo del Demonio*»: Torino, Praga e Lione, dove essi credono che vi siano punti di forza satanica affiorante, oppure sentieri sotterranei che conducono agli inferi, o templi sepolti e dimenticati di adorazione al Grande avversario.

Tutta la gran massa dei gruppi satanisti si muove entro i filoni principali su riportati. In Italia la maggior parte delle chiese prende direttive quasi esclusivamente dalle chiese madri: è il caso delle varie «*Chiese di Satana*» presenti a Torino, Genova, Bologna, Bergamo, Roma, Locri, Trieste e altre. Una citazione a parte meritano gruppi di

---

[23] M. INTROVIGNE, *op. cit.*, p. 394.

neo-satanismo alla Crowley, per i quali è molto difficile stilare una classificazione esatta: è il caso del gruppo dei *Bambini di Satana Luciferiani*, nato a Bologna per opera di Marco Dimitri.

Una domanda però sorge spontanea: cosa possiamo fare per proteggere i nostri giovani dalla possibilità di essere travolti da un simile inferno?

9. «Tutte le strade conducono a...»

Massimo Introvigne quando fa la scheda dell'O.T.O. mette in evidenza tutto l'abisso della mente satanista che ha scelto di schierarsi contro Dio e di rinunciare alla salvezza. Forse non è facile comprendere come l'esoterismo e la magia conducano, attraverso una serie di gradini, non poi infinita, ad entrare definitivamente nel mondo orrendo del satanismo, ma la realtà che ci sta dinanzi con grande chiarezza indica proprio questo.

Nella traduzione italiana del «*Libro della Legge*» fatta da Roberto Negrini dell'O.T.O., che si firma con lo pseudonimo «Robert Klartal», si ritrova dichiarato con orrenda lucidità, quanto ho accennato in queste pagine, anche a proposito della magia e della stregoneria. Un vecchio adagio dice che «Tutte le strade conducono a Roma», ma quando si entra nel mondo dell'esoterismo e della magia forse si può affermare ben a ragione che: «Tutte le strade conducono a... Satana».

Ascoltiamo ciò che scrive M. Introvigne e comprenderemo molto di questo mondo – di cui non si parla mai – e del problema che rappresenta:

«...l'edizione italiana a cura di "Robert Klartal" reca questa dedica: "Dedicata alla memoria di Giuda e di Caino... Agli eretici, alle streghe, ai bestemmiatori ed ai mostri di ogni tempo. Agli eredi dispersi del Tempio di Lucifero... nell'attesa del giorno beato in cui l'incubo cristiano verrà dissolto... in cui l'urlo di PAN scuoterà le nazioni... in cui il sangue dei nostri martiri di Ipazia, di Bruno e di Giuliano Imperatore, ricadrà sull'apostasia di Roma e annegherà gli schiavi del dio-pezzente". La prefazione – tra richiami agli ultimi scritti di Nietzsche prima della follia (o, come qualcuno potrebbe dire, i primi della follia), in cui si invitava: "a radere al suolo [...] il luogo maledetto dove il cristianesimo ha covato le sue uova di basilisco" – proclama non solo "il Verbo sapiente e spietato dell'Anticristo", ma anche, con buona pace dei tentativi di altre branche dell'O.T.O. di prendere le distanze dal satanismo, "Il Verbo Santo di Satana" contro la

religione dei cristiani, "questo sudicio culto, che i Cesari troppo magnanimamente non seppero affogare nel sangue". E si conclude – dopo aver criticato la filosofia e la ragione non meno della religione – annunciando una epoca in cui "Uomini e Donne Nuovi, Saggi, Ebbri e Felici danzeranno sui cadaveri putrefatti della 'ragione' e della 'fede'... ed i Fuochi di SATANA verranno riaccesi sulle montagne!!!".
Siamo qui indubbiamente lontani dallo stile di altre branche contemporanee dell'O.T.O.: ma non da certe pagine di Crowley, né da Bertiaux, il quale ha del resto indicato fra gli scopi del suo ordine anche "la scoperta di formule matematiche per distruggere i nemici dell'ordine", "la distruzione di chiunque si interessi all'ordine troppo da vicino", *"i rapporti sessuali di tutti i tipi"*, e anche – meno solennemente – "la pratica dei piaceri della tavola"».[24]

Introvigne ha ben messo in evidenza tutti i possibili punti di contatto tra la magia cerimoniale dell'O.T.O. ed il satanismo, mostrando chiaramente come questi mondi non solo sono contigui, ma anche con tante porte spalancate per comunicare tra loro. Onnipresente: la magia sessuale.

10. La complicità rarefatta dello gnosticismo

Lo gnosticismo inizialmente sembra solo una filosofia orgogliosa, centrata sull'uomo e sulle sue capacità, ma – se riflettiamo un poco – è anche il nocciolo della prima tentazione. Il nocciolo filosofico della tentazione che il serpente insinua in Eva. San Giovanni, nella sua prima lettera lo chiama con il suo nome vero:

«...*la superbia della vita*» (1 Gv 2,16).

Se diamo uno sguardo allo gnosticismo sarà facile renderci conto di come la lingua del serpente stia saettando per condurre l'uomo sulla via scivolosa e orrenda del satanismo, perché questa è la sua brama più assoluta: essere adorato da quell'uomo che Dio – quando lo ha creato per sovrabbondanza d'amore – ha detto:

«*"Facciamo l'uomo a nostra immagine, a nostra somiglianza...". Dio creò l'uomo a sua immagine; a immagine di Dio lo creò*; maschio e femmina li creò» (Gn 1,26-27).

---

[24] M. Introvigne, *op. cit.*, p. 287.

Leggiamo allora qualcosa che inizia dal lato gnostico dell'O.T.O. e ne scopriremo delle belle:

«Vivendo in un mondo che è sentito e sperimentato soggettivamente come un *"mondo corrotto"* (un'espressione gnostica), essi disperano della loro salvezza. La via da cui ha origine questa salvezza è il corpo fisico. Esso si prolunga su livelli più alti (per esempio quello emozionale e quello intellettuale), fino a che l'uomo può conseguire quello divino del Pleroma, cioè la pienezza della vita ultramondana.[25]

Questo Pleroma, sia esso nell'uomo o da qualche parte nello spazio cosmico, è il corrispettivo gnostico del terrestre mondo *"corrotto"*.

Si possono percorrere due strade per abbandonare questo mondo corrotto: sopprimerlo o dimenticarlo (concetto proprio all'ascetica); oppure dissolverlo *vivendolo completamente in tutta la sua corruzione*[26] (concetto proprio al modo sensuale). Su un piano più elevato è vero il contrario. La via sensuale sottintende un ascetismo omeopatico: *si indebolisce il diavolo indugiando con esso come per necessità*.

Lo gnostico sensuale *abbraccia il peccato* per conoscere la corruzione del mondo e risorgere come una fenice dal rogo. *Le orge sessuali fanno affiorare il divino Pneuma-Logos che è congiunto al Pleroma.* La via ascetica si comporta *allopaticamente*: contro il veleno dell'esistenza essa somministra come rimedio l'ignoranza del corpo.

L'espressione che ho citato più sopra cioè il termine *"omeopatia"* è stata sorprendentemente spesso usata come metodo dalla via ascetica del modo di vivere gnostico. E altrettanto sorprendentemente, *l'omeopatia ha molto in comune con lo stesso gnosticismo*.[27] Sia l'omeopatia che lo gnosticismo guardano al piano materiale come al meno essenziale per l'uomo... Entrambi omeopatia e gnosticismo insegnano che salute e salvezza si manifestano dall'Alto verso il Basso e dall'Interno all'Esterno (ciò che ricorda la Tavola Smeraldina di Ermete Trismegisto cara ai Rosacroce e ai Massoni[28])».[29]

Credo di essere riuscito a chiudere il cerchio e chi sarà disponibile a riflettere abbastanza si renderà conto che forse molti possono es-

---

[25] Sembra quasi che si parli... del Paradiso, ma non è così.

[26] Quando mai l'uomo immergendosi completamente nel peccato troverà la salvezza? È molto più facile che incontri la morte che «*è entrata nel mondo per invidia del diavolo*» (*Sap* 2,24).

[27] La filosofia che la giustifica nasce infatti nel mondo oscuro dell'esoterismo.

[28] Abbiamo fatto proprio il pieno (cf cap. 4).

[29] PETER R. KÖNIG [http://www.cyberlink.ch/~koenig/cefalu.htm], «*Ordo Templi Orientis e la magia sessuale*».

sere inizialmente ingannati da un semplice atteggiamento goliardico-libertino, ma se continuano a camminare si accorgeranno che la strada va ben oltre il disordine di una vita sessuale promiscua. Per salvarsi sarà necessario un incontro vero con Gesù. Ma a questo punto si aprono i famosi interrogativi di Paolo, interrogativi a cui ogni cristiano è chiamato a rispondere:

> «*Infatti: Chiunque invocherà il nome del Signore sarà salvato. Ora, come potranno invocarlo senza aver prima creduto in lui?* **E come potranno credere, senza averne sentito parlare?** *E come potranno sentirne parlare senza uno che lo annunzi? E come lo annunzieranno, senza essere prima inviati? Come sta scritto: Quanto son belli i piedi di coloro che recano un lieto annunzio di bene!*»
> (*Rm* 10,13-15).

11. «Messe Nere»... ed altro

Un frate americano p. Jeffrei J. Steffon ha scritto un libro estremamente interessante sul satanismo,[30] in cui affronta dal punto di vista pastorale quel problema che tutti sembrano voler evitare: gli adolescenti vengono attirati nel satanismo attraverso le droghe, il sesso e la musica rock heavy-metal. Cosa possiamo fare per contrastare questa minaccia, specialmente se siamo genitori giustamente preoccupati per la salvezza ed il benessere dei nostri figli?

Il libro dice le stesse cose che cerco di dire anche io, partendo dall'insegnamento della Chiesa su Satana e l'occulto e dopo aver esplorato il satanismo odierno, mostra come tutto l'occulto e le pratiche della Nuova Era, possono diventare le porte per il satanismo.

Nel libro, l'autore si pone soprattutto alcune serie domande:

1. In che cosa consistono gli abusi satanici rituali?
2. Perché tanti giovani sono attratti dal satanismo?
3. È possibile diventare posseduti dal demonio?

Senza entrare nei particolari repellenti di tali riti basti ricordare solo che tali rituali sono non solo orgiastici, ma centrati nella più perversa, oscena e ributtante profanazione dell'Eucaristia.[31]

---

[30] P. JEFFREY J. STEFFON, «*Satanism is it Real?*» [Servant Publications - Ann Arbor, Michigan USA (1954)].

[31] Questo per esempio è quanto riportato da Israel Regardie, per qualche tempo segretario di Crowley, a proposito di ciò che osa chiamare «*Messa dello Spirito Santo*»:

Il rito più noto di una *«Messa Nera»* – che è originato in Francia, durante il regno di Luigi XIV – per adorare Satana, segue il formato di una Messa Cattolica, ma le preghiere sono dette al rovescio e le lodi a Satana sostituiscono le lodi a Dio. Oggi tuttavia molti satanisti non usano la *«Messa Nera»* per i loro rituali. Così scrive p. J.J. Steffon:

«Molte congreghe sataniche hanno giorni festivi che sono vicini al calendario festivo della Chiesa Cattolica. Le attività che si compiono dipendono dalla natura della festa. La data per la celebrazione di una festa può variare a seconda della congrega, ma quasi tutte hanno qualche tipo di cerimonia rituale tra il 29 di ottobre ed il 2 novembre[32]... Io credo che come cristiani abbiamo l'obbligo di pregare per le vittime dei rituali compiuti in questi giorni. Abbiamo anche l'obbligo di pregare per la conversione dei satanisti che sono i perpetratori di questi atti vili. I cattolici potrebbero partecipare alla Messa ed intercedere affinché Dio manifesti il suo potere di guarigione alle vittime, dia uno spirito di pentimento ai perpetratori. Dio ci arma per affrontare l'attacco furioso del nemico.

"Uno solo di voi ne inseguiva mille, perché il Signore vostro Dio combatteva per voi come aveva promesso" (Gs 23,10)».[33]

Proprio partendo da qui dovrebbe prendere forza la nostra lotta per strappare dal fuoco il più gran numero di giovani, che sono caduti nell'orrendo inganno attraverso lo specchietto della musica rock e i disordini sessuali.

«"Queste sono chiamate, il Serpente, o il Sangue del Leone Rosso, e le Lacrime, o il Glutine, dell'Aquila Bianca... I due strumenti alchemici vanno considerati come i ricettacoli ed i generatori di questi due principi divini, simili a flussi fulminei di sangue, fuoco e forza. L'Athanor è la fonte o il veicolo del Serpente, mentre il Glutine viene ospitato dentro la Cucurbita... Subito dopo la morte e corruzione del Serpente, sorge la Fenice splendida che, come un talismano, deve essere dinamizzata attraverso invocazioni ininterrotte del principio spirituale che presiede le operazioni in corso. La conclusione della Messa consiste nella consumazione degli elementi transustanziati (l'Amrita) o nell'unzione e consacrazione con essi di un talismano...". Quello che abbiamo letto finora è riconducibile ad una dinamizzazione, sotto l'influsso di una forma-pensiero evocata in uno strato superiore dell'essere, ...dei fluidi sessuali maschili e femminili riversati nella vagina, vista come una sorta di calice mistico... i fluidi così dinamizzati divengono una sorta di elisir dalle qualità prodigiose e la sua consumazione da parte del Mago permette alla volontà di trasformarsi in atti sicuramente efficaci»*. Si capisce senza ulteriori spiegazioni di cosa si stia parlando, e questo orrore blasfemo, repellente e ferocemente satanico, si osa chiamarlo con il santo nome suddetto. [http://www.stregoneria.it/messa.htm].
[32] È la festa di Halloween, che si diffonde anche in Italia, come ricorrenza... scherzosa.
[33] Jeffrey J. Steffon, *op. cit.*, pp. 142-144.

12. L'odio contro Dio e le sue conseguenze

L'adesione al culto di Satana è un vero e proprio atteggiamento di sfida verso l'opera del Creatore. Chi segue questa strada non solo si allontana da Dio ed è fuori dalla sua grazia, ma firma la sua condanna eterna.

Il demonio infatti, odia profondamente l'uomo e la sua libertà di poter scegliere per Dio e proprio in virtù di questo odio profondo, per tutti coloro che adorano Satana, l'inferno inizia già in questa vita: disgrazie, malattie, droga, alcol, follia, suicidi ecc. Sono alcune delle conseguenze che i satanisti ed i membri delle loro famiglie sono destinati a subire:

> *«Guai a coloro che chiamano*
> *bene il male e male il bene,*
> *che cambiano le tenebre in luce e la luce in tenebre»* (Is 5,20).

Chi ha fatto un patto con Satana oppure ha partecipato ad una *Messa Nera*, se non ritorna a Dio con la confessione e la conversione *«completa»*, porterà le conseguenze dell'inferno anche alle generazioni future. Il dr. Kenneth McAll a questo proposito riporta:

> «Anche il dott. Kurt Koch mette lo stesso accento sulla rinuncia di qualsiasi vincolo che si possa avere ereditato e la sua formula per quelli che soffrono di una forma di tale controllo è:
> *"Nel nome di Gesù Cristo rinuncio a tutte le opere del diavolo insieme alle pratiche occulte dei miei antenati e mi consegno allo stesso mio Signore e Salvatore, ora e per sempre".*
> Il dr. Koch fa uso di questa formula perché gli è stata dettata dall'esperienza personale in più di diecimila casi di controllo di forze occulte. Spesso egli è riuscito anche a tracciare gli schemi di disastri ereditari, da una generazione all'altra.
> Ecco quello che scrive: "Mi sono accorto che nelle famiglie di praticoni della magia, di cui sono riuscito a ricostruire l'albero genealogico per tre o più generazioni, si trovano con facilità effetti trasmessi, come persone morte in istituzioni psichiatriche, depressioni, suicidi e incidenti mortali che sembrano costituire una norma piuttosto che un'eccezione. *Una simile 'tipologia' si verifica praticamente in tutte le famiglie dove si è praticato l'occultismo* e mi fa sempre supporre un possibile coinvolgimento dell'occulto"[34]».[35]

---

[34] KURT KOCH, «*Occult Bondage and Deliverance*» [Kregel - Grand Rapids (1970)], p. 100.
[35] KENNETH McALL, «*Fino alle Radici*» [Ed. Ancora - Milano (1989)], p. 111.

Se queste sono le conseguenze dell'occulto, non ci vuole molto ad immaginarsi se c'è stata la partecipazione al satanismo. Nel suo libro «Indicazioni Pastorali di un Esorcista» d. Raul Salvucci, rispondendo ad una domanda sulle «Messe Nere» risponde che:

> «...si tratta di autentici riti liturgici in onore di satana, si usano paramenti liturgici neri, c'è sempre di mezzo un'orgia sessuale con orgasmi ed abomini di vario genere, si usano oggetti sacri del culto, quasi sempre ostie consacrate e, in qualche caso, sono celebrati da sacerdoti spretati. Dovendomi interessare di recente a un caso di paurosa ossessione, sono venuto a conoscenza che la persona colpita era stata consacrata a satana, durante una messa nera celebrata da uno spretato».[36]

Bisogna tuttavia riflettere: comunque il maligno cerchi di ingannare e di tormentare, rimane la realtà che il regno della luce è molto più potente del regno delle tenebre. Infatti Cristo con la sua morte in croce ha già vinto le tenebre. Anche se l'uomo è spesso tentato dalla sua inclinazione al male, la potenza di Dio è **sempre** vincitrice.

13. Il processo di guarigione da abusi sessuali rituali

Questo capitolo è stato scritto non per indugiare nell'orrido, ma con lo scopo di educare coloro che svolgono una cura pastorale, sia come terapisti, che come consiglieri pastorali, che sacerdoti, a cui può succedere di incontrare adulti, che hanno subito abusi sessuali durante culti satanici o riti esoterici di magia sessuale. Guarire dalle ferite interiori che seguono gli abusi sessuali rituali, sia nel satanismo che nella magia sessuale, non è un processo facile.

Se le ferite poi sono avvenute in età adolescenziale, o prima ancora, si intende che gli effetti sono sempre più gravi man mano che si scende con il numero degli anni, essendo la personalità più immatura e quindi più facilmente vulnerabile. Senza entrare nei particolari va ricordato tuttavia che durante tali riti gli abusi sessuali raggiungono forme di perversione non comune – comunque con connotazioni orgiastiche – e tendono sempre a sviluppare nella vittima forti sensi di colpa oltre che paure angosciose di livello difficilmente im-

---

[36] RAUL SALVUCCI, «Indicazioni Pastorali di un Esorcista» [Ed. Ancora - Milano (1992)], p. 68.

maginabile. Al momento dell'incidente i soggetti, specie se giovani, non avevano la capacità di reagire adeguatamente al trauma e non hanno potuto sviluppare i meccanismi adeguati per porre l'esperienza nella giusta prospettiva.

Con il tempo, se la loro mente è rimasta sufficientemente sana, possono decidersi a superare lo shock dell'abuso subito, ma questo tende ad avvenire in certe età specifiche, quelle che alcuni terapisti chiamano «*corridoi del dolore*».[37] Kathleen Roney-Wilson[38] sostiene che la maggior parte delle persone si trova ad affrontare questo problema tra i 30 e i 40 anni d'età.

Secondo gli esperti il processo è molto lungo e dapprima si manifesta con una depressione di basso livello accompagnata da un indistinto senso di «*ingiustizia*». In questa fase il paziente non si rende conto di che cosa lo stia affliggendo. Qui compaiono vari «*indizi di scomodità*». La persona non si sente a proprio agio («*si sente scomoda*») con alcune persone, o con certi tipi di persone. Avverte una totale mancanza di autocontrollo in campo sessuale e perfino contrae relazioni sessuali impulsive.

Poi subentra una seconda fase che dura dai 18 ai 27 mesi, caratterizzata da frammenti improvvisi (*flashbacks*) di ricordi molto nebulosi. La persona ha l'impressione di ricordare frammenti incompleti di esperienze che non sembrano avere collocazioni esatte. Le emozioni diventano instabili e la persona non si riconosce più. Cominciano incubi notturni e notti angosciose di terrore, poi la mente rilascia pezzetti visuali dell'evento abusivo e frammenti di emozioni accompagnate dal dolore interiore, dalla paura e dalla confusione collegata con l'evento stesso.

Durante questo periodo la persona sente come se stia per giungere ad un esaurimento nervoso, dato che intorno a sé vede solo caos. Poi lentamente i frammenti diventano più continui e chiari e la mente comincia a rilasciare il dolore imprigionato. Il soggetto può allora rivivere il momento dell'abuso e tutte le emozioni coinvolte.

Questa fase è pericolosa perché la persona può anche tentare il

---

[37] Questi «*corridoi del dolore*» sono sempre nei seguenti intervalli di età: 19-21; 29-32; 40-43 e 51-53.

[38] KATHLEEN RONEY-WILSON, «*The Journal of Christian Healing*», «*Healing Survivors of Satanic Sexual Abuse*», 12, 1, p. 9 (1990).

suicidio. Il senso di fiducia in Dio e negli altri diminuisce, come pure diminuiscono in grande misura anche le energie fisiche. Il soggetto immerso in questo travaglio, avverte uno spiccato senso di distacco dalle cose amate e fisicamente sperimenta tremendi mal di testa, severe tensioni e forti dolori nella parte posteriore del collo, perdita di appetito e difficoltà a dormire regolarmente. In poche parole questo stato si può descrivere come un tempo di disperazione senza fine, di isolamento e apatia. Quando però le memorie riemergono dal passato la persona riesce a rivivere non solo l'abuso, ma anche tutta la sua vita e molte cose riprendono il loro posto. Si cominciano a ricostruire i confini della persona, che riprende a sentirsi libera dai sensi di colpa. Ricomincia anche l'autostima e la voglia di vivere. A questo punto bisogna ora stare molto attenti a ripetere spesso all'individuo sofferente che:

1. lui/lei è se stesso/a, non la personificazione del male;
2. non appartiene a Satana;
3. non ha colpa di ciò che è successo;
4. lui/lei ha un valore, e può scegliere di essere libero/a;
5. dal momento del concepimento è stato/a sempre amato/a da Dio.

Inevitabilmente questi soggetti osservano con molta attenzione ogni argomento che riguardi Dio e la Chiesa. La «Chiesa» a sua volta – attraverso la cura pastorale – deve assisterli assicurando loro che:

a. Dio è reale ed è «buono»;
b. se anche lui/lei non avverte la presenza di Dio, tuttavia Dio lo/la ama e – in termini di adorazione – non gli chiede nulla che urterebbe né lui/lei, né gli altri uomini;
c. Gesù ha sofferto per lui/lei e soffre anche ora per chi è nella sofferenza;
d. è scusabile se è arrabbiato/a con Dio;
e. è giusto provare ad esplorare ciò che sente verso Dio e di decidere quale ruolo vorrebbe che Dio svolgesse nella ricostruzione della sua vita;
f. c'è lo Spirito Santo, gentile e pieno d'amore, la cui potenza non viene usata per ferire le persone, ma solo per fini buoni.

Fin dall'inizio, chi esercita la cura pastorale, si preoccupi di illustrare bene la teologia del male e della sua esistenza nel mondo, come pure di spiegare con chiarezza quale sia il potere del diavolo sugli uomini.

È pure necessario che sia disposto a credere a ciò che il soggetto racconta e sia disposto ad ascoltare tali storie in tutti i loro orridi dettagli; inoltre deve assicurare la persona vittima di questi abusi, che avrà cura di lei e che anche dopo aver ascoltato la sua storia, continua a pensare bene di lei.

Bisogna infine ben guardarsi dal ferire ulteriormente la persona insistendo che:

a. deve perdonare immediatamente chi ha commesso l'abuso;
b. si è vicini a Dio se ci si «*sente*» vicini a Dio;
c. che tutto è parte di un piano di Dio, perché nulla accade che Dio non voglia;
d. la preghiera guarisce «*tutto*».

Noi crediamo che se c'è una speranza di guarigione per chi abbia subìto abusi sessuali rituali ed orgiastici, questa speranza sta ai piedi della Croce di Gesù Cristo, che per mezzo della sua nascita, della sua vita e della sua passione, morte e risurrezione ha sconfitto il maligno.

Inoltre è necessario comprendere bene che ora Gesù è totalmente disposto a camminare insieme con lui o con lei verso la guarigione totale senza mai smettere di tenerne la mano.

Testimonianza

Non sono in possesso di testimonianze «pubblicabili» sul soggetto del satanismo vero e proprio, ma riporto la seguente testimonianza di possessione e di liberazione in quanto si tratta di un caso che a suo tempo finì addirittura sulla stampa nazionale, quando si venne a sapere che la persona era stata esorcizzata direttamente dal Papa. Il soggetto è una signora, intelligente e serena, madre di due figlie e sposata ad uno stimato professionista. La sua storia però è interessante per tanti aspetti che vengono trattati in questo libro, quali la complessità dei fattori che sottendono al mondo dell'occulto e della magia ed all'intreccio sorprendente fra la magia e Satana stesso, per cui vale veramente la pena di leggerla per rendersi ben conto, illuminati dallo Spirito Santo, che la grande battaglia tra la luce e le tenebre che si combatte nel mondo non è uno scherzo.

«Appartengo ad una famiglia ordinariamente cattolica, per cui fin da piccola mi è stato insegnato a frequentare la Messa domenicale, a dire le preghiere la mattina e la sera, ecc., insomma una normalissima vita cristiana come quella comunemente praticata da milioni di italiani.

Mia nonna materna era una persona buona, aperta al prossimo e sollecita ai bisogni di tutti. Si riteneva senza dubbio cattolica, ma – come molti – viveva nell'ignoranza della sana dottrina e confondeva il sacro con la superstizione, soprattutto con l'occulto. Praticava infatti – senza scopo di lucro – la cartomanzia e la chiaroveggenza e non si era mai resa conto di percorrere una strada estremamente pericolosa, strada peraltro sempre condannata con fermezza dal Magistero della Chiesa.

Inconsapevolmente perciò, forse anche in buona fede, dato che molti sacerdoti non insegnano ai fedeli loro affidati a diffidare delle pratiche che in qualche modo attengono all'occulto, mia nonna è entrata in un mondo terribile ed ha aperto una porta spirituale nella sua vita ed in quella di tutta la famiglia attraverso la quale potevano entrare – e sono entrate – entità spirituali che certamente non provenivano da Dio. Seguirono nel tempo lutti, sofferenze, malattie di ogni genere. Così trascorsi la mia infanzia.

Arrivai comunque all'adolescenza ed all'età adulta in buona salute, perlomeno fisica, sicuramente molto più matura e meno spensierata della quasi totalità dei miei coetanei.

Ero infermiera e cominciai a lavorare – lavoro duro di corsia – ma contemporaneamente mi allontanai sempre più dai sacramenti, dal frequentare la Messa domenicale e dalle preghiere e ben presto anche gli insegnamenti che avevo ricevuto svanirono.

Mi fidanzai con il mio attuale marito e cominciammo la nostra relazione secondo il mondo. Vivevo una vita normalissima, come la maggior parte delle persone, anche cristiane, ma mi allontanavo sempre più – e soprattutto senza accorgermene – dal Signore.

All'improvviso, senza che ci fossero state malattie, traumi, shocks e quant'altro, iniziai a soffrire di cefalea, nausea e lancinanti dolori addominali, per i quali venni pure più volte portata al Pronto Soccorso: dolori muscolari ed articolari, diplopia, dilatazione delle pupille, grande stanchezza, sonno invincibile. Mi rivolsi a diversi specialisti, feci ogni indagine clinico-strumentale e diagnostica, ma nessuno fu in grado di fare diagnosi non dico certe, ma almeno probabili.

I disturbi assunsero poi il carattere della cronicità, comparivano al mattino e duravano fino alla notte. Una volta, proprio mentre stavo dormendo, ebbi un'esperienza molto strana che mi terrorizzò. Mi svegliai all'improvviso e mi resi conto di non potermi muovere: era come se qualcuno mi avesse afferrato ed immobilizzato. Il mio corpo era inarcato all'indietro, mentre il letto si muoveva ondeggiando e sobbalzando. Potevo sentire fisicamente sopra di me una presenza, un respiro pesante. Non sono riuscita neppure a chiamare aiuto.

Non so dire quanto questa esperienza sia durata, posso solo dire che episodi del genere si ripeterono altre volte, anche accompagnati da suoni metallici assordanti. Nessuno seppe spiegarmi l'origine di tali fenomeni, né consigliarmi una cura adeguata. Forse era una situazione di... stress?

Poi mi sposai. L'amore sponsale era forte, così l'unità dei nostri cuori, ma tra me e mio marito c'era una sorta di barriera invisibile fatta di angoscia, disagio, disperazione... impossibilità di comunicare.[39]

Una conoscente mi parlò di una donna, una cartomante, a cui ci rivolgemmo. Un giorno, mentre alla presenza mia e di mio marito praticava dei riti con il fuoco per toglierci la negatività (così sosteneva lei), le fiamme letteralmente uscirono dal caminetto, all'interno del quale era posto una specie di braciere e la investirono, incendiandole la lunga vestaglia azzurra che indossava.

Tra grida e urli, riuscimmo in qualche modo a spegnere le fiamme e la maga, fortemente spaventata, disse che c'era la presenza di Satana e che per cacciarlo avrebbe dovuto fare pratiche di magia nera, oppure ci saremmo dovute rivolgere ad un prete.

Quest'ultima frase risvegliò in me principi ormai da troppo tempo sopiti e quindi contattammo alcuni sacerdoti per avere lumi. I più rimasero scettici e ci consigliarono di lasciar perdere, tutto si sarebbe sistemato da sé.

Per nostra fortuna incontrammo invece un anziano prete di campagna, don S., tanto umile, quanto invece forte nello Spirito e fervente nella preghiera, il quale ci invitò ad abbandonare immediatamente la maga e ad avvicinarci ai sacramenti: confessione ed eucaristia. Anche se ancora dubbiosi e confusi accogliemmo però l'invito.

Una domenica di novembre (il giorno dei morti per l'esattezza) durante la Santa Messa, cominciai ad essere pervasa da una strana e profonda paura, vidi l'altare ed il celebrante trasformarsi ed assumere forme strane e terrificanti.

Dovetti fuggire a casa. Appena entrata però caddi a terra, rotolando sul pavimento. L'addome mi si gonfiò in modo sproporzionato, mentre gridavo con una voce roca e potente che non era mia. Incontrai di nuovo quella presenza pesante, dominante e terribile di cui ho accennato prima. A questo punto però, nonostante tutto, riuscii a gridare al Signore Gesù: "Aiutami!... Non so se ci sei, ma... aiutami!".

Fu quello il primo giorno di lunghi anni di sofferenza e disagi di ogni genere. Non potevo neanche avvicinarmi ai luoghi sacri, perché il demonio me lo impediva, non potevo ricevere i sacramenti, se mi portavano in chiesa mi mettevo ad urlare ed a rotolarmi per terra.

Ci rivolgemmo al nostro vescovo e per anni ricevetti preghiere di esorcismo tutti i giorni da esorcisti incaricati da lui. Tuttavia, anche in mezzo ad indicibili sof-

---

[39] Sintomi questi sempre presenti quando si tratta di medianità congenita o acquisita. Vedi volume 2, cap. 2.

ferenze, ho sperimentato come Gesù sia sceso fin dal primo momento nella mia, nella nostra sofferenza, si sia caricato della mia croce, ci abbia difeso, protetto, dispiegando il suo braccio santo attraverso la sua Sposa: *la Chiesa*.

Ho assistito quindi per lunghi anni da spettatrice impotente alla grande lotta tra il Bene ed il Male, alla lotta tra Gesù e Satana, ed infine al trionfo di Cristo. Il mio vescovo infatti mi mandò per un esorcismo dal Santo Padre, S.S. Giovanni Paolo II. La liberazione che ottenni subito fu quasi totale.

Da qui cominciò un'ulteriore tappa del cammino verso il Signore, che ci condusse ad incontrare il Rinnovamento nello Spirito Santo. Iniziammo questo cammino con entusiasmo e man mano, con l'assiduità ai sacramenti, alla Messa quotidiana e alla preghiera, il Signore poté farsi strada nella nostra vita e liberare la mia famiglia. In un incontro di preghiera con alcuni fratelli anziani dotati del carisma di discernimento degli spiriti, capimmo che il tutto era frutto di una "fattura" contro il matrimonio, che aveva trovato un terreno fertilissimo nella mia situazione spirituale di vita nel peccato e di lontananza dal Signore, oltre che, naturalmente, da quel retaggio che proveniva su di me dalla nonna materna a cui accennavo prima. Il maleficio era stato introdotto fisicamente in me con una bevanda; durante un successivo incontro di preghiera il mio stomaco fu liberato.

La completa guarigione-liberazione avvenne in breve tempo, con una terapia fatta di confessione frequente, Santa Messa ed Eucaristia quotidiane, seguita dalle rinunce battesimali. Dopo un po', grazie al Signore, all'improvviso cessarono anche i dolori e la spossatezza che mi avevano perseguitato per più di sei anni e fui liberata del tutto.

Ho riassunto in forma molto breve e spicciativa la mia dolorosissima storia non per me stessa, ma per dare testimonianza e gloria all'amore del Signore per me.

Nonostante io vivessi nel peccato e lontana da lui, quando l'ho invocato non ha esitato a scendere nella mia fossa e mi ha liberato dalle fiamme e dai leoni.

Nel buio della notte ho gridato a lui e lui mi si è fatto incontro nella valle oscura del mio dolore e della mia disperazione, per mostrarmi il suo Santo Volto pieno di misericordia e amore. Lode a te, Signore Gesù!».

Parte III

IL PANTEISMO
ED IL SUO REGNO

Nel ritorno al paganesimo pre-cristiano, che sembra dilagare nella cultura del nostro tempo, si nota anche una grande confusione, quasi si trattasse del fondersi di vari fiumi di pensiero all'interno dello stesso contenitore.

Uno dei filoni è costituito dalla deificazione antropologica del cosmo, condotta ad un livello tale per cui la Terra, per esempio, sta male e... sente dolore, se si scavano gallerie in una montagna.

La corrente principale, tuttavia, è costituita dall'affermazione banalizzata e sciocca che: «*Tutto è energia*», che si fa derivare con acrobatismi fantasiosi e ridicoli dalla formula della relatività di Einstein.

Partendo quindi da questa affermazione, priva di ogni significato di logica scientifica, si cerca di contrabbandare ogni tipo di pseudo-verità coprendola con un'apparenza di scientificità. Purtroppo, anche in tempi di grande avanzamento delle scoperte della scienza come il nostro, il numero di persone in grado di ragionare in modo serio di argomenti scientifici non è elevato. Si fa leva perciò sul «sentito dire» e su ciò che apparentemente «sembra» serio e reale. In questo possiamo quindi affermare che il nostro tempo, più che il tempo della scienza, è piuttosto, il tempo... della pubblicità.

È sotto questa corrente di pensiero che passano le varie pratiche di medicina alternativa – anche queste sempre più fantasiose e bizzarre – ed anch'esse spalmate di un'apparenza di scientificità esoterica, che trae origine dalle fonti più diverse. Alcune si rifanno addirittura all'alchimia medievale, altre a supposte ed inesistenti «energie universali», altre infine ai principi magici della medicina arjurvedica, all'agopuntura taoista, al «*prana*» degli indù, alle tradizioni sciamaniche dell'America Latina, ecc., cercando di far credere che si tratti di riscoperte attuali di antiche intuizioni dell'intelligenza umana più ardita.

Si dimentica però di rivelare chiaramente – o si nasconde accuratamente con disonesta cura – che in molti casi, in queste pratiche di medicina alternativa si invocano «*spiriti*» (chiamati «*benigni*», ma questo, naturalmente, è tutto da dimostrare).

Il tutto è comprensibile in una visione animistica del mondo e della natura, che confina strettamente con il panteismo; ma chi si chiama cristiano può accettare una tale visione?

Il paganesimo è stato sempre pregno di una tale visione fiabesca del mondo, dalle *ninfe* ed i *satiri* dei romani agli *elfi* ed i *folletti* dei popoli nordici, ma un cristiano – che oltretutto sa bene che cosa si può nascondere sotto tali «*entità*» – non può accettare tale visione del mondo reale senza nello stesso tempo rinnegare la propria fede.

Questo è il problema pastorale più serio che bisogna affrontare, ma da qui sorge un'altra domanda: senza una seria evangelizzazione del popolo cristiano sarà possibile la necessaria azione pastorale? D'altro canto se si continuano ad accettare tante pseudo-verità senza farne un serio discernimento, sarà possibile una efficace evangelizzazione?

Un altro filone – forse il peggiore – è costituito dal *Tantrismo*, che trasferisce in Occidente il panteismo indù con connotazioni sessuali esasperate e riti conseguenti. Il Tantrismo sembra capace di inserirsi con facilità in molte forme culturali, talvolta mutando aspetto: da un apparente cammino di elevata spiritualità alla peggiore magia nera, oppure manifestandosi come una vera follia mistica. Si presenta quindi contemporaneamente come erotico ed ascetico, indulgente e spietato.

Nei suoi rituali si invocano ugualmente demoni e divinità, ma la sua dottrina non li accetta perché radicalmente monista. Il caos sembra essere la sua origine ed il suo scopo. Sfugge così ad ogni facile classificazione e si presta bene a far sì che ognuno se ne faccia una sua idea, quanto precisa non si sa. Ma proprio qui sta il suo veleno.

8. Il Panteismo:
gelido antagonista di Cristo

1. Il Panteismo dichiarato

Il Panteismo è una religione che parte dal presupposto che «*tutto è Dio*».

Le persone più o meno coscientemente coinvolte in questo credo sono moltissime, certamente molte di più di quanto sia immaginabile e di quanto non ce se ne renda conto. Forse di nessun filone del pensiero magico del nostro tempo è così vero il detto:

«I *"credenti"* sono molto più degli *"appartenenti"*»,

nel senso che tantissimi che si dichiarano tranquillamente «*cristiani*», in realtà sono panteisti e molto convinti del loro «credo».

Il Panteismo moderno – che non è altro che un antico paganesimo riverniciato – si basa su due «*principi centrali*»:

a. Il cosmo è divino,
b. La terra è sacra.

Molti degli ecologisti sono impregnati di questa filosofia religiosa e pesantemente influenzati da essa. Su internet ho trovato un sito adeguato che spiega molto chiaramente – per chiunque voglia rendersene conto di persona – che cosa sia il Panteismo e quali sono le sue implicazioni politiche e religiose. Non sarà quindi difficile scorgerne anche le conseguenze e l'inquinamento culturale e pratico all'interno del popolo cristiano. L'autore, Paul Harrison, lo espone con assoluta chiarezza e senza mezzi termini. Eccone alcuni brani significativi:

«Quando noi diciamo che il cosmo è divino noi lo affermiamo con la stessa convinzione ed emozione con le quali i credenti dicono che il loro dio è Dio... Ma non stiamo facendo una vaga affermazione riguardo ad un essere invisibile che rimane al di là delle prove della sua presenza o assenza... se noi diciamo L'UNIVERSO È DIVINO noi stiamo facendo una affermazione riguardo al modo con il quale i nostri sensi e le nostre emozioni ci forzano a rispondere al mistero e al potere che ci circondano. Noi diciamo questo: Noi siamo parte dell'universo. La nostra terra è stata creata dall'universo e un giorno sarà riassorbita all'interno dell'universo. Noi siamo fatti della stessa materia di cui è composto l'universo. Noi non siamo in esilio qui: noi siamo a casa. È qui e non altrove dove noi possiamo vedere la divinità direttamente... se noi crediamo che l'essenza del Divino si trovi solamente in antichi libri, o in antiche chiese, o nella nostra testa, allora noi vedremo questo mondo vero, vibrante e luminoso, come se lo guardassimo attraverso un vetro opaco... noi dobbiamo entrare in relazione con l'universo con umiltà, rispetto, venerazione, timore e con la ricerca di una più profonda comprensione: in altre parole in tutti quei modi con i quali i credenti si correlano al loro Dio».[1]

Questa religione assume poi connotazioni non solo sempre più aliene, ma crescentemente antagoniste del Cristianesimo:

«Quando noi diciamo LA TERRA È SACRA, noi parliamo di questo con lo stesso rispetto e venerazione che i credenti hanno quando parlano della loro chiesa, moschea o delle reliquie dei loro Santi. Ma di nuovo noi non stiamo parlando di esseri soprannaturali. Noi diciamo questo: noi siamo parte della Natura. La natura ci ha fatti e nel momento della nostra morte noi saremo riassorbiti nella natura. Noi siamo nella nostra casa nella Natura e nei nostri corpi...
Le cerimonie Panteistiche sono simili a quelle pagane. Noi celebriamo momenti speciali di potente connessione fra noi stessi e la natura, fra noi stessi e il movimento del sistema solare. Noi celebriamo l'alba e il tramonto, le fasi lunari mensili e le maree, il ciclo solare annuale dei solstizi e degli equinozi...
Noi possiamo anche stabilire una connessione con l'Essenza indipendentemente dal rituale e attraverso una meditazione Panteistica...
L'unione mistica con la Realtà consiste di un totale abbandono della coscienza verso esperienze sensoriali della natura e della realtà materiale... Essa non richiede un arduo allenamento e mai lascia dietro di sé quella sensazione di abbandono e rifiuto che così tanti mistici hanno avvertito quando hanno perso la loro "connessione" con quel Dio immaginario, che esiste all'interno della loro testa».[2]

---

[1] [http://members.aol.com/pantheism0/basicit.htm].
[2] Ibid.

Quando poi dalla religione il Panteismo passa all'etica l'antagonismo con il Cristianesimo diventa pressante:

«Tutte le religioni agiscono facendo riferimento a sistemi etici, spesso attraverso la minaccia dell'inferno o con la promessa del paradiso. Esse adottano il bene non in quanto valore intrinseco, ma nella speranza di guadagnare ricompense o di evitare punizioni. Il Panteismo inizia con una affermazione riguardo alla nostra relazione con la Realtà. È anche vero che porta ad una visione etica e politica. L'etica si basa sulle premesse che il bene principale nella vita dell'uomo sia quello di connettersi con il cosmo, con la natura e con gli altri esseri umani attraverso la conoscenza, l'amore e le buone azioni. Tutto ciò che si adegua a questa connessione, intrinseca od estrinseca, è buono. Tutto ciò che non si adegua a questi principi è male...

Alcune forti emozioni sono di ostacolo al raggiungimento di questa connessione; fra queste la principale è l'ansia... In modi differenti un'invidia e ira ossessive possono anche rendere la connessione con il cosmo impossibile. Noi dobbiamo trovare il modo di controllare queste emozioni in noi stessi. Questo può essere fatto attraverso la meditazione Panteistica e attraverso il contatto con la natura. Ciò ci aiuterà a mantenere la giusta prospettiva nei confronti dei nostri problemi. Ci permetterà di ricordare che di qualsiasi cosa noi soffriamo una cosa sola deve essere sempre tenuta in mente: noi siamo sempre ed inseparabilmente parte di un immenso tutto...

E dobbiamo anche aiutare a favorire quelle condizioni sociali e politiche che possono ridurre le insicurezze negli altri. Ciò significa l'incoraggiamento di famiglie stabili che si amano e di Comunità solidali; la fine della povertà; una equa distribuzione dei redditi e del lavoro; una pacifica risoluzione delle dispute attraverso una vera democrazia e una reale partecipazione».

Questo palese antagonismo con il Cristianesimo non sempre si presenta in modo così aperto come appare su questo sito internet il cui titolo è proprio *«Panteismo»*. Il Panteismo tende infatti a presentarsi con altri nomi, sotto cui pudicamente si nasconde. Infatti – cambiando nome – si maschera sotto un'altra apparenza, e diventa così una grande trappola per tanti sprovveduti, che sono indotti a credere all'esistenza delle cosiddette *«energie»*, anzi, all'*«energia universale»*, oggi assai di moda.

2. Il Panteismo mascherato: l'«energia universale»

Se l'umanità vivrà così a lungo da produrre la storia scritta del XX secolo il centro focale dell'ultimo capitolo sarà certamente il problema dell'*energia*. Per una società che, specialmente dopo la guerra del Golfo, si è bruscamente risvegliata alla realtà delle risorse che un giorno necessariamente finiranno, l'*energia* sta diventando rapidamente un bene prezioso come la stessa vita. Diventa quindi sempre più pressante la ricerca delle fonti alternative di *energia*, fonti che riportino a livelli accettabili l'ansia di scongiurare un'Apocalisse fredda e buia.

Noi usiamo grandi quantità di *energia*, ne abbiamo bisogno e siamo disposti a tutto pur di averla; per quanto riguarda il prossimo futuro possiamo aspettarci quindi che la sua importanza cresca fino ad assumere proporzioni immense, tanto da farla diventare quasi una *«divinità»*.

Come conseguenza, o forse solo come accidentale coincidenza, assistiamo però all'esplosione di un interesse crescente in un'altra forma di *energia*. Questa *energia* non è il prodotto di fonti già note – quali: il sole, l'atomo, i giacimenti sotterranei di idrocarburi, o di carbone – ma piuttosto di ciò che alcuni credono che sia un'*«energia»*, *«invisibile»* e *«non misurabile»*, ma tuttavia *«infinita»*; una *«energia»* che è la base stessa dell'esistenza.[3]

Nel movimento della *«Nuova Coscienza»* e in quasi tutta la *«Medicina Olistica»*, questa cosiddetta *«energia»* appare sotto una grande varietà di pseudonimi, quali: *«energia della vita universale»*, *«bio-forza»*, *«Ch'i»*, *«prana»*, *«bio-plasma»*, *«bio-energia»*, *«para-elettricità"* e *«magnetismo animale»*. Al di là del nome, si afferma che questa *«energia»* pervade tutto l'universo, unisce ogni individuo al cosmo[4] ed è la por-

---

[3] Ma se è *«invisibile»* e *«non misurabile»*, come si fa a dire che... esiste? Queste affermazioni così insensate e gratuite formano il terreno su cui si costruiscono i «grandi sistemi» New Age. In realtà basterebbe un semplice atteggiamento critico per dimostrarne l'inconsistenza, ma è proprio questa la novità di una cultura popolare, che sembra più propensa a far sua qualsiasi sciocchezza di moda, a dispetto della ragione e della realtà. Su questa propensione per ciò che è scientificamente assurdo prospera e si diffonde la Medicina Alternativa e siamo così al trionfo del «magico» sulla razionalità.

[4] Quando si fanno legami tra l'uomo ed il cosmo di questo tipo siamo chiaramente in presenza del Panteismo. In genere si parte dalla definizione che *«tutto è energia»* per arrivare alla definizione che *«Dio è energia»*.

ta per attingere ad *un potenziale umano sconfinato* e ancora per nulla sfruttato.[5]

Si proclama che questa «*energia*» sia all'origine di ogni guarigione e anche di tutte le capacità psichiche e paranormali e di tutti i cosiddetti «*fatti miracolosi*». Questa «*energia*», si dice, è ciò che le religioni hanno chiamato Dio. Quindi, senza tanti giri di parole, questa «*energia*» è... Dio.

Alec Forbes in un brano sulla «*fluidologia*» scrive così:

> «Per capire come essa opera è necessario tener presente la natura dell'uomo e del mondo fisico. *Esiste un'unica energia: Mente, Sé o Io, Dio, Tao, Grande Spirito, Sugmad, o come si preferisca chiamarla*».[6]

Questa «*energia*» vorrebbe essere il legame fondamentale tra la scienza e la religione e sarebbe semplicemente in attesa di un nostro comando.

D'ora in avanti la chiamerò semplicemente «*energia universale*» perché, indipendentemente dal nome, essa riempirebbe l'universo. Non so se essa riempia veramente l'universo – anzi, non ci credo per niente – ma una cosa è sicura, essa pervade certamente tutta la *Medicina Alternativa* e la testa di tutti coloro che ne sono affascinati.

Molti tra gli araldi ed i profeti della Medicina Alternativa legano molto ingenuamente l'idea dell'«*energia universale*» agli ultimi sviluppi della fisica quantistica. Essi sostengono inoltre che l'esplorazione di questa «*energia*» sarà la frontiera della ricerca scientifica nel prossimo futuro.

Mary Coddington nel suo libro «*In Search of the Healing Energy*» (*Alla Ricerca dell'Energia che Risana*) scrive:

> «Le scoperte della fisica moderna... hanno distrutto il vecchio punto di vista, meccanicistico, tipo-computer, della consapevolezza dell'uomo. Ne è risultato che l'esplorazione della vera natura della coscienza dell'uomo è divenuta oggi la maggiore occupazione. Alcuni pensano che tutto ciò sia il filo di lama del pensiero corrente – pensiero che sta dando la luce ad una nuova ontologia – scienza dell'essere che riconosce l'uomo come una unità olistica di corpo, mente e spirito...

---

[5] Che lo dovrebbe rendere onnipotente come... Dio.

[6] A. FORBES, «*Fluidologia*», su «*Enciclopedia della Medicina Alternativa*», a cura di ANN HILL [Fabbri Editore - Milano (1980)], p. 176.

L'energia che produce la guarigione, come vedremo più avanti, è un ingrediente essenziale in quest'area».[7]

In realtà, l'idea dell'*«energia»* che pervade tutto l'universo è un'idea vecchissima ed è apparsa molte volte nel passato. Oggi nuove etichette vengono attaccate su ciò che essenzialmente è un concetto molto antico: il *Panteismo* nelle sue infinite forme.

Per comprendere bene il pericolo che presenta per la nostra fede questo coacervo di idee – spesso senza senso logico e scientifico, eppure capaci di far presa su tanti cristiani, anche preparati nella filosofia e nella teologia – cerchiamo di estrarre dal sistema che la promuove alcuni concetti fondamentali su questa *energia universale*.

3. L'energia universale è l'origine della vita?

La prima affermazione dice che l'*«energia universale»* è prima di tutto il substrato fondamentale di tutto ciò che esiste nell'universo, sia esso visibile o invisibile. Si dice che questa energia sia *«onnipresente»*, che fluisca dall'universo nelle creature viventi, e che circoli al loro interno in modo molto ordinato, infine che esca di nuovo da loro. Non si tratta però semplicemente di *«una»* forma di energia, ma, si dice, della *«energia»* che è alla base di ogni vita. Il dr. Robert Giller, M.D. ha dichiarato:

> «Questa forza vitale si manifesta nel nostro corpo – nel nostro battito cardiaco, nel ritmo della nostra respirazione, nel nostro metabolismo, nell'equilibrio acido-base. Per me è la stessa forza che *è causa dell'ordine nell'universo*; che fa sì che i pianeti girino intorno al sole; che regola l'alternarsi delle stagioni; che fa avvenire le maree; che in qualche punto, lungo la linea, dà origine alla stessa vita».[8]

A questo punto la *«Nuova Medicina»* ha cercato di appropriarsi, per proprio uso e consumo, dell'enunciazione fondamentale dell'era atomica:

$$E = mc^2$$

---

[7] MARY CODDINGTON, *«In Search of the Healing Energy»* [Warner Books - New York (1978)], p. 12.
[8] Riportato da M. CODDINGTON, *op. cit.*, p. 18.

La famosa equazione di Einstein, in termini semplificati, dice che la materia può essere trasformata in energia e viceversa. L'equazione di Einstein è stata provata vera, quando, sotto stretto controllo, in certe particolari condizioni, la materia è stata trasformata in energia, e abbiamo ottenuto l'energia nucleare, che è una notevole, anche se controversa, fonte di energia.

Ma se la conversione della materia in energia avviene in modo incontrollato, allora viene rilasciata la furia distruttiva dell'esplosione atomica.

Tuttavia in questo caso ci dovremmo chiedere che fine avrebbe fatto l'«*energia vitale*» che fluisce dalle mani dei pranoterapeuti, che guarisce le malattie, che fa girare i pianeti intorno al sole, che solleva i mari e *dà ordine a tutto l'universo*? Se «*dà ordine*», come mai l'esplosione?

Alcuni autori si sono gettati sulla equazione di Einstein con un entusiasmo molto mal diretto – e forse anche in malafede – facendone alcune «*creative*» (e molto fantasiose) applicazioni biologiche. Essi dicono: Einstein ha provato che la materia e l'energia sono la stessa cosa. In pratica ciò che noi vediamo come oggetti materiali (siano essi animati o inanimati) è niente altro che «*energia congelata*». Gli uomini, a loro volta, non sarebbero altro che una manifestazione dell'*energia universale*, che non solo fluirebbe attraverso noi tutti; ma addirittura... *sarebbe* noi.

4. Dalla nuova cosmologia alla Nuova Medicina

Da qui nasce un nuovo modo di vedere tutta la realtà. Una realtà assai... irreale, ma molto di moda. La medicina tradizionale, per esempio, viene dipinta come vecchia, meccanicistica, superata, pre-Einstein, perché oserebbe trattare il corpo come un'«*entità materiale*». La *Nuova Medicina*, invece, ci donerebbe altre vie per ottenere la guarigione, perché vede il corpo come «*energia*» e manipola questa «*energia*» per cambiare il... corpo. Uno dei più vigorosi proponenti della conversione materia-energia nel corpo umano è Irwing Oyle, un osteopata, molto noto negli USA come conferenziere nel circuito della «*Medicina Olistica*». Nel suo libro «*Time, Space and the Mind*» scrive così:

«L'idea della identità dell'energia e della materia ha enormi implicazioni per tutte le professioni mediche. Questa idea ci dona una base teorica su cui considerare metodi terapeutici, quali l'agopuntura, che hanno lo scopo di restaurare stati corporei normali manipolando il flusso dell'energia cosmica. Se, infatti, l'energia e la materia sono stati complementari di una singola entità, forse non è irragionevole ipotizzare che dando attenzione al livello dell'energia, noi possiamo produrre mutamenti sulla materia del corpo fisico».[9]

Una delle maggiori stupidaggini nel pensiero di Oyle viene però duplicata da molti altri, che invocano Einstein come loro ispiratore, ma che non solo non conoscono la fisica di Einstein, ma, purtroppo, nemmeno quella del liceo. Oyle assume che la conversione di materia in energia avviene in natura su base routinaria. Egli scrive per esempio che:

«Un metodo semplice di osservare la diretta trasformazione della materia in energia è quello di osservare un ceppo che brucia e si consuma».[10]

Questa affermazione fa rabbrividire di orrore uno studente di scuola media superiore, che abbia appena studiato chimica.[11] Immaginiamoci quale sarebbe... la felicità di Einstein. Quando un ceppo brucia, si produce calore e luce e «sembra» che la massa del ceppo scompaia; fortunatamente però un caminetto non è un reattore nucleare. Il legno del ceppo viene sì rapidamente ossidato, ed una forma di materia viene trasformata in un altra (cenere, vapore, fumo, CO_2, ecc.), – e come prodotto dell'ossidazione c'è anche liberazione di energia, – ma, va sottolineato, non un solo atomo viene direttamente trasformato in energia. Se fosse possibile trasformare un ceppo di legno in energia, come definito dalla formula di Einstein, l'esplosione che ne risulterebbe, nel caminetto del tinello, farebbe apparire la bomba atomica di Hiroshima poco più di un petardo.

Il corpo fisico, a contatto con l'energia del fuoco, certamente si trasforma e, se non è possibile chiederlo ai bonzi che si bruciavano vivi in Vietnam, potremmo sempre invitare Oyle a fare l'esperimento su di sé, tenendo per qualche minuto la punta di un suo dito un centi-

---

[9] I. OYLE, «Time, Space and the Mind» [Celestial Arts - Millbrae, Cal. (1976)], p. viii.
[10] Ibid.
[11] Si intende: un liceale che consegua almeno la sufficienza.

metro... sopra la fiamma di una candela. Come è evidente la tecnica usata è sempre quella dell'imbonitore da fiera paesana: si citano a sproposito grandi nomi, o grandi scoperte della scienza, per giustificare con queste citazioni *errate* e *fuori contesto*, affermazioni non giustificabili, perché prive di qualsiasi fondamento scientifico. Nel nostro paese – ove oltretutto c'è libertà di parola – è possibile sostenere qualsiasi idea, ma trascinare Einstein dentro il discorso per fargli proclamare che l'*«energia universale»* (o come la si voglia chiamare) nel corpo umano diventa *«materia»* è completamente erroneo. Anzi, sarebbe meglio dire: delirante.

Cerchiamo quindi di essere seri e di rimanere d'accordo con Massimo Polidori del CICAP, che, a proposito del giusto atteggiamento da avere, afferma con notevole humour:

> «Siamo amanti del mistero, come tutti gli scienziati. Pensiamo che la conoscenza del mondo proceda perché si indagano i misteri. Abbiamo la mente aperta, ma stiamo attenti... a che il cervello non rotoli via».[12]

5. L'«energia universale» spiega i miracoli di Gesù?

Un'altra affermazione correlata con l'energia universale è che le alterazioni di questa *«energia»* sono alla base di tutti gli eventi che finora venivano indicati come *«soprannaturali»* o *«miracolosi»*. Se una *«energia»* invisibile può cambiare la materia, e perfino diventare materia, abbiamo tra le mani una facile spiegazione dei miracoli, delle guarigioni, della chiaroveggenza, della psicocinesi. Conseguentemente tutti i mille eventi del paranormale rappresentano semplicemente le attività della *«energia universale»*, in genere sotto l'influenza di persone *«illuminate»*, o *«psichiche»* (ossia *«sensitivi»*).[13]

Ma avremmo anche la spiegazione dei miracoli di Gesù di cui ci parlano i Vangeli. I cultori di questa straordinaria *«energia»* affermano infatti:

---

[12] MARGHERITA FRONTE, «*Alla scoperta delle bufale d'oro*», «*Tempo Medico*», 21 maggio 1997, p. 13.

[13] Queste teorie sono tratte di peso da: «*Il Vangelo degli Spiriti*», di ALLAN KARDEC (cf anche: T. MEZZETTI, «*Lo Spiritismo di Allan Kardec - 1ª Parte - errori, orrori e influenze sorprendenti*», in «*Una voce grida...!*», n. 20, dic. 2001).

«Certo che Gesù poteva moltiplicare i cinque pani d'orzo e i due pesci: sapeva usare la *"forza cosmica"*, o *"energia universale"*...».

Quindi Gesù non era Dio; o forse:

«Lo era come lo sono anch'io?...».

Questi sono le conclusioni logiche a cui si giunge andando dietro al Panteismo delle *«energie»*. Purtroppo ci sono molti cattolici razionalisti che sono sempre pronti a scandalizzarsi, quando si accenna al preternaturale e poi ingoiano senza fiatare (o forse sarebbe meglio dire: senza vomitare) simili aberrazioni e stupidaggini. Gesù direbbe loro:

«Guide cieche, che filtrate il moscerino e ingoiate il cammello» (Mt 23,24).

Cito, per esempio, da un numero di *«Jesus»* di alcuni anni fa:[14]

«Tipico ed emblematico è il caso di san Giuseppe da Copertino (1603-1663), chiamato *"Il santo dei voli"*. Si dice che si sia sollevato da terra in oltre cento occasioni... Anna Maria Turi in un suo studio, tratta abbastanza diffusamente delle levitazioni che si sono verificate nella vita di questo Santo. Degne di nota sono alcune osservazioni della ricercatrice. Queste strane estasi presentano le caratteristiche del fenomeno chiamato "catalessi"; in diverse occasioni fu avvicinata alla bocca del santo una candela accesa, ma essa non si spense. Sembra che le levitazioni di san Giuseppe da Copertino fossero una forma di compensazione psicologica al desiderio di attenzione e di auto realizzazione, che gli furono negate durante la sua infanzia. Le cronache narrano infatti che il santo fu allevato da una matrigna veramente diabolica; questa trovava sempre nuove occasioni per infliggere al piccolo ogni genere di soprusi e di umiliazioni».[15]

Lo stesso articolo poi continua parlando di una cerimonia magica con uno stregone africano, filmata da un'équipe tedesca:

«Il fenomeno filmato... fa parte di un rituale che si celebra due volte all'anno in onore delle divinità dei fiumi ed è realizzato da uno stregone di una tribù dell'Alto Volta. La cerimonia mira ad ottenere la protezione divina contro le inondazioni e contro ogni calamità. Qui il mago Nana Owaku, dopo essersi librato in aria, volteggia per circa cinque minuti on-

---

[14] Da notare che *«Jesus»* è una rivista «cattolica» in vendita nelle chiese.

[15] P. CANOVA, *«Quel Mondo Inquietante ed Oscuro dove Convivono Frode e Mistero»*, *«Jesus»*, VI, 80-88, Giugno 1984.

deggiando leggermente a destra ed a sinistra, si ha l'impressione che per lui siano annullate le leggi della gravità».

L'autore, che precedentemente aveva parlato dei fenomeni che tormentavano il santo Curato d'Ars come di «*Poltergeist*», non è nemmeno sfiorato dall'idea che le levitazioni di san Giuseppe da Copertino potessero essere la conseguenza «*soprannaturale*» della sua contemplazione di Dio, né che uno stregone africano potesse fare dei volteggi per aria per azione «*preternaturale*». L'unico «diavolo» in giro era... la matrigna del Santo:

«...veramente diabolica».

Vorrei tuttavia porre alcune domande all'autore dell'articolo (o forse, meglio, anche al direttore di quel numero di «*Jesus*»). Per esempio: Gesù che ascende al cielo usava la stessa «*energia*» che faceva volteggiare in aria lo stregone africano? Oppure: se corrisponde al vero che i voli di san Giuseppe da Copertino fossero «una forma di compensazione psicologica al desiderio di attenzione e di auto-realizzazione che gli furono negate durante la sua infanzia», allora, i bambini degli orfanotrofi vengono «zavorrati», o legati alla spalliera del letto? Esiste infatti sempre la possibilità che vadano in estasi... e se li porti via il vento.

6. «Noi siamo Dio»?

Il Dr. William Tiller, professore di scienza dei materiali all'Università di Stanford ed un teorico del Movimento della *Medicina Olistica*, enuncia alcune implicazioni dell'*energia universale*.

«1. Ci sono nuove energie di cui non ci si è mai interessati precedentemente in fisica. 2. Abbiamo nel nostro organismo capacità sensorie per conoscere queste energie. 3. In qualche livello dell'universo noi siamo tutti collegati... 4. Spazio, tempo e materia sono tutti mutabili. Noi possiamo percepire eventi al di fuori della nostra ubicazione fissata nello spazio: che è la vista remota. Possiamo percepire eventi fuori dalla nostra ubicazione fissata nel tempo: che è la precognizione. Alcuni possono materializzare o smaterializzare gli oggetti. Se alcuni possono fare questo, alla fine tutti lo potranno fare».[16]

[16] W. TILLER, «*Creating a New Functional Model of Body Healing Energies*», «*The Journal of Holistic Health*» [San Diego: The Word Shop], p. 46 (1978).

Così dicono, o vaneggiano, i profeti della Nuova Era, coinvolti come sono nell'idea che tutto è Dio e che quindi ognuno è Dio:

«Allorché cominceremo a capire l'uso dell'energia, che è a disposizione di tutti, il miracoloso diverrà ordinario e le religioni del passato diventeranno la scienza del futuro».[17]

Tutto questo ci conduce alla idea finale, ma non per questo meno importante, a proposito dell'energia:

«*L'energia universale* è ciò che le religioni **hanno chiamato Dio**».

Poiché gli uomini e le donne sono costituiti di «*energia universale*», che ha assunto una forma materiale, *essi sono Dio*. Questo è il capolinea ed il messaggio fondamentale di molti guaritori «*olistici*» ed uno dei dogmi della *Nuova Coscienza*. Il concetto di *energia universale* è quindi l'anello fondamentale, nella congiunzione tra la scienza e la religione, che molti sono così ansiosi di forgiare al più presto.

Se questa «*energia*» è nello stesso tempo la sostanza con cui siamo fatti e la forza vitale che scorre continuamente attraverso noi, se è capace di manifestare intelligenza e amore e se guida la nostra evoluzione fisica e psichica, allora *non può essere niente altro che Dio*. I guaritori «*olistici*» sono più che vogliosi di proclamare quest'idea. La famosa medium Rosalyn Bruyere, per esempio, dichiara molto candidamente:

«...*per me i termini Dio ed energia sono intercambiabili*. Dio è tutto ciò che esiste, ed *energia è tutto ciò che esiste*, ed io non posso separare le due cose».[18]

Il dr. Evart Loomis indirizzandosi ad una conferenza dell'*Associazione per la Salute Olistica* di San Diego nel 1976 osservava che:

«...la coscienza espansa dipende dall'afflusso dell'energia primaria, in diverse culture variamente riferita come: *il Logos, Prana, Ch'I, Budda Natura, Natura, la Parola, lo Spirito Santo, Energia Cosmica*, ecc. *Chi può dire che queste parole non siano sinonimi?*».[19]

---

[17] Questo è il messaggio centrale che viene dal Panteismo New Age.
[18] A. NIETZKE, «*Portrait of an Aura Reader*», «*Human Behaviour*», 31 (Feb. 1979).
[19] E. G. LOOMIS, «*The Healing Center of the Future*», «*The Journal of Holistic Health*» (San Diego: Assoc. for Holistic Health), p. 73 (1977)].

La stessa conferenza poi – a dimostrazione di dove finisca il cristianesimo quando segue le «*mode*» ed il pensiero del mondo – fu preceduta da un'invocazione del rev. Jack Lindquist (pastore protestante) – allora presidente del Consiglio Ecumenico di San Diego – che dopo aver letto dal Vangelo di Marco l'episodio di Gesù che guarisce il paralitico (*Mc* 2,1-12), nella sua preghiera, espresse la speranza che:

> «...*la potenza guaritrice dell'universo, che molti chiamano Dio*... si effonda sui partecipanti alla conferenza stessa...».

In conseguenza, alcuni di questi individui dichiarano veramente che *l'uomo è divino, che ognuno di noi è Dio*, poiché, si dice: *l'uomo, Dio e l'«energia» sono una cosa sola e la stessa cosa.* Lo psicologo Jack Gibb ha detto chiaramente:

> «La premessa assoluta che molti di noi facciamo nel movimento di salute olistica è che tutte le cose che sono necessarie a creare la mia vita sono in me. Più che in un senso strano, *io credo di essere Dio e credo che voi lo siete, e ambedue queste dichiarazioni sono molto importanti*».[20]

Peter Russell, passando dalla religione all'etica, afferma che abbiamo bisogno di spostarci da un'immagine individualistica di sé – che è causa di possesso e alienazione – per spostarci ad una di unità con il cosmo. Questa nuova immagine cambierà il nostro comportamento dall'egoismo all'amore per gli altri e per la natura.[21]

Qualsiasi persona che esplori in lungo ed in largo il «*Movimento Olistico*» inciamperà, prima o poi, nell'«*energia universale*», poiché essa fa capolino in quasi ogni forma di terapia alternativa. In molti casi (quali, per esempio, nell'antica medicina cinese) l'idea è centrale ed esplicita, in altri (come nell'omeopatia) si trova sotto la superficie. Esattamente nella teoria che spiega la pratica.

Ma dopo quanto è stato detto, che cosa dobbiamo pensare di un libro, edito da Queriniana (nella collezione «*Giornale di Teologia*») dal titolo accattivante: «*Lo Spirito dell'Età Nuova - New Age e cristianesimo*»,[22] di Gunter Schiwy, che termina con questa sconcertante affermazione?

---

[20] J. GIBB, «*Psycho-Sociological Aspects oh Holistic Health*», «*The Journal of Holistic Health*» [San Diego: Assoc. for Holistic Health], p. 44 (1977).

[21] P. RUSSELL, «*The global brain*» [J.P. Tarcher - Los Angeles (1983)], p. 155.

[22] È scritto proprio così: «*New Age e cristianesimo*» («*New Age*» maiuscolo e «*cristianesimo*» minuscolo).

«Sulla base delle connessioni e dei parallelismi che abbiamo presentato, si impone la conclusione: lo spirito dell'Età Nuova è lo Spirito di Dio. Questo ci fa sperare e ci sollecita a partecipare alla *dolce congiura*».[23]

Questa conclusione potrà mai essere cristiana?

7. I guaritori

Sono molte le vittime di guaritori dotati di «*poteri*» – che attingono naturalmente all'*energia universale* – e che sono in grado di agire nel campo delle guarigioni fisiche. Essi ingannano i loro clienti affermando quasi sempre di essere in comunione con la Chiesa. Affermazione resa ancora più credibile da quei religiosi e da quelle religiose che non solo li frequentano regolarmente, ma collaborano con essi, consigliando i sofferenti di rivolgersi a questi per essere guariti.

I «*poteri*» di questi guaritori quasi sempre sono ereditati da qualche antenato e più che di «*poteri*» bisognerebbe parlare di «*spiriti*» da cui provengono i «*poteri*» sotto forma di «*energia*», o «*calore*», o «*fluido*», che essi manipolano a loro piacimento con l'imposizione delle mani, o con la recita di finte preghiere imparata a memoria. Preghiere usate non come tali, ma sempre come formule magiche.

Un esempio di questo repellente minestrone tra preghiera e superstizione si ha, per esempio, tra coloro che «*tagliano i vermi*»; cioè tra coloro che – con formule adeguate – fanno sparire i parassiti intestinali dai bambini.

Sono venuto in possesso di una di queste formule magico-superstiziose e la riporto di seguito, perché ognuno se ne renda personalmente conto:[24]

«Fare il segno di croce. Una Ave Maria e un Padre nostro. [Il tutto fatto per 3 volte].
Taci vermi a nome di Cristo, come fermasti il fiume di giardini a San Giovanni Battista.
[3 volte dire: Taci vermi a nome di Cristo].
Benedici il lunedì santo;
benedici il martedì santo;

---

[23] G. Schiwy, «*Lo spirito dell'Età Nuova - New Age e cristianesimo*», GdT 204 [Queriniana - Brescia (1991)], p. 125.
[24] Tutto autentico... anche gli errori di lingua italiana.

benedici il mercoledì santo;
benedici il giovedì santo;
benedici il venerdì santo;
benedici il sabato santo.
Cristo mio fai andare via i vermi a questo bambino.
Fare nel pancino 3 segni di croce. Toccare l'ombelico e passargli sopra la mano strusciandola».

Naturalmente... funziona! Perché la magia, purtroppo,... funziona. Ma il tutto è una preghiera, o è «*vana osservanza*»? Se funziona è per la preghiera, o per qualche altra cosa? E perché questo «*potere*» può passare dalla nonna alla nipote per mezzo di uno speciale rituale? Eppure davanti ad un tale guazzabuglio si trovano tante persone che dicono:

«Ma lei... prega...!».

Maurizio Ray segretario generale della «*Unione per la lettura della Bibbia*» nel libro «*L'Occultismo*», denuncia i numerosi danni fisici e spirituali ottenuti proprio dell'intervento dei guaritori. I cristiani poco informati cascano con facilità nelle loro mani, convinti che quello che essi usano per guarire (?) sia semplicemente un «*dono naturale*» che tutti possono avere.

Dall'altro canto i «*guaritori*» mentono quando affermano di aderire strettamente alla Chiesa. Lo fanno solo per tranquillizzare i loro «*pazienti*». Addirittura fanno passare il loro *fluido* per un «*carisma di guarigione*» e come gli Apostoli di Cristo pretendono di imporre le mani. Essi affermano che anche Gesù era un «*grande pranoterapeuta*» e che le sue parole:

«*E questi saranno i segni che accompagneranno quelli che credono: nel mio nome scacceranno i demoni... imporranno le mani ai malati e questi guariranno*» (*Mc* 16,17-18),

sono proprio un invito a scoprire questo «*dono naturale*» – presente in ogni uomo – e a diventare così *guaritori*. Ma Gesù ha parlato di «*fede*» in lui, non di «*fluido*» o di «*potere*». Ciò esclude anche che si tratti di un «*dono naturale*», ma che sia invece un «*carisma*», che Dio concede, «*come vuole lui*», ma solo ai cristiani, che credono in Gesù Cristo, Figlio di Dio, e lo seguono.

Di fronte a tutto ciò lascia molto sgomenti la reazione, spesso impassibilmente tacita e talvolta perfino favorevole, da parte di uomini di Chiesa.

Le parole di Gesù sopra citate si riferiscono sicuramente al «carisma di guarigione»; un carisma però è un dono speciale di Dio, che ha per scopo l'annuncio del Regno. Il «carisma» è un intervento di Dio, in risposta ad una preghiera effettuata con fede, nel nome di Gesù, per rendere gloria a lui. Questo è quanto le Scritture e la Santa Chiesa ci insegnano.

Una spiegazione molto chiara e semplice, ma illuminante tutto il mondo dei «guaritori», ce la dà Daniel Ange[25] e credo che vada tenuta a mente:

> «Le guarigioni che dipendono dallo scongiuro possono effettivamente essere reali, ma in genere lo sono solo a prezzo di un *transfert dall'organico allo psichico*, che scatena un ciclo di malattie ancora più gravi.[26] Il camuffamento religioso (invocazione di Dio, dei santi) in questi casi è solo uno specchietto per le allodole. In effetti si è spesso in presenza di *contraffazioni del carisma di guarigione*. Questo non implica né fluido, né gesti per ipnotizzare; è dato *come e quando il Signore vuole*, in risposta alla preghiera di un cristiano o di una comunità. Non è mai un *potere*, ma un *dono* (*At* 8,19)».[27]

Tale concetto è in netta contrapposizione con la «pranoterapia» ed i cosiddetti «doni di guarigione», visti come «doni naturali». Infatti se fossero doni naturali escluderebbero la necessità della preghiera.

D'altro canto, il Dio Onnipotente, il Creatore di ogni cosa non ha bisogno del «fluido» o del «calore»[28] dei guaritori per poter sanare.

8. I guaritori pseudo-mistici

Sono molti i guaritori che collegano i loro doni ai santi, agli «angeli» (che non sono «angeli», ma sempre «spiriti guida»), alla Madonna e quasi tutti si dichiarano *figli spirituali* di san Pio da Pietrelcina.

---

[25] DANIEL ANGE è un monaco benedettino, autore di numerosi libri, tradotti in varie lingue, che opera in tutta Europa nel formare i giovani alla evangelizzazione.

[26] «Espressione sfuggita a un guaritore: *"Posso guarire il vostro bambino, ma ciò avverrà per mezzo del demonio, e perciò a prezzo della sua anima"*» [nota originale nel testo].

[27] DANIEL ANGE, «*Balsamo è il tuo nome*» [Ed. Ancora - Milano (1982)], pp. 329-330.

[28] Se fosse veramente una questione di calore sarebbe molto più efficiente una stufetta elettrica, oppure una lampada a raggi infrarossi.

Ricevono in studi privati arredati con statue ed immagini sacre. Molti di loro sostengono di avere l'anima di un defunto o di un santo (in genere proprio san Pio) che li guida. Organizzano perfino rosari, preghiere, pellegrinaggi nei vari santuari, come S. Giovanni Rotondo, ma dimenticano di informare i loro clienti che san Pio da Pietrelcina li ha combattuti tutta la vita ed ha strappato dai loro artigli tantissime anime, che ingenuamente erano cadute sotto i loro *poteri*.

Essi hanno una particolare attrazione per le apparizioni, i segni soprannaturali, i vari profumi di fiori... Ricevono l'Eucaristia (mai ogni giorno) per «*tenere lontano le negatività*», per «*ricaricarsi*» per «*difendersi dagli attacchi*» di chi (dicono loro) li vuole distruggere, quando poi sono essi stessi a distruggersi con le loro mani. Se tra le loro conoscenze o i loro clienti vi sono religiosi non stentano ad esibire i loro nomi, a nominarli pubblicamente, anche più del necessario.

Il comune denominatore di qualsiasi tipo di «*guarigione alternativa*» è l'imitazione del culto cristiano. I guaritori agiscono convinti di possedere un «*fluido*» o «*magnetismo*» in grado di guarire qualsiasi malattia.

In realtà né il «*fluido*» né il «*magnetismo*» sono doni di Dio, ma sono strettamente collegati all'occultismo e chiunque vi si sottopone, o in breve tempo, o in tempi più lunghi, ne riporterà sicuramente conseguenze molto spiacevoli. L'esperienza insegna poi che l'occultismo, esercitato per cercare di dominare altri con il ricorso a forze oscure, favorisce lo scaturire di questi «*doni magnetici*». La maggior parte dei guaritori usa pratiche come «*la pranoterapia*», «*la riflessologia*», «*l'ipnosi*»,[29] «*l'ESP*» (percezione extrasensoriale), «*l'agopuntura*», «*il reiki*», ecc.

9. La pranoterapia è davvero un «carisma»?

Prendiamo in esame una categoria di questi guaritori, i pranoterapeuti, che danno perfino adito a confusione tra il loro «*potere*» ed il

---

[29] A questo proposito annota DANIEL ANGE: «...*certi metodi di anestesia, come la sofrologia; questa cerca un superamento dell'uomo mediante una rottura di equilibrio tra il sistema cerebrospinale e quello neurovegetativo, grazie ad un sonno provocato (ipnosi, ritmo musicale, ripetizione di frasi, ecc.). Il medico sofrologo può allora agire sull'inconscio, senza alcuna censura, modificando così lo stato psicologico della persona. Di qui i pericoli di manipolazione della persona*». DANIEL ANGE, *op. cit.*, nota a p. 330.

carisma di guarigione. Generalmente coloro che praticano questa terapia hanno nella loro storia personale ed in quella dei loro genitori, o antenati, collegamenti con la magia, lo spiritismo, ecc. Se esaminiamo a fondo la pranoterapia vediamo come si distingue nettamente dal carisma di guarigione.

Non sono pochi i pranoterapisti che affermano di usare questo *«potere»* per scaricare il *«calore»* dalle loro mani. Per essi quindi, l'uso del dono naturale non è una libera risposta alla chiamata di Dio a prendersi cura delle sofferenze dei fratelli, ma una necessità fisica per scaricare l'eccessivo calore dalle mani. Nessun carisma può nascere da una costrizione fisica, perché San Paolo afferma:

> *«Il Signore è lo Spirito e **dove c'è lo Spirito del Signore c'è libertà**»* (*2 Cor* 3,17).

D'altro canto i carismi di Dio per essere autentici debbono essere usati in obbedienza ed in sottomissione alla Chiesa. Il *«carisma»* non è infatti una proprietà della persona, ma di Dio, che si manifesta tramite esso e quindi è proprio Dio a disporne come vuole. Quindi coloro che usano a loro piacimento il *«fluido»* o il *«dono»* non sono certamente in comunione con Dio, ma con qualcun altro. Inoltre, la grazia di Dio non è certamente paragonabile ad un immenso campo magnetico che avvolge tutti gli esseri umani, proprio perché:

> *«...tutte queste cose è l'unico ed il medesimo Spirito che le opera, **distribuendole a ciascuno come vuole**»* (*1 Cor* 12,11).

Per chi non lo sapesse la pranoterapia, in Oriente, è nata in seno al *«Tantrismo»* come pratica magica per ottenere la guarigione degli infermi tramite il *«prana»* – che significa *«soffio vitale»* – che uno strano dio-vento dell'induismo avrebbe donato ai suoi seguaci. Questa concezione è poi giunta in Occidente come una supposta *«energia cosmica»*, che la scienza ha dimostrato *inesistente*. Comunque la pranoterapia è legata all'occultismo. Lo ha lasciato intendere anche il Card. Joseph Ratzinger Prefetto della Congregazione per la Dottrina della Fede nell'intervista concessa al dr. Ignazio Artizzu - giornalista RAI.[30]

Purtroppo sono molte le persone che fanno ricorso alla pranoterapia perché praticata da qualche sacerdote, o raccomandata da qual-

---

[30] Vedi cap. 3, p. 76.

che suora nei quali ripongono la massima fiducia. Proprio attraverso questi religiosi è la Chiesa stessa che viene danneggiata. Se le persone che nella mente popolare rappresentano la Chiesa, danno consigli errati, questi risultano molto pericolosi per il popolo cristiano. Il sottoporsi a questo tipo di terapia o, peggio, il praticarla, diventa un sicuro ostacolo all'atteggiamento di vera preghiera ed al dialogo con Dio. Un ostacolo verso lo slancio interiore, verso la figura di Cristo, l'unico degno di ogni lode e di ogni onore.

Per tutti coloro che si sottopongono alle cure dei guaritori la preghiera diventa un'abitudine ed il rapporto con il guaritore diventa dipendenza.

La vera guarigione e liberazione è quella che ci dà Gesù Cristo, al quale nulla è impossibile. Secondo la nostra fede è infatti Dio che guida l'uomo e lo guarisce. Secondo i guaritori è invece l'uomo a dirigere Dio e a guarire per mezzo dei «propri» doni.[31] Per loro infatti il *naturale* deriva da una visione metafisica e *pseudo-religiosa*, mutuata da filosofie pagane.

Va sottolineato inoltre, che Gesù durante il suo ministero pubblico considerò la malattia come un male da combattere:

«*Chinatosi su di lei intimò alla febbre e la febbre la lasciò*» (*Lc* 4,39).
«*Allora venne a lui un lebbroso: lo supplicava in ginocchio e gli diceva "Se vuoi puoi guarirmi!". Mosso da compassione, stese la mano, e gli disse: "Lo voglio, guarisci!"*» (*Mc* 1,40-41).

Da nessuna frase del Vangelo si può dedurre, quindi, che Gesù gradisse le malattie, che le considerasse qualcosa di buono. Sbagliano quindi coloro che considerano la malattia come una benedizione mandata da Dio.

Gesù guariva le persone perché le amava ed aveva compassione di loro e continua a farlo oggi, se noi lo vogliamo e ci fidiamo solo di lui, che tutto può. Il problema principale per molti resta la *fede*, perché è molto più facile credere nelle «bufale» dell'uomo che nell'infinita potenza di Dio.

---

[31] Che se sono «*propri*», diventano «*poteri*» e non sono «*carismi*». Infatti i «*carismi*» non sono «*personali*», ma appartengono solo al «*corpo di Cristo*». Infine, dice san Paolo: «*Ma tutte queste cose (i carismi) è l'unico e medesimo Spirito che le opera, distribuendole a ciascuno come vuole*» (*1 Cor* 12,11). Perciò i «*carismi*» non sono neppure doni permanenti, ma precari, che lo Spirito di volta in volta sceglie come manifestare e per mezzo di chi.

10. Che cos'è la pranoterapia

Etimologicamente significa terapia per mezzo del «*prana*», che in sanscrito vuol dire: «*soffio vitale*» (già da qui si intuisce il primo pericolo, «*soffio vitale*» è anche molto vicino al concetto biblico dello Spirito Santo). Per capire il concetto di «*prana*» bisogna far riferimento ad una antica filosofia indiana. Secondo questa teoria, il vento, chiamato «*Vayù*» (o *Vaijù*) era una «*divinità*» che si manifestava con il «*soffio*».

Questo «*soffio*» era «*l'anima dello spirito del mondo*»,[32] chiamato appunto «*prana*», che non è solo presente nel vento, ma anche in tutti i viventi, uomini, animali o piante. Il «*prana*» è la vitalità che li anima; è un particolare soffio vitale contenuto nel respiro.

Questa concezione filosofico-mistica è passata nell'Occidente ad indicare una supposta misteriosa energia chiamata anche «*bio-plasma*», o «*energia bio-radiante*», presente in misura diversa in tutti gli uomini, ma che solo da certuni particolarmente dotati, «*fluirebbe*» in abbondanza e guarirebbe le malattie. Ci sono in Italia varie associazioni di pranoterapeuti, che vorrebbero imporre questo punto di vista come se fosse una normale capacità dell'uomo.[33]

La guarigione per mezzo della pranoterapia – malgrado ciò che affermano i suoi sostenitori – è un fenomeno *paranormale*, talvolta perfino *preternaturale*, che sfugge ad un'autentica ricerca sperimentale; a quella ricerca che, per essere rigorosamente scientifica, non lascia spazio ad interpretazioni del fenomeno, al di fuori di quella offerta dall'uso comune dei sensi ordinari, con o senza apparecchiature scientifiche.

[32] In altre parole: «*l'energia universale*».

[33] Ci sono in Italia almeno tre associazioni di pranoterapeuti: l'AIFEP (Associazione Italiana Flussoterapeuti e Pranoterapeuti), fondata e diretta per anni dal PROF. ZANATTA; l'ANPSI (*Associazione Nazionale Pranoterapeuti e Sensitivi*), fondata e diretta da LUCIANO MUTI; la AIG (*Associazione Italiana Guaritori*). La AIG, che si definisce «*Centro di Ricerche e Informazioni Parapsicologiche ed Esoteriche*», è stata fondata da Oberto Airaudi. È sorta per iniziativa di alcuni guaritori aderenti al **«Centro Horus»** di Torino. Horus è il nome del dio egizio con la testa di cane, che presiedeva alla magia.

Anche questi ultimi praticano la pranoterapia, ma apertamente si rifanno all'occultismo, allo spiritismo, all'astrologia e credono nella reincarnazione. Tutto limpido...?

11. Pranoterapia e cristianesimo... a confronto

Vediamo insieme alcuni punti stridenti che fanno nascere domande pungenti e che dimostrano quanto confuse (o in malafede?) siano le tipiche affermazioni dei pranoterapisti.

1. Per Airaudi, Gesù è stato un «*guaritore potentissimo*»,[34] come lo è stato «il tanto discusso Padre Pio da Pietrelcina», che si è procurato «le stimmate con la sola forza della mente».[35]

2. L'«*Enciclopedia della medicina alternativa*» dichiara:

«La guarigione con l'imposizione delle mani non ha nulla di miracoloso: si tratta di un procedimento *che obbedisce alle leggi naturali...*»,[36]

eppure Gesù aveva detto prima di ascendere al cielo:

«*E questi saranno i segni che accompagneranno* **quelli che credono**: *nel mio nome cacceranno i demoni... imporranno le mani ai malati e questi guariranno*».

Allora, se il processo è naturale, perché Gesù ci chiede di avere fede in lui? Inoltre i Vangeli ci illustrano come le guarigioni operate da Gesù indicassero l'avvento del regno di Dio. Ora se la guarigione avviene in un contesto di preghiera e di invocazione del nome di Gesù, che è il Signore:

«*...davanti a cui ogni ginocchio si pieghi
nei cieli, in terra e sotto terra...*» (Fil 2,10),

l'eventuale guarigione farà salire a Dio la lode ed il ringraziamento, ma quando questa avviene nello studio del pranoterapeuta la lode ed il ringraziamento a chi vanno? Naturalmente... al guaritore.

3. La guarigione è uno dei segni che accompagnano l'«*evangelizzazione*», ma la visita nello studio del pranoterapeuta è accompagnata, o preceduta, da una vigorosa evangelizzazione? Il pranoterapeuta crede che le sue possibilità di guarire si fondino sull'efficienza delle proprie «*facoltà bioradianti*» e quindi agisce fidandosi solo di esse. Il

---

[34] O. Airaudi, «*I Guaritori*» [Ed. Horus, Torino (1982)], p. 14.
[35] Ibid., p. 42.
[36] A. Forbes, *op. cit.*, p. 177.

carisma si basa sulla preghiera a Dio, ma il pranoterapeuta non prega affatto, non ha un atteggiamento di preghiera. Anzi, Zanatta scrive che il pranoterapeuta:

> «...è convinto che un atteggiamento razionale, logico... di totale disponibilità nei confronti del paziente, senza il minimo dubbio sulle proprie capacità terapeutiche, sia più utile di ogni altro».[37]

4. Leggendo libri e riviste di pranoterapia si nota un'enfasi costante (e trionfalistica) sul potere dell'uomo e della mente. Ma questa mentalità è compatibile con l'esercizio della preghiera di guarigione? San Paolo riporta di aver chiesto per ben tre volte al Signore di togliergli la «*spina nella carne*» (*2 Cor* 12,7), ma il Signore gli risponde:

> «*Ti basta la mia grazia; la mia potenza infatti si manifesta pienamente nella debolezza*» (*2 Cor* 12,9);

san Paolo perciò prosegue:

> «*Mi vanterò quindi ben volentieri delle mie debolezze, perché dimori in me la potenza di Cristo*» (*2 Cor* 12,9).

L'atteggiamento del pranoterapeuta è coerente con quello di Paolo?

5. Il prof. dr. Heinrich J. Huber, dell'Università di Vienna, ad un Congresso di Pranoterapia[38] afferma:

> «È noto che io mi occupo essenzialmente delle ricerche sull'energia corporea, quindi anche di quel corpo che in questa energia tetraedrica (?!!) occupa un luogo speciale e con il quale l'anima è legata tramite sette centri di energia[39]... (?!!!) ...Il miglioramento dello stato della salute è possibile con la respirazione consapevole e controllata. *Le energie corporee sono un corpo di luce raggiante nel quale si può palesemente intravedere la luce dell'anima.* "Se l'uomo esteriore si deteriora, l'uomo interiore si rinnova giorno dopo giorno. Noi non possiamo guardare a ciò che appare, perché questo è effimero, mentre ciò che non appare è eterno". Così dice san Paolo.

---

[37] A. Zanatta, «*Diventa con me pranoterapeuta*» [Musumeci Editore - Aosta (1983)], pp. 29-102.

[38] Congresso di Pranoterapia, Milano 19-20 gen. 1985.

[39] Questi centri di energia sarebbero i cosiddetti *chakras* dell'induismo, cioè i «*centri energetici di potere*» usati da maghi e pranoterapisti. In genere punti dove sembrano soffermarsi gli spiriti di sensibilità medianica.

Bisogna utilizzare il *"prana"* per aumentare una trascendenza verticale, verso i piani più alti del mentale...».

Ma lo stesso autore poco prima aveva detto:

«Il prana detto Vaijù,[40] trova la sua corrispondenza nell'ormone chiamato prostaglandina...» (!!!).

Ma possono essere compatibili con il Cristianesimo simili interpretazioni di san Paolo, dell'anima e del trascendente? Cosa c'entri poi il grande Apostolo... con gli ormoni, proprio non riesco a vederlo.

6. L'*«Enciclopedia della medicina alternativa»* spiega il *«prana»* così:

«**Esiste un'unica energia**: Mente, Sé o Io, Dio, Tao, Grande Spirito, o come si preferisce chiamarla... Possiamo anche imparare a guarire noi stessi, a patto che ci rendiamo conto che tutta la nostra vita, comprese le malattie che ne fanno parte integrante, è un continuo processo di apprendimento illimitato *per chi faccia suo il principio che* **la volontà dirige l'energia***».*[41]

Quindi Dio è solo un nome per indicare una non meglio precisata *«energia»*, che l'uomo può addirittura *«dirigere»* con la sua volontà. A questa povera dimensione viene ridotto Dio dai fluidologi.

È naturale che, a questi livelli, tra il cristiano e la pranoterapia ci sia la più totale incompatibilità.

7. Dalla *«Enciclopedia della medicina alternativa»* citiamo:

«Sussiste una certa confusione circa i termini guarigione *"spirituale"* e guarigione *"spiritica"*. La prima comporta una definizione, quella appunto di spirituale, che funge da paravento, nel senso che vela *aspetti superiori della mente dell'uomo e della Mente*. In effetti la coscienza dell'uomo si articola in sette livelli (!). La capacità di istituire rapidamente profondi rapporti empatici *è spesso associata a poteri chiaroveggenti e medianici*.[42] Molti guaritori sono coscienti della presenza di **spiriti benigni** attratti dal pro-

---

[40] Che sarebbe poi la divinità indù che si esprime come *«vento»*. Sembrerebbe una specie di Spirito Santo... se fosse cristiana.

[41] A. FORBES, *op. cit.*, pp. 176-179. Questo concetto è un concetto proprio del pensiero magico-esoterico. Può essere cristiano?

[42] Sarebbe bene che i «tifosi» della pranoterapia riflettessero seriamente sulla gravità di tali dichiarazioni.

cesso di guarigione e capaci di utili suggerimenti; ed è questa *la guarigione spiritica, altro fenomeno naturale, normale*».[43]

A parte gli *aspetti superiori della mente* dell'uomo e le palesi asserzioni di *medianità*, ciò che sorprende e dovrebbe far pensare di più è l'asserzione che la «*guarigione spiritica*» è «*naturale e normale*». Quando i pranoterapeuti affermano che la pranoterapia si basa sulla presenza di «*fluidi naturali*», che cosa intendono per naturale? Gli «*spiriti*»? E i sacerdoti e religiosi che si sono lasciati convincere che nella pranoterapia tutto sia «*naturale*», hanno capito la stessa cosa? E gli «*spiriti benigni*» chi sono? Gli... Angeli Custodi?

8. Altra cosa da temere è la copertura religiosa che spesso viene data alla pratica della pranoterapia. A Rimini, alcuni anni fa, ad una *Conferenza Animatori del Rinnovamento nello Spirito*, qualcuno distribuiva un libretto: «*Fondazione per i trattamenti di energia spirituale*». La copertina si presenta con la Croce, lo Spirito Santo e le parole:

«Energia è Dio, è Spirito, è Amore».

Parlava di Gesù al pozzo di Sicar, diceva come pregare, come meditare sulla nostra nullità, come recitare il Padre Nostro, come chiedere a Dio che l'energia spirituale allontani il male, come ringraziare Dio alla fine. A prima vista sembrava (quasi) buono, poi si notano sfasature, inesattezze e vari detti tratti da misteriosi libri del «*Cerchio Firenze 77*». Sul catalogo delle edizioni Mediterranee si scopre infine di che cosa si tratti:

«"Il Cerchio Firenze 77" che da circa 30 anni, attraverso *un medium straordinario è partecipe di manifestazione di eccezionale interesse durante le quali si manifestano **entità elevate***»;

e ancora

«...dove vengono rivelate per la prima volta alcune *verità iniziatiche comunicate **medianicamente dalle Entità Guida*** che invitano l'uomo a superare l'illusione della forma».

Il medium, ora defunto, si chiamava Roberto Setti. Ogni commento è superfluo. Vorrei però ancora fare una domanda: l'«*Energia*

---

[43] A. FORBES, *op. cit.*, p. 177. Vedi anche nota precedente.

è Dio, è Spirito, è Amore»? Una centrale elettrica allora... che è? Il tabernacolo di... Dio? E Dio..., si paga con la bolletta, o via internet? Personalmente sono convinto che Dio sia un'altra cosa.

12. Il fascino del «magico»: dalle messe nere alle «vivencia»

C'è da chiedersi come mai tanta gente venga coinvolta così facilmente in un mondo così oscuro ed infido, ma una risposta c'è. Viviamo un tempo in cui l'aspetto *«magico»* della vita ha preso il sopravvento sulla ragione, come – e forse più – l'aspetto *«magico»* della religione ha preso il posto della fede e dei sacramenti e i freni, naturalmente... si sono rotti.

L'antropologa C. Gatto-Trocchi, che ha «partecipato» a quattro messe nere, in un'intervista di qualche anno fa descrive questa esperienza così:

«Il sommo sacerdote, avvolto in una palandrana nera, il volto nascosto da un cappuccio come un boia medievale, celebra il rito davanti ad un tavolo con candelabri a sette braccia e candele nere sul quale è stesa una vergine nuda. Parodia di una messa cattolica, l'officiante allarga le braccia, pronuncia litanie in latino inneggianti a Satana, si china a baciare la pelle nuda della donna e all'offertorio riempie il calice del sangue di un animale, normalmente quello di un gallo nero, e vi bagna le ostie. Alla fine tutti intingono le dita nella coppa, si fanno il segno della croce rovesciata, una T, e ad alta voce espongono le proprie richieste, perché la messa nera viene celebrata per onorare Satana, ma soprattutto per chiedere favori. I più incredibili: "Faccio questo per te, dio delle tenebre, perché tu mi faccia avere un posto in banca". Oppure, " Fa' che mia zia muoia e mi lasci l'appartamento", e così via. Poi il sacerdote si stende sulla vergine e si unisce a lei. Gli altri se vogliono si appartano e fanno l'amore. Finisce quasi sempre in un'orgia collettiva tra urla, balli e slogan inneggianti al sesso libero».[44]

Per «un posto in banca»? Sì, ma anche per altro. Alla domanda se tutto ciò avveniva per *«mancanza di ideali, curiosità, interesse per il mistero»*, la Gatto-Trocchi rispondeva:

---

[44] ANNA LIA SABELLI FIORETTI, *«A Letto con Satana»*, *«Corriere dell'Umbria»* (1993). Intervista alla prof. CECILIA GATTO-TROCCHI, docente all'Università di Perugia.

«Ed anche *sesso trasgressivo*. In Italia prevalgono le formazioni demoniache *a sfondo erotico*».

Questo però è solo un lato del problema, un altro è dato dalla superficialità futile e sciocca. Esaminiamo per esempio la «*Biodanza*», che sembrerebbe una cosa molto innocua e fanciullesca. Si tratta di imparare ad esprimersi attraverso la musica ed il movimento libero e fin qui tutto bene, ma poi si scopre che non è così, ma che si tratta di una disciplina in cui dominano le «*Vivencia*». Queste sono cinque: «*vitalità*» - «*sessualità*» - «*creatività*» - «*affettività*» - «*trascendenza*». Si danza molto, ma ci si copre il corpo quasi nudo di argilla e quindi con la scusa di spalmarsi addosso l'argilla ci si accarezza molto, con ciò che segue. Perciò, confrontando i tre gradi di sviluppo della sessualità (uno all'anno):

- risveglio della fonte del desiderio; liberazione sessuale; più libertà del giudizio;
- orgasmo, consapevolezza della propria identità sessuale; dalla dualità all'unità del maschile-femminile;
- pienezza erotica; estasi erotica;

con quelli della trascendenza:

- coscienza *ecologica*; percezione *olistica* dell'Universo;
- capacità di *regressione* e *trance*; capacità di sentirsi leggeri; capaci di sentirsi «testimoni»; appagamento spirituale;
- elaborazione di un mondo interiore, emozione di sentirsi unici; estasi; capacità di percepire la qualità del Divino che è in ciascuno di noi;

ci si rende conto, prima di tutto che ogni cosa gira intorno al sesso; secondo che il «*trascendente*» non è null'altro che Panteismo[45] e negazione di ogni esperienza cristiana. Siamo così lontani dalla stregoneria e dal satanismo? No, perché siamo immersi nel paganesimo panteista.

Il problema vero è che se si vede uno yogi ben vestito, in televisione, si pensa che si tratti di qualcuno che insegna innocui esercizi contro lo stress. Ma chi conosce bene quella cultura sa che è domina-

---

[45] Quindi il «*trascendente*», non è altro che «*immanente*». Come è possibile?

ta dalle tenebre. Scrive K.P. Yohannan, un missionario evangelico di origine indiana:

> «I cristiani maturi sanno che la Bibbia insegna che ci sono solo due religioni nel mondo. C'è l'adorazione dell'unico vero Dio, e c'è una falsa alternativa demoniaca, nata nell'antico Iran. Da lì, le armate persiane ed i loro sacerdoti hanno sparso la loro fede in India, dove attecchì. A loro volta i missionari indù la sparsero nel resto dell'Asia. Animismo, Buddismo e tutte le altre religioni dell'Asia hanno una comune eredità in questo unico sistema religioso.
>
> Poiché molti occidentali non sono a conoscenza di ciò, influenze demoniache sono in grado ora di spargere il misticismo orientale nell'Occidente, attraverso la cultura pop, le orchestre rock, i cantanti e perfino i professori universitari. I mezzi di comunicazione sono diventati il nuovo veicolo per il diffondersi dell'adorazione del demonio e dell'idolatria per mezzo dei gurus americani».[46]

Lo stile sembra alieno alle nostre orecchie,[47] ma non è lo stile che conta, conta invece il contenuto. D'altra parte anche lo stile, in fondo, non è così distante da quello di san Paolo, quando scriveva ai Corinzi:

> *«Che cosa dunque intendo dire? Che la carne immolata agli idoli è qualche cosa? O che un idolo è qualche cosa? No, ma dico che **i sacrifici dei pagani sono fatti a demoni e non a Dio**. Ora, io non voglio **che voi entriate in comunione con i demoni**; non potete bere il calice del Signore **e il calice dei demoni**; non potete partecipare alla mensa del Signore **e alla mensa dei demoni**. O vogliamo provocare la gelosia del Signore? Siamo forse più forti di lui?»* (1 Cor 10,19-22).

Anche san Paolo era un esagerato? Indipendentemente dallo stile, bisognerebbe molto riflettere. La verità è che l'Italia, l'Asia, o New York riflettono un'unica realtà spirituale, che deve essere valutata.

13. Dal Panteismo ai nuovi «Vangeli»

Il movimento New Age è senza dubbio il contenitore più accogliente di tutto il Panteismo del nostro tempo e la cosa non meraviglia, per la straordinaria confusione che regna tra il dio *immanente* del

---

[46] K.P. YOHANNAN, «*Revolution in World Missions*», p. 126.

[47] Si parla, infatti, molto apertamente del demonio, e questo parlare stride alle nostre orecchie molto inclini a pensare che il demonio non c'è, o, se c'è, non bisogna parlarne. Ma quale malattia scomparirebbe se tutti i medici decidessero di non parlarne più?

cosmo divinizzato e le presenze – direi quasi «*trascendenti*» – di «*entità*» o «*energie*» provenienti non si sa da dove.

In questo minestrone assolutamente caotico, si intrecciano quindi anche le esperienze di *channeling* che più propriamente dovrebbero appartenere all'area dello spiritismo, ma che non sono affatto staccate dal Panteismo.

Con il *channeling* infatti non si tratta solo di ricevere messaggi da maestri spirituali, extraterrestri o defunti, ma anche... «*energia*».

Lo scopo principale di comunicare con questi esseri non incarnati – scrive Martinez Diez – è di:

> «...accedere ad una coscienza universale, che è la somma di tutte le conoscenze e le esperienze umane, passate e future. Tale comunicazione consentirà all'umanità di appropriarsi dell'esperienza accumulata nel corso dei secoli e nei diversi mondi».[48]

Il concetto di «*coscienza universale*» – parallelo a quello della «*energia universale*» – apre la porta ad un altro caposaldo dell'esoterismo: «*le memorie akasiche*». Queste consisterebbero in una specie di archivio delle memorie di tutta l'umanità, che si trova nel mondo astrale ed a cui solo pochi iniziati potrebbero accedere. Da questi eletti esoteristi possono giungere a noi quelle grandi verità su Cristo, che la Chiesa avrebbe accuratamente nascosto agli uomini.

Un esempio di queste verità le possiamo trovare nel testo di Levi H. Dowling: «*Il Vangelo Acquariano di Gesù il Cristo*». Nel retro della copertina si precisa subito che:

> «Il Vangelo Acquariano descrive la vita di Gesù dalla nascita all'Ascensione, inclusi gli anni non descritti nei Vangeli, trascorsi in India, in Tibet, in Persia, in Grecia e le iniziazioni in Egitto. Il libro è destinato, come dice il titolo a questa nuova era appena cominciata, l'Età dell'Acquario, che è l'era dello Spirito Santo in cui non ci saranno più intermediari tra Dio e l'uomo e che vedrà il crollo delle religioni istituzionali e gerarchiche».[49]

Questo Vangelo presenta la vita di Gesù all'inizio come nei sinottici e ci descrive anche i Magi che vengono per adorare il bambino Gesù:

---

[48] F. Martinez Diez, «*New Age e fede cristiana*» [San Paolo - Cinisello Balsamo (1998)], p. 197.
[49] L. H. Dowling, «*Il Vangelo Acquariano di Gesù il Cristo*» [Omegna (1998)].

«E c'erano tre tra i magi sacerdoti che desideravano ardentemente vedere il maestro della nuova era...».[50]

Per «*nuova era*» si intende naturalmente quella che allora era chiamata «*nuova*», cioè quella dei Pesci che per noi è finita, ma in quel tempo stava appena cominciando.

Quando Gesù ebbe dodici anni si trovò a Gerusalemme a discutere con i dottori della legge,[51] e lì si imbatte, per caso, con un principe indiano, Ravanna, che, dopo averlo ascoltato con molto interesse, andò a Nazareth e convinse Maria e Giuseppe a lasciarlo andare in India con lui. In India Gesù imparò i Veda.

Dopo alcuni anni di predicazione, in cui fece insegnamenti contro le caste e l'idolatria, si attirò l'odio dei bramini e dovette fuggire verso l'Himalaya dove fu accolto dai monaci buddisti e tra loro compì molte guarigioni con tecniche imparate da un guru indù. A ventiquattro anni andò poi in Persia dove continuò ad insegnare ed a compiere miracoli di guarigione. Successivamente passò in Assiria, in Grecia ed infine in Egitto. Qui si fermò ad Heliopolis dove cercò di entrare, e fu ammesso, nel tempio della *Sacra Fratellanza*, un circolo di magia esoterica molto avanzata.

Qui dapprima apprese il significato dei geroglifici, poi – dopo aver superato varie prove per diventare un iniziato – fu ammesso agli studi superiori della *Sacra Fratellanza*, dove apprese i segreti più alti della scienza mistica e gli antichi metodi per preservare i corpi dei morti.

Al suo ritorno in Palestina ricevette il battesimo da Giovanni Battista e poi la storia prosegue più o meno come descritto dai Vangeli, fino alla crocifissione, con solo un po' di fantasia aggiunta. Per esempio, il grido di Gesù sulla croce:

«*Eloì, Eloì, lemà sabactàni?*» (*Mc* 15,34),

diventa:

«Tu sole! Tu sole! Perché mi hai abbandonato?».[52]

---

[50] Ibid., p. 45.
[51] Cf *Lc* 2,41-50.
[52] L. H. DOWLING, *op. cit.*, p. 91.

Dopo la deposizione nel sepolcro durante la notte venne una truppa di soldati vestiti di bianco: la «*Fraternità Silenziosa*». I soldati di guardia li attaccarono, ma non potevano nulla contro di loro. Quando si allontanarono i soldati tornarono a custodire il sepolcro. A mezzanotte un angelo venne dal cielo, aprì il sepolcro e fece risuscitare Gesù, che tornò in India dal suo amico Ravanna per annunciargli la sua risurrezione e per mandarlo a diffondere in India questo messaggio.

Successivamente Gesù torna in Grecia, dove incontrò la *Fraternità Silenziosa* ed il testo si conclude con la Pentecoste.

Come si vede questo Vangelo presenta Gesù come un iniziato esoterico la cui dottrina è un misto di induismo, buddismo ed esoterismo, che si manifesta nelle arti magiche con cui Gesù compie i miracoli e le guarigioni.

Naturalmente, Gesù è tutto, meno che Dio.

Lo sforzo costante di tutto il Panteismo è rivolto alla negazione assoluta della divinità di Gesù Cristo, dapprima riducendo Dio ad una gelida ed impersonale identità con il cosmo, poi con i mille filoni della stupidità umana, tutti intenti a costruire l'idea di un Gesù grande esoterista e grande mago. La lettura degli «*Annali della Akasha*», cioè dei «*banchi*» della memoria universale dell'umanità, non è poi una cosa oggettiva e credibile, perché i vari «*lettori*» raccontano ognuno storie assai diverse rispetto agli altri. Che si siano danneggiati i banchi di *memoria universale*?

C'è da chiedersi tuttavia, come sia possibile che tante persone rifiutino la rivelazione della Parola di Dio come cosa *non certa*, per poi correre dietro a cianfrusaglie confuse e sciocche, quali la lettura degli «*Annali della Akasha*».

Questa debolezza del popolo cristiano è dovuta soprattutto alla carente evangelizzazione. Ascoltiamo allora il grido di S.S. Giovanni Paolo II:

«L'intera chiesa in Europa senta rivolto a sé il comando e l'invito del Signore: ravvediti, convertiti, *"svegliati e rinvigorisci ciò che rimane e sta per morire"* (Ap 3,2). È un'esigenza che nasce anche dalla considerazione del tempo attuale: "La grave situazione di indifferenza religiosa di tanti europei, la presenza di molti che anche nel nostro Continente non conoscono ancora Gesù Cristo e la sua Chiesa e che ancora non sono battezzati, il secolarismo che contagia una larga fascia di cristiani che abitualmente pensano, decidono e vivono 'come se Cristo non esistesse', lungi dallo spegnere la nostra speranza, la rendono più umile e più capace di affidarsi solo a Dio. Dalla sua misericordia riceviamo *la grazia e l'impegno della conversione*"[53]»."[54]

14. Il pensiero di un esorcista

Questa testimonianza mi è pervenuta da d. Giuseppe Capra, esorcista della diocesi di Torino, ed è interessante perché sottolinea con forza e realismo come le energie della pranoterapia, o del reiki, siano una caratteristica tipica dei cosiddetti «*spiriti guida*» di assai... dubbia provenienza.

«Che poi questo dono abbia la pretesa di avere qualche cosa di sacro, di divino, lo si vede abbondantemente presso gli umili operatori che non leggono le enciclopedie: quanti di loro dicono di avere uno spirito, un'anima di defunti, di un santo che li aiuta, che è loro apparso in sogno Padre Pio o... Sai Baba, usano preghiere e sante comunioni per ricaricarsi, ostentano quadri, crocifissi, madonne (anzi, la prima a sanguinare a Lazize-Verona, pare che sia stata quella del presidente della Bioenergetica Triveneta, il pranoterapeuta Bruno Burato "dottore honoris causa in scienza e medicina complementare", uomo ben lontano dall'umiltà tradizionale di chi ha contatti speciali con la Madonna. Costoro pretendono che si "creda" nel loro potere-energia (che a volte è appunto uno spirito) e attribuiscono gli insuccessi alla mancanza di fede.
Qualche volta questo dono è entrato durante uno stato di non vigilanza, o non conoscenza, per esempio un grave trauma, o coma (tipici momenti in cui le forze occulte possono entrare). Una malata, a cui continuiamo la preghiera di liberazione da oltre 6 mesi, avendo invocato suo padre defunto per l'infermità della figlia, cominciò a comunicare, con scrittura automatica, con uno spirito, che credeva essere quello del papà, e una notte si sentì invadere il naso da forte calore, persino insopportabile e satana spiegò che le dava un *"calore buono per guarire senza speculare"* e lei cominciò ad usare efficacemente questo potere di guarigione su se stessa o sui figli, insomma su tutti i membri della famiglia, che avevano infermità strane, che sfuggivano alle normali cure mediche e che sono guarite ben presto con la preghiera di liberazione estesa anche a loro. Allora mi è ve-

---

[53] SINODO DEI VESCOVI - SECONDA ASSEMBLEA SPECIALE PER L'EUROPA, «*Messaggio finale*», n. 4, «*L'Osservatore Romano*», 23/10/1999, p. 5.
[54] GIOVANNI PAOLO II, Esort. Apost. Post-Sinod. «*Ecclesia in Europa*», 26.

nuto in mente quanto dice Tertulliano a proposito delle guarigioni fatte per opera diabolica: "Prima danneggiano (i demoni o i maghi, dato che possono operare anche a distanza), quindi prescrivono rimedi nuovi o contrari fino a produrre l'effetto miracoloso. Dopo questi interventi, cessano di nuocere e si crede che abbiano guarito"».

15. Le pratiche anticristiane che ostacolano la guarigione

Per guarire e liberarsi per sempre, bisogna abbandonare definitivamente il ricorso agli idoli, ponendo la propria fiducia unicamente in Gesù; l'unico in grado di aiutarci. Egli è l'autore della nostra salvezza:

> «**Io sono la via, la verità, la vita**. *Nessuno viene al Padre se non per mezzo di me*» (Gv 14,6).

Percorrendo vie diverse da quelle annunciate da Nostro Signore Gesù Cristo non si potrà mai giungere alla vera guarigione ed alla liberazione. Gesù solo può dire:

> «*Io sono la Verità*».

La verità è Gesù Cristo. Gesù ci rivela la sua verità manifestandola nella luce che vince le tenebre. Purtroppo sono molti i cristiani che pur affermando di credere in Gesù, mettono buona parte della loro fiducia nelle scienze occulte. Essi si sentono più rassicurati dalle parole dei maghi e degli occultisti che dalla Parola di Dio, e si affidano a loro anziché alla Provvidenza Divina. Lo spirito delle tenebre penetra così proprio in tutte quelle realtà che hanno rapporti con l'occultismo, soprattutto in quelle apparentemente innocenti. Dice loro sant'Agostino:

> «Ecco a quali mali si lasciano trascinare i cristiani tiepidi, i quali, mentre vogliono ricevere la salute fisica, non temono di commettere sacrilegi così nefandi. Infatti chi ascolta questi tali consiglieri del demonio, ripudiando Cristo sappia che *così fa un patto con il diavolo*.
> Le donne inoltre sono solite persuadersi a vicenda che per i loro figli malati debbono ricorrere ad incantesimi, che sono contrari alla fede cattolica. Anche questo inganno proviene dal demonio. Quanto più giusto e più vantaggioso sarebbe che esse accorressero alla Chiesa, *per ricevere il Corpo*

ed il Sangue di Cristo e per far ungere se stesse e i loro cari con olio bene-detto».[55]

Per camminare nella verità abbiamo bisogno di purificarci da ogni contaminazione dando un taglio netto a tutto ciò che è occulto. Se vogliamo che la nostra vita sia protetta da Gesù è importante che impariamo ad essere guardinghi di fronte alle cose occulte, che seducono e rendono schiavi del male. Ogni cristiano deve vivere sempre in conformità all'insegnamento di Gesù e seguendo la sua Parola.

Testimonianza

Questa testimonianza racconta di una vita di dolore, che sfoga dentro la medicina alternativa. Insieme ad apparenti successi, questa strada ha condotto anche ad una forma di oppressione da parte di legami medianici, da cui solo Gesù Cristo è venuto a liberarla.

«...mi sono sposata che non avevo ancora 18 anni, perché aspettavo un bimbo e, inizialmente, sono andata a vivere con mia suocera; io amavo molto mio marito, ma mi sono ben presto trovata in una situazione in cui *"loro"*... comandavano.

Proprio perché credevo nell'amore e nella famiglia ho continuato ad andare avanti, ma ero sempre più sola nel dovermi prendere le responsabilità della famiglia, per quanto riguardava figli, lavoro, casa, insomma... tutto. La cosa peggiore però era che non potevo neppure parlare. Così, per auto-proteggermi, per riuscire ad andare avanti, accettavo tutto (d'altro canto non riuscivo a fare altro) e stavo zitta, tanto... aveva sempre ragione lui. Poi ci siamo trovati in una situazione più grande di noi e – dal momento che mi era impossibile ragionare con la mia testa – sono arrivata ad abortire per ben due volte. Era il periodo della guerra in Quwait, noi lavoravamo in proprio e mio figlio maggiore era militare. Sono andata così contro i miei princìpi, poi mi sono giudicata e condannata.

Volevo solo dimenticare..., non mi sentivo più degna dell'amore di Dio. Conseguentemente, sofferenza su sofferenza, mi sono chiusa all'amore e non rispondevo più a nulla. A questo punto della mia vita, cercando aiuto in un'erboristeria, ho incontrato la medicina naturale, ma dietro a questa ho incontrato il mondo dell'occulto. In un primo tempo, debbo dire, alcune cose – tipo la riflessologia plantare – mi furono di aiuto. Mi sembrava di essere tornata a vivere. Ho iniziato quindi a usarla sempre più.

Io stessa ho poi fatto corsi di riflessologia, metamorfica, cristalloterapia, ra-

---

[55] SANT'AGOSTINO, «*Sermo*» 280 (PL 46, 2273).

dioestesia, reiki, fiori di Bach... In pratica tutto questo era diventato il mio lavoro. Un giorno al *"Centro Reiki"* che frequentavo è arrivato un Master di Yoga e Meditazione Trascendentale. Questo personaggio non pretendeva soldi e viveva di pochissimo, come un san Francesco del nostro tempo. In questo modo ha acquistato la nostra fiducia ed abbiamo iniziato a seguire i suoi corsi, dove rilassava molto, ma soprattutto ci siamo lasciati *"armonizzare i chakra"*.

Da questo momento, era aprile del 1996, sono iniziati subito per me degli strani disturbi: perdita di equilibrio, respiro affannoso, e uscita dal corpo ogni notte. Poco dopo questo signore è stato allontanato dal *"Centro"* con una scusa, perché molte persone non stavano più bene e la Master del reiki, non sapeva più come aiutarci.

Durante l'estate – il *"Centro"* era chiuso – un'amica mi invita ad andare al suo gruppo di preghiera. Ci vado solo perché quel giorno era libero. Comincio così ad avvicinarmi a Gesù. Succede poi che il 20 settembre del 1998, vado ad una Messa celebrata da p. Emiliano Tardif. Erano tre anni che non mi confessavo. Facevo la forte. Quando sono passati gli addetti per raccogliere le intercessioni – neppure ora so perché l'ho fatto – ho chiesto la mia guarigione spirituale, poi non ci ho pensato più. Al momento di ricevere l'Eucaristia, ho avuto l'impressione che Gesù mi avesse avvolta nel suo mantello per condurmi alla comunione con lui. Di quella Messa non ricordo altro, nemmeno p. Tardif.

Ero già iscritta al *"Centro Reiki"* per il 98/99, ma da quel momento il Signore è entrato nella mia vita ed ho smesso di frequentarlo [...].

Non ho parole per descrivere ciò che il Signore ha fatto nella mia vita. Posso però dire che solo con lo Spirito d'Amore si può conoscere veramente il Signore. Il suo amore mi ha invasa e da quel giorno, per esempio, ho dato a lui anche le mie sigarette e non ho più fumato.

Tuttavia, malgrado tutto ciò, il problema delle mie esperienze notturne continuava. A questo punto le suore di clausura di Paterno Dugnano mi fecero conoscere un padre Sacramentino che diventa subito il mio padre spirituale e che mi guida [...]. A giugno del 1999 sono andata con lui a fare un ritiro spirituale di una settimana a Sant'Obizio, sono arrivata in ritardo, e quando sono entrata nella sala, il relatore parlava contro i "fiori di Bach". Io li avevo in borsetta. Volevo subito andarmene via, ma mi sono sforzata di rimanere. A poco a poco il suo parlare mi stava demolendo. Mi sembrava di essere una lebbrosa a cui si staccavano le croste. Il corso era bello, ma anche pieno di sofferenza. Ho pianto molto. Durante un colloquio ho scoperto di avere una notevole carica medianica e legami medianici con mio padre ed ho cominciato a chiedere al Signore, subito dopo l'Eucaristia, di liberarmi. Sta di fatto che quella notte mi sono addormentata alle 2,30 e mi sono svegliata dopo le 5,15 sentendomi sciogliere come un nodo sotto l'ombelico. Mi sono accorta che respiravo profondamente come non mi riusciva da anni, e mi sono resa conto che avevo dormito per tre ore come una persona... normale. Stavo benissimo, e da quella notte non sono più... uscita dal mio corpo. Il giorno dopo mi venne però una febbre molto alta e mi resi conto che "qualcuno" non voleva che continuassi il corso di spiritualità che stavo facendo, ma – anche se con molta difficoltà – volli continuare a frequentarlo.

Due giorni dopo, alla preghiera di guarigione, che abbiamo fatto alla fine della Messa, la febbre è improvvisamente scomparsa.

Questa preghiera era stata però preceduta da un momento di liberazione in cui avevamo tutti insieme invocato per alcuni minuti il nome di Gesù. Lì, in mezzo ad una lotta immane che si svolgeva dentro di me, ho avuto la strana sensazione di ricevere da Gesù come una trasfusione di sangue. Come se tutto il mio sangue venisse sostituito.

Avvertivo inoltre una strana rigidità nel collo e nello sterno; come se avessi dentro un tubo di ferro, che mi impediva di piegarmi.

Ad un certo punto ho avuto l'immagine mentale del Signore – che naturalmente invocavo con tutto il cuore – che è venuto a liberarmi dalla rigidità che sentivo nel collo e nello sterno ed è anche sparita una specie di "fascia" che sembrava mi coprisse gli occhi e le orecchie. Adesso potevo ascoltare e vedere come se avessi sensi nuovi.

Poi ho rivissuto l'esperienza della mia iniziazione al reiki. Non so come dire, ma ho addirittura *"visto"*, dinanzi a me, "San Germany",[56] lo spirito guida della mia Master di reiki. Ho provato un senso di grande ribrezzo ed ho rinnegato tutto ciò che per anni avevo fatto nel mondo dell'occulto e nel peccato. Allora mi sono sentita lavata nel sangue dell'Agnello. Mi è sembrato di vedere con occhi nuovi tutta la mia vita. Sono riuscita così a perdonare di cuore mio marito e mi sono sentita completamente perdonata da Dio per i due aborti che avevo fatto. Mi sono anche perdonata.

Il Signore mi ha dato da allora un ascolto nuovo della sua Parola ed ho abbandonato, senza rimpianti, gli strani riti della medicina naturale, di cui ho sperimentato di persona la profondità dell'inganno.

È proprio vero ciò che Pietro proclama dinanzi al Sinedrio:

"In nessun altro c'è salvezza; non vi è infatti altro nome dato agli uomini sotto il cielo nel quale è stabilito che possiamo essere salvati" (At 4,12).

Grazie, Gesù!».

[56] Che santo è?

9. Yoga
e Meditazione Trascendentale:
panteismo pratico e pericoloso

1. Le radici orientali: un pericolo per la fede

Scaviamo allora un altro po' e cerchiamo di vedere cosa c'è dietro una medicina alternativa molto diffusa, quale la pranoterapia, e forse comprenderemo meglio il giudizio severo dato dal card. Ratzinger.

L'idea dell'energia universale che fluisce dall'aria che noi respiriamo, come affermava il prof. Huber[1] (da qui viene la parola «*prana*», dal sanscrito «*respiro*»), nasce dall'antico induismo e dal tantrismo. Le varie scuole di Yoga (che deriva dal tantrismo) mettono molta enfasi negli esercizi e nelle tecniche di respiro, note come «*pranayama*», che – si dice – concentrano il *prana* dall'aria e lo distribuiscono in tutto il corpo.

Ma mentre in Occidente lo Yoga ci viene presentato come una serie di esercizi per aumentare la flessibilità del corpo ed il tono muscolare, in realtà quegli esercizi di respirazione e quelle posture (qualsiasi sia la scuola) sono finalizzate a produrre stati di coscienza alterati. La parola Yoga in sanscrito significa «*Giogo*», o «*Unione*», e gli esercizi yoga hanno lo scopo di produrre un'esperienza di unione con Brahama, il dio impersonale degli indù.

L'uso ginnico dello Yoga, sfortunatamente, ha dato a queste pratiche un'aria di innocenza e di neutralità, che certamente non meritano, perché nessuno dovrebbe prendere sottogamba i significati mistici dello Yoga.

C'è un libro molto interessante di John Weldon dal titolo «*Psychic*

---

[1] Vedi capitolo precedente.

Forces and Occult Shock»[2] (forse tutti dovrebbero leggerlo), che descrive i pericoli gravissimi di farsi coinvolgere dalle pratiche Yoga.[3]

Ci sarà sicuramente qualcuno che obietterà – perché probabilmente nessun gruppo di uomini è così pieno di contestatori ignoranti, quanto i cosiddetti «*cristiani*» tra virgolette – che i mistici indù molto semplicemente davano un nome all'ossigeno, prima che questo fosse stato isolato scientificamente.

Potrebbe anche essere così, ma i «*mistici indù*» moderni non arrivano a tali conclusioni. Uno dei collaboratori della «*Enciclopedia della Medicina Alternativa*» ci informa molto candidamente che:

> «...in certe parti della terra si ha un'alta concentrazione del prana, e ciò vale soprattutto per le zone marittime, le località situate a grandi altezze ed in generale quelle dove l'irradiazione solare è abbondante... Il prana è una forza eterea che viene ricevuta, trasformata e trasmessa a varie parti del corpo tramite i *chakras* che sono centri o vortici di energia vibrante...».[4]

Qualsiasi persona affetta da una malattia polmonare cronica può facilmente testimoniare che non c'è abbondanza di ossigeno ad elevate altitudini; basti pensare alle difficoltà incontrate perfino dagli atleti alle Olimpiadi di Città del Messico, ed erano atleti. D'altro canto, se fossero vere tali sciocchezze, bisognerebbe investigare se, in conseguenza del concentratissimo «*prana*» che si respirerebbe a Città del Messico, i suoi tanti milioni di abitanti non siano tutti grandi pranoterapeuti, o, in alternativa, non vi si ammali mai nessuno.

Un altro autore, Yogi Ramarcharaka, descrive come ci si può agganciare al *prana* quando sembra che questo se ne vada via:

> «Se pensate che la vostra energia sia al minimo e avete bisogno di farla crescere e riservarne una nuova quantità rapidamente, la cosa migliore da fare è di unire i piedi uno accanto all'altro e intrecciare le dita di una mano con l'altra. Ciò chiude il circuito e previene qualsiasi fuga del prana at-

[2] J. WELDON and C. WILSON, «*Psychic Forces and Occult Shock*» [Global Publisher - Chattanooga, TN (1987)].

[3] Utilissimo a questo riguardo anche uno splendido libro: AA.VV., «*Dalle sponde del Gange alle rive del Giordano*» [Ed. Ancora - Milano (1986)].

[4] M.J. NIGHTINGALE, «*Enciclopedia della Medicina Alternativa*» [Ed. Fabbri - Milano (1980)], p. 92.

234

traverso le estremità. Poi respirate ritmicamente per un po' e sentirete l'effetto di ricaricarvi».[5]

Molti insegnanti affermano che, usando tecniche di meditazione, il *prana* può essere concentrato in sette centri di energia, o vortici, chiamati in sanscrito «*chakras*», che sono situati lungo l'asse del corpo e che portano vari nomi e titoli. Si ritiene che i «*chakras*» regolino sia gli eventi fisiologici che quelli psichici. Alcuni sostengono addirittura che siano in relazione con le ghiandole endocrine.[6] Ma gli antichi mistici non avevano nessuna idea delle ghiandole endocrine. Allora...?

2. Uno yoga per tutti?

Scorrendo per caso un vecchio numero di «*Famiglia Cristiana*»[7] ho trovato, con sorpresa, che, nella rubrica «*Un libro per voi*», viene così presentato un libro di Yoga:

«Per i profani, le varie forme di meditazione e le medicine alternative appartengono una cultura distante e in molti aspetti differente dalla nostra. Le si guarda con sospetto, oppure sbrigativamente si giudicano, a volte confondendo, dottrine e scienze diverse tra loro, ma comunque degne di attenzione, perché frutto di sapienze antiche. È il caso dello yoga, una disciplina nata fra India e Pakistan cinque-seimila anni fa, sicuramente la più conosciuta nel mondo occidentale.
Non è una religione, precisa l'autrice, "né una filosofia sui cui assiomi disquisire", ma piuttosto l'arte della consapevolezza. Lo yoga può essere praticato per molti motivi, tutti validi, ma alla sua base c'è la salutare cognizione del proprio corpo e di sé stessi. I saggi orientali, ma anche i nostri antichi, predicavano l'importanza dell'armonia tra la mente e il corpo. Oggi sappiamo che senza di essa si sviluppano facilmente conflitti psichici e malattie. L'uso sempre più diffuso di droghe e psicofarmaci non è che una testimonianza dell'inutile tentativo da parte dell'uomo moderno, di raggiungere la pace interiore, ma non rappresenta, ovviamente, la stra-

---

[5] Riportato da LINDA A. CLARK, in «*Help Yourself to Health*» [Pyramid Books - New York (1972)], p. 106.
[6] Come l'esoterico prof. HUBER (vedi p. 218), che fra l'altro parlava di respirazione e dei sette centri con cui l'anima sarebbe legata al corpo, e inoltre – atteggiandosi a cristiano – citava, a sproposito, anche san Paolo.
[7] «*Famiglia Cristiana*», n. 36, 13 sett. 1998.

da corretta che può invece essere intrapresa attraverso lo conoscenza di sé che si può ottenere con gli esercizi yoga.

Se ben praticati, essi portano all'eliminazione dello stress e al raggiungimento di un sano rilassamento...

È infatti attraverso il movimento di entrata e uscita dell'aria dai polmoni che comincia il riequilibrio tra il nostro mondo interiore e quello esterno. La lenta e quieta regolarità del movimento respiratorio, una volta impostata, farà da sfondo alla serenità che lo yoga può portare **alla nostra anima**[8] (!!!)».

Secondo me, «*Famiglia Cristiana*» è ancora una volta caduta in errore nella scelta dei libri da presentare ai suoi fedeli lettori, perché non è vero che lo yoga non è una religione, infatti:

«**Yoga**: metodo di autodisciplina che, per il suo carattere pragmatico e per la sua funzione **spirituale** ha trovato posto in quasi tutte **le filosofie religiose** indiane sia ortodosse che eterodosse... illustra i mezzi per raggiungere l'estasi... vale a dire: l'ascesi... **la conoscenza o sapienza salvifica** (che consiste essenzialmente nel giungere a discernere l'unità nell'apparente molteplicità fenomenica), la fede... la fede... da intendersi come intenso desiderio di raggiungere l'estasi, e la devozione... a Ishvara, il concetto di dio personale, come creatore del mondo... Mediante le tecniche yoga si possono inoltre ottenere **poteri straordinari**...[9] Conoscere il passato e il futuro, prevedere il momento della morte, **ricordare le vite precedenti**, ottenere la cessazione della fame e della sete, la levitazione, l'inattaccabilità da agenti esterni, il potenziamento degli organi sensoriali...».[10]

Un cristiano dovrebbe sapere che la «*conoscenza*» non è una «*sapienza salvifica*», perché la salvezza ci è stata data da Gesù, che è morto per i nostri peccati. Le «*vite precedenti*» semplicemente non ci sono e la ricerca dei «*poteri*» non è altro che il desiderio di essere... Dio.[11]

Ci ha provato anche Lucifero... ed è finito male.

---

[8] Non si capisce come una respirazione possa aver effetto... sull'anima. Questo modo di parlare si presta inevitabilmente a ogni tipo di interpretazione equivoca.

[9] Quindi un'eccezionale pubblicità ai «*poteri magici*» fatta da... «*Famiglia Cristiana*»!

[10] **Yoga**: «*Dizionario delle Religioni Orientali*» [Vallardi, 1993]. Ma allora lo Yoga è o non è una religione?

[11] «*Famiglia Cristiana*» queste cose dovrebbe saperle bene e tenerne conto, dato che si tratta di una diffusissima rivista cristiana, con un notevole impatto sulla massa dei lettori.

3. Yoga, sesso e la Kundalini

Alcuni cultori dello yoga, tuttavia, descrivono ciò che è considerato, tra coloro che hanno «*poteri*», il più potente flusso di energia dentro il nostro corpo: la risalita della «*Kundalini*». Si dice che dentro la colonna vertebrale esista un canale di energia; se in questo canale – dalla base della colonna fino alla sommità del cranio – viene spinto il «*prana*», si sperimenta l'ergersi della *Kundalini*, con tutta la potenza ed il terrore che ne consegue. Tutti coloro che descrivono la *Kundalini*, infatti, parlano anche della sua potenza di distruzione, oltre che di guarigione.

Chi manipola questa energia, anche se sotto la direzione di un maestro esperto, è esposto a sperimentare reazioni fisiche gravi, che possono condurre anche alla psicosi e..., talvolta alla morte.[12] L'idea dei *chakras* e della *Kundalini* è carica di significati mistici e soprattutto sessuali. Mary Coddington, una delle più famose divulgatrici della New Age e della pranoterapia, descrive così il risveglio della kundalini:

> «La *Kundalini* è una dea, oltre che un serpente, e giace attorcigliata in tre giri e mezzo nella sua grotta (Kanda), alla base della spina dorsale. Lo scopo dello *Kundalini-Yoga* è di eccitare la *kundalini* dormiente, in modo che si stiri sibilando e strisciando, attraverso il canale *su-sciumna*, fino in cima alla testa, ove dimora il dio Shiva, terza divinità della trinità Indù. Shiva rappresenta la pura coscienza, e la *kundalini* è una potenza della dea Shakti.
> Lo scopo del *Kundalini-Yog*a si raggiunge con l'unione sessuale, o matrimonio, tra Shiva e Shakti».[13]

Per comprendere e riflettere è illuminante la recensione di un libro delle Edizioni Adelphi sulla *Kundalini*, che afferma quanto segue:

> «È consigliabile, ad esempio, la lettura dell'utile saggio di Lilian Silburn, *La Kundalini o l'energia del profondo*, recentemente pubblicato da Adelphi. Il testo accompagna il lettore nei meandri dello yoga della *Kundalini*, inoltrandosi nei sistemi del Trica, del Krama e del Kaula. Riunendo le trame dei testi oscuri sulla *Kundalini*, dispersi e in diversi trattati dello Sivaismo del Kasma... la Silburn abbozza uno scenario di rara complessità. Evitan-

---

[12] È difficile pensare che questa «*energia*» provenga dal nostro Dio.
[13] MARY CODDINGTON, «*In Search of the Healing Energy*» [Warner Books - New York (1978)], pp. 140-141.

do una vera e propria introduzione filosofica all'argomento, l'autrice scoraggia il neofita occidentale, per tradizione abituato a entrare nei misteri orientali (o convinto di entrarvi) per vie razionali. Essa, astutamente, impedisce al ragionamento e passa direttamente all'enumerazione delle tecniche, o per meglio dire delle vie di realizzazione. Non dimentica, però, di sottolineare talune verità. Ad esempio, mette in guardia il lettore, avvisandolo in merito agli effetti disastrosi provocati dal risveglio della *Kundalini "sotto l'egida di un maestro inefficiente e ignorante"*.[14] E ancora, ricorda come *la via di realizzazione mistica, ottenuta attraverso l'unione sessuale, escluda la scelta di un partner **per il quale si nutra attaccamento**:*[15] *"Qui l'unione serve soltanto a portare alla luce le possibilità latenti dell'adepto. **Non si compie questo sacrificio** in vista di un godimento generato dal desiderio (Kama), ma al fine di **sondare il proprio cuore** per accertarsi della stabilità della propria mente"*. È bene ricordare, a proposito di *Tantrismo*, che siamo di fronte a *un sistema filosofico e mistico di autorevole tradizione*. E soprattutto è bene sottolineare come abbiamo fatto sopra, che *il mistico è colui che è iniziato ai misteri*, per definizione poco inclini a essere assimilati dalla moltitudine con facilità. La tradizione non è il passatempo dei profani. Essa, al contrario, *abbraccia il concetto di **trasformazione interiore, di esoterismo***».[16]

Una forma di Yoga, il «*Tantra-Yoga*», insegna tecniche specifiche per far ergere la *Kundalini* per mezzo dei rapporti sessuali. Gli amanti tantrici visualizzano correnti di «*prana*» che scorrono attraverso i loro corpi durante il loro abbraccio meditativo in cui essi:

> «...usano i loro corpi e l'immensa grandezza delle loro forze complementari come un veicolo,[17] *attraverso cui raggiungono l'ergersi della Kundalini ed **il risveglio della coscienza spirituale**...*».[18]

---

[14] Si tratta quindi anche di cosa molto pericolosa. Ma, se è così pericolosa, cosa nasconde? Non celerà forse qualcosa di spirituale e... terribile? In fondo si tratta di deità indù quindi, che siano «*entità spirituali*», o meglio «*preternaturali*», non dovrebbero esserci dubbi.

[15] L'*unione sessuale* sarebbe addirittura una «*via mistica*», ma è escluso in modo assoluto che si tratti dell'unione con la propria moglie, che per un cattolico sarebbe un sacramento.

Il partner (o forse meglio bisognerebbe dire la partner) infatti non deve essere qualcuno «*per il quale si nutra attaccamento*»; il suo valore sarebbe quindi esclusivamente quello di un... oggetto.

[16] Claudia Gualdana, riportato da «*Una voce grida...!*», n. 6, p. 29.

[17] Esattamente come in tutta la magia sessuale.

[18] K. Dychtwald, «*Sexuality and the Whole Person*», in «*The Holistic Health Handbook*» [And/Or Press - Berkeley, Cal. (1978)], p. 304.

Questa dichiarazione è ripresa dal capitolo «*La Sessualità e l'Intera Persona*» del testo «*Manuale di Salute Olistica*» da cui risulta chiara la connessione tra la magia sessuale e la medicina olistica. Forse questo aspetto è il meno conosciuto e quindi troppo poco considerato.

Qual è lo scopo ultimo di manipolare l'energia universale, secondo coloro che utilizzano il «*prana*»? Imparare a rilassarsi? Guarire i malati? Affrontare lo stress della vita? Questi possono essere benefici marginali, ma sono giuochi da bambini in paragone al punto finale che è quello *di diventare Dio*. Lo Swami Vivekananda lo dichiara molto eloquentemente quando illustra quali sono i poteri dello yogi pienamente illuminato:

> «Quale potere sulla terra potrebbe non essere il suo? Egli sarà capace di muovere il sole e le stelle fuori dalle loro orbite, di controllare ogni cosa nell'universo dagli atomi al più grande dei soli. Questo è lo scopo finale del pranayama. *Quando lo yogi diventa perfetto non c'è niente in natura che non sia sotto il suo controllo. Se ordina agli dei oppure alle anime dei defunti di venire a lui, essi verranno al suo comando. Tutte le forze della natura obbediranno a lui come schiave...* Chi ha controllato il prana ha controllato la sua stessa mente *ed anche tutte le menti... e tutti i corpi* che esistono».[19]

Ciascuno di noi può essere quindi alla mercé totale di uno che domini il prana? Come innocuo scopo «*ginnico*»... non c'è male; ma dopo i vari capitoli in cui ho parlato di magia e stregoneria a questo punto non è difficile scorgere come tutto confluisca nel grande fiume delle «*tenebre*». Allora interroghiamoci: dopo queste dichiarazioni è ancora possibile credere che lo yoga sia una semplice ginnastica rilassante?

Ma che lo yoga non sia affatto quella cosa innocente che in tanti ci vogliono gabbellare non sono il solo a dirlo. Daniel Ange, per esempio, scrive:

> «È paradossale che queste religioni orientali, essenzialmente disincarnate, camuffino *un'idolatria del corpo*»,[20]

e, in nota, aggiunge:

---

[19] Riportato in NIKHILANANDA, «*Vivekananda: The Yogas and Other Works*» [Rama Krishna-Vivekananda Center - New York (1953)], pp. 592-593, 598.

[20] DANIEL ANGE, «*Balsamo è il tuo nome*» [Ed. Ancora - Milano (1982)], p. 326.

«Anche senza giungere al *Tantra-Yoga*, il solo *Hatha-Yoga*, apparentemente così innocente, è spesso praticato in un clima erotico, o almeno malsano».

4. Tecniche orientali di meditazione: pericoli e danni

Uno dei mezzi più comuni e subdoli con cui il demonio si inserisce nella vita spirituale dell'uomo contemporaneo è proprio la pratica delle religioni orientali e delle tecniche di meditazione ad esse connesse.

Niente può illustrare meglio questa situazione che una testimonianza diretta, riportata su un libro oggi introvabile: «*Dalle sponde del Gange alle rive del Giordano*».[21] Tony Brazil racconta il suo coinvolgimento con la «*Meditazione Trascendentale*» (M.T.) ed il cammino per uscirne fuori.

Brazil era un istruttore e quindi conosce bene anche tutti i pericoli psicofisici e spirituali connessi all'uso della M.T. Il suo racconto è quasi una implorazione a prenderne le distanze:

«Ero cresciuto in un'atmosfera di diffidenza rispetto a Dio, in un ambiente totalmente ateo; ma nel fondo di me stesso esisteva da sempre una sete spirituale che non aveva avuto fino allora alcuna risposta.

Ho cominciato la pratica della M.T. e, dopo un certo tempo, sono diventato istruttore. Mi sono impegnato pienamente nel movimento e nella propagazione della tecnica della M.T.

Dopo alcuni anni, il mio stato di salute si deteriorò. Divenne critico tanto sul piano fisico che sul piano psicologico. Fisicamente, mi indebolivo sempre più. Psicologicamente, ero soggetto a manifestazioni schizofreniche, a frequenti e violenti accessi di collera e a impulsi incontrollabili. Divenne evidente che questo stato di salute era direttamente legato alla mia pratica della M.T. e che si aggravava in proporzione del numero di anni di pratica. Fu allora che, cercando di farmi curare, ebbi l'occasione di incontrare qualcuno che viveva del Cristo e che mi parlò di lui.

Lessi il Vangelo. Chiesi e ricevetti il Battesimo... Perdetti il mio posto di istruttore, perché la pratica e l'insegnamento della M.T. si trovavano in opposizione radicale con la mia fede.

---

[21] H.U. VON BALTHASAR, L. BOUYER, O. CLÉMENT, DANIEL ANGE, E. DAHLER, DR. PH. MADRE, A.M. DE MONLÉON, J. PARMENTIER, «*Dalle sponde del Gange alle rive del Giordano*» [Ed. Ancora - Milano (1986)].

Alcuni cristiani cominciano ingenuamente la M.T. per poter meglio pregare. Ci sono comunità religiose e monastiche che permettono ai loro fratelli o alle loro sorelle di praticare la M.T. per anni. Ho avuto degli allievi cattolici, che hanno ottenuto dai loro vescovi il permesso di praticare la M.T. Vedo con stupore case di ritiri spirituali, tenute da sacerdoti e religiosi cattolici, che aprono le loro porte a sessioni di M.T. e che espongono il loro programma, nel quale la M.T. sembra avere il suo posto al medesimo titolo che gli Esercizi spirituali di S. Ignazio o di altri maestri della spiritualità cristiana. Un amico, di una ventina d'anni, educato in una famiglia cattolica molto credente, pensava di entrare in un monastero. Egli praticava regolarmente la "preghiera di Gesù", quando il suo direttore spirituale gli consigliò di riprendere piuttosto la M.T. che egli aveva imparato e poi abbandonata...
Vorrei dire con forza ai cristiani, ai preti, ai responsabili delle comunità religiose e monastiche (e perché non ai vescovi?): non lasciate che i bambini giochino con il fuoco. Non lasciate agli agnelli e alle pecore mangiare le erbe avvelenate».[22]

Questa meditazione è una tecnica mentale che non ha niente a che vedere con la meditazione o l'orazione cristiana, nemmeno con la meditazione orientale di tipo zen. Quando viene presentata al neofita viene detto che non è né una religione, né una filosofia, né una forma di yoga, come lo si intende correntemente. Si tratta solo di ripetere mentalmente, senza forzare, una parola particolare che si chiama *mantra*, che viene data personalmente a ciascuno e che non ha alcun significato noto al meditante. Dopo l'iscrizione il meditante impara facilmente la tecnica in quattro giorni di sedute, che durano da un'ora e mezzo a due ore ciascuna. Successivamente praticherà la tecnica a casa propria, in due sedute giornaliere di venti minuti, ad occhi chiusi, stando comodamente seduto. Questa tecnica è diffusa da associazioni fondate dal Maharishi Mahesh Yogi. Ma da questo punto in poi cominciano anche i guai. Ascoltiamo Brazil:

«In un primo momento, i frutti che crescono sull'albero della M.T. sembrano positivi. I primi tempi della meditazione apportano una specie di pacificazione, di rilassamento della persona. Nella sua vita si operano delle trasformazioni. Il semplice fatto di riservarsi due volte al giorno venti minuti di silenzio produce un effetto positivo...

[22] H.U. VON BALTHASAR, L. BOUYER, O. CLÉMENT, DANIEL ANGE, E. DAHLER, DR. PH. MADRE, A.M. DE MONLÉON, J. PARMENTIER, *op. cit.*, pp. 207-208.

In realtà, la salute dei meditanti non è sempre brillante e quella degli istruttori ancora meno; ma i responsabili del movimento non hanno interesse che se ne parli. Alcuni sintomi si manifestano dopo un tempo variabile di pratica e sembrano apparire più o meno rapidamente secondo la robustezza degli organismi.

Personalmente, ho sofferto di una debolezza corporea generale che m'impediva di portare oggetti pesanti o di camminare in fretta. Questo si è aggravato con gli anni di pratica, e quando ho seguito dei corsi di meditazione speciali per istruttori, mi è accaduto di andare incontro a collere incontrollabili... collere che non riuscivo a dominare e che hanno procurato molte sofferenze a coloro che mi stavano intorno...

Il movimento regge perché al suo interno nessuno sa che vi sono istruttori i quali hanno condotto una riflessione che li ha portati a mettere in causa la tecnica stessa. Un'altra ragione della forza del movimento – e non è la minore – sta nel fatto che gli istruttori sono persuasi, secondo l'insegnamento che impartiscono, che queste manifestazioni di dolori fisici e di problemi psicologici siano l'espressione esterna di fenomeni di purificazione del sistema nervoso, che si chiamano "rilassamento delle tensioni" o anche *unstressing* e che sono solo temporanei. Tutto l'edificio della M.T. poggia sulla impalcatura della teoria del rilassamento delle tensioni. Se uno ci crede, gli può accadere di trovarsi nello stato schizofrenico più accentuato, inchiodato a letto, senza poter camminare, avere un braccio paralizzato, ed essere rassicurato da un istruttore il quale gli dice che si tratta soltanto di una manifestazione della purificazione del sistema nervoso.

Durante i primi corsi di formazione degli istruttori, Maharishi faceva lunghe ore di meditazione ogni giorno. Si ebbero allora molti casi che venivano chiamati "rilassamento delle tensioni" e che si manifestavano come *vere malattie mentali*. Un meditante "fuori di sé" si mise a dar fuoco al suo passaporto e ai suoi abiti, intendendo in quel modo esprimere la sua unione con l'Assoluto e il suo disinteresse per le cose terrene. Si nota anche in maniera molto generalizzata il fenomeno di scosse corporee in un gran numero di meditanti durante la pratica della M.T. Si spiega che queste scosse sono normali, dovute al rilassamento delle tensioni. Queste scosse, tuttavia, persistono dopo l'arresto della pratica. Si scopre che esse rivelano una ferita profonda del sistema nervoso e che in taluni casi occorre un lungo periodo di convalescenza per arrestarle.

In qualità di professore mi sono trovato ad aver a che fare con allievi che, imparata ormai la tecnica, manifestavano anch'essi un serio aggravarsi di problemi di salute, fisici o psicologici. Mi trovavo spesso preso alla sprovvista davanti a ciò e non potevo dare altra spiegazione all'infuori di quella abituale, della quale ero convinto: che, cioè, tutti quei sintomi non erano che l'espressione dell'eliminazione delle tensioni e degli stress nel sistema nervoso, prodotta dalla pratica della M.T. per un maggior bene. Molti accusavano forti mali di testa che non venivano da una cattiva pratica della Meditazione Trascendentale. Un medico mi ha confidato che egli aveva, da quando aveva cominciato la tecnica, una potenza e una passione sessuale incontrollabili, e che *sua moglie e la sua segretaria non gli bastavano più*. Il dottore Ira Progoff, psicanalista junghiano e fondatore del *"process meditation"*, ha detto: "Uno dei risultati della meditazione spirituale *è stato l'intensità sessuale e la confusione della nostra generazione*. Se si attivano le energie spirituali senza un contesto di vita totale nella quale canalizzarle, *esse possono diventare demoniache"*».[23]

Sembra strano, ma appena si comincia ad approfondire la conoscenza di qualcosa di esoterico, occulto, o che ha a che vedere con filosofie religiose, o le tecniche orientali, si incontra sempre... *la componente sessuale*.

Interessante è anche l'affermazione di Daniel Ange che scrive:

«Un gran numero di adepti della Meditazione Trascendentale, passata la soglia di 5-6 anni di pratica, *si suicidano, o si ritrovano in un ospedale psichiatrico*. Le testimonianze di quelli che ne sono usciti fanno fremere».[24]

Il dr. Philippe Madre dopo aver esaminato i danni prodotti dalla M.T. su una ragazza di 30 anni, professoressa di educazione fisica, scrive:

«Tutti questi sintomi si sono sviluppati progressivamente a partire dal terzo o quarto anno di pratica meditativa su una persona precedentemente sana, perfettamente equilibrata sul piano psico-fisiologico.
Il discernimento ha svelato numerose identità maligne, tra cui *l'idolatria, la perversione sessuale, la blasfemia*. Non si è potuto parlare di guarigione fino al termine di otto mesi. In vero lo stato iniziale era nettamente psicotico, con destrutturazione della personalità».[25]

---

[23] H.U. von Balthasar, L. Bouyer, O. Clément, Daniel Ange, E. Dahler, dr. Ph. Madre, A.M. de Monléon, J. Parmentier, *op. cit.*, pp. 219-221.

[24] Daniel Ange, *op. cit.*, p. 327.

[25] Philippe Madre, «*Mais deliver-nous du Mal*» [Pneumathèque - Paris (1979)], pp. 121-122.

5. Meditazione Trascendentale e Cristianesimo

Queste pratiche, che in un primo tempo possono apparire innocue, sono invece molto pericolose per la nostra fede. È tramite esse, infatti, che il Maligno cerca di distogliere l'individuo dall'amore, dalla devozione e attenzione che spettano soltanto al Dio Creatore ed al Cristo Salvatore.

Il demonio, che è pura menzogna, inganna nelle più svariate maniere anche i «fedeli più assidui». Ad esempio nei confronti del cristiano praticante interessato alle religioni o meditazioni orientali, esso crea un disinteresse crescente per la pratica dei sacramenti, facendoli apparire inutili ed inadeguati e portando così il soggetto ingannato ad entrare in Chiesa solo quando «ne senta il bisogno».

Anche su questo punto Brazil è molto illuminante e ci spiega il perché questo succede. Intanto va detto che, in genere, le persone che si accostano alla M.T. lo fanno tentati dal miraggio di una «*esperienza spirituale*» in cui la sofferenza non esisterà più e potranno essere felici per sempre.

Inoltre essi credono che la loro coscienza conoscerà un'estensione illimitata e assoluta ed una «*piena realizzazione di sé*». Il guaio è che per cominciare la preparazione bisogna passare attraverso un rito-iniziazione («*puja*») che è un vero e proprio atto idolatrico; in pratica un'abiura del Battesimo.

«L'iniziato deve portare con sé un fazzoletto bianco, dei fiori (ai quali saranno tolte le spine) e alcuni frutti (non acidi). Nel corso di una cerimonia chiamata *puja* in sanscrito, alla quale deve assistere il futuro meditante, questi oggetti vengono offerti. La presenza a questa cerimonia è una condizione *sine qua non* dell'apprendistato della Meditazione Trascendentale. Maharishi, che ammette tuttavia alcune eccezioni, è categorico nell'esigere l'assistenza obbligatoria al *puja* per cominciare la M.T.

Il *puja* è un rituale cultuale di azione di grazie, di offerta e di lode.

Nel corso di questa cerimonia, cantata in sanscrito, l'istitutore fa quattordici offerte reali o simboliche: i fiori, i frutti, e il fazzoletto che sono stati portati, dell'incenso, canfora bollente e la fiamma di una candela.

Queste offerte sono fatte alle divinità indù, ai maestri defunti della tradizione vedica, e in particolare al maestro di Maharishi, il cui ritratto è su un tavolino disposto a modo di altare e coperto da una tovaglia bianca. Viene poi l'invocazione d'iniziazione.

Alla fine della cerimonia, l'istruttore si prosterna davanti all'immagine di Guru Dev e invita con finezza l'iniziato a fare altrettanto. Poi, rialzandosi da questo gesto d'adorazione, l'istruttore comincia a mormorare il *mantra* destinato al nuovo meditante.

L'iniziato lo riceve nel segreto e non deve comunicarlo a nessuno.

Dopo essere stato iniziato alla corretta utilizzazione del *mantra*, il meditante torna a casa con uno dei fiori, uno dei frutti, che mangerà, e il fazzoletto bianco che sono stati offerti nel corso della cerimonia.

Il meditante ritorna nei tre giorni seguenti per l'apprendimento più completo della tecnica, e l'ultimo giorno gli si espongono le possibilità spirituali che può sperare di ricevere dalla M.T.».[26]

Per far capire quanto questo atto idolatrico sia una vera abiura del Cristianesimo, alla fine del capitolo riporto parte del testo del «*puja*» tradotto dal sanscrito. Come possono dei cristiani infrangere in tal modo il primo comandamento ed ancora pensare di essere... cristiani?

Ho incontrato due persone che avevano praticato la M.T. ed ho visto succedere dinanzi ai miei occhi, quando essi cercavano nel nome di Gesù Cristo di rinunciare al Guru Dev, fenomeni di natura certamente diabolica, tali da infrangere le leggi ordinarie della fisica e da creare nei presenti uno stato di stupore e panico così intensi da essere ricordati con orrore anche dopo parecchi anni.

Queste cose sono la conseguenza dell'idolatria; ma chi pone rimedio veramente a questo scempio, istruendo gli sprovveduti ed annunciando con forza e coraggio, quello che san Paolo chiama:

«*...lo splendore del glorioso vangelo di Cristo che è immagine di Dio*» (2 Cor 4,4)?

I cristiani tiepidi abbracciano con grande faciloneria le molte filosofie orientali, e paragonano la propria religione alle altre, dimenticando che:

«*...a caro prezzo siamo stati comprati*» (1 Cor 6,20)

dall'Uomo-Dio: Gesù Cristo. San Paolo ricorda loro:

«*Camminate dunque nel Signore Gesù Cristo, come l'avete ricevuto, ben radicati e fondati in lui, saldi nella fede come vi è stato insegnato, abbondando nell'azione di grazie. Badate che nessuno vi inganni con la sua filosofia e con **vuoti rag**-*

---

[26] PHILIPPE MADRE, *op. cit.*, pp. 210-211.

giri ispirati alla tradizione umana, secondo gli elementi del mondo e non secondo Cristo» (Col 2,6-8).

Va ricordato a questi cristiani che tutte le religioni sono state fondate da uomini e che il Cristianesimo è l'unica rivelata da Dio stesso. Qualunque sia il mezzo con cui il demonio tenti di creare un inganno, l'obbiettivo resta sempre lo stesso: distogliere l'uomo da Gesù Cristo Salvatore.

Il Nuovo Testamento si esprime chiaramente in proposito (forse per noi):

> *«Lo Spirito Santo dichiara apertamente che negli ultimi tempi **alcuni si allontaneranno dalla fede, dando retta a spiriti menzogneri ed a dottrine diaboliche**, sedotti dall'ipocrisia di impostori già bollati a fuoco dalla loro coscienza»* (1 Tm 4,1-2).

Lo scopo di queste tecniche orientali è quello di *«fare identificare l'uomo con le onde del pensiero del suo spirito»*. Prendiamo come esempio lo yoga. Chi decide di praticarlo (anche molti cristiani) lo fa in un primo tempo con la convinzione di seguire una buona ginnastica, capace di rilassare sia il corpo che lo spirito colpiti da *«stress nervoso»*.

La distruzione spirituale avviene però soprattutto a causa del *«mantra»* che il meditante ripete ininterrottamente per 40 minuti al giorno. Ma che cos'è il *«mantra»*? Ce lo spiega ancora Brazil:

> «Si spiega agli adepti che i *mantra* sono dei suoni che derivano dalla tradizione vedica, che essi agiscono come *"veicolo"* della meditazione e che non hanno alcun significato. L'istruttore stesso lo crede.
>
> Dopo un certo tempo di meditazione, il meditante può domandare di ricevere un *"tecnica avanzata"*. Di fatto però, non si tratta affatto di una tecnica nuova, ma di una o di più addizioni al suo primo *mantra*.
>
> Poi, egli potrà domandare di nuovo di ricevere delle *"tecniche avanzate"*: addizioni più totali al suo *mantra*.
>
> Quando si capisce un po' il sanscrito, si può scoprire il significato di queste addizioni che illuminano di una luce inquietante il *mantra* stesso. Infatti, queste addizioni successive finiscono col formare una vera frase completa. Ecco un esempio della traduzione delle addizioni (*"tecniche avanzate"*), aggiunte al *mantra* personale:
>
> - *mantra originale:* X;
> - addizioni: *sri*;
> - seguito: *i piedi di loto di*;
> - seguito: *mi prostro davanti.*

246

Questo fa in sanscrito una frase completa come: *"Mi prostro davanti ai pie-di di loto di Sri X"*, della quale l'unica parola intraducibile in un primo tempo è il *mantra* originale. Allora si è obbligati a domandarsi se il *mantra* stesso non sia un qualche vivente, davanti al quale ci si prostra in spirito nel corso di questa meditazione, che si fa due volte al giorno. Inoltre, nel 1974, ho potuto ascoltare Charlie Lutes, presidente mondiale del *"Movimento di rigenerazione spirituale"*... Egli diceva che ci sono difatti 108 *mantra*, nomi di 108 divinità indù (alle quali si rende culto in India).

Altri studiosi cristiani hanno scoperto parallelamente che il *mantra* è sempre il nome sanscrito di un dio indù. Gli indù credono che questi dèi siano degli spiriti potenti che possono avere influenza sulla vita degli esseri umani. Diviene dunque chiaro che con l'uso del *mantra*, il meditante invoca e reinvoca una divinità pagana o un demone».[27]

Ma un «*battezzato*» che invoca per 40 minuti al giorno un dio indù (o un demone), è ancora cristiano? Allora mi sembra che tutto sia chiaro, gli effetti distruttivi della M.T. – psicofisici e spirituali – hanno origine da forze che non vengono dal nostro Dio. Devo ancora convincere qualche dubbioso? Credo che parlare di questi pericoli e mettere in guardia il popolo di Dio sia solo una normale opera di misericordia e di carità.

Non è escluso che nei primi gradi dello yoga, o della M.T., lo spirito possa facilmente raggiungere «*una pace apparente*» che altro non è che una soddisfazione del proprio io. Con il passare del tempo però, la pratica di questa tecnica – che in un primo tempo poteva sembrare innocua – diventa molto pericolosa, tanto da compromettere seriamente sia il corpo che la personalità e la spiritualità di chi la pratica.

La testimonianza finale di questo capitolo è illuminante.

6. Esercizi Yoga ed invasione diabolica

Per potersi rendere conto della realtà di quanto ho affermato vale la pena di meditare un passo di un'intervista di p. J.M. Verlinde, che è arrivato alla signoria di Gesù ed al sacerdozio, dopo essere passato attraverso l'esperienza della Meditazione Trascendentale in India, dove ha vissuto per anni.

---

[27] Philippe Madre, *op. cit.*, pp. 210-211.

«Gli esercizi che si possono fare, tutte queste tecniche per aprire i chakra e questi cammini esoterici, ci mettono in uno stato medianico. Pantanjali, un autore del IV secolo, ha scritto un'opera (Yoga sutra) in cui ha riassunto tutte le tecniche per avere dei poteri; ebbene sono tutte basate sull'apertura dei chakra: posture, atteggiamenti fisici, esercizi respiratori, ananas (le posizioni fisiche), il prana-jana (gli esercizi respiratori), Dyana (la concentrazione mentale o meditazione) per aprire i differenti chakra. **Ognuna di queste pratiche ci mette in uno stato medianico e ci mette in contatto con un'energia occulta.**

L'apertura di uno di questi presunti chakra ci mette in uno stato medianico e in contatto con l'energia occulta corrispondente e permetterebbe all'iniziato di utilizzarla in un certo contesto di potere, per esempio, una veggenza.

La veggenza corrisponderebbe ad ASHNA, il chakra posto tra i due sopraccigli, nel viso. Se si domina questa energia si arriverebbe a poter percepire il pensiero dell'altro. E così di seguito per gli altri chakra. Ma Pantanjali stesso aggiungeva, alla fine della sua opera, questo avvenimento: "Ecco adesso avete i mezzi per ottenere i siddhi (= i poteri). Ma se ottenete dei siddhi

1) prima di tutto siete perduti rispetto ad un'autentica spiritualità;
2) in secondo luogo siete irrevocabilmente alienati dai Deva, perché non potete esercitare i poteri senza i Deva".

È esattamente la stessa cosa che si trova nei libri... di Allan Kardec... cioè di colui che ha sistematizzato la dottrina e la prassi dello spiritismo ottocentesco occidentale. Egli interroga gli spiriti nelle sedute medianiche e si sente rispondere: "Non avrete nessun potere occulto senza il nostro aiuto". E alla sua domanda: "E coloro che esercitano l'occultismo senza invocare gli spiriti?". Gli stessi spiriti rispondono: "**Quando tendete la mano per avere poteri occulti, anche senza invocarci, la vostra è un'invocazione implicita**". Quindi nessun potere occulto, senza l'aiuto o l'intervento degli spiriti».[28]

Da questa drammatica affermazione bisognerebbe trarre molte riflessioni serie ed accurate. Purtroppo è più facile rimanere a galleggiare sul mare dell'ignoranza voluta e dell'indifferenza superficiale e colpevole.

Sarà possibile rimanere tali anche dinanzi al giudizio di Dio?

[28] P. J.M. VERLINDE, «*Attenzione ai nuovi movimenti religiosi*», «*Fede e Cultura*», II, n. 6, ottobre 2002, p. 7.

Ancora p. J.M. Verlinde racconta testualmente:

«Anch'io ho iniziato (ahimè!) molte persone, dopo aver preso contatto col guru. E questo per quattro anni. Il rituale del Puja è un'invocazione ai maestri della tradizione indù, alle divinità indù.
Viene **offerta** la persona che viene iniziata al Pantheon delle divinità indù. La preghiera è fatta a nome della persona da iniziare. L'iniziatore si prostra e adora. Alzandosi dall'adorazione comunica all'iniziato un mantra, cioè il nome di una divinità indù».[29]

Dopo questa adorazione esplicita delle divinità indù e del Guru Dev, considerato come un dio, c'è ancora la possibilità di essere rimasti a far parte del glorioso Corpo di Cristo?
Vorrei concludere con una riflessione non mia, ma molto ben detta:[30]

«Non avendo il Cristianesimo offerto il meglio della sua tradizione spirituale, era inevitabile che si corresse a cercare dei surrogati.
In quanti ambienti cristiani la "mistica"[31] è intesa sempre in senso peggiorativo e stigmatizzata come pericolosa. Ma un cristianesimo ridotto alla sua dimensione orizzontale non può colmare il cuore profondo dell'uomo creato per vedere Dio. Reazione inconscia contro un cristianesimo troppo disincarnato e cerebrale, che non fa più appello né al cuore né al corpo. Avendo diluito il realismo dell'Incarnazione a profitto di una morale o di una vaga spiritualità, si era finito con l'estromettere:
• una ascesi che coinvolga il corpo e abbia la precedenza sulla speculazione filosofica;
• il carattere esperienziale della vita spirituale;
• la necessità di una paternità spirituale.

[29] J.M. VERLINDE, «Attenzione ai nuovi movimenti religiosi», «Fede e Cultura», II, n. 6, ottobre 2002, p. 8.
[30] H.U VON BALTHASAR, L. BOUYER, O. CLÉMENT, DANIEL ANGE, E. DAHLER, DR. PH. MADRE, A.M. DE MONLÉON, J. PARMENTIER, «Dalle sponde del Gange alle rive del Giordano» [Ed. Ancora - Milano (1986)], p. 6.
[31] «È significativo però che il termine stesso "mistica" venga originariamente da myste-rion, che in san Paolo indica quel mistero molto preciso del Verbo fatto carne, al punto che persino gli angeli, i puri spiriti, possono venirne a conoscenza solamente attraverso il Corpo-Chiesa. Etimologicamente parlando, l'aggettivo "mistico" dovrebbe essere riservato esclusivamente a coloro che vivono di questo Mistero, che è incompatibile sia con il pensiero islamico sia con quello estremo-orientale. Dopo aver svalutato il senso del "Mistero" per eccellenza, lo si esclude completamente flirtando con delle mistiche che lo rinnegano» [nota originale nel testo].

Valori, questi, che sono invece presenti nelle tecniche in questione.

In breve, a forza di privilegiare l'impegno socio-politico e l'efficacia dell'azione,[32] a detrimento dell'adorazione contemplativa, abbiamo lasciato morire di sete i nostri fratelli vicino a pozzi barricati con cura. Riprendere il cammino delle nostre sorgenti: questo è il modo migliore per rispondere alle aspirazioni religiose dell'uomo occidentale».[33]

Credo anch'io che sia da qui che bisogna ripartire.

7. «...liberaci dal male»

Chi aderisce infatti allo yoga, allo zen, alla Meditazione Trascendentale ecc. e pratica queste tecniche, raggiunge inevitabilmente oltre che un forte disinteresse per gli altri, sentimenti negativi di mancanza di perdono, gelosia, invidia, giudizio, ma anche spinte all'adulterio, all'impurità, ecc.

Il maligno infatti, una volta che è riuscito ad ingannare le sua vittime, celandosi nelle varie tecniche di rilassamento e meditazione, porta sempre a termine il suo piano d'odio, distruggendo tutto ciò che c'è di bene nell'uomo. Per rimanere liberi è opportuno anche stare alla larga da tutte quelle forme di psicoterapia che propongono di cambiare la coscienza:

1. il *Bio-feed back* o controllo cosciente ed attento dei processi fisici normalmente inconsci, come la tensione muscolare, la temperatura della pelle e l'attività elettrica del cervello;
2. il *training autogeno*: mediante una serie di autosuggestioni con cui si prende coscienza del proprio corpo;
3. l'*ipnosi* e l'*auto-ipnosi*;
4. le *tecniche di trasformazione della coscienza*, proposte dai teosofi, dai Rosacroce, dai gruppi Gurdjeff, o tramandate dall'esoterismo;
5. le *meditazioni orientali* come lo zen, lo yoga, la M.T., il buddismo tantrico (la meditazione è la tecnica attraverso la quale molti cercano di entrare in contatto con il mondo cosmico ed acquistare

---

[32] «Questo bisogna anche sottolinearlo, per reazione contro un'epoca di *"devozioni"* staccate dal reale: caricature di una vera spiritualità, di un'autentica vita nello Spirito» [*nota originale nel testo*].

[33] H.U von Balthasar, L. Bouyer, O. Clément, Daniel Ange, E. Dahler, dr. Ph. Madre, A.M. de Monléon, J. Parmentier, *op. cit.*, pp. 5-6.

guarigione e liberazione dalle sofferenze. Attraverso il «*mantra*» si entra in contatto però, come abbiamo visto sopra, con il mondo degli spiriti e con i poteri e le sensibilità medianiche);

6. le *discipline terapeutiche per il controllo del corpo* come l'aikido, l'hata-yoga, il tai-chi-chuan, le arti marziali;

7. le *discipline terapeutiche per il controllo della natura dell'uomo* (vegetarianismo, le scienze mediche cosiddette «*innocue*», un certo tipo di omeopatia);

8. i corsi di «*Dinamica mentale di base*», o il «*Silva Mind Control*».

Se si è praticato, o si sta praticando, anche solo una di queste tecniche sopra elencate ecco forse spiegata l'origine di molti problemi.

Per uscirne è necessario ritornare seriamente a Dio, chiedendo aiuto a persone competenti, a sacerdoti o a seri gruppi di preghiera. Solo con la sincera rinuncia a queste tecniche ed il *totale ritorno a Cristo* si potrà essere definitivamente liberi. Gesù stesso ci ha detto:

> «*Se rimanete fedeli alla mia parola, sarete davvero miei discepoli; conoscerete la verità e la verità vi farà liberi*» (Gv 8,31-32).

8. Appendice: il rito del «puja»

– Davanti al Signore Narayana, davanti a Brahma nato dal loto, davanti a Vasishtha, davanti a Shakti e a suo figlio Parashara.

– Davanti a Vyasa, davanti a Shukadeva, davanti al grande Gauda-Pada, davanti a Govinda, maestro tra i yogin (da lui al suo discepolo), davanti al suo discepolo Sri Shankaracharya, davanti ai suoi discepoli Padma-Pada e Hastamalaka, davanti a Trotakacharya e Vartik-kar, gli altri, davanti alla tradizione (eterna) dei nostri maestri,   *io mi prostro.*

– Davanti alla dimora della saggezza degli Shruti, Smriti e Purana, davanti alla dimora di compassione, davanti alla gloria personificata del Signore, davanti a Shankara, emancipatore del mondo,   *io mi prostro.*

– Davanti a Shankaracharya, il redentore (l'emancipatore) adorato in quanto Krishna e Badaryana, davanti agli dèi autori del commento (il commentatore) sui Brahma Sutra,   *io mi prostro.*

– Davanti agli dèi espressioni del Divino, in Shankara (davanti alla gloria del Signore),   *io mi prostro.*

– Alla porta del quale tutta la galassia degli dèi prega per la perfezione giorno e notte. Illuminato da una radianza che emana da lui stesso (rivestito di un'incommensurabile gloria); il precettore del mondo intero: nell'inchinarci davanti a lui, noi raggiungiamo la pienezza totale. Capace di dissipare la nube dell'ignoranza del popolo, il (dispensatore di felicità), il (glorioso) emancipatore, *Brahmananda Sarasvati* (= nome di *Guru Dev, maestro di Maharishi*), il maestro supremo, irradiante splendore, è lui che introduco nella mia coscienza.

– *Offrendo l'invocazione* ai piedi di loto di *Sri Guru Dev, io mi prostro*. (Sento lo sgorgare di onde purificatrici di conoscenza).
(Questa offerta dell'invocazione ai grandi maestri della Santa Tradizione porta la coscienza a vivere la sapienza eterna).

– *Offrendo uno sgabello* ai piedi di loto di *Sri Guru Dev, io mi prostro*. (Sono in procinto di realizzare l'ideale di Yogastah Karman!).
(Questa offerta simbolizza come la vita prende sede immutabile nell'Essere. Offrendo questo seggio, noi ci sentiamo stabiliti nell'immutabilità dell'essere. Offerte compiute su questa solida base sono azioni che raggiungono il fine cosmico).

– *Offrendo un'abluzione* ai piedi di loto di *Sri Guru Dev, io mi prostro*. (Sento la gioia di trovarmi nelle acque cosmiche della pura coscienza). (Questa offerta di un'abluzione simbolizza l'onnipresenza refrigerante della pura coscienza).

– *Offrendo una stoffa* ai piedi di loto di *Sri Guru Dev, io mi prostro*.
(Sono sicuro, rassicurato dall'onnipresenza dell'Essere). (Questa offerta di stoffa simbolizza il rivestimento dell'Essere che penetra tutto).

– ...

E così via offrendo per 14 volte...

Testimonianza

La testimonianza che segue è di p. J.M. Verlinde e vale proprio la pena di conoscerla:

«Un giorno una persona facoltosa, il pezzo grosso di una società, in una situazione particolare, si fa iniziare alla M.T... Comincia ad avere dei movimenti ritmici che si amplificano sempre di più. Tutte le membra del corpo vibrano ed emette anche dei suoni strani.

Cade a terra e comincia a strisciare, cominciando a grugnire e questo sempre più forte. Tutti vedono la scena e cercano di capire cosa sta succedendo per aiutarlo... si calmerà solo dopo tre quarti d'ora e sarà la vergogna della sua esistenza. Questa persona ha confessato che al momento del ricevimento del mantra, ha visto con i suoi occhi, una forma oscura, uscire dall'immagine del Guru-Dev e piantarsi in volto, nel chakra... al centro degli occhi, piantarsi lì, come per entrare den-

252

tro di lui. E al momento in cui era dentro di lui, ha cominciato quei movimenti. Questa è un'iniziazione finita male...

Le spiegazioni che i responsabili davano di queste cose, erano sempre le stesse: *"Sono le tensioni che vengono fuori. Sta succedendo, dunque, qualcosa di buono"*. Ho visto questo decine e centinaia di volte... La sola risposta che i responsabili continuavano a dare era: *"È qualcosa di buono!!!"*. Vedete come c'è una perdita di ogni discernimento. Un vero e proprio oscuramento dell'intelligenza che impedisce di accorgersi che c'è qualcosa di diabolico».[34]

[34] P. J.M. VERLINDE, «*Attenzione ai nuovi movimenti religiosi*», «*Fede e Cultura*», II, n. 6, ottobre 2002, pp. 8-9.

10. La Nuova Era:
la Bestia che sale dal mare

1. Apocalisse e New Age

L'Apocalisse di Giovanni ci descrive una grande guerra tra il potere delle tenebre e quello della luce. Uno di questi momenti altamente drammatici è rappresentato dalla lotta tra il Dragone e la «*donna vestita di sole*».

La descrizione è così bella che vale la pena di rileggerla un po':

> «*Nel cielo apparve poi un segno grandioso: una donna vestita di sole, con la luna sotto i suoi piedi e sul suo capo una corona di dodici stelle. Era incinta e gridava per le doglie e il travaglio del parto. Allora apparve un altro segno nel cielo: un enorme drago rosso, con sette teste e dieci corna e sulle teste sette diademi; la sua coda trascinava giù un terzo delle stelle del cielo e le precipitava sulla terra. Il drago si pose davanti alla donna che stava per partorire per divorare il bambino appena nato. Essa partorì un figlio maschio, destinato a governare tutte le nazioni con scettro di ferro, e il figlio fu subito rapito verso Dio e verso il suo trono. La donna invece fuggì nel deserto, ove Dio le aveva preparato un rifugio perché vi fosse nutrita per milleduecentosessanta giorni*» (Ap 12,1-6).

La donna è figura della Chiesa che minacciata dalla furia del Dragone si rifugia nel deserto. Questo è sempre il quadro della lotta che la Chiesa deve affrontare contro il maligno, il grande drago rosso. Dice il Concilio:

> «...lotta cominciata fin dall'origine del mondo, destinata a durare, come dice il Signore, fino all'ultimo giorno...».[1]

Ma dopo il Dragone altre figure minacciose si fanno vedere con il loro carico di distruzione e morte. La prima è la Bestia che sale dal mare:

---

[1] CONC. ECUM. VAT. II, «*Gaudium et Spes*», 37.

«Vidi salire dal mare una bestia che aveva dieci corna e sette teste, sulle corna die-ci diademi e su ciascuna testa un titolo blasfemo. La bestia che io vidi era simile a una pantera, con le zampe come quelle di un orso e la bocca come quella di un leone. Il drago le diede la sua forza, il suo trono e la sua potestà grande. Una del-le sue teste sembrò colpita a morte, ma la sua piaga mortale fu guarita.

Allora la terra intera presa d'ammirazione, andò dietro alla bestia e gli uomini adorarono il drago, perché aveva dato il potere alla bestia e adorarono la bestia di-cendo: "Chi è simile alla bestia e chi può combattere con essa?".

Alla bestia fu data una bocca per proferire parole d'orgoglio e bestemmie, con il potere di agire per quarantadue mesi. Essa aprì la bocca per proferire bestemmie contro Dio, per bestemmiare il suo nome e la sua dimora, contro tutti quelli che abitano in cielo. Le fu permesso di far guerra contro i santi e di vincerli; le fu da-to potere sopra ogni stirpe, popolo, lingua e nazione. L'adorarono tutti gli abitanti della terra, il cui nome non è scritto fin dalla fondazione del mondo nel libro del-la vita dell'Agnello immolato» (Ap 13,1-8).

Questa grande apostasia non sembra affatto lontana e quindi po-tremmo anche riflettere sul Movimento New Age, partendo da que-sto passo della Scrittura. La Bestia di cui parla l'Evangelista era sen-za dubbio l'impero romano, ma lo zoccolo duro della resistenza al Cristianesimo era costituito certamente dal paganesimo. Oggi, la grande ribellione contro Dio – che ognuno può constatare solo guar-dandosi attorno – non è altro che il paganesimo, in tutte le sue forme, che cerca di risorgere per combattere la sua incessante battaglia, con-tro Cristo ed il Cristianesimo.

2. Il «New Age Movement»

La più grande espressione di questa lotta è un movimento che si è imposto su tutto: il *New Age Movement* (NAM); e che, grazie ai gran-di mezzi di comunicazione, è arrivato a toccare tutti i continenti.

Questo movimento – partendo da premesse per molti versi assur-de (parte infatti da considerazioni astrologiche) – sta cercando di sra-dicare il cristianesimo per sostituirlo con vaghi concetti di *«energia cosmica»*[2] e di relativismo morale ed ontologico. Il NAM (in italiano *«La Nuova Era»*) è seguito in tutto il mondo da milioni di persone, e – secondo le *«guide»* di questo movimento – è contrassegnato dal pas-

---

[2] Se ne è parlato diffusamente nel cap. 8.

saggio del sole dalla costellazione dei Pesci a quella dell'Acquario. Queste *«guide»* sostengono che stiamo per entrare in un'«*Età Nuova*», che sarà costituita da un grande «*rovesciamento di paradigmi*» in tutti i campi: politico, economico, culturale, sociale, artistico, filosofico e religioso. Alcuni come Daniel Ange vedono anche in questo movimento un tentativo dell'uomo di colmare la sua sete di Dio, ma certamente questa sete viene strumentalizzata dai grandi persuasori occulti per fornire veleno, anziché «*acqua viva*».

Ma cerchiamo di riflettere bene. Stiamo vivendo un tempo in cui l'uomo arriva a sentirsi parte della cosiddetta «*energia cosmica*», un'energia che egli crede di poter dominare a suo piacimento o con i «*poteri*» della magia e con il colloquio con «*le entità dell'universo*» o con le tecniche dello yoga e della meditazione orientale. Nello stesso tempo si stanno espandendo a macchia d'olio «*sètte*» e «*nuovi culti*» che propongono messaggi di verità e di salvezza largamente devianti.

3. Un esempio:
la spiritualità consumistica di Cris Griscom

Cris Griscom è una caratteristica figura di questa mentalità New Age. Naturalmente dialoga con i suoi immancabili «*spiriti guida*»,[3] ha vissuto esperienze sciamaniche e pratica una strana terapia psicologica basata sulla scoperta delle «*vite passate*». Essa afferma che, scoprendo le nostre «*vite precedenti*»:

> «...capiremo perché *abbiamo scelto certi genitori*, perché *abbiamo un certo marito*, perché *lavoriamo dove lavoriamo*. Ogni esperienza ha la sua ragione nelle *vite precedenti*».[4]

La Griscom spinge i suoi pazienti a vivere delle esperienze fantasiose che prende come reali e rifiuta le esperienze razionali, o quelle che ritiene «*imposte*» dalla religione. A queste contrappone una sua stramberia esoterica, che cioè in ogni persona siano presenti quattro «*corpi*» che costituiscono la persona umana e senza titubanza afferma che:

---

[3] Se ne parlerà più diffusamente nel volume 2, cap. 2. Ma li abbiamo già incontrati nel cap. 1.

[4] A. PAVESE, «*Come Difendersi dai Maghi*» [Ed. Piemme - Casale M. (AL) (1994)], p. 131.

«...il corpo spirituale parla il linguaggio dei colori, del vento, dei simboli».[5]

La Griscom crede nella presenza di due anime, una «*spirituale*» ed una «*psicologica*». L'anima «*psicologica*» sarebbe la protagonista della vita terrena. Il prof. Emilio Servadio, massima autorità della psicologia italiana, nella recensione dell'edizione italiana del libro della Griscom, scrive così:

> «Non si riesce a non ridere – ma anche, per qualche verso, a non indignarsi – leggendo un libro che ci viene presentato con ampie lodi nell'edizione italiana, quasiché si trattasse di un illuminante capolavoro, mentre è una summa di disquisizioni tra lo sfrenato fantasioso e l'assurdo totale.
> Sorvoliamo, per carità di patria, sulle pagine entusiastiche della presentatrice italiana.[6] Cris Griscom è presentata ai lettori italiani come un essere eccezionale. Forse l'*"eccezione"* consiste nel credere praticamente alle idee più strambe, nel farne oggetto di predicazione... La Griscom *crede al karma, alla reincarnazione, agli spiriti guida, agli UFO, alla mitica Atlantide* e a varie altre parti della fantasia. Tra le affermazioni aberranti della Griscom c'è quella per cui tanto l'uccisore quanto l'ucciso non fanno che obbedire a un ruolo specifico, conseguenza di esperienze della loro vita passata (!). O quella per cui "l'AIDS è una malattia giusta per il nostro tempo perché richiama la nostra attenzione sulle alterazioni del nostro *sistema energetico*" (sic). È semplicemente da deplorare, in conclusione, che un libro simile sia stato messo a disposizione di un pubblico di lettori non sempre adeguatamente preparato, e perciò incline a seguire la Griscom nelle sue pericolose "sabbie mobili"».[7]

Questi sono i pericoli reali – e non solo per la loro vita religiosa – a cui sono esposti tanti battezzati che vivono nelle nebbie di questa cultura evanescente, che si basa sul «*sentito dire*». Quindi, proprio a causa di tutto ciò, ciascuno di noi ha una responsabilità da portare avanti, per non fare come Caino, che, insolentemente, rispondeva a Dio che gli chiedeva dove fosse Abele:

> «*Non lo so. Sono forse **il guardiano** di mio fratello?*» (*Gn* 4,9).

[5] A. Pavese, *op. cit.*
[6] La giornalista Paola Giovetti.
[7] E. Servadio, Recensione a Cris Griscom, «*Il Tempo è un'Illusione. Alla Ricerca delle Vite Precedenti*» [Ed. Mediterranee], «*Giornale dei Misteri*», n. 261, luglio 1993, p. 16.

Noi, nel Corpo di Cristo, siamo proprio i guardiani dei nostri fratelli.

4. Dal sincretismo religioso alla magia

Lo scopo principale del NAM (sviluppatosi grandemente in America negli anni '70) è quello di rovesciare, come detto sopra, la tradizione culturale occidentale e cristiana. Il rischio è quello di sprofondare sempre più in un sincretismo culturale-religioso dominato dall'esoterismo, dalla magia, dallo spiritismo, dalla medicina alternativa, tra cui vanno annoverate tutte le tecniche orientali di guarigione e rilassamento (reiki, agopuntura, shiatsu, ecc.), oltre alla pranoterapia, la riflessologia, l'iridologia, ed altre tecniche che affondano profondamente le loro radici nel mondo del magico e dell'occulto.

Anche la CEI è giunta a questa stessa conclusione e mette in guardia i cattolici. In un documento dell'Ufficio Nazionale per la Pastorale Sanitaria questa preoccupazione è mostrata a chiare lettere:

«In qualche modo correlato con l'autonomia del paziente è l'emergere delle cosiddette medicine non convenzionali, termine omnicomprensivo con cui vengono indicate tutte quelle prassi mediche non fondate sui riscontri di anatomia, fisiologia, patologia e terapia propri della medicina occidentale. Si tratta di un gruppo assai eterogeneo di pratiche terapeutiche, più o meno diffuse, più o meno conosciute: erboristeria, agopuntura, omeopatia, riflessoterapia, iridologia, pranoterapia, reiki, shiatsu, ecc. Senza entrare nel merito di una loro possibile efficacia, bisogna rilevare innanzitutto la possibilità di un eventuale danno per il paziente che vi si sottoponga, abbandonando al contempo una terapia più "tradizionale" ma di provata efficacia. Il secondo, più delicato problema, anche di ordine pastorale per la Chiesa, riguarda *il possibile coinvolgimento, da parte di alcune di esse, con filosofie orientali difficilmente compatibili con la fede cattolica e qualche volta* **persino accompagnate da pratiche occultistiche**. Pertanto mentre da un lato si dovrebbe tenere un atteggiamento rigorosamente prudenziale circa la loro possibile pratica in istituzioni sanitarie cattoliche, dall'altro la Chiesa deve sentirsi fortemente interpellata ad approfondire il problema, acquisendo la necessaria competenza per un sicuro discernimento, nel rispetto della metodologia scientifica che riconosce nella medicina una scienza sperimentale...».[8]

---

[8] CONFERENZA EPISCOPALE ITALIANA, Ufficio Nazionale per la Pastorale Sanitaria: «*Le Istituzioni Sanitarie Cattoliche in Italia - Identità e Ruolo*», 7 luglio 2000, 10.

Quasi tutte le tecniche della medicina alternativa prendono origine da filosofie panteistiche, o cosmologie e antropologie che sono in netto contrasto con il Cristianesimo. Dietro questo dilagante fenomeno – in gran parte attiguo al mondo della magia e, per ignoranza o per superficialità, accettato supinamente – si nasconde come sempre il maligno che, giocando sulle debolezze dell'uomo e sul desiderio lecito di trovare la guarigione, riesce ad indurlo in un labirinto di fantasie e falsità, oltre ciò che è il visibile e lo sperimentabile del mondo fisico. Da questo labirinto, senza l'aiuto di Gesù Cristo, l'uomo che è rimasto intrappolato non riesce più ad uscire. Infatti come sarà possibile conciliare il Dio di Gesù Cristo, che è Padre amorevole e che si prende cura personalmente dei suoi figli, con il Dio gelido ed impersonale del Panteismo?

I dati statistici sono impressionanti, in Italia il numero dei maghi supera di gran lunga quello dei sacerdoti. I loro clienti sorpassano di molto il numero dei cristiani praticanti, e purtroppo gran parte di questi ultimi li contattano sovente. Un numero sempre più grande di managers, politici, musicisti, artisti e sportivi li consulta prima di ogni decisione.

Circa 4.000.000 di italiani si curano con l'omeopatia ignorando che il principio usato è il Panteismo, con connessioni esoteriche all'Alchimia.

Basti pensare che un prodotto omeopatico con un titolo di 60 CH (ossia 60 diluizioni successive 1/100) rappresenta una soluzione omeopatica in cui le 20 gocce iniziali di soluzione madre sarebbero ora disciolte in un volume d'acqua di tale entità, che occorrerebbe un pallone sferico con un diametro di 140 anni-luce. Sapendo che la distanza tra la Terra ed il Sole è solo di 8 minuti-luce, quanto dovrebbe essere grande il pallone... omeopatico? In un giornale di medicina alternativa, un articolo a proposito delle diluizioni elevate usate in omeopatia, aveva per titolo: «*Così Alto da Toccare lo Spirito*», ma – considerando bene ogni cosa – probabilmente la diluizione riguarda solo... la capacità di pensare. Eppure tanta gente si cura con una tale «*bufala*» menzognera.

I religiosi che praticano la pranoterapia, l'agopuntura, l'iridologia, che usano il pendolino, o che ricevono messaggi da anime di trapassati sono sempre più numerosi. Siamo davanti ad un vero e proprio insulto nei confronti del Signore, oltre che all'inosservanza della sua Parola. Il 50% dei giochi di ruolo e dei libri per bambini è contaminato. Le ditte alimentari che confezionano patatine, o merendine destinate ai bambini, contengono spesso regali – completi di istruzioni – per iniziare i bambini all'occultismo (amuleti, pendolini, fantasmi di plastica, ecc.).

I giochi di ruolo sono saturi di divinazione, occultismo, magia e alchimia.

Attraverso questi mezzi, apparentemente divertenti, molti vengono indirizzati sempre più velocemente verso l'idolatria ed il mondo tenebroso dell'occulto.

5. Il NAM e Gesù Cristo

Certamente Gesù Cristo è una figura importante per il pensiero New Age, ma certamente il Gesù della Nuova Era è molto diverso dall'originale, perché non è quello dei Vangeli. Tra il Cristo New Age e quello della fede cristiana c'è di mezzo un abisso.

«La New Age parla infatti proprio di questo: di Gesù, di Cristo, di Gesù Cristo... ma per la New Age Gesù non è il Messia, il Signore, il Salvatore, Dio; non esiste infatti un Dio personale. Gesù è stato solo uno "straordinario uomo ordinario", è stato e continua a essere un "maestro spirituale" o un grande "guru", come vari altri personaggi, ad esempio Mosè, Buddha e Maometto. È stato un avatara o manifestazione del "divino", come gli altri "maestri spirituali".

Per la New Age Gesù è stato un "grande iniziato", ossia una persona che, mediante una serie di riti e di cerimonie, è giunta alla conoscenza dei segreti più grandi e del lato più oscuro delle cose. In tal modo ha acquisito un sapere riservato solo agli iniziati, un sapere capace di condurre alla verità piena. Attraverso questi riti d'iniziazione ha ricevuto l'illuminazione propria degli iniziati, che è stata la fonte della sua saggezza, del suo insegnamento e del suo messaggio, ma anche dei suoi poteri occulti, rivelatisi nei miracoli da lui compiuti».[9]

Quindi Gesù era un *mago*. Che somiglianza ci può essere con il Gesù della fede? Con il Gesù che ci rivela il Padre, che ci porta l'a-

---

[9] Felicísimo Martinez Diez, «*New Age e Fede Cristiana*» [Ed. San Paolo - Milano (1998)], p. 137.

more del Padre e che ci dona la salvezza? Ma non è tutto; la New Age è discriminante:

> «È attratta dal Gesù taumaturgo, che gioca con le forze occulte della mente e della natura, *ma non vuole saperne del Gesù crocifisso. È qui che inizia il dialogo fra i cristiani e i seguaci della New Age, che dicono: "Gesù, sì, ma per favore togliete di lì quell'immagine di Cristo crocifisso. È orribile!".* Sembra un dialogo innocente, ma in realtà non lo è poi tanto».[10]

Se infatti togliamo la Croce, di Gesù ci resta solo che era un «*grande uomo*». Questo in realtà è ciò che vuole il NAM, perché il Gesù della fede è troppo ingombrante. Ma allora chi è Gesù per il pensiero New Age?

> «Per la New Age Gesù, il grande "maestro spirituale" dell'Occidente, è stato investito dal Cristo cosmico. Non è facile comprendere in cosa sia consistita questa investitura e neanche in che cosa consista il Cristo cosmico. La New Age lo concepisce come un'*energia cristica*: è l'unico essere esistente, del quale ogni persona non è altro che una particella.[11] Prenderne coscienza è l'unica via per riuscire a identificarsi e a fondersi con il Tutto. L'individuo umano giunge a questa presa di coscienza mediante un processo d'iniziazione. L'individuo iniziato si trasforma in Cristo, ...il simbolo dell'io al suo stato perfetto, è la coscienza piena della coincidenza del tutto con il Tutto.
> Gesù Cristo non è dunque il Verbo incarnato, o il Dio fatto uomo, come afferma la fede cristiana, ma è semplicemente un individuo nel quale l'identificazione dell'io umano con il "Sé" divino si è pienamente realizzata. Egli ha mostrato in particolare che il divino è nell'uomo, che l'individuo è una particella del "divino". Gesù non è l'ultimo Cristo; è un Cristo fra gli altri, è un *avatara* o una delle tante manifestazioni del divino o del Cristo cosmico.
> Gesù non ha nulla a che vedere con la salvezza dell'essere umano; egli non salva e non libera nessuno».[12]

Ma se leggiamo il Vangelo di Giovanni troviamo proprio l'opposto del pensiero New Age:

> «*Molti altri segni fece Gesù in presenza dei suoi discepoli, ma non sono stati scritti in questo libro. Questi sono stati scritti, **perché crediate che Gesù è il***

---

[10] Ibid., p. 138.
[11] Stessa filosofia che sta alla base della cura con i «fiori di Bach».
[12] Felicísimo Martinez Diez, *op. cit.*, p. 139.

Cristo, il Figlio di Dio e perché, credendo, abbiate la vita nel suo nome» (*Gv* 20,30-31).

Due sono i filoni di credenze che, nella cultura popolare,[13] sono decisamente contro la figura di Gesù Cristo, «*vero Dio e vero uomo*» ed hanno perciò deciso di annientarla.

Il primo di questi filoni è costituito dal «*Panteismo*», che prende il suo vigore dalle religioni moniste dell'Oriente: *Induismo, Tantrismo, Buddismo* e *Taoismo*. L'altro invece, più specificamente occidentale, è costituito dal filone anti-cristiano, delle religioni, o delle pratiche, basate sul cosiddetto «*potenziale illimitato della mente umana*».

Il primo afferma che «*tutto è dio*», quindi alla domanda se Gesù è Dio, risponde: «Certamente! Come lo siamo anche io e te!». Il secondo che parla dei «*poteri*» inesplorati della mente, alla stessa domanda risponde: «Certamente! Perché Gesù – come Budda prima di lui – è riuscito a sviluppare tutto il suo potenziale mentale, ma quando anche noi lo svilupperemo, anche noi lo saremo». E siamo così tornati nell'Eden, ad ascoltare il Serpente.

Ambedue i filoni sono inclusi nel fiume magmatico e confuso del pensiero New Age e, se li esamineremo più da vicino, ci accorgeremo che non sono nemmeno due novità, ma solo antiche eresie riciclate, che riemergono in questa nostra cultura, a ragione chiamata post-cristiana.

6. L'abrogazione della «verità»

Una domanda sorge però nella nostra mente: Come mai orrori stupidi di questo genere possono entrare nella testa di un «*cristiano*», che dovrebbe conoscere la «*Verità*»? F. Martinez Diez scrive:

> «Sono molte le persone alla ricerca di un criterio sicuro per valutare e comprendere, in base alla fede cristiana, i diversi aspetti della New Age. La ragione è forse da ricercare nel fatto che molti cristiani, in un modo o nell'altro, sono già coinvolti in questo movimento socio-religioso».[14]

---

[13] Ma è poi davvero «*popolare*», od è stata creata ad arte e diffusa da chi vuol far credere a chi legge, qualcosa di suo?

[14] FELICÍSIMO MARTINEZ DIEZ, *op. cit.*, p. 56.

Infatti i cristiani ordinari per troppi anni si sono lasciati ingannare con ogni sorta di «storielle» che non hanno nulla a che fare con il Vangelo, ed oggi tanti di loro sono convinti che esistono dei poteri «umani», che esistono Medicine alternative «innocenti», quali l'agopuntura, lo shiatsu, il reiki, l'omeopatia, la riflessologia, l'iridologia, l'uso della piramide, e tante altre tecniche analoghe... che innocenti non sono affatto.

Ognuna di queste tecniche comporta pericoli di coinvolgimento con il magico e l'occulto di una ampiezza molto maggiore di quanto non si creda, perché tutte queste tecniche, più la radioestesia, l'uso dei cristalli e tante altre stranezze di quest'era – non solo post-cristiana, ma anche post-scientifica – sono intimamente collegate al concetto di «energia universale», che in ultima analisi si riduce poi al concetto panteistico, immanente e non cristiano di «tutto è Dio».

Cito solo un esempio: quello della «Dinamica Mentale di Base» di Marcello Bonazzola – che conduce i suoi corsi perfino sponsorizzato e sostenuto dalla Regione Lombardia – che nel suo «Manuale Didattico Informativo di Salute Psicosomatica» scrive così:

«Sembra che la Natura, alla fine del secolo, stia compiendo il suo grande sforzo per costringere l'uomo a pensare. Chi sa riconoscere i segni dell'evoluzione in atto, vede questo sforzo in tutto ciò che riporta l'uomo *a quella dimensione magica della vita*, che sembrava sorpassata da millenni».[15]

Poi parla della «*magia*» della Chiesa Cattolica e afferma che questa:

«...mai ha dimenticato questa dimensione e, oltre al *magismo della Messa*, usa tuttora i diversi Compendium Maleficarum per guarire gli indemoniati e *per altre pratiche magiche ed esorcistiche*».[16]

Conclude poi così il suo capitolo più importante:

«La riscoperta della *dimensione magica*, che caratterizzerà i prossimi decenni, ha soprattutto lo scopo di facilitare l'avvento del nuovo piano di coscienza a mezzo di una NUOVA LOGICA, che ci permetterà di passare dal piano della conoscenza a quello della saggezza, affinché possiamo, poi, raggiungere la comprensione, poi il controllo sulla materia, poi il con-

---

[15] M. BONAZZOLA, «Manuale Didattico Informativo di Salute Psicosomatica», p. 9.
[16] Ibid., p. 19.

264

trollo sullo Spirito nella materia, *per raggiungere infine, il vero controllo dello Spirito*».[17]

È questo un punto di vista anche lontanamente cristiano? E pensare che per i sacerdoti ed i religiosi l'iscrizione ai corsi di «*Dinamica Mentale di Base*» è gratuita. Forse perché, siccome celebrano Messa, per Bonazzola sono già esperti di... magia. Che il Signore ci benedica e ci protegga dall'inganno e dagli ingannatori.

Il problema più grande tuttavia è un altro, tutta l'epistemologia del NAM è basata sul relativismo: «*ognuno ha la sua propria verità*». Questo modo di vedere il mondo e la realtà è un modo perverso, per due principali ragioni: non ci permette di stabilire che la realtà è un fatto oggettivo per tutti e non ci permette di fare l'annuncio di Gesù Cristo. Infatti se Gesù è la «*Verità*», ma la verità... non esiste, come si fa ad annunciarla?

Per illustrare bene il relativismo esasperato del NAM basta prendere un classico dialogo tra Ramtha – che è un'entità che si manifesta tramite la medium J. Z. Knight, una delle stelle del channeling – famosissima nel mondo New Age – ed un «discepolo»:

> «*Ramtha*: Ora, se uno crede nel diavolo e un altro non ci crede, chi ha ragione, chi è nella verità?
> *Discepolo*: Tutti e due.
> *Ramtha*: Perché?
> *Discepolo*: Perché ognuno di loro ha la sua propria verità.
> *Ramtha*: Corretto, corretto».[18]

Per il NAM non esisterebbe quindi una realtà oggettiva, ma ciascuno può creare la sua realtà soggettiva. Il relativismo del NAM deriva dalla tradizione magico-esoterica, dove – come abbiamo già visto nei capitoli precedenti – si realizza il primato della volontà sull'intelligenza. La volontà, pertanto, può creare ogni tipo di realtà a suo piacimento.

Si afferma pertanto che i disturbi o le malattie del corpo, della psiche e dello spirito, turbano l'armonia dell'uomo con se stesso e creano *false verità*. Con questa premessa e con questa visione dell'uomo e

---

[17] M. BONAZZOLA, *op. cit.*, p. 21.
[18] RAMTHA, con DOUGLAS JAMES MAHR, «*Voyage to the New World*» [Masterworks - Friday Harbor (Washington) (1985)], p. 246.

della realtà, la malattia non ha nulla a che fare con ciò che la ricerca scientifica del nostro tempo ha scoperto, ma è solo un disturbo «*energetico*». Si lascia così la strada aperta all'impiego di qualsiasi pratica di medicina alternativa.

7. Attenzione ai «nuovi movimenti religiosi»

A questo proposito mi pare opportuno far sentire la voce di p. Joseph-Marie Verlinde che è arrivato al Cristianesimo dopo essere passato attraverso la «*Meditazione Trascendentale*» e l'esoterismo. È proprio uno che se ne intende. Anche se la citazione sarà lunga vale la pena di ascoltarla per fare anche utili confronti e chiare conferme:

> «Non vi parlo solo da teorico. Sono uno che ha vissuto nella sua carne, e spesso dolorosamente, l'avventura della New Age, al suo inizio.
> Il tema che mi è stato affidato riguarda le **"Nuove Religiosità"** e in che misura esse toccano il ministero dell'esorcista... Avete sentito... che sono passato dall'India, e poi per un gruppo esoterico di tipo cristico, cioè un gruppo che recuperava il Vangelo, ma l'interpretava in modo esoterico.

a. Orizzonte dottrinale ed alienazione

> Parlerò prima di tutto dell'orizzonte teologico ed antropologico delle nuove religiosità (ne posso parlare in generale perché, in loro, tutto si sviluppa in un orizzonte comune) e vi parlerò delle pratiche alienanti che esistono all'interno di queste nuove religiosità. In modo particolare mi soffermerò sull'iniziazione. Vi parlerò dell'orizzonte teologico e antropologico perché credo che l'alienazione comincia proprio da lì.
> Il Cardinale Arinze, nel famoso Concistoro in cui si parlò della sfida dei nuovi movimenti religiosi affermò che sono chiamati nuovi non solo perché apparsi solo dopo la seconda guerra mondiale, ma perché rappresentano un'alternativa alle religioni tradizionali e ciò lascia supporre che si costituiscano come un nuovo paradigma, una nuova proposta di senso che dovrebbe supplire i valori cristiani.
> Questo nuovo paradigma si annuncia già dal 19° secolo ma è venuto alla luce soltanto dopo la crisi della razionalità e dopo l'emergere, molto forte, delle nuove correnti psicologiche... e delle psicologie trans-personali che hanno avuto un ruolo fondamentale nella cristallizzazione e nell'affermazione del... New Age che già si annunciava da più di un secolo, ma che ha approfittato di questa congiuntura per manifestarsi negli anni '60...

b. La New Age

La New Age non è un movimento, ma una mentalità, è una *"rete di reti"*, un *network* (come si dice in inglese), una rete che raccoglie un insieme di pensieri nuovi, una rete che li raccoglie, li unifica, offrendo un orizzonte comune, un orizzonte teologico ed antropologico comune. In questo comune orizzonte ci sono grandi differenze e contraddizioni flagranti, ma l'unità si trova sempre in questo comune orizzonte di cui vi darò alcuni elementi.

c. I quattro pilastri fondamentali della New Age

Essa è fondata su quattro principi, che sono i quattro pilastri della New Age:

- **Una concezione olistica** (greco *olos = il tutto*) dell'universo-uno, all'interno della quale tutte le differenze, anche quelle che non vediamo, sono illusorie. *Concezione monistica*: un solo essere. Nega la differenza tra Creatore e creatura. Non c'è un Creatore e una creatura, c'è un unico, solo essere. Si tratta di un dio immanente, un dio che s'identifica col *mondo*. Tutto ciò che esiste partecipa all'unica e sola esistenza che, per definizione, è divina. *Quindi tutto è divino*. Noi siamo divini, siamo *"dio"* per natura. Gesù è un Avatar, cioè solo una delle tante incarnazioni del divino. Ce ne sono state prime di lui e ce ne saranno dopo di lui.
- **Un relativismo etico e religioso**. È buono ciò che mi sembra buono. *Non c'è nessun valore assoluto*. Il bene, il bello e il vero (i nostri valori trascendentali) non hanno valore assoluto. Hanno valore solo per *"me"*. Io sono il *"creatore"* dei valori. *Relativismo religioso*. *Non esistono religioni vere o false*. Non esistono religioni rivelate e altre no. Non c'è una religione migliore o più vera di un'altra. Non ci sono verità assolute, ecc.
- **Reincarnazione**. La legge fondamentale è quella della reincarnazione e del karma. La concezione della vita è vista alla luce della reincarnazione. Essa è un paradigma, qualcosa di cui non si discute più, *è certa* (N.d.R. = è un dogma!).
- **Un millenarismo ottimista**. Si aspetta un mondo nuovo che sarà migliore.

Questi sono i punti, dei paradigmi. Paradigmi che significano una visione del mondo che s'impone come *definitiva, universale, evidente, che non si discute*. Ecco la difficoltà del dialogo. La nostra concezione del mondo si appoggia su altri paradigmi. Noi non ci riconosciamo in nessuno di questi principi fondamentali della nuova religiosità della New Age. Il mondo oggi si costruisce su questi quattro pilastri, che non sono più i nostri pilastri. Prenderò in esame solo due di questi punti, nella parte teorica della mia conferenza: 1) il dio-tutto; 2) l'antropologia che ne discende.

Mi soffermo su queste cose per mostrarvi l'impatto e le implicazioni spirituali che veicolano e per dimostrarvi che *vi sono dei luoghi d'alienazione, anche se sono solo delle visioni teoriche. Io ho la profonda convinzione che il Nemico (= il Diavolo) ci tiene già nella sua rete con l'adesione a queste teorie che ci sono proposte.*

d. Il paradigma olistico-monistico

Per far capire in modo semplice comincerò con la preposizione del bulgaro Omraam Mikhael Aivanhov (1900-1986), il fondatore della *Fraternità Bianca Universale*.[19] Egli adotta il *"modello del ragno"*.

"Osservate un ragno che tesse la tela. Avete l'impressione che ci sia, da un lato, il ragno e dall'altro lato, ci sia la tela. Ma a guardare bene il ragno produce la tela a partire dalla sua stessa sostanza. La tela ed il ragno, in effetti, sono una cosa sola. Non sono due realtà differenti, ma una cosa sola. La tela fa parte del ragno, anche quando sembra essere separata. Allo stesso modo, Dio e il mondo sono uno e l'apparente differenza tra Creatore e creatura è solo un'illusione. Sarebbe come dire che il ragno è il creatore e la tela è la creatura. Colui che è più avanzato (secondo questo gruppo esoterico) sa invece che Dio e il mondo sono una *'cosa sola'"*.

Altro esempio: la lumaca, quando la si guarda c'è l'impressione che la chiocciola sia differente dalla materia molle del corpo della lumaca e, infatti, si può togliere la chiocciola e la lumaca continua a vivere. Il biologo sa che la lumaca produce la chiocciola a partire dal proprio corpo. In effetti, è una parte del suo corpo che s'indurisce. Aivanhov dice (e con lui anche gli esoteristi e gli occultisti d'oggi) che la materia dura è come la cristallizzazione dello spirito e ciò che crediamo essere due ambiti differenti, sono in realtà la stessa cosa. James Findlay, uno dei più grandi profeti (sic!) della New Age, su questo punto afferma: "Lo spirito è lo stato più alto di vibrazione che noi conosciamo". Capite *"lo spirito è vibrazione"*, quindi siamo solo nell'ordine della fisica, non c'è niente di soprannaturale. Il soprannaturale, in questa prospettiva, non esiste proprio! Ciò che noi chiamiamo soprannaturale sarebbe solo un aspetto della natura.

---

[19] A questa sètta apparteneva il dr. EDWARD BACH, l'esoterico teosofo inventore dei «Fiori di Bach». Peccato che con simili stupidità, anche pericolose, ci si curino i... «cristiani».

e. Lo spirito e Dio sono solo vibrazioni

"Lo spirito è una parte dell'universo – continua – allo stesso titolo della materia fisica. E lo spirito è questo qualcosa che misura la materia; è la 'forza' o il 'movimento' che domina l'universo. È una sostanza che vibra nell'ultravioletto (sic!). Ma esiste uno stato vibratorio ancora più elevato dello spirituale e questo è il *'divino'*. Il divino è contiguo allo spirituale, come lo spirituale è contiguo al materiale". Come vedete da questa descrizione (la materia vibra; la vibrazione più sottile è lo spirito; più sottile ancora è il divino) non c'è differenza, né discontinuità, fra il divino, lo spirito e la materia. Quindi la materia, come lo spirito, sono *"divini"*! E aggiunge: *"Tutto nell'universo è vibrazione. Al principio era il Verbo, e il Verbo è vibrazione pura"*.

Ecco come avviene il recupero e la manipolazione del Vangelo! Il Verbo-Dio non sarebbe altro che vibrazione pura originale. La cristallizzazione di questa vibrazione, genererebbe il mondo. Il Verbo sarebbe solo ciò che vibra alla più alta frequenza.

f. Un'energia senza volto né nome

Tutto sarebbe vibrazione, tutto sarebbe solo energia pulsante. Un'energia divina, che non ha nome, né volto. Un'energia che non ha carattere personale, perché la persona costituirebbe una maggiore differenziazione all'interno dell'energia e quindi è... un'illusione (maya). Per la New Age questa sarebbe una terribile, temibile, illusione; un'illusione che ci fa pensare che ci sono distinzioni all'interno del divino. La persona, addirittura, sarebbe l'illusione (maya) più temibile nel cammino di reintegrazione nel divino.

g. Negazione del Cristianesimo

In altre parole le nuove religiosità negano rigorosamente il Dio Padre, rivelato da Gesù Cristo, perché la religione giudeo-cristiana propone un Dio-alterità, con il quale siamo invitati ad avere una relazione d'amore, una relazione di due libertà che s'incontrano, si scelgono e si donano l'una all'altra. Per la New Age, come pure per l'induismo e il buddismo, l'amore sarebbe solo una tappa nel cammino della realizzazione; una tappa che si deve superare (sic!). Buddha diceva che l'amore è da eliminare come l'odio, perché l'amore, come l'odio, sono illusioni (maya) dell'alterità. Quando amo qualcuno, in un certo senso, mantengo all'esistenza quella persona, mantengo la sua alterità con la mia passione. Allo stesso modo quando odio una persona mantengo la sua alterità con la mia passione.

Quindi bisognerebbe *"superare"* questi *"stadi"* per arrivare ad una presunta unità indifferenziata. Tutti i cammini di mistica naturale pongono l'unità nel raggiungimento di uno stadio indifferenziato. Questa è una delle differenze fondamentali con la mistica soprannaturale in cui il punto d'arrivo del cammino è l'amore, non la sua eliminazione! L'amore, per noi, è l'unico fine. L'amore non è, e non può essere, solo un mezzo!
Quest'incompatibilità, questa differenza fondamentale di finalità, di scopo, è la prova dell'incompatibilità di questi due differenti cammini.

h. Il Cristianesimo, religione dell'illusione

Le nuove religiosità rifiutano fermamente il Cristianesimo come una religione dell'illusione. Una religione da superare per giungere alla religione universale, quella che per loro è la vera religione, la nuova religione mondiale che sarà quella dell'Età dell'Acquario (nel III millennio).
Un altro profeta della New Age, Alice Bailey, afferma che è Cristo stesso, non certo – dice lei – il Gesù dei Vangeli, ma quel Cristo che secondo lei la Chiesa avrebbe rifiutato di annunciare (per lasciare le folle nell'ignoranza); sarebbe questo Cristo esoterico (sic!) che inaugurerebbe questa presunta nuova religione mondiale.
Perché vi ho detto tutto questo? Ritroviamo questa visione di natura erroneamente divinizzata in tutte le nuove religiosità. L'hanno ricevuta e trasmessa dall'esoterismo e dall'occultismo, ma l'origine è nei misticismi naturalistici dell'Oriente. Si rimane colpiti dal fatto che, nello *spiritismo*, gli spiriti affermano nient'altro che questa stessa dottrina a proposito della natura di Dio.
Ignorano volontariamente tutta la tradizione giudeo-cristiana. Ma io ho fatto esperienza sulla mia pelle che, quando sono davanti a Gesù Cristo presente nell'Eucaristia, questi stessi spiriti che nel parlare ignorano tutto della rivelazione giudeo-cristiana, essi stessi poi bestemmiano Gesù Cristo, lo chiamano col suo nome: dunque mentono quando fanno finta di ignorare Cristo».[20]

È ancora possibile rimanere titubanti davanti ad un pericolo di tale levatura? Forse è già tardi per tanti che senza neppure avvedersene sono già ex-cristiani.

---

[20] J.M. Verlinde, «*Attenzione ai nuovi movimenti religiosi*», «*Fede e Cultura*», II, n. 6, ottobre 2002, pp. 6-9.

8. Un classico esempio di questa lotta: il Reiki

Reiki è una parola giapponese che indica l'energia Vitale Universale che fluisce attraverso un discepolo. Invero – per essere più precisi – il nome Reiki (la cui pronuncia corretta in giapponese è rai-kei) è costituito:

«...dall'unione di due termini, *rei* e *ki*. Entrambi si riferiscono all'energia universale, chiamata in molti modi dalle varie civiltà del presente e del passato: *"chi"* dai cinesi, *"prana"* dagli indiani, *"energia orgonica"* da Wilhelm Reich, *"energia bioplasmica"* dai ricercatori sovietici che per primi ne hanno fotografato un aspetto per mezzo della Camera Kirlian,[21] e così via. La differenza tra i termini è che *rei* si riferisce all'aspetto universale, unitario di tale energia, mentre *ki* ne è più specificatamente la manifestazione all'interno di ogni essere vivente.
Abbiamo allora i canali di energia sui quali agisce l'agopuntura, quelli sui quali si trovano le placche studiate da Giuseppe Calligaris, l'energia presente nei chakra e canalizzata dal kundalini yoga, quella sviluppata da discipline quali l'Aikido ed il Tai Chi Chuann...
Reiki, quindi, significa in sintesi mettere in sintonia la propria energia personale con quella universale».[22]

Certamente già queste affermazioni ci parlano di un panteismo energetico che non è assolutamente cristiano, ma se continuiamo a leggere le ulteriori informazioni sono anche più illuminanti:

«Al di là degli esempi riportati, possiamo dire che tutte le principali civiltà (sviluppate nei secoli) hanno codificato in varie forme la nozione dell'esistenza di questa energia universale, nei tempi recenti a livello filosofico[23] e nell'antichità *sotto forma di conoscenza esoterica o misterica, trasmessa nel contesto delle varie società iniziatiche*. In parallelo è stata trasmessa la conoscenza delle *tecniche di guarigione*, di cui troviamo traccia praticamente ovunque: dall'antico Egitto alle tradizioni amerindie, dagli Esseni ai Rosacroce...».[24]

---

[21] La Camera Kirlian non misura l'«*Energia Universale*», ma solo la traspirazione delle mani.
[22] GIANCARLO TAROZZI, «*Reiki: energia e guarigione*» [Edizioni Àrista - Torino (1991)], p. 8.
[23] Peccato che non venga specificato il nome del filosofo. Il concetto di questa energia è solo proprio del pensiero magico-esoterico.
[24] GIANCARLO TAROZZI, *op. cit.*, p. 8.

Con questi concetti, così enunciati, non sarà difficile presentare Gesù come un grande iniziato che usava tecniche di guarigione, come vedremo più avanti. Da questo momento in poi il testo ci mostrerà l'*Energia Universale* come sinonimo della *Realtà*.

«Riportando in equilibrio l'energia individuale con quella universale, il Reiki permette tra le altre cose l'avvio di un processo globale di guarigione naturale; ovviamente, parlare di riarmonizzarsi con la *realtà* significa ben più che risolvere i propri problemi fisici od emotivi.

Significa riconquistare il senso più profondo della propria esistenza, imparare ad accettare ed interpretare il significato di ogni evento...

La visione che scaturisce dall'approccio al Reiki è... olistica, globale: la *Realtà è una ed una sola*, al di là delle diverse manifestazioni apparenti a livello di spazio e tempo, e *di tale Realtà siamo parte integrante e nient'affatto privilegiata*. Il nostro corpo, la nostra mente, la nostra coscienza, non sono che aspetti, sfaccettature di tale quadro, paragonabili ai puntini che costituiscono un'immagine riprodotta su un quotidiano, importanti solo per la loro relazione con il disegno di cui fanno parte».[25]

Dopo questa affermazione di totale credo panteista l'autore accenna alle quattro iniziazioni e di come poi tutto diventi «*naturale*» e qui c'è molto da discutere. Per esempio: che senso ha un'affermazione come questa?

«...l'energia del Reiki, una volta entrata nel corpo, *si dirige spontaneamente dove maggiormente è necessaria*...»;[26]

e ancora:

«...il Reiki non può essere nocivo; dal momento che... *l'energia affluisce spontaneamente dove è maggiormente necessaria*... al di là delle nostre intenzioni, *sarà comunque sempre l'energia ad indirizzarsi dove serve* e ad innescare il processo di guarigione»;[27]

addirittura:

«...il Reiki *riesce a trovare la causa prima dei sintomi fisici e riequilibrare le carenze vibratorie ed energetiche*, ed a ripristinare un equilibrio globale nell'individuo».[28]

---

[25] Ibid., pp. 9-10.
[26] Ibid., p. 11.
[27] Ibid., p. 12.
[28] Ibid., p. 19.

Si tratta quindi di un'energia... molto intelligente? Ma se è intelligente, allora forse non è un'energia, ma qualche altra cosa. Sarà... naturale?

L'autore poi continua a stupirci:

«Il Reiki si propone come uno degli strumenti offerti all'uomo contemporaneo per affrontare un'esistenza sempre più lontana dai ritmi di vita naturali e dalla possibilità di mantenere *un contatto con la propria essenza più intima*; uno strumento di guarigione naturale per chi ne ha bisogno... ma qualcosa *di molto più profondo e **sacro*** per chi ha l'esigenza di tornare in armonia con i ritmi della ***Realtà***».[29]

L'*Energia Universale* è quindi Dio. Giuseppe Mihelcic parlando di questa «*Energia*» riporta che:

«Un testo del Reiki afferma che si può definirla una energia di base *comune a tutte le religioni*, mettendo sullo stesso piano lo Spirito Santo con altre forze divine.

L'energia di cui stiamo parlando presenta non poche perplessità per i cristiani. Si sostiene, infatti che essa è dotata di intelligenza e che conosce tutto e tutti, c'è persino una preghiera per il bravo reikista:

"Vieni o tu che sei la Luce del divenire mio,

cosciente di manifestare la tua volontà

e nella mia volontà unione

sia cosciente di crescere, di capire,

che la vita che tu mi hai dato è meravigliosa.

Tu sei l'assoluto e nel mio cuore fai sentire la mia forza,

manifesta attraverso le mie mani, la mia mente e il mio cuore,

quella unità reale nella quale io mi sono manifestato,

per capire tutto il tuo creato meraviglioso

creato da un immenso ed infinito amore cosmico[30]"».[31]

Esistono ancora dubbi sull'incompatibilità tra l'esercizio del Reiki e la fede cristiana? È ancora possibile credere che si tratti di una semplice «*tecnica di guarigione*»?

Sotto questa luce certamente le «*iniziazioni*» non sono altro che atti di culto a divinità non cristiane e quindi equivalgono ad una so-

---

[29] Ibid., pp. 12-13.

[30] Da «*La Via*», Anno IX, 1 apr. 1999.

[31] GIUSEPPE MIHELCIC, «*I Nuovi Movimenti Religiosi*», Corso superiore di Scienze Religiose - Trento, AA 2001-2002, p. 39.

stanziale apostasia dal Cristianesimo. Allora come mai tanti religiosi e religiose lo praticano?

9. Reiki, iniziazioni panteiste e... inganni

A proposito delle iniziazioni Tarozzi scrive:

«In generale, potremmo dividere i significati attribuiti a questo termine in due grandi chiavi di lettura, una che potremmo definire *"occidentale"* e l'altra *"orientale"*. Si tratta però di una *divisione esclusivamente di comodo*, dal momento che, come vedremo, *il significato profondo è uno solo...*

In Occidente, con il termine iniziazione si indica *un rito od un insieme di rituali che sanciscono l'ingresso in una società iniziatica o in una scuola misterica*, dalle antiche scuole degli ierofanti egizi ad ambiti contemporanei quali *massoneria, scuole neo-templari,*[32] ecc.

Tali riti possiedono generalmente due aspetti complementari tra loro: uno sottile, *magico* (*nel senso più sacro* del termine),[33] mediante il quale vengono messe in movimento le energie interiori dell'iniziando, ed uno simbolico, didattico: il rituale contiene nella sua forma esteriore una rappresentazione simbolica delle prove che l'iniziato dovrà poi affrontare nel corso della sua esperienza di crescita, ed in ogni momento potrà ripercorrere con la mente quanto ha vissuto per trovarvi uno spunto ed un insegnamento.

In Oriente, viene definita iniziazione solitamente l'attivazione di facoltà interiori, attuata da un maestro o guru, nonché la trasmissione di nuovi strumenti o argomenti di meditazione (ciò avviene per esempio nel buddismo tantrico tibetano).

In questo caso viene posto *un maggior accento sull'aspetto sottile*[34] del rituale rispetto a quello didattico che in certi casi può essere del tutto assente; del resto anche in Occidente esistono iniziazioni virtuali che posseggono solo un aspetto didattico da elaborare».

Che si tratti di riti magici non è quindi in discussione, ma se il Reiki, per ammissione degli stessi divulgatori, fa parte del regno della magia non si vede come mai ad accorgersene non siano i cristiani.

Anche nella storia delle sue origini il magico affiora, ma facendo attenzione a nasconderlo per catturare i cristiani.

---

[32] Si riferisce forse all'O.T.O. di ALEISTER CROWLEY...? (vedi pp. 171-174).
[33] La magia sarebbe sacra?
[34] Cioè sull'aspetto magico.

Il Reiki è stato inventato intorno alla metà del secolo scorso dal dr. Mikao Usui che viene fatto passare per un «monaco cristiano»:[35]

«rettore della piccola Università Cristiana di Kyoto, la Doshisha University».[36]

Una domenica mattina uno studente di medicina lo sfidò chiedendogli come mai lui non facesse i miracoli e le guarigioni come Gesù. Allora Usui andò in crisi, si dimise da rettore ed andò negli Stati Uniti a studiare teologia e «scritture cristiane antiche», ma non trovò le risposte che cercava. Si spostò allora in Cina per trovare la risposta negli antichi testi cinesi, ma anche qui fallì; stessa sorte lo attese in India studiando gli antichi testi in sanscrito. Decise di passare allo studio del buddismo secondo la tradizione che il Buddha aveva la facoltà di guarire. Cominciò a frequentare i monasteri buddisti e finalmente, dopo lunghe peregrinazioni, trovò interessamento presso un anziano monaco che gli consentì di studiare *«gli antichi sutra conservati nel monastero»*. Dopo mille peripezie trovò gli scritti degli insegnamenti impartiti da Buddha e fedelmente trascritti da un ignoto discepolo. Lì trovò formule, simboli e metodi di guarigione usati dallo stesso Buddha.

Allora, malgrado l'abate cercasse di dissuaderlo, dicendogli che poteva essere pericoloso *«approfondire l'argomento... a causa delle enormi energie coinvolte»*, si ritirò su una montagna sacra, in assoluto digiuno, leggendo sutra, recitando mantra e buttando via ogni giorno un sassolino da una fila di ventuno.

All'alba del ventunesimo giorno vide un raggio luminoso e splendente dirigersi a gran velocità verso di lui,[37] ma nonostante la paura rimase immobile ed il raggio lo colpì in fronte. Vide allora una miriade di bolle multicolori e poi comparve una luce bianca all'interno della quale si stagliavano in oro i simboli e le formule con cui *«Gesù ed il Buddha compivano guarigioni»*. Gesù quindi aveva imparato da Buddha.

---

[35] Se fosse vero che fosse stato un monaco cristiano sarebbe stato o cattolico o ortodosso.

[36] GIANCARLO TAROZZI, *op. cit.*, p. 15.

[37] Nessuno può vedere un raggio di luce venire verso di lui, perché la luce non si vede finché non è giunta e viaggia a 300.000 km/sec.

Un cristiano quindi che accetta tutto questo è già lontano da Cristo e non può più chiamarsi cristiano.

Perché poi inventarsi la storia di Usui «*monaco cristiano*» se è sepolto in un monastero buddista giapponese? Forse perché serve a far passare guarigioni magiche di natura medianica per «*guarigioni naturali*».

Ancora una volta l'inganno viene steso come un laccio nascosto e letale.

Testimonianza

Questa sconcertante testimonianza viene da una ragazza di 25 anni, diplomata, impiegata e sufficientemente praticante. La sua esperienza diretta – vissuta quindi sulla propria pelle – è un'esperienza emblematica, che mostra i pericoli seri che corrono coloro che si avvicinano al mondo dello Yoga o della Meditazione Trascendentale, convinti di imparare solo tecniche di rilassamento, utili nel combattere lo stress. Il sacerdote esorcista che me l'ha passata commentava:

> «Quanti altri esempi conosciamo – e conosci – in cui è stato molto più sottile l'inganno ed il messaggio, per portarli fuori dalla loro fede battesimale, o in un sincretismo religioso perverso...».

Leggiamo quindi questa testimonianza per imparare come meglio difendersi dall'inganno e dalla strategia delle tenebre.

«Nel settembre 2000 mi iscrissi ad un corso di Yoga tenuto dal Comune di... al fine di provare una attività fisica alternativa che mi potesse aiutare a rilassami ed a risolvere dei problemi di rigidità muscolare. Il corso si componeva e si compone di due parti: una prima di esercizi veri e propri e una seconda di rilassamento (detto Yoganidra) o di meditazione. Tutto si è svolto in modo regolare e piacevole fino a gennaio 2002, quando nella fase finale del rilassamento non riuscivo più a ricordare quanto avveniva nella seduta. Tornavo a casa stanca, intontita, ma non capivo che ciò era dovuto a quanto succedeva.

Recentemente invece è accaduto un fatto fortunato e illuminante. Dopo aver perso qualche lezione, mi presentai normalmente e scoprii che stavano eseguendo degli esercizi legati all'apertura dei *"chakras"*. Si trattava del II *chakra* e in quell'occasione scoprii che nelle lezioni precedenti avevano già fatto esercizi legati a questa "apertura". Facemmo dunque i soliti esercizi fisici, ma al momento della meditazione la cosa fu diversa. L'insegnante ci fece mettere in cerchio con uno di noi nel centro; era buio, c'era musica soffusa e incenso. La persona che si trovava al centro doveva concentrarsi su di noi e noi su di lei e sul suo II *chakra* per permetterle di aprirlo.

L'insegnante ci fa mettere nella posizione del *"loto"*, occhi chiusi, si recita il mantra della *"Om"* e subito... sviluppo un senso di calore intenso nel viso e nel tronco.

L'insegnante comincia a parlare e ci fa rilassare, come il solito, chiedendoci di tenere a mente quanto visualizzavamo per poi poterlo raccontare. Tutto bene; io però sento una forte sensazione di disagio e di negatività, mi tolgo dalla posizione assunta e cerco di rimanere vigile; a questo punto ci dice, parlando in prima persona per noi:

"Io non credo in Gesù Cristo, non voglio essere suo discepolo, perché io non credo a quello che lui professa. Io ho già tutto dentro di me e non ho bisogno di altro...".

Subito mi metto a recitare il Credo per tre volte, ma temo di rompere il cerchio perché non conosco quanto accade; nella mia mente vedo una luce, un fiore (girasole) e una persona malefica che mi dice qualcosa dietro ad un vetro e io non la sento. Per me è il maligno.

Si conclude la seduta e mi rendo conto che solo io ho realizzato e avvertito quanto accaduto; gli altri sembravano storditi.

La persona che era al centro ha visto un fascio di luce verso di noi (me e la mia compagna che avevo di fianco, che pratica il reiki); un'altra ha visto una galleria con tutte le nostre facce bianche, cadaveriche, mentre l'insegnante ha visto due di noi più una terza persona esterna. La cosa mi ha spaventata perché non conoscevo e non mi rendevo conto di quanto accadeva, ma mi ha spaventata di più il sapere che quando ero assente l'insegnante aveva già eseguito pratiche analoghe leggendo la Bibbia, anche se i presenti non ricordano né i passi citati, né i commenti.

C'è da aggiungere che l'insegnante con le persone più predisposte cerca proseliti per corsi esterni, o pratiche reiki».

11. Dietro la Medicina Alternativa... l'inganno esoterico

1. La Medicina Alternativa è proprio innocua?

Non mi sento di rispondere affermativamente a questa domanda per svariate ragioni, sia dal punto di vista della cura medica, che da quello molto più importante del veleno teorico che queste pratiche spesso racchiudono.

Infatti se una malattia seria, anziché essere trattata con il meglio di ciò che la scienza è riuscita a scoprire, viene affrontata con qualcosa di per sé inefficace, si espone a rischio la vita del paziente. Questo tuttavia è un problema che in qualche modo riguarda sia la responsabilità penale del medico che, probabilmente, anche la saggezza del legislatore.

Nel nostro ordinamento giuridico infatti, il rimedio omeopatico, tanto per fare un esempio, riceve per così dire un riconoscimento «a metà». Da un lato infatti ne è permessa la vendita e dall'altro i nostri organismi sanitari non hanno ancora ritenuto di approvarne le indicazioni terapeutiche.

Quindi l'utilizzo di tali rimedi avviene sotto la esclusiva responsabilità del medico curante. Ne consegue perciò che, se esiste la libertà terapeutica per il medico, esiste anche la conseguente responsabilità nel caso in cui lo stesso medico, per curare il suo paziente, esca dalle terapie ufficiali e scelga strade alternative.

Questo però non è il problema che mi interessa mostrare, mentre invece sono molto interessato a guardare sotto le teorie delle varie tecniche alternative, per cercare di mettere in evidenza il mondo occulto ed esoterico che lo sottende. Questo mondo è doppiamente pericoloso, perché mentre si è mimetizzato sotto un'apparenza innocua ed addirittura benefica, d'altro canto – proprio a causa di questa copertura – si muove ed agisce su un piano dove va a toccare milioni di persone, in gran parte completamente ignare della realtà con cui sono venute a contatto, cercando di far trionfare tutte le teorie mefitiche dell'esoterismo, del Panteismo, della reincarnazione, dei «*poteri*» e delle «*energie*» e facendo balenare l'idea infernale che l'uomo non ha bisogno di Dio, ma è autosufficiente.

Non può certamente essere passata sotto silenzio la preoccupazione dei Vescovi italiani che, nel già citato documento sulle «*Istituzioni Sanitarie Cattoliche in Italia*», esprimono le loro perplessità a proposito di ciò che si nasconde sotto la copertura delle medicine alternative:

«...Il secondo, più delicato problema, anche di ordine pastorale per la Chiesa, riguarda *il possibile coinvolgimento, da parte di alcune di esse, con filosofie orientali difficilmente compatibili con la fede cattolica e qualche volta persino accompagnate da pratiche occultistiche*. Pertanto mentre da un lato si dovrebbe tenere un atteggiamento rigorosamente prudenziale circa la loro possibile pratica in istituzioni sanitarie cattoliche, *dall'altro la Chiesa deve sentirsi fortemente interpellata ad approfondire il problema*, acquisendo la necessaria competenza *per un sicuro discernimento...*».[1]

Anche per contribuire alla formazione di questo discernimento vale la pena di soffermarsi ad esaminare alcune di queste terapie.

2. Cos'è l'Omeopatia?

La definizione di base l'ha data il suo fondatore Samuel Hahnemann (1755-1843):

«*Similia similibus curantur*»;

ma una definizione comune, accessibile a tutti, potrebbe essere questa:

«L'omeopatia dà al paziente un rimedio che, in un individuo sano, produrrebbe gli stessi sintomi che si osservano nell'ammalato».

Per spiegarlo in parole povere faccio un esempio: bisogna curare qualcuno che soffra di diarrea. Tutti sanno che l'olio di ricino in una persona sana produce diarrea, quindi, secondo i principi dell'omeopatia bisognerebbe curare il paziente... con olio di ricino.

---

[1] CONFERENZA EPISCOPALE ITALIANA, Ufficio Nazionale per la Pastorale Sanitaria, «*Le Istituzioni Sanitarie Cattoliche in Italia - Identità e Ruolo*», 7 luglio 2000, 10.

Tuttavia è chiaro che se il poveretto dovesse essere trattato con olio di ricino alla dose usuale, rimarrebbe chiuso nel bagno per qualche settimana.

Perciò il «*rimedio*» (cioè l'olio di ricino in questo caso) deve essere diluito, fino ad essere presente nella somministrazione in dosi minime.

Questa necessità porta subito in evidenza un importantissimo elemento dell'omeopatia: *il principio di diluizione*.

A prima vista sembra quindi che l'omeopata cerchi di usare la più piccola quantità di «*rimedio*» possibile, e se così fosse ci si potrebbe imbattere in un fenomeno farmacologico ben noto, e scientificamente provato, chiamato «*effetto paradosso*». Secondo questo fenomeno, molti farmaci in quantità minute invertono la loro azione farmacologica. Per esempio la caffeina da stimolante del SNC diventa un calmante.

Ma Hahnemann non pensava così. Giunse, invece, ad affermare che i rimedi non agiscono materialmente, ma per mezzo di forze «*immateriali*» in essi presenti, capaci di risvegliare *le forze vitali dell'organismo*.

Hahnemann ritenne che tali proprietà potessero essere liberate sottoponendo la preparazione a *scuotimenti prolungati*. Spinse perciò le diluizioni sino alla trentesima potenza centesimale e cadde così nell'esagerazione prestando il fianco a facili critiche.

Questa teoria non era nuova: nel Medio Evo, Paracelso (1493-1541) dopo aver rifiutato le idee di Galeno (della cura con i «*contrari*»), sviluppò il principio della «*similitudine*». Si abbandonò alla ricerca «*esoterico-mistica*», attraverso l'*alchimia* e cercò di analizzare le corrispondenze magiche tra il mondo esteriore (macrocosmo) e le diverse parti dell'organismo umano (microcosmo).

Questa «*ricerca*» è da sempre una costante del pensiero esoterico.

3. Omeopatia: medicina o magia?

Questo era il titolo di un articolo comparso su «*Avvenire*» alcuni anni fa, che poneva, ma non scioglieva la domanda.[2] Proverò quindi a fare qualche chiarimento.

---

[2] Mirella Poggialini, «*Omeopatia, medicina o magia?*», «*Avvenire*», 26/9/1996, p. 9.

Nell'omeopatia le diluizioni si indicano con un numero seguito da una «*x*», che indica quante volte l'originale tintura sia stata diluita, normalmente con un fattore di 10 (indicato come D), o di 100 (indicato anche come CH).

Una diluizione «*12x*», comunemente usata da molti omeopati è quindi la miscela di 1 ml della tintura originale con 100.000 m³ di solvente (acqua o alcool), se il fattore di diluizione è 10 (12 D), oppure con 1.000.000.000 (1 miliardo) di... km³ di solvente, se il fattore di diluizione è 100 (12 CH). Molti omeopati però vanno anche molto oltre: diluizioni di 100, 200 e 300 (CH) sono molto ordinarie, ma si va anche a diluizioni che superano i 1.500 (CH). A questo punto è chiaro l'intento panteistico, magico ed esoterico della cura, con il concetto sottinteso, che:

«Quando non è più presente la *"materia"* che è alla base del rimedio, rimane presente tuttavia... lo *"spirito"* del rimedio».

Questo criterio è totalmente incompatibile con la nostra fede e la sua accoglienza nella pratica è già un'accoglienza del pensiero spurio che ne sta a fondamento. Questa osservazione ci permette già di comprendere molte cose per dare inizio ad un vero discernimento.

Hahnemann preferiva diluizioni «*30x*», una concentrazione che come abbiamo già visto per il «*12x*», a maggior ragione, non permette di avere nella bottiglietta finale nemmeno una sola molecola della sostanza originaria. Ma se non esiste neppure una molecola come può essere efficace?

Per cercare di spiegare la ragione per cui l'omeopatia ritiene che il «rimedio» malgrado questa totale assenza di ogni molecola del prodotto di partenza tuttavia funzioni – anzi, addirittura, sia «*molto più potente*» – bisogna dare uno sguardo ad un altro pilastro dell'omeopatia: la «*dinamizzazione*» che ci conduce direttamente dentro il mondo concettuale della «*energia universale*», delle filosofie orientali e dell'esoterismo.

Quando un farmacista prepara un prodotto omeopatico, prima di tutto ha bisogno della tintura madre (la tintura è un estratto alcolico di qualche principio, in genere vegetale, ma anche minerale); quindi prende una goccia della tintura madre e la mescola con 9 gocce di alcool, la «*agita*» rapidamente in una bottiglietta e ottiene una soluzione 1:10, o, come viene chiamata, di «*potenza 1*» (*1x*); poi una parte di questa soluzione viene aggiunta a 9 parti di solvente, viene agitata e si ottiene una «*potenza 2*», e così via.

Non sarebbe più facile mescolare una goccia di tintura madre con 999.999 gocce di solvente per avere una «*potenza 6*»?

Perché il rimedio viene preparato con grande cura in gradini di diluizione di 1:10 (o 1:100)? Perché Hahnemann era convinto che:

> «...c'è molto di più nel processo di successione, che nella semplice diluizione. L'agitazione (o dinamizzazione) *rilascia energie dinamiche*.[3] Ciò che il tenebroso Mesmer[4] convoglia direttamente, Hahnemann lo facilita indirettamente: per mezzo delle mani vive dell'uomo egli *"impone le mani"* sui malati».[5]

In pratica Hahnemann crede che agitando con la mano i suoi rimedi, una «*forza vitale cosmica*» viene trasferita dall'uomo alla preparazione omeopatica.[6] In pratica egli crede che la medesima «*energia*» che le mani del pranoterapeuta convogliano *direttamente* sul paziente, venga convogliata *indirettamente* dalla preparazione omeopatica. I contatti di questa teoria con il «*magnetismo animale*» di Anton Mesmer sono chiari ed evidenti.

Qual è allora la base per la cura apparente dopo un trattamento omeopatico? Secondo George Vithoulkas – autore di due libri di testo sull'Omeopatia – le preparazioni ad alta diluizione:

> «...non contengono nemmeno tracce della sostanza originaria. Quindi ne consegue che l'effetto curativo non è materiale, ma comporta qualche altro fattore-energia... Hahnemann aveva concluso che [la malattia] non fosse altro che un disordine della forza vitale dell'uomo».[7]

---

[3] Questa affermazione è assurda dal punto di vista sia della fisica che della chimica, ma potrebbe avere il suo valore dal punto di vista della ritualità e del pensiero magico-esoterico. Infatti, tra l'altro, quando non è più presente neppure una singola molecola, l'agitazione avrebbe effetto solo sul solvente: allora la tintura iniziale è totalmente inutile? Basterebbe infatti agitare, fin dall'inizio, solo l'acqua.

[4] ANTON MESMER, spiritista «ante litteram», pranoterapista, ipnotista e... mago, che curava i malati con il *magnetismo animale* – che altro non era se non il «*fluido universale*» – ma, di fatto, si trattava di entrare in contatto con i trapassati.

[5] A. FRITSCHE, «*Hahnemann - Die Idee der Homoeopathie*» [Berlino 1944], pp. 235-371.

[6] SAMUEL HAHNEMANN, «*Organon of Medicine*», VI edizione.

[7] G. VITHOULKAS, «*Homeopathy*», in «*The Holistic Health Handbook*», E. BAUMAN, A. BRINT, L. PIPER, P. WRIGHT, eds. [And/Or Press - Berkeley (1978)], p. 89.

Alcuni anni fa mi capitò tra le mani una rivista di Medicina Alternativa e fui colpito da un articolo sulla omeopatia, scritto da un omeopata, che riconosceva le assurdità scientifiche contenute nei preparati ad alte diluizioni – che gli omeopati considerano quelle «*più potenti*» – e riportava anche alcuni calcoli scientifici. Da tali calcoli – e da altre fonti – si deduce per esempio quanto segue:

1. Un rimedio omeopatico a bassa diluizione come 15 CH («*15x*») (in realtà 10^{-30}) conterrebbe un milligrammo di sostanza sciolta in un recipiente sferico, capace di contenere un volume di acqua *uguale al volume dell'intero pianeta Terra*.

2. Un rimedio 30 CH (cioè 10^{-60}) sarebbe pari ad una sola molecola attiva sciolta in 100.000.000.000.000 (centomila miliardi) *di mari terrestri*.[8]

3. Per ottenere una diluizione 30 CH sarebbe necessario un volume di diluente pari all'incirca a una sfera *il cui raggio sia di circa 70 anni luce* (diametro = 140 anni luce).[9]

È vero, come si dice, che i rimedi omeopatici «*non aggrediscono l'organismo*» (e come potrebbero?), infatti proprio i suddetti calcoli dimostrano che contengono solo un po' d'acqua e tantissima fantasia. Non si capisce allora come sia possibile che un medico utilizzi ancora una tale nullità.

Ma gli omeopati – tra cui l'autore dell'articolo di cui sopra – a questo punto cavano fuori a sorpresa l'asso nella manica: i «*quanti di energia*».

Questi si formerebbero e rimarrebbero nella preparazione come frutto delle «*dinamizzazioni*», malgrado il fatto che nel preparato non esista più la «materia» di partenza, cioè non esista più neppure una sola molecola del... «rimedio».[10]

Per essere proprio chiari non esistono nemmeno sub-particelle atomiche del prodotto originario; ma anche se esistessero, sarebbero

---

[8] Dr. ROBERTO VANZETTO [astrofisico del *Centro Interdipartimentale Studi ed Attività Spaziali «G. Colombo»*; Dipartimento Ingegneria Meccanica, Università di Padova], «*Omeopatia, l'arte di vendere acqua*», «*Scienza e Paranormale*», n. 16, inverno 1997-1998.

[9] ALBERTO LODISPOTO [medico omeopata], «*Così Alto da Toccare lo Spirito!*», «*Medicina Naturale*», n. 3, maggio 1992.

[10] Se fosse vero ci sarebbe da chiedersi perché per i rimedi non si usi l'acqua che ha passato le cascate del Niagara... Dovrebbe curare tutte le malattie!

solo particelle di atomi di ossigeno, di idrogeno, di azoto, e così via. I singoli atomi non avrebbero certamente le caratteristiche delle molecole originarie, proprio come un mattone della mia casa e quello tratto dal pollaio del mio vicino, pur assomigliandosi tra loro, sono più simili a quelli usciti dalle rispettive fornaci, che alle due costruzioni di cui hanno fatto parte.

Allora? Cosa c'entrano i «*quanti di energia*» con l'omeopatia?

Questo modo di pensare rappresenta una difficoltà scientifica e matematica di enormi proporzioni. Gli omeopati affermano, infatti, che più si va avanti con queste fantastiche diluizioni, più è grande la capacità del «*rimedio*» di produrre la guarigione.

Scientificamente tutto ciò non ha alcun senso, anzi è proprio un'immensa stupidaggine e ciò è stato messo in evidenza da numerose autorità civili e scientifiche. Se qualcuno ha bisogno di due compresse di analgesico, se ne prende solo *metà di una* non ha un aumento dell'azione analgesica. Un rapporto della Commissione Governativa Australiana, parlando della diluizione in omeopatia, afferma:

> «Non esiste un solo esempio in tutta l'area della farmacologia in cui la semplice diluizione di un farmaco ne aumenti la risposta che produce, non succede mai che diluendo un colorante se ne intensifichi la tinta, o che aggiungendo meno zucchero il cibo diventi più dolce».[11]

Gli omeopati tendono a dire che l'omeopatia agisce come agiscono i vaccini. Se ciò fosse vero sarebbe necessario che nel preparato omeopatico fosse presente l'agente che deve stimolare la risposta immunologica, ma se non c'è nulla, la risposta chi la dovrebbe dare...? L'*energia cosmica*?

Ancora una cosa: dopo la 6 CH sicuramente non esiste neppure una traccia delle molecole che dovrebbero produrre l'effetto terapeutico.

Allora, che cosa ci può essere di «*attivo*» (oltre la magia) in un rimedio omeopatico 200 CH? Non credo che il discernimento sia poi così difficile da farsi.

---

[11] BRANSON HOPKINS, «*Homeopathy - some things are not what they seem*» [Jubilee - Wellington, New Zealand], p. 13.

4. Hahnemann: la vita ed il pensiero

Cerchiamo adesso di dare uno sguardo anche alla figura di Hahnemann perché anche questo potrebbe aiutarci a capire molte cose.

Egli ebbe una vita estremamente tragica; da giovane era in guerra aperta – ed aveva ragione – con la medicina del suo tempo, che, praticamente, curava quasi tutto con i salassi.

Nell'età matura ebbe però un grave mutamento in peggio del proprio carattere, divenendo intrattabile e iroso, fino a perdere tutti gli amici, e questo cambiamento ebbe effetti anche sui figli, che a loro volta vissero vite tragiche ed infelici: il matrimonio di tre figlie finì in divorzio; due figlie furono misteriosamente assassinate; un'altra figlia morì a 30 anni; il suo unico figlio, Fredrich, abbandonò la moglie ed il figlio e non tornò più con loro. Uno dei suoi biografi scrive:

> «Fredrich Hahnemann ha dovuto vuotare la tazza del demonismo che suo padre gli aveva fornito».[12]

Hahnemann sviluppò la brillante idea dell'omeopatia, mentre traduceva un libro del dr. W. Cullen, che descriveva gli effetti della corteccia di china sulla malaria.

Volle provare la droga su se stesso, ed ebbe sintomi simili a quelli della malaria: febbre, brividi e malessere generale. Questi sintomi, in verità, erano già noti tra i raccoglitori della corteccia dell'albero di china.

A dimostrazione però che l'origine stessa dell'omeopatia è inficiata dall'errore, basti riflettere sul fatto che l'assunzione di corteccia di china, ripetuta su persone sane in esperimenti successivi, non ha provocato l'insorgere dei sintomi sperimentati da Hahnemann. Infatti tutti noi ne siamo una prova, beviamo allegramente al bar il chinotto o la China Bisleri... senza sviluppare la febbre ed i sintomi della malaria.

Che cosa era successo quindi ad Hahnemann? Egli precedentemente, si era curato con la corteccia di china, e questa probabilmente aveva prodotto in lui una reazione di sensibilizzazione – dovuta ad un allergene presente nella corteccia della pianta – che tipicamente si manifesta con i sintomi descritti da Hahnemann.

---

[12] A. FRITSCHE, *op. cit.*, p. 226.

Tuttavia egli interpretò i sintomi di questa reazione allergica come sintomi della malaria ed in questo è scusabile: nel suo tempo non era ancora in funzione il termometro per misurare la febbre. In realtà, proprio a causa di ciò, non sappiamo neppure se avesse veramente la febbre. Egli parla solo di «brividi».

L'attacco «febbrile» durò 2-3 ore e, malgrado la «febbre», tuttavia egli si sentiva bene. Hahnemann credette di avere un'improvvisa illuminazione: *la stessa sostanza che causava la febbre in un soggetto sano, guariva la febbre di un ammalato.*

Subito cominciò a sperimentare innumerevoli sostanze *«provando»* i loro effetti su se stesso, sulla sua famiglia ed i suoi amici. Ogni sintomo per quanto insignificante fu accuratamente registrato: nell'estratto di Belladonna (che contiene un notevole veleno: l'atropina) furono apparentemente trovati 1422 *«sintomi provanti»*; con l'estratto di Noce Vomica (che contiene altri due potenti veleni: la stricnina e l'emetina) ne furono trovati 1267 e, con il fiore di Pulsatilla 1163.[13]

È successo così che l'omeopatia, come l'iridologia, basi tutta la sua teoria sull'errore plateale del suo scopritore.

Per comprendere il pensiero di Hahnemann e la filosofia che lo guidava, non bisogna trascurare di prendere in considerazione come egli fosse un convinto massone e occultista, che odiava il Cristianesimo e aveva soprannominato Gesù: *«l'arcientusiasta»*.

Uno dei suoi biografi scrive:

«Egli era disgustato dall'"arcientusiasta" Gesù di Nazareth, che non aveva condotto l'illuminato sulla via diritta della saggezza, ma che voleva invece lottare con pubblicani e peccatori sul difficile sentiero dello stabilire il regno di Dio... l'uomo dei dolori, che prese l'oscurità del mondo su di sé, era in realtà un'offesa per chi ama la sapienza esoterica».[14]

Poi continua:

«Hahnemann certamente non era cristiano, anche se era bigotto come un pietista. Il dio di Hahnemann interviene continuamente con la sua guida e con il dono del suo potere, ma dà illuminazione alla mente, non tocca il cuore... al letto dell'ammalato. Hahnemann è un medico, e non può farci

---

[13] J. T. KENT, *«Repertory of the Homeopathic Materia Medica»* [Richmond CA: North Atlantic Books, 1979].

[14] A. FRITSCHE, *op. cit.*, p. 264.

niente. Ma nella sua lotta come ricercatore spirituale, nella sua ricerca per l'illuminazione egli è fortemente attratto dall'Oriente. Confucio è il suo ideale».[15]

Hahnemann stesso scrive di sé in una lettera:

«Qui è dove puoi vedere la sapienza divina senza miti di miracoli e di superstizione; vedo come un segno importante del nostro tempo che ora Confucio sia alla nostra portata per essere letto. Presto lo abbraccerò nel regno degli spiriti felici, il benefattore dell'umanità, che ci ha mostrato la via diritta alla saggezza ed a Dio, ben 650 anni prima dell'arcientusiasta».[16]

Tuttavia ci sono alcuni che credono che Hahnemann sia stato un buon cristiano, ma se ne può comprendere l'equivoco. Andrei Weil, medico omeopata, lo descrive così:

«...uomo profondamente religioso, immerso nel misticismo di Emanuel Swedenborg».[17]

Swedenborg (1688-1772), che era partito da interessi scientifici e da un'impostazione meccanicistica, era giunto a posizioni mistiche e visionarie, probabilmente di natura spiritica. A questa svolta contribuirono sia gli influssi del platonismo di Cambridge, che spiritualizzò progressivamente il suo originario meccanicismo, sia le esperienze di «spiritismo di rivelazione», che ne toccarono la personalità verso il 1740.

Massimo Introvigne classifica queste esperienze tra i «culti post-spiritisti», sotto la categoria delle «nuove rivelazioni», o «Neuoffenbarungen», e scrive:

«Nei paesi di lingua tedesca è stata spesso proposta la categoria dello "spiritismo di rivelazione" (Offenbarungs-Spiritismus) o delle "nuove rivelazioni" (Neuoffenbarungen) di origine medianica. Non è facile circoscrivere esattamente questa categoria: talora la si riferisce ai casi in cui "i medium si presentano come messaggeri di Gesù o di Dio Padre e si considerano profeti o profetesse"; ma spesso in realtà si tratta di angeli, e i confini della modalità "medianica" con cui i messaggi possono venire ri-

---

[15] Ibid., p. 263.
[16] Ibid., p. 264.
[17] A. WEIL, M.D., «Health and Healing» [Houghton Mifflin, New York (1983)], p. 14.

cevuti sono ben lontani dall'essere chiari. Talora i "profeti" favoriti dalle "nuove rivelazioni" rifiutano assolutamente di parlare di medianità – e soprattutto di spiritismo – e insistono piuttosto su "voci interiori". Se, d'altro canto, si estende la categoria delle Neuoffenbarungen a tutti i casi in cui "voci" dettano rivelazioni dal contenuto cristiano, più o meno ortodosso, il genere diventa vastissimo, dai "nuovi vangeli" degli Stati Uniti (che annunciano piuttosto, come vedremo, il channeling) a rivelazioni private nate nel mondo cattolico, da Anna Katharina Emmerich o Emmerick (1774-1824) – di cui l'influenza su alcune Neuoffenbarungen è peraltro riconoscibile – fino all'italiana Maria Valtorta (1897-1961).[18] Per circoscrivere il fenomeno sembra opportuno (senza dimenticare un certo ruolo di precursore di Swedenborg) fare riferimento a una corrente culturale specifica del mondo di lingua tedesca che, come hanno riconosciuto tutti gli specialisti che si sono interessati del problema, inizia con Jacob Lorber (1800-1864), un musicista austriaco a cui la "voce interiore" di Gesù Cristo dettò venticinque volumi di un cristianesimo esoterico, profetico e spesso poco ortodosso».[19]

Scrisse anche un'opera teosofica «*Arcana coelestia*» (*Misteri celesti*). Insomma, pur essendo partito da interessi scientifici approdò alla sua strana religione a causa delle sue... sospette:

«...esperienze allucinative e psicosensoriali che ne toccarono la personalità... Convinto di essere portatore di una nuova rivelazione, fondò alcune sette religiose, come la *"Nuova Gerusalemme"*, tuttora esistenti soprattutto in America e in Gran Bretagna. Egli vedeva un universo popolato da angeli e demoni, con i quali credeva di essere in contatto; modificò il pensiero di M. Lutero dicendo che l'uomo si salvava respingendo i demoni, che la crocifissione è stato il trionfo sulle potenze sataniche, e che la vita continua dopo la morte per conseguire il perfezionamento[20]».[21]

---

[18] MARIA VALTORTA ha scritto un'opera dal titolo «*Il Poema dell'Uomo-Dio*» che è stata posta all'Indice dalla Chiesa il 16 dic. 1959. Una documentazione adeguata è stata riportata nell'Appendice finale di questo libro.

[19] M. INTROVIGNE, «*Il Cappello del Mago*», op. cit., pp. 82-83.

[20] Questa è un'idea che nasce soprattutto da «*Il Vangelo secondo gli Spiriti*» di Allen Kardec ed oggi dilaga nel pensiero New Age. Il documento vaticano sulla New Age «*Gesù Cristo Portatore dell'Acqua Viva*» sottolinea proprio come questa idea sia oggi un pericolo serio per il popolo cristiano: «*Lo spiritismo, la teosofia, l'antroposofia e il New Age considerano la reincarnazione una forma di partecipazione all'evoluzione cosmica. Questo approccio post-cristiano all'escatologia sembra rispondere a interrogativi di teodicea lasciati in sospeso ed elimina la nozione di Inferno*», 2.3.3.

[21] ENCICLOPEDIA BOMPIANI, Grolier Italia S.p.A., Milano.

Come cristiano quindi, Hahnemann è proprio carente! Ma forse il suo pensiero religioso, che ha influenzato poi il suo concetto di trattamento omeopatico, è nato da una miscela di pensiero biblico ed... *«esoterico-mistico»*. L'omeopatia contiene infatti, una difficile miscela di nozioni contraddittorie: l'importanza delle *«energie vitali»* (che in genere sono associate con la divinità dell'uomo) e l'umana fallibilità e corruzione.

5. Omeopatia kentiana e occulto

La vera storia dell'omeopatia – quella che non si racconta mai – racchiude tutte le risposte che un cristiano dovrebbe conoscere bene per poter fare un sano e serio discernimento.

L'idea di Hahnemann di usare rimedi che contenevano piccole quantità di sostanza fu la cosa che più di tutte catturò l'attenzione popolare. A causa di ciò, l'omeopatia si sparse ben presto in tutta l'Europa continentale, da cui sbarcò dapprima in Inghilterra e poi da lì in America, dove si affermò dopo la Guerra di Secessione. Tuttavia negli Stati Uniti assunse un carattere assai diverso quando si colorò delle idee esoteriche del *«mistico»* svedese Emanuel Swedenborg.[22]

Questo cambiamento avvenne verso la fine del secolo XIX ad opera di un medico omeopata swedenborgiano, James Tyler Kent, che divenne molto influente e le sue idee di ritorno, in Inghilterra, divennero l'ortodossia dominante dopo la prima Guerra Mondiale. Successivamente l'omeopatia kentiana fu esportata in tutto il mondo dove ancora oggi è assai diffusa.

Questa teoria è caratterizzata da una marcata ostilità verso la medicina ortodossa, dall'uso di *«rimedi»* ad alta diluizione (o ad alto *«potenziale»*) e dall'enfasi sulle caratteristiche psicologiche e *«spirituali»* del paziente.

Molti degli aspetti estremi dell'attuale omeopatia sono da ascri-

---

[22] SWEDENBORG fu anche criticato duramente da KANT. Il grande filosofo tedesco lo criticò nell'opera *«"Träume eines Geistersehers, erläutert durch Träume der Metaphysik"* (1766, *"Sogni di un visionario chiariti con sogni della metafisica"*), in cui la metafisica di C. von Wolff e di C.A. Crusius è assimilata alle visioni mistiche e spiritistiche dello svedese E. Swedenborg, mentre la vera metafisica è identificata con la scienza dei limiti della ragione umana»* [*«Enciclopedia Bompiani»*, © 1999-2002 Grolier Italia S.p.A., Milano].

versi a Kent. Tuttavia va detto per onestà, che esistono altre forme di omeopatia: per esempio, «*l'omeopatia complessa*», molto usata in Germania, che tende a sconfinare nella fitoterapia.

Il dr. A. Campbell dà un quadro molto equilibrato dell'omeopatia, anzi, a chi ne fosse interessato, sollecito di visitare il suo sito, per trovare, «*on line*», il suo libro «*Homeopathy in perspective - Myth and reality*». Nel primo capitolo, dopo aver dichiarato di non voler fare un'opera di demolizione dell'omeopatia, perché:

> «Moltissimi pazienti hanno trovato beneficio dall'omeopatia e questo deve essere tenuto in considerazione. In verità, si potrebbe arguire che anche se credi che l'omeopatia sia soltanto un placebo, devi accettare che come tale è molto efficace e forse deve essere incoraggiata solo per questa ragione».[23]

Poi continua:

> «Ciò che ho cercato di fare in questo libro è di guardare all'omeopatia più onestamente possibile e di fornire i fatti. Ciò che ne farai di questi dati dipende in gran parte da te. Credo che ne valesse lo sforzo, perché il materiale che presento non è ben conosciuto neppure da molti omeopati, tuttavia è essenziale per chiunque voglia formarsi un giudizio sull'omeopatia. Per quanto ne so questi fatti non sono facilmente reperibili da nessuna parte; ho speso molto tempo per conoscerli...
> È ragionevole da parte tua domandarti quali siano le mie qualificazioni per scrivere un libro sull'omeopatia. Bene! Io sono un medico convenzionale qualificato, che ha speso quasi trent'anni nello studio e nella pratica della medicina complementare. Oggi il mio principale interesse è in agopuntura (la varietà moderna e non quella tradizionale),[24] ma sono anche qualificato in omeopatia (sono membro della Facoltà di Omeopatia, che è il corpo costituito da un Atto del Parlamento per controllare l'insegnamento e la pratica dell'omeopatia da parte dei medici in Gran Bretagna). Per 21 anni sono stato medico consulente al The Royal London Homeopathic Hospital, che è il più grande dei cinque ospedali omeopatici inclusi nel National Health Service Britannico, sono anche stato Editore

---

[23] ANTONY CAMPBELL, «*Homeopathy in perspective - Myth and reality*», cap. 1 [acampbell.org.uk].

[24] Quella che in Italia viene chiamata con disprezzo: «*riflessoterapia*», quindi «*un'agoterapia*», indegna di chiamarsi «*agopuntura*», solo perché ha scartato il concetto antropologico (e pseudo-religioso) del Taoismo, con l'energia vitale *ch'i* e i due principi contrapposti *yin* e *yang*.

del *British Homeopatic Journal* (ora chiamato *Homeopathy*). Quindi, qualsiasi possano essere i suoi difetti, il libro è almeno stato scritto da uno che è addentro».[25]

Partendo da qui, c'è quindi un ampio spazio per una discussione molto interessante. Campbell racconta che quando ha incontrato l'omeopatia gli veniva insegnato quella che comunemente si chiama *«omeopatia classica»*, ma si accorse ben presto che il termine era sviante e incompleto, perché c'erano pratiche diverse di medicina omeopatica.

In ogni caso egli si sentiva smarrito davanti ad alcune delle idee correnti sull'omeopatia, che tuttavia gli apparivano alquanto bizzarre. Un suo tutore all'Università, molto colto, lo illuminò sulla grande influenza che il dr. J. T. Kent aveva avuto sulla pratica attuale dell'omeopatia proprio a causa del pensiero swedenborgiano che lo animava.

Perciò Campbell si gettò con tutte le forze in un suo approfondito studio che concluse nel 1984 con un libro «*The Two Faces of Homeopathy*» («*Le due facce dell'omeopatia*»). Il libro, naturalmente, fu molto controverso a causa del fatto che metteva in risalto l'eccessiva influenza dell'occulto nell'omeopatia comunemente praticata.

Continuando tuttavia a leggere il suo ultimo lavoro *«on line»*, si scoprono cose interessantissime. Il cap. 10 infatti porta questo titolo: *«Omeopatia e l'occulto»* e inizia così:

> «Collegando l'omeopatia con lo Swenborgianismo la scuola americana di alta-potenza stabilì una connessione con l'occultismo, ma questa non è la sola. C'è infatti un contrappunto di occultismo che scorre nell'omeopatia fin dall'inizio. Potremmo convenientemente cominciare questa storia piuttosto oscura, guardando alle somiglianze esistenti tra le idee di Hahnemann e quelle del medico del sedicesimo secolo Theophrastus von Hohenheim, più noto come Paracelso, che veniva dalla tradizione alchemica. Paracelso rigettava l'idea delle categorie delle malattie, credeva in una versione dell'idea delle *similia*, e favoriva l'uso di dosi minime...
> Sembra improbabile che egli (Hahnemann) non abbia incontrato le idee di Paracelso nei libri o per mezzo dei suoi contatti Massonici; infatti all'inizio del diciannovesimo secolo la Massoneria tedesca era influenzata da idee di questo tipo a causa delle sue connessioni con il Rosacrucianismo...

[25] A. CAMPBELL, *op. cit.*, cap. 1.

In ogni caso, tra gli omeopati post-Hahnemanniani alcuni erano profondamente influenzati dalla tradizione alchemica occulta a cui apparteneva Paracelso e costoro non hanno esitato a rendere esplicita la connessione. Probabilmente le prime manifestazioni di ciò sono state fornite dall'Ordine Ermetico della Golden Dawn,[26] la società magica che tra i suoi membri includeva... numerosi medici omeopatici. La Golden Dawn aveva infatti un qualche profumo medico fin dall'inizio, perché fu fondata nel 1888 dal dr. Wynn Westcott, medico, diventato poi coroner...

La tradizione Rosacruciana su cui la Golden Dawn si dice che fosse basata aveva anche forti legami con la medicina, con l'alchimia e con Paracelso...

I membri della Golden Daw credevano nella verità letterale della leggenda di Rosenkreutz... Lo stesso Christian Rosenkreutz era un medico ed i suoi seguaci... vivevano praticando la medicina...

Considerando ciò, e l'associazione con Paracelso, è facile capire perché il Rosacrucianesimo avrebbe attratto medici, che per carattere erano portati verso l'occulto. Quattordici medici oltre Westcott e Woodman, sono stati membri della Golden Dawn prima del 1900 e molti di questi erano interessati all'omeopatia. Uno dei membri più eminenti, il dr. Edward Berridge, era un ben noto medico omeopata che scrisse un libro sull'omeopatia ed il cui nome compare come *provatore* nella letteratura omeopatica americana del tempo».[27]

Successivamente la Golden Dawn entrò in crisi, ma un medico, il dr. R. W. Felkin, rifiutò di scoraggiarsi e si mise a cercare i «*Capi Segreti*», guardiani della conoscenza esoterica. Questa ricerca lo condusse ad incontrare Rudolf Steiner, il fondatore dell'Antroposofia, che non lo prese sul serio, ma anche lui si interessò alla medicina e sviluppò un sistema terapeutico, che per molti versi rielabora le idee di Paracelso, ha molto in comune con l'omeopatia e continua ad attirare medici omeopati.

Campbell a questo proposito scrive:

«Le idee mediche di Steiner sono piuttosto simili a quelle di Hahnemann; tuttavia esse derivano anche da fonti precedenti, specialmente da Paracelso e dagli alchimisti. Steiner pose molta più enfasi sul simbolismo e l'occultismo. Molte medicine antroposofiche sono le stesse usate in omeo-

---

[26] Alla *Golden Dawn* apparteneva ALEISTER CROWLEY, il fondatore del satanismo crowleyano (v. p. 172).

[27] A. CAMPBELL, *op. cit.*, cap. 10.

patia, ma spesso sono usate come miscele, non singolarmente. Il metodo di potenziazione di Hahnemann talvolta viene usato, ma Steiner inventò anche procedimenti più complicati. I metalli vengono spesso "vegetabilizzati" facendoli passare attraverso una pianta. Si aggiunge il metallo al suolo su cui cresce la pianta; il prossimo anno viene usata per fertilizzare una seconda generazione di piante e il processo si ripete per un terzo anno. Si dice che in questo modo si dinamizza molto efficacemente il metallo, mentre l'influenza del metallo fa sì che le piante dirigano la loro azione verso un particolare organo o sistema... Alcuni omeopati sono attratti nella scelta dei rimedi da mezzi non convenzionali e non scientifici, quali il pendolo[28] ed altre forme di rabdomanzia. Da questo punto di vista l'omeopatia ritorna alle sue origini».[29]

Questa è la situazione attuale dell'omeopatia kentiana, a torto chiamata «omeopatia classica». D'altro canto non stupisce, poiché J. T. Kent – che ha scritto «La Scienza e l'Arte dell'Omeopatia» – fa affermazioni come questa:

«...nell'universo ogni cosa possiede la sua atmosfera. Ogni stella, ogni pianeta ha la sua atmosfera. Anche *ogni essere umano possiede la sua atmosfera*, così come ogni animale.
Questo concetto apre degli orizzonti molto interessanti dai quali si può trarre profitto, e occupa un posto molto importante negli studi omeopatici».[30]

Il medico omeopata viene formato a questo mondo panteistico, trascendentale e spiritico ed il dr. Kent afferma anche che l'omeopata deve avere la conoscenza:

«...dei quattro stati della materia: solido, liquido, gassoso *e lo stato radiante*».[31]

Questa cosmologia certamente non è scientifica, ma esoterica e magica.
Soprattutto però va detto che, certamente... non è cristiana.

---

[28] Cioè l'uso della *radioestesia*.
[29] A. CAMPBELL, *op. cit.*, cap. 10.
[30] Dr. J. T. KENT, «*La Scienza e l'Arte dell'Omeopatia*», p. 108.
[31] Dr. J. T. KENT, *op. cit.*, p. 108.

6. Il pensiero degli omeopati

Il pensiero «*omeopatico*», dopo Kent, è un messaggio lanciato a tutta la Medicina Occidentale, che espresso rudemente dice:

«Tutto ciò che tu sai è sbagliato!».

Il dr. Voegeli ha scritto un articolo sul «*Giornale di Omeopatia Classica*», in cui parlando del meccanismo dell'omeopatia sottolinea che l'effetto delle alte diluizioni nell'Omeopatia è di «*natura spirituale*» e la sua migliore spiegazione è data dalla filosofia indù Sankya, che spiega come l'uomo non abbia solo un corpo «*fisico*», ma anche uno «*etereo*», con uno speciale sistema di *canali energetici*. È il «*corpo etereo*» che coordina le funzioni immunologiche ed incrementa il processo di cicatrizzazione, ed è qui che è attiva l'omeopatia.

Un altro sistema energetico, continua il dr. Voegeli, è costituito dal «*corpo astrale*», che controlla le risposte emozionali dell'uomo; ma il più alto piano energetico è lo «*spirito umano*». Il suo scopo è di svilupparsi in uno strumento ancora più perfetto *per gli impulsi cosmici divini*.

«Il fine dell'uomo è una continua *evoluzione*; la sua *spiritualizzazione*».

Tuttavia, poiché per raggiungere questo traguardo non è sufficiente una sola vita, *è logicamente necessaria la reincarnazione*, che alla fine porterà alla perfezione.[32]

Questa corrente di pensiero riconducibile alla filosofia orientale scorre anche negli scritti di molti altri autori. George Vithoulkas, scrive nella stessa vena:

«Una malattia non è soltanto il malfunzionamento di un organo, ma prima di tutto il disturbo della forza vitale, che è responsabile del funzionamento dell'intero organismo».[33]

Il dr. J. P. Randeira (omeopata inglese) dichiara che:

«...la medicina omeopatica, attraverso *il processo di dinamizzazione*, è in grado di ripristinare il flusso armonico delle *forze vitali* in ogni singola cellula del corpo umano».[34]

---

[32] Voegeli, «*Zeitschrift für Klassische Homöopathie*», III, 3 (1959).

[33] George Vithoulkas, «*Homeopathy - Medicine of the New Man*» [New York, Avon Books, 1972], p. 43.

[34] J. P. Randeira, «*Die Wirksamkeit der Homoeopathischen Therapie, in "Zweiter Weltcongress der Naturheilkunde*», Gossau (Svizzera), 1977.

Un altro omeopata esprime questo principio con un ardore quasi religioso:

«Sotto il *santo* atto della dinamizzazione l'energia guaritrice viene rilasciata dalle strettoie delle strutture terrene per rigenerare l'armonia nell'organismo ammalato».[35]

Il dr. Bopp riporta:

«Nel 1960 al Congresso Internazionale di Omeopatia di Montreux (Svizzera), 260 medici e farmacisti hanno celebrato il 150° anniversario dell'"Organon".[36] L'organizzatore riassume l'importanza di questo scritto dicendo: "L'Organon è per l'omeopata ciò che la Bibbia è per il cristiano. L'omeopata deve considerare l'Organon come fondamento e base della sua terapeutica"».[37]

Quanto il concetto omeopatico della guarigione e dell'armonia cosmica siano correlati strettamente al concetto orientale della salvezza è rivelato nel titolo di un libro sull'omeopatia «*Lo Zodiaco ed i Sali della Salvezza*». Questo libro descrive l'importanza dell'astrologia nell'omeopatia.[38]

Così se si cerca nel sottobosco del linguaggio omeopatico, si troveranno sempre i fili dorati della filosofia orientale e del pensiero magico-esoterico che attraversano tutta la pratica moderna dell'omeopatia. Se non vogliamo essere superficiali, tutto ciò pone seri problemi per il cristiano.

Ci sono tuttavia tre tipi di omeopati:

1. Coloro che hanno demitizzato l'omeopatia e che non prescrivono rimedi molto diluiti (in genere non superiori a «*6-12x*») per essere sicuri che ancora sia presente un qualche effetto del farmaco. Essi non si curano del substrato filosofico e *dinamizzano* il rimedio secondo il modello di Hahnemann, ma ricercano un rimedio, natu-

---

[35] J. ANGERER, M.D., riportato da SAMUEL PFEIFER, «*Healing at any Price? - The Hidden Dangers of Alternative Medicine*» [Word Publish. Ltd. Milton Keynes, England], p. 94.

[36] HAHNEMANN, «*L'Organon dell'Arte di Guarire*». È il libro base per ogni trattamento omeopatico.

[37] H.J. BOPP, «*L'Omeopatia - Studio Storico, Medico, Scientifico e Spirituale*» [pro manoscritto], p. 4.

[38] L.E. PERRY, «*Lo Zodiaco ed i Sali della Salvezza*» [Samuel Weiser Inc., New York, (1980)].

rale, senza effetti secondari (quindi cercano di sfruttare l'*effetto paradosso*, oppure al massimo l'*effetto placebo*).

2. Coloro che sono imbarazzati dalle teorie mediche di Hahnemann che sono state provate false. Vari ricercatori cercano di studiare, con l'aiuto delle più moderne tecnologie, nuove conferme per l'omeopatia. I loro sforzi sono tuttavia inquinati dal fatto che uno dei mezzi di ricerca è il «*pendolo*» della radioestesia, che rende i risultati piuttosto discutibili e la mentalità degli sperimentatori... assai sospetta.[39]

3. Coloro che credono ciecamente alle teorie di Hahnemann; le sue teorie sui «*miasmi*», come causa delle malattie croniche, non vengono accettate più alla lettera, ma vengono comprese ed accettate come verità esoteriche. Costoro sono seguaci rigorosi dell'omeopatia kentiana. Questa categoria ammette apertamente la sua fede nell'astrologia e nelle pratiche occulte.

Un gruppo particolarmente attivo in questa categoria è costituito dagli «*antroposofi*» (seguaci del «*mistico*» esoterico Rudolf Steiner) e da molti aderenti alla omeopatia classica.

Da quanto detto si deduce che mentre la prima categoria non presenta obiezioni dal punto di vista spirituale, non così si può dire delle altre due, specialmente la terza.

Il tuo medico omeopata a quale categoria appartiene?

7. L'effetto placebo

Ho parlato ripetutamente di «*effetto placebo*», cercherò quindi di spiegarlo e di demitizzare in qualche modo i mirabolanti effetti dell'omeopatia.[40]

Cos'è il placebo? Il «*placebo*» consiste nella somministrazione di una sostanza o di una preparazione inerte, che simula un trattamento terapeutico. Si impiega al semplice scopo di soddisfare nel paziente il desiderio di ricevere un trattamento medicamentoso in realtà non attuabile o non opportuno. L'impiego del «*placebo*» costituisce anche un passaggio obbligatorio nella sperimentazione clinica di

---

[39] PAUL UCCUSIC, «*Der Shamanic in uns*» [Veturheiler, Ginevra, 1978], pp. 222ss.
[40] Specialmente quella kentiana... delle alte diluizioni.

ogni nuovo farmaco e serve per misurare l'efficacia del farmaco in questione.

L'*effetto placebo* si ha quando l'effetto curativo avviene, come conseguenza dell'auto-convincimento dell'ignaro paziente, come se si trattasse realmente dell'azione del farmaco in sperimentazione.

Questa azione può anche essere notevole. Riporto perciò, alcuni dati sperimentali che riguardano le malattie «*curabili*» con il *placebo*:[41]

1. dolori di varia origine	28% dei casi	
2. mal di testa	62%	»
3. emicrania	32%	»
4. raffreddore	45%	»
5. nevrosi	34%	»
6. angina pectoris	18%	»
7. disturbi dell'apparato digerente	58%	»
8. dolori artritici	49%	»
9. dolori mestruali	24%	» .

Come si nota la risposta al placebo è sorprendentemente elevata in queste malattie. In media circa il 30-40% dei pazienti rispondono molto bene al placebo, mentre un altro 30% non mostra nessun miglioramento. Coloro che rispondono bene al placebo sono chiamati «*placebo responders*».

È curioso – e più che una semplice coincidenza – che circa la stessa percentuale di pazienti sono coloro che rispondono molto bene all'agopuntura, all'omeopatia ed altri rimedi non convenzionali.[42]

Sarebbero queste le straordinarie prospettive dell'omeopatia?

A proposito degli inganni che si possono nascondere sotto tante affermazioni cito il dr. H.J. Bopp, che riporta quanto segue:

«Fino al giorno d'oggi non esiste nessuno studio controllato che provi un'azione efficace su un gruppo di malati trattati con l'omeopatia. I risultati di una serie di studi scientifici fatti in Germania sono stati tutti

---

[41] P. NETTER, «*Der Placebo Effekt*», «*Münchener Medizinische Wochenschrift*», 119, 1977, pp. 203-208.

[42] SAMUEL PFEIFER, «*Healing at any Price? - The Hidden Dangers of Alternative Medicine*» [Word Publishing Ltd. Milton Keynes, England], p. 133. Il dr. PFEIFER, cristiano credente, si è laureato in medicina in Svizzera ed in Psichiatria negli Stati Uniti. Successivamente primario in una clinica psichiatrica in Svizzera.

molto scoraggianti per il metodo di Hahnemann. Il dr. Fritz Donner, figlio di un medico omeopata tedesco, si è dedicato con grande impegno alla ricerca scientifica per spiegare e giustificare l'omeopatia. Nel 1966 ha pubblicato un resoconto nel quale confessa tutti i fallimenti e tutti gli errori dell'omeopatia durante i suoi anni di lavoro.

Prendiamo un esempio: per un test un certo numero di soggetti si divisero in due gruppi. Un gruppo ricevette Silicea C30..., l'altro una pillola finta (*placebo*)... Dopo aver atteso l'effetto, i soggetti furono incapaci di dire se avevano ricevuto il rimedio od il placebo... Durante una seconda prova, uno degli arbitri, il prof. H. Rabe, presidente della società tedesca di omeopatia, trovò in molti soggetti dei sintomi provocati dalla Silicea. Egli era contento di averne provato l'efficacia, fino al momento in cui scoprì... che aveva sbagliato gruppo! Tutti quelli che avevano manifestato dei sintomi avevano ricevuto il placebo, ossia niente. Le rivelazioni del dr. Donner confermano l'incapacità di provare l'effetto significativo del trattamento omeopatico».[43]

8. L'influenza occulta

Il dr. H.J. Bopp, medico svizzero del Cantone San Gallo che ha scritto il già citato studio sull'omeopatia, riporta:

«Il dr. A. Voegeli, celebre medico omeopata, ha confermato che una percentuale molto elevata di omeopati lavora con il pendolo. Esistono dei gruppi nei quali la ricerca si fa durante sedute spiritiche, attraverso i medium che chiedono le informazioni agli spiriti».[44]

Ciò non stupisce e non sorprende più, dopo che si è letto l'«*Organon*» di Hahnemann, o le altre opere di maestri omeopati.

Il presidente della Lega Internazionale di Omeopatia, il dr. Gagliardi di Roma, al Congresso di Montreaux (1960) si espresse così:

«Si è ben rifiutato questo o quel principio enunciato nell'Organon, ma resta sempre abbastanza per riconoscere l'intuizione inesauribile e lo *spirito divinatorio* del suo autore».[45]

In realtà il vocabolario è esoterico e le idee sono impregnate di filosofie orientali. Il Panteismo che lo domina dice che Dio è dapper-

---

[43] H.J. Bopp, *op. cit.*, pp. 10-11.
[44] H.J. Bopp, *op. cit.*, p. 14.
[45] Dr. Gagliardi, «*Giornale Svizzero di Omeopatia*», n. 4 (1960).

tutto: in ogni uomo, animale, pianta, fiore, cellula. Dio sarebbe quindi anche nei rimedi omeopatici. Il dr. Baur può quindi scrivere:

«Solo il rimedio *conosce* il malato. Lo conosce meglio del medico, meglio di come si conosce il paziente stesso. Sa dove si trova la sorgente del disordine, conosce il mezzo di pervenirvi. Né il malato, né il medico hanno altrettanta saggezza e scienza».[46]

Verrebbe da domandare in quale luogo risiede il grande cervello pieno di *«saggezza e scienza»* del rimedio. Forse nell'acqua?

Il dr. Bopp conclude:

«Inoltre l'omeopatia è apparentata all'agopuntura, all'auricoloterapia, all'iridologia e alla pratica dei magnetizzatori, ora tutti questi metodi sono occulti, o risentono di questa influenza. Lo sforzo di demistificazione e la vernice scientifica non sono affatto convincenti, allorché si studiano l'origine, la teoria, la pratica e le testimonianze di oggi.

Sarebbe ingenuo aspettarci una risposta chiara, un'informazione rivelatrice da parte dei medici e dei farmacisti che curano con l'omeopatia. Ne esistono certamente di onesti e coscienziosi, che cercano di utilizzare l'omeopatia distaccata dalle sue pratiche oscure. Ma l'influenza occulta, per natura nascosta, mascherata, spesso dissimulata dietro una teoria parascientifica, non sparisce e non può essere neutralizzata con un approccio superficiale, *che si contenta semplicemente di negare la sua esistenza».*[47]

Il problema rimane sempre quello di come poter discernere coloro che veramente sono «onesti e coscienziosi» da coloro che rimangono affascinati dall'esoterismo e dal Panteismo originario.

9. L'agopuntura

L'agopuntura, tecnica di origine cinese, è anch'essa crescentemente impiegata nell'Occidente soprattutto come tecnica anestetica, talvolta con risultati sorprendenti. Tuttavia non è solamente impiegata contro il dolore, ma si cerca di applicarla contro ogni tipo di malattia, dal raffreddore da fieno all'ulcera duodenale.

Ma quali sono i principi dell'agopuntura cinese? L'agopuntura sembra risalire all'epoca dell'imperatore Huang Ti (circa 5000 anni

---

[46] Dr. BAUR, «*Giornale Svizzero di Omeopatia*», n. 2 (1962).
[47] H.J. BOPP, *op. cit.*, p. 16.

fa). I suoi insegnamenti, dapprima tramandati oralmente, furono poi raccolti in un testo che racconta le discussioni di Huang Ti con medici e ministri del tempo. Il testo cerca di integrare le funzioni dell'uomo con le funzioni dell'universo.

Il mondo secondo loro era costituito da 5 elementi che sono stati messi in correlazione con 5 organi solidi: il cuore, i polmoni, i reni, il fegato e la milza. Ognuno di questi corrispondeva ad un organo cavo: l'intestino crasso, il tenue, la cistifellea, lo stomaco e la vescica.

Questi organi stanno in una strana relazione di amicizia e di avversità tra loro riflettendo le qualità dei cinque elementi: legno, fuoco, terra, metallo e acqua. Quindi i reni sono organi di acqua e sono nemici del cuore che è un organo di fuoco. Ogni organo è poi correlato con un pianeta e con una stagione dell'anno. Per esempio il cuore è correlato con l'estate.

Ma la cosa più importante sono i canali di energia «*Ch'i*» con i suoi componenti di *Yin* e *Yang* che permeano tutte le creature. Uno «*spirito cosmico*» circolerebbe in un sistema complicato di numerosi canali, chiamati meridiani.

In quel tempo dissezionare un corpo umano era proibito in Cina per ragioni religiose; quindi i cinesi avevano un concetto molto approssimato dell'anatomia. Essi pensavano per esempio che mentre il cervello era un organo insignificante, la milza era invece il centro del ragionamento.

Malgrado ciò tuttavia essi crearono una complessa teoria di correlazione dello *Yin* e dello *Yang* ai vari organi, da cui il dietro era *Yang* e il davanti era *Yin*; il fegato, il cuore, la milza, i polmoni ed i reni erano *Yang*, mentre lo stomaco, la cistifellea, l'intestino e la vescica erano *Yin*.

Yang era simbolo di mascolinità, di calore e di forza; *Yin* stava invece per freddo, debolezza e femminilità. La seconda parte del testo che si chiama «*La porta magica*» descrive come l'agopuntore debba operare per guarire o prevenire le malattie, cioè per ristabilire l'equilibrio delle forze cosmiche nel paziente.

L'agopuntura ha le sue origini nel Taoismo. Tao, da cui la religione prende il nome indica il *Logos* oppure la *Via*, che sta ad indicare «*la via dell'universo*». Il Tao è l'*energia cosmica universale* dietro l'ordine della natura. Il Tao ha due facce, lo *Yin* e lo *Yang*, che sono due opposti, ma tuttavia sono la stessa cosa. In contrasto con l'insegnamento biblico il Taoismo non distingue le forze opposte: luce-tenebre, Dio-Satana. Il bene e il male vengono quindi dalla stessa sorgente. Per i cinesi non c'è contraddizione tra religione e magia, né tra puro e impuro.

Una tale religione è quindi monista come l'induismo.

Ma nell'Agopuntura, fin dall'inizio, c'è anche un suo lato oscuro ed occulto, che non affiora facilmente. Intanto bisogna sottolineare la realtà poco nota dell'esistenza di tre livelli di agopuntura.

Un primo livello *essoterico* che è quello medico, apparentemente usato per combattere il dolore e di uso comune. Un secondo livello, *esoterico-iniziatico* – denominato «*Agopuntura esorcistica*» – avrebbe lo scopo di allontanare gli spiriti maligni. Ma gli stessi maestri di Agopuntura raccomandano di non usarla, perché molto pericolosa.[48]

Durante l'impiego di questa tecnica avvengono fenomeni straordinari; si dice che gli aghi arrivino fino a fondersi per lo straordinario sprigionarsi di «*energie*», ma si parla anche di eccezionali fetori e di disturbi che colpiscono tutti i presenti.[49]

Infine esisterebbe un livello ancora più esoterico chiamato «*Agopuntura imperiale*», a cui sembra che fossero sottoposti tutti i Mandarini dell'Impero cinese e che aveva lo scopo di impedire che essi si ribellassero all'imperatore. In pratica, il più colossale sistema di controllo mentale, forse ipnotico, mai usato dall'uomo.

Che cosa si nasconde dietro questi ultimi due livelli? Quali sarebbero le «*energie*» in atto? La parte occulta dell'agopuntura è purtroppo usata da molti agopuntori, anche se va detto tuttavia che altri medici che praticano l'agopuntura si trovano a disagio con l'eredità filosofica e occulta implicata nella loro professione.

L'Accademia Tedesca di Agopuntura, per esempio, rigetta ogni spiegazione che implichi «*il cielo e la terra*», oppure le «*energie disordinate*» dette anche «*energie perverse*».[50]

Il dr. J. Bischko, un agopuntore, direttore dell'Istituto Ludwig Boitzmann in Vienna, non vuole essere così estremo e sostiene che i cinesi:

[48] Vedi la testimonianza di chi l'ha subita, alla fine del cap. 1.
[49] Non sembrano certamente manifestazioni... mediche.
[50] R. Schwarz, «*Heilmethoden der Außenseiter*» [Reinbek Rowohlt Publishers (1977)], p. 36.

«...non erano un popolo mistico, ma molto realista. Tuttavia erano maestri nel raggiungere ciò che volevano sulla terra riferendosi a *potenze elevate*. Così essi consultavano degli indovini dell'acqua per sapere se il posto ove volevano costruire una casa fosse *accettabile da diversi spiriti*. In realtà costoro erano dei paesaggisti eccezionali...».[51]

Con questo sottofondo non fa meraviglia che nell'Istituto diretto dal dr. Bischko la ricerca sull'agopuntura venga condotta con la radioestesia.

Altri invece rifiutano completamente la filosofia cinese:

«Ciò che noi facciamo con gli aghi in realtà è di stimolare il sistema nervoso autonomico. Gli antichi cinesi hanno ingegnosamente scoperto questi sistemi e li hanno incorporati nei loro insegnamenti filosofici per mancanza di migliori conoscenze».[52]

Ma c'è una terza categoria che sostiene che gli eccezionali successi dell'agopuntura:

«...si possono ottenere solo quando l'operatore segue i principi messi a punto attraverso i millenni».[53]

Così dice ancora Schnorrenberger, specialista di agopuntura:

«È assolutamente necessario che l'agopuntore, se vuole avere un successo significativo, segua le teorie dell'antica medicina cinese.
Se l'agopuntore non tiene conto delle antiche teorie tutt'al più può solo praticare una stimolazione non specifica».[54]

George Ohsawa, il padre della macrobiotica, a sua volta dichiara che:

«...la medicina orientale non può essere separata dalle sue radici filosofiche».[55]

È per questo che molti operatori psichici e parapsicologi considerano l'agopuntura come prova del proprio insegnamento occulto.

---

[51] J. BISCHKO, «*Einfußehrung in die Akupunktur*» [Heidelberg, (1976)], p. 13.
[52] S. PFEIFER, «*Healing at Any Price?*» [World Publ. Milton Keynes, England, 1988], p. 32.
[53] C. SCHNORRENBERGER, CHEN-CHIU, «*Das Neue Heilprinzip*» [Friburgo, 1975], p. 54.
[54] Ibid., p. 99.
[55] G. OHSAWA, «*The Book of Judgement*» [Los Angeles], p. 14.

10. L'agopuntura in Cina ed in Occidente

Le pratiche tradizionali dell'agopuntura basate sui «*Nei Ching*» erano gli unici trattamenti possibili in Cina, dalla loro applicazione originaria (circa 5000 anni fa) fino al diciannovesimo secolo, quando giunsero dall'Europa i primi concetti occidentali a proposito della malattia e della guarigione. Per quanto quasi due secoli fa i concetti medici europei fossero assai poco avanzati rispetto alla medicina attuale, tuttavia erano così convincenti da indurre nel 1822 il *Grande Comitato Medico Imperiale* ad abbandonare l'agopuntura abbracciando la medicina occidentale.

Circa un secolo più tardi, nel 1929, fu addirittura il governo del Kuomintang a dichiarare ufficialmente abbandonata l'agopuntura. Tuttavia le vecchie pratiche sopravvissero al cambiamento legale a causa della resistenza delle grandi masse della popolazione rurale. La cosa più significativa che permise la sopravvivenza dell'agopuntura era però l'eccessiva scarsità dei medici laureati in Occidente. Quando Mao Tse-Tung giunse al potere nel 1949 in tutta la Cina erano disponibili 20.000-30.000 di questi medici ed erano concentrati soprattutto nelle aree urbane, mentre l'80% degli oltre 500.000.000 di cinesi era curato solamente da 40.000 medici tradizionali, in gran parte semplici praticoni.

Il brusco cambiamento sociale portato dal regime comunista incluse la rapida riorganizzazione del sistema sanitario, che indusse necessariamente una rinascita di interesse nei sistemi di cura tradizionali. Seguendo le preferenze delle popolazioni rurali, Mao sottolineò le virtù della medicina tradizionale in dichiarazioni come questa:

> «La medicina e la farmacologia cinese sono un grande magazzino di tesori; bisogna compiere degli sforzi per esplorarle ed innalzarle a livelli più alti».[56]

Il processo di integrazione tra la medicina occidentale e quella tradizionale fu accelerato nel 1966, durante la Rivoluzione Culturale del Proletariato. Le Università vennero chiuse, studenti e professori fu-

---

[56] J.J. BONICA, M.D., «*Therapeutic Acupuncture in the People's Republic of China*», «*Journal of the American Medical Association*», 228, 6, p. 1545 (1974).

rono inviati nelle campagne per essere «*rieducati*» e le pubblicazioni delle riviste scientifiche furono sospese. Alla fine della Rivoluzione Culturale le Università furono riaperte, ma le facoltà di medicina ebbero il loro curriculum dimezzato da 6 anni a 3 con una grande enfasi sulla pratica fatta nelle campagne, ed un rinnovato studio della medicina tradizionale.

L'agopuntura si trovò quindi ad avere lo stesso valore della medicina occidentale e negli ospedali cinesi veniva applicata contemporaneamente.

I pazienti potevano scegliere quale approccio terapeutico essi preferissero, con la medicina tradizionale, soprattutto forte nelle campagne, in cui i «*medici scalzi*», contadini con una preparazione di pronto soccorso molto elementare, agivano come il primo presidio sanitario per la stragrande maggioranza della popolazione.

Questi sviluppi non ebbero nessun impatto in Occidente fino al 1971, quando James Reston, uno dei più famosi editorialisti del New York Times, visitò la Cina. Reston assistette a grandi operazioni, quali un'operazione per un tumore al cervello e l'eliminazione di un polmone affetto da tubercolosi, in cui il paziente rimaneva sveglio e cosciente e l'agopuntura sembrava essere la sola via per l'anestesia. Durante questa visita in Cina Reston subì un'operazione di appendicite con un'anestesia spinale, ma poi fu curato per crampi allo stomaco e gastrite con l'agopuntura.

Il 22 agosto 1971 egli riportò sul New York Times questi trattamenti e l'interesse fu grandissimo. Da allora non solo giornalisti, ma medici e scienziati si recarono in Cina ed i loro rapporti comparvero soprattutto sulla stampa popolare, pochissimi invece nei giornali scientifici. Soprattutto da qui è nato il grande interesse per l'agopuntura in Occidente.

Per esempio il cardiologo E. Grey Dimond pubblicò una serie di articoli sul prestigioso JAMA,[57] in cui si descriveva come in Cina migliaia di operazioni venissero portate a termine usando l'agopuntura: operazioni al cranio, alla tiroide, alle tonsille, parti cesarei e perfino operazioni ai polmoni ed operazioni a cuore aperto. Egli era così impressionato che dichiarò che i cinesi:

[57] JAMA = Journal of the American Medical Association.

«... hanno qualcosa di molto superiore ai nostri metodi di anestesia...».[58]

Ma quando la comunità scientifica cominciò a prendere un atteggiamento più critico verso il fenomeno agopuntura, sorsero molte domande che non erano state poste davanti ai rapporti comparsi sulla stampa popolare.

La medicina cinese funzionava proprio come era stata presentata sulla stampa popolare? Quanto era efficace rispetto ad altri trattamenti (o a nessun trattamento)? I suoi effetti sono influenzati da variabili, quali il tipo di malattia, la credenza prevalente nella cultura cinese, o lo stato emotivo del paziente? I punti che vengono usati sono proprio importanti?

Se l'agopuntura funziona in un certo numero di individui, qual è il meccanismo d'azione? Queste pratiche potrebbero essere usate con successo in Occidente? La risposta positiva a quest'ultima domanda sarebbe assai interessante, specialmente nell'area della riduzione del dolore.

Un commento molto importante lo ha scritto il prof. F. F. Bonica, direttore del dipartimento di anestesiologia dell'università di Washington e presidente del Comitato sull'agopuntura del *National Institute for Health*, che illustra alcuni aspetti che erano sfuggiti ai precedenti osservatori.

I rapporti iniziali suggerivano che l'agopuntura venisse impiegata nella maggioranza delle operazioni in Cina, ma, esaminando le statistiche fornite dai cinesi, Bonica fu in grado di calcolare che le operazioni con l'agopuntura fatte in Cina erano meno del 10% del totale.

11. L'energia «*C'hi*» ed il prana...

Come funziona l'energia «*C'hi*»? Ci sono tante teorie: quella che coinvolge la produzione delle endorfine è la più convincente, ma ci sono anche altre teorie. Per esempio è stato dimostrato che si può estrarre un dente del giudizio anche usando farmaci che non hanno nessuna azione analgesica, o addirittura soltanto iniettando soluzio-

---

[58] PETER KOENIG, «*The Americanisation of Acupuncture*», «*Psycology Today*», giugno 1973, p. 37.

ne fisiologica purché il paziente sia convinto che ciò che viene iniettato sia molto efficace.

Ci sono infatti ricerche che indicano che l'effetto dell'agopuntura sia dovuto all'ipnosi e alla suggestione.[59]

Alcune delle ricerche compiute sono le seguenti:

a. Uno studio condotto su cento pazienti con dolori cronici, che non erano migliorati con le cure convenzionali, e furono trattati con l'agopuntura all'Università di Washington. La ricerca ha trovato spettacolari miglioramenti al momento, ma deludenti effetti nel tempo. I pochi che dichiaravano di sentirsi meglio tuttavia non avevano diminuito il livello delle loro medicine antidolorifiche.[60]

b. Uno studio (sempre all'Università di Washington) sul dolore di denti, indotto su dei volontari con una scarica elettrica, mostrava una sensibile risposta all'agopuntura. Ma fu notato che, inserendo gli aghi nella stessa area della spina dorsale da cui partono i nervi che vanno al dente, producevano più anestesia locale di aghi inseriti in parti del corpo lontane.[61]

c. Quarantadue pazienti con un dolore cronico alla spalla sono stati trattati metà con agopuntura e metà con un leggero tocco dell'ago sulla pelle senza infilare la punta dell'ago. Tutti i pazienti hanno riportato dei miglioramenti soggettivi. I pazienti furono anche testati con l'ipnosi. Coloro che non erano suscettibili all'ipnosi hanno mostrato anche bassa risposta all'agopuntura.[62]

Il problema più vero è che il non essersi procurato una sicura evidenza scientifica delle ragioni del funzionamento dell'agopuntura ha creato un mezzo culturale equivoco, utilizzabile per terapie occulte.

* * *

[59] P. WALL, «Agopuntura rivisitata», «New Scientist», 20 agosto 1972, pp. 129-131 [ibid. 3 ottobre 1974, pp. 31-34].

[60] T.M. MURPHY, «Subjective and Objective Follow-up Assessment of Acupuncture Therapy», in «Advances in Pain Research and Therapy», N.Y. Raven Press,1976, pp. 811-815.

[61] C.R. CHAPMAN et al., «Effects of Intrasegmental Electrical Acupuncture on Dental Pain: Evaluation by Thresholds Estimation and Sensory Decision Theory», «Pain», 3, 213-217.

[62] MARY E. MOORE and STEPHEN N. BERK, «Acupuncture for Chronic Shoulder Pain», «Annals of Internal Medicine», 84 [1976], pp. 381-384.

N.B. Tralascio di parlare di altre cose ancora meno serie, quali: l'iridologia, la riflessologia plantare, il reiki, l'aromaterapia, i cristalli, la piramide, ecc. Se due delle più usate pongono tanti interrogativi, quanti ne porrebbero gli altri?

Testimonianza[63]

Antonella non è più tra noi, perché ha raggiunto la patria celeste da alcuni anni, a soli 36 anni, per una grave forma tumorale. Ha dedicato a tutti noi questa testimonianza, affinché, leggendola, fossimo attirati sempre più a Dio. Lasciandoci questa eredità, Antonella intende continuare dal Cielo la sua missione apostolica di amore, a vantaggio di tutte le anime bisognose per le quali ha offerto la sua sofferenza. Gesù ha detto che non c'è amore più grande di colui che «dà la vita per i propri amici». Antonella ha avuto il coraggio di mettersi sulla via di questo amore più grande, e perciò, ha potuto imitare più da vicino il sacrificio del Signore Gesù. Viene dal cuore il desiderio di renderci degni di quest'anima, che il Signore ci ha permesso di conoscere da vicino per lasciarci un messaggio.

Antonella è andata sorridente incontro al Padre e questa testimonianza va quindi letta con gioia, così piacerebbe alla nostra splendida, solare, felice, sorella in Cristo, che vive nella luce di Dio.

Antonella, non dimenticheremo mai il tuo sorriso.

«...Quando scoprii quel nodulo al seno, era il dicembre '94, ero mamma di tre bambini piccoli, lavoratrice ambiziosa di una Ditta molto conosciuta, quindici anni di lavoro portati con orgoglio, all'insegna dell'indipendenza e della parità dei sessi, tra i classici salti mortali conosciutissimi dalle donne, che hanno un lavoro fuori casa, per conciliare i numerosi impegni di mamma, moglie, ecc.

Convivevo circa da due anni con un uomo "separato", dal quale avevo avuto un bambino, che ancora allattavo. Il mio carattere estremamente forte, deciso, nonché aggressivo e dominante, non mi permetteva di cedere alla disperazione, nella mia ben mascherata femminilità, al voler gridare aiuto a squarciagola, non avevo mai pensato al dono della vita e l'idea di dover morire così presto, mi prendeva troppo alla sprovvista.

La morte di mia mamma, dieci anni prima, causata dallo stesso male che mi avevano diagnosticato, carcinoma maligno, e la strada da lei intrapresa con la medicina tradizionale, la sua sofferenza e i suoi dolori atroci a cui avevo assistito per mesi, lungo il suo calvario, mi avevano terrorizzato al punto di ricercare una stra-

---

[63] Testimonianza riportata su «*Una Voce Grida...!*», n. 14, giugno 2000, pp. 12-16.

da diversa, a tutti i costi e contro il parere di tutti quelli che mi stavano più vicino; una strada che non portasse alla mastectomia, alla chemioterapia, alla nausea, alla perdita dei capelli, alla inevitabile menomazione.

Sentii alla radio la pubblicità di un Naturopata, erborista, pranoterapeuta, iridologo, che sconsigliava vivamente le pratiche di medicina tradizionale per la cura delle malattie in generale, ed accennava anche ai tumori, da lui curati con successo con le pratiche naturali.

Dopo averlo contattato, conosciuto ed idealizzato per la mia guarigione, nella mia cocciutaggine, mi sono fatta convincere dell'efficacia di certi rimedi, quali lunghissimi digiuni, cataplasmi di argilla applicati sul seno giorno e notte, mega-clisteri continui per abbassare la temperatura corporea, rimedi omeopatici diluiti a 100 CH e più,[64] alimentazione strettamente vegetariana idolatrata, quella ordinaria ritenuta responsabile di ogni mio disturbo fisico. Tutto in collegamento con le letture *"New Age"* che abbracciavano la non verità del Dio-tutto, l'energia cosmica, mai scientificamente provata, l'illusione dell'esistenza dopo la morte, tanto facilmente sostituibile, confondendola – per chi è digiuno – con lo Spirito Santo.

Naturalmente in questo fertile terreno, le pratiche hanno trovato un'eccellente collocazione, con la relativa adorazione di divinità demoniache, nei riti di *"iniziazione"*, poteri strani e fluidi *"magici"* del dio *"prana"*, in un calderone di idoli, che mi hanno portato ad illudermi sempre più di certe convinzioni assurde, nel mio folle cammino, sicura sempre più di essere perfettamente in grado di gestire la malattia, e nella presuntuosa superbia di guarire con le mie forze (io ero Dio), pur nella confusione più totale, naturalmente non percepita.

Nell'intraprendere questa strada, il demonio, nemico della luce e della verità, al quale avevo spalancato le porte di benvenuto, con il peccato mortale dell'adulterio, per aver lasciato mio marito, ed avergli brutalmente tolto le nostre due bambine, per andare a convivere con un uomo sposato, mi conduceva molto astutamente nella strada del caos, delle bugie, delle illusioni, delle fratture dei rapporti sociali, ritrovandomi sempre più sola nella mia follia.

Mi portava così alla conoscenza di persone alla ricerca di Dio, che mi introducevano alle letture più strane sugli Angeli (demoni), libri aperti al caos (magia), che mi suggerivano le cose più banali, ma logiche e credibili, alle quali ero giunta ad affidarmi e quindi convincermi a seguirle: pratiche di radioestesia, channeling, con evocazione di demoni attraverso le musiche tribali africane (tutto senza ovviamente sapere cosa stessi in realtà facendo), affidandomi alla numerologia, all'agopuntura, alla macrobiotica, con relativa religiosità orientaleggiante, all'astrologia per conoscere il futuro, emarginando sempre più Dio dalla mia vita.

---

[64] Secondo gli omeopati kentiani, rimedi potentissimi, che in realtà contengono il nulla, cioè... solo acqua.

Nella ricerca di Dio in questi *"casuali"* incontri, ben gestiti dal male, padrone incontrastato della mia storia, mi portavano così ad offendere Dio nelle pratiche di *"divinazione"*, di magia, di idolatria di altre divinità, pur senza saperlo e anzi con la scusa di cercarlo.

Questa religiosità *"fai da te"*, tanto astutamente proposta, mi portava a vivere ogni esperienza ed ogni contatto umano, senza il minimo discernimento, ed il male, il pericolo, si celavano spesso dietro i consigli di persone che mi volevano bene, di brava gente che si preoccupava della mia salute, ma del tutto fuori dalla via maestra.

In una religiosità dove tutto andava bene, tutto era via, tutto era relativo, ed io vivevo la mia vita, i miei sentimenti, i miei traumi più vivi che mai, senza risolvere assolutamente nulla, nella solitudine della mia follia, nella convinzione di pure illusioni diventate per me verità.

Il mio seno intanto (dicembre '95), macerato dall'argilla, sostituita ogni tre quattro ore, si ulcerava, andava in cancrena, quando levavo la parte in decomposizione, gioivo nel vedere i pezzi di carne che si staccavano insieme all'argilla impastata di materia putrefatta, mentre io aspettavo che il tumore si staccasse, incapsulato dal seno, come il mago naturopata aveva profetizzato... ed io ci credevo veramente!

In seguito alla denuncia esposto contro il mago, nei mesi seguenti una commissione di medici psichiatri fu incaricata, dal Tribunale di Savona, di verificare se fossi sana di mente per aver accettato di sottopormi a simili trattamenti ed aver creduto a tutto questo.

Ore di interrogatorio, test di vario contenuto, dimostravano un quoziente intellettivo nella norma, una personalità priva di turbe comportamentali; ero stata plagiata nella disperazione della malattia.

L'effetto devastante del male produceva lacerazioni affettive ed emotive, oltre che nel mio fisico provato dal dolore, nella mia vita familiare.

Il rapporto, non benedetto da Dio, con il papà di mio figlio, si rivelava sempre più privo di fondamento; affondavo così nella disperazione della malattia, nella mancanza di vero amore, nella vendetta, nelle cattiverie, nelle calunnie, nella mancanza di dialogo, nel non rapporto con i bambini.

Mi rendevo conto dell'enorme sbaglio che avevo commesso, del male che avevo causato a tante persone che mi volevano bene, nel mio voler andare contro tutti per rifarmi una vita, senza mettere il dovuto impegno nel ricucire il rapporto con mio marito, naufragato per motivi che si potevano risolvere con l'aiuto di chi avevo sempre lasciato all'ultimo posto della mia vita, chi aspettava con paterna ed infinita pazienza, che toccassi inesorabilmente il fondo... DIO.

Mi sono trovata sola, con i tre bambini, senza soldi, in una villa dall'affitto impagabile, alle prese con il mago imbroglione, che avrei di lì a poco abbandonato per aver scoperto che mirava solo a riempire le sue tasche del mio denaro, per diventare medico di me stessa, con una religione scricchiolante su basi inesistenti, in una via molto larga e spaziosa, in un disordine totale, sola.

A seguito del progressivo peggioramento delle mie condizioni, avevo mandato le bambine dai nonni, incapace di accudirle fisicamente; ridotta in pochi mesi all'incapacità di camminare, costretta a letto da una nevrite causata da carenze alimentari, con un peso che sfiorava i 45 chili... i miei occhi brillavano di voglia di vivere, facevo progetti, mille sogni, desideravo riunire la mia famiglia, tornare con mio marito, del quale ero sempre stata innamorata; desiderio che avevo sempre avuto sin dai primi mesi di convivenza con l'uomo "separato", dopo aver capito l'errore commesso nella perdita di lucidità, nel rincorrere un fantasma, cercando la passione, l'attrazione fisica, il proibito, l'illusione di una vita migliore.

Chi mi veniva a trovare – in seguito mi avrebbero confidato – ascoltava stupefatta i miei discorsi e non si capacitava della logica del loro contenuto.

Una notte, lacerata dai dolori del cancro che corrodeva la mia carne, tra le lacrime, nel non tollerare simili spasmi, ricordo un urlo senza fine che feci a Dio, nell'incapacità di comprendere cosa stava succedendo, una richiesta di aiuto a singhiozzi, con un piede nella fossa!

Oh, mio Signore, quanto sei stato buono con me! Che meraviglie hai operato nella mia esistenza, da quando, quella notte, levai il mio sguardo verso il cielo, cercando finalmente aiuto, quell'aiuto che eri pronto a darmi fin dall'inizio, se solo avessi avuto l'umiltà di chiedertelo.

Ricordo che qualche giorno più tardi parlasti per mezzo di un infermiere a Lourdes, quando mi consigliava di mangiare tutto quello che il mio corpo mi chiedeva, anche il gelato; sapevo ascoltare la Tua voce, o Signore, che gioia.

Tu permettevi, ora che Ti avevo cercato, che io riuscissi a sentirti. Recuperavo così quel peso che avrebbe consentito l'operazione chirurgica, pochi giorni dopo, alla quale tu mi spingesti con dolcezza attraverso le lacrime di mio padre... avevo sentito di nuovo la Tua voce, o mio Signore!

Con il tumore, decisi di estirpare dalla mia vita anche l'origine del male: l'adulterio. Dopo lunga e dolorosa degenza ospedaliera, durante la quale, i medici increduli di fronte alla gravità devastatrice del cancro, mi davano venti giorni di vita, iniziai il mio primo ciclo di chemioterapia, e con esso cominciò il processo di espiazione, o meglio di purificazione del male commesso. Dio agiva già alla grande nella mia vita, ora però iniziavo a percepirlo.

Dopo il primo ciclo di "chemio", al mio più forte desiderio di conoscerlo, Dio rispondeva proponendomi un seminario ad Angolo Terme, intitolato: *La guarigione dalle ferite della vita"*, durante il quale iniziai ad avvicinarmi a Lui nella gioia dell'atmosfera del Rinnovamento nello Spirito, e a conoscere il Suo amore, il Suo Santo Spirito, e, grazie all'aiuto della Sua Grazia, a capire che esisteva una strada ben definita, sicura, vera, una verità assoluta che portava alla vita: Gesù Cristo!

Iniziai ad accostarmi alle fonti della guarigione interiore. Per permettere a Dio di perdonarmi, cercai il perdono da dare agli altri e a me stessa, nonché il richiederlo con umiltà per riacquistare la pace.

Nel capire l'enorme importanza di fare il bene nell'unica mia preziosa vita che

311

mi era concesso di vivere, Dio mi spiegava pazientemente quanto fosse più facile, nonché conveniente, abbandonare il mio passato, il mio presente ed il mio futuro nelle Sue mani, con una fiducia che sarebbe, per Suo dono, aumentata sempre più nei mesi a seguire.

Capivo che tutto ciò significava acquistare la libertà e mettere i miei problemi nelle Sue mani, voleva dire non occuparmene più, perché ci avrebbe pensato Lui. Era semplicemente fantastico!

Capivo quanto male mi ero fatta. Quanto i miei errori avevano un peso nella mancanza di felicità nella mia vita. Quanto ero attaccata a cose prive di valore, lavoro, soldi, sesso, approvazione altrui, beni materiali, ambizione, potere... tutto quello che il demonio assicura a chi percorre la sua strada, costellata di tali effimeri piaceri.

Nella casa di spiritualità di Angolo Terme il Signore mi chiamava alla vita, ai valori che contano, per i quali vale la pena vivere, le fondamenta che non avevo mai avuto: l'amore, la pace, la gioia, la felicità, la famiglia, i figli, il matrimonio, la preghiera.

Mi chiamava alla fine della mia esistenza alla conoscenza, all'amore, a desiderare il servizio a Lui, al mio Signore! Quale lungo cammino mi si prospettava davanti!

Ma come i fanali di una macchina illuminano solo un tratto della strada che si ha da percorrere, Dio mi chiedeva di vivere giorno dopo giorno, camminando lentamente, passo dopo passo, mano nella mano con Lui, lungo la via diritta, ben protetta, stretta, ma tanto sicura e ricca di gratificazione, la Sua strada.

Lui avrebbe agito nella mia vita e, oltre a dare un significato, avrebbe riassestato quella costruzione sgangherata, che io, nella mia presunzione, ero tanto mirabilmente riuscita a costruire. Quali meraviglie, Signore! E che avventure mi chiamavi a vivere! Cos'era ora la mia vita a confronto? Quali emozioni ora percepivo all'ascolto della tua Parola nel gustare ciò per cui tu mi avevi creato!

Con la gioia di conoscere Dio, ero chiamata ovviamente a conoscere chi contrasta la Sua azione nella vita di ogni essere umano: Satana.

Sperimentavo di persona, e vedevo con i miei occhi la sua esistenza, nella manifestazione di grossi disturbi di comportamento in persone normali, vittime – come me – del dolore, del peccato, della magia, dell'occulto e quindi oppresse. Sentivo con le mie orecchie il lamento, il pianto, le urla della sofferenza!

Oh, mio Signore, quanto sei buono con i Tuoi figli, tanto preziosi ai Tuoi occhi, ma così immeritevoli di tanto amore. Perdonaci, o Padre, per tutte le offese che Ti procuriamo con i nostri peccati!

Con la consapevolezza dei peccati commessi, ed il pentimento per gli errori commessi cercavo l'azione di Dio, perdevo buona parte del peso della zavorra che mi trascinavo da anni, che appesantiva il mio cuore nella sofferenza, che lo induriva nel costruire meccanismi di difesa. Il Signore mi ridava un cuore di carne, ed iniziava a guarire le mie ferite, mi liberava dalle sofferenze con singhiozzi e lacrime, incontrollabili, aveva preso Lui il controllo della situazione!

Alla fine della settimana, con la meravigliosa prospettiva della felicità, della gioia, dell'amore della libertà che Dio promette a chi lo segue, nonché il fortissimo desiderio di guarire, che solo Lui poteva esaudire (qualora avessi cercato il Suo Regno, tutto il resto mi sarebbe stato dato in più!), decisi di mettere la mia vita nelle Sue mani.

Ricevetti l'effusione dello Spirito Santo, esperienza inenarrabile a chi non l'ha vissuta di persona, e ritornai a casa, volenterosa nel seguire i consigli di Dio. Iniziai ad andare alla S. Messa tutti i giorni, per nutrirmi della parola di Dio e del corpo di Gesù Cristo, nel sacramento dell'Eucaristia, come una brava allieva diligente, senza capire a fondo, il perché lo dovessi fare. Mi si consigliava di farlo almeno per trenta giorni, come una cura... *"disintossicante"*.

Nel mettere Dio al primo posto nella mia vita, lasciavo a Lui l'organizzazione di tutto il resto, figli compresi, lasciavo che gli eventi succedessero, senza oppormi, cercando di trovare un significato, un messaggio, un insegnamento, mi lasciavo guidare e notavo con stupore che tutto funzionava alla perfezione!

L'unico *"impegno"* consisteva nel non intromettermi con i miei capricci, desideri, decisioni. Dopo trenta giorni di S. Messa succedeva una cosa straordinaria: non riuscivo più a fare a meno di andarci!

Andavo all'appuntamento col mio Signore con il cuore traboccante di gioia, ed era lontano anni luce il sentimento scomodo di sentire la partecipazione alla Messa come obbligo/dovere.

Ora era il mio desiderio, e ciò era quantomeno strabiliante! Io lo desideravo! Il Signore organizzava la mia giornata con grande maestria. Lo Spirito Santo mi illuminava nei momenti di difficoltà, ed acquistavo giorno dopo giorno la forza necessaria per risolvere i problemi connessi alla malattia ed alla vita quotidiana.

Al ritorno da Angolo Terme, appena entrata in ospedale per affrontare il secondo ciclo di chemioterapia, nella mia vigliaccheria supplicai il Signore di non farmi sentire, per i seguenti cinque cicli, il malessere derivante dalla terapia, la nausea e il vomito, per il bene dei miei bambini (dissi io!), e ciò avvenne puntualmente.

Il mio stupore cominciava ad essere minore, la mia incredulità a trasformarsi in fiducia; del resto, come potevo non fidarmi di un Dio che si è fatto uomo *"per me"*, fino a consumarsi di dolore sulla Croce per salvarmi?

Giorno dopo giorno, mese dopo mese, Lui mi chiamava a nutrirmi dell'Eucaristia e viveva Lui, vivo in me, la mia vita, trasformava la mia persona, il mio carattere, i miei sentimenti, mi plasmava, mi forgiava, l'unica cosa che chiedeva era il mio sì, la mia disponibilità a lasciarlo lavorare.

Lui è lì, alla porta del nostro cuore, bussa e aspetta che lo lasciamo entrare, il nostro Dio Amore, estremamente educato e paziente, immensamente grande nelle Sue manifestazioni d'affetto!

Al contrario agisce il nemico, che s'intrufola nella nostra vita, sotto le vesti, apparentemente insospettabili apparentemente *"normali"*, che siamo chiamati a vivere, attratti, attraverso messaggi pubblicitari, entra nelle nostre case e domina incontrastato attraverso la televisione, procurando la distruzione della pace, del dialogo, dei rapporti familiari. Entra nella nostra vita per mezzo della sofferenza, i traumi che sanguinano in noi, se non abbiamo un medico che li guarisce (e solo

Dio può guarire in profondità!), distrugge la nostra pace, sfascia la famiglia attraverso il peccato, il sesso, l'adulterio, la ricerca di esperienze emozionanti, che ti lasciano il vuoto dentro, l'amaro in bocca, che schiavizzano come tutti i vizi, fino a non poter più fare a meno di praticarli. Altro che libertà!

All'insegna della libertà si diventa gradatamente oppressi da abitudini peccaminose che condizionano, influenzano per anni la nostra vita!

Il nemico è un ospite della nostra vita, alquanto maleducato, un intruso che chiudiamo fuori dalla porta e che sfacciatamente rientra dalla finestra. Un essere spregevole, che odia l'uomo creato per la vita eterna e per la visione di Dio nella gloria e nella felicità senza fine, destinato ad una gioia alla quale non potrà mai prendere parte per essersi ribellato a Lui; una presenza viva e devastante nella nostra vita, che ci costringe al combattimento giornaliero, un duro lavoro per contrastarlo, una volta individuato.

Ora tutto ha un senso con Te, o mio Dio, unico Signore e Salvatore della mia preziosa vita!

Tu dai un motivo immensamente grande per viverla, mi dai le armi per combattere, i Sacramenti, dai quali attingere forza, mi riempi del Tuo Amore, e fai traboccare il mio cuore di desiderio di donarlo agli altri!

Ora capisco la Tua Ansia di amarci, o mio Dio, perché provo anch'io, in maniera infinitesimale, l'ansia di farti conoscere agli altri, e così inciampo nella mia superbia, nella mia irruenza, nella mia mancanza di pazienza a chi si presenti durante la giornata.

Così Tu mi metti in condizione di chiederti l'umiltà, chiave che apre le porte al Tuo lavoro di paziente artista!

Nella solitudine e nelle dure prove di questi tre anni di malattia, mi hai fortificato, o mio Re, e mi hai donato la pazienza, la pace del cuore, la gioia nel fare la Tua volontà, mi hai insegnato ad amare, a pregare, a ringraziarti in ogni circostanza, mi hai sussurrato che *"tutto concorre al bene di coloro che amano Dio"* (*Rm* 8,28), anche quello che a me sembra senza senso, anche le difficoltà.

Tu conosci ogni cosa.

Tu scruti i pensieri più profondi del mio essere.

Tu conosci ciò che è bene per la mia felicità, e mi incoraggi quando sopravviene lo scoraggiamento.

Grazie, o mio Signore, per il mio passato, per la malattia, per avermi onorata della Tua conoscenza, per aver trasformato il male della mia esistenza in bene!

Grazie per aver costruito la mia casa sulla roccia della fede, della Tua legge d'Amore, grazie per aver formato in me il valore del matrimonio, attraverso la perdita di colui che tanto criticavo dal piedistallo della mia presunzione di donna preoccupata solo di fare carriera, belle figure, alla ricerca di inutili gratificazioni, assetata di vanagloria e di successo.

Mi hai tolto mio marito, e mi hai fatto comprendere la sacralità del matrimonio.

Mi hai fatto approfondire l'importanza dell'unione coniugale nell'amore in Te.

314

Come sarebbe stato diverso se allora avessi saputo le cose che Tu ora mi hai fatto conoscere!

Che desiderio, Signore, di essere uno strumento nelle Tue mani, per salvare tante coppie in crisi, di far conoscere loro i mezzi che Tu ci dai per trasformare l'amore di coppia da bronzo in oro.

Grazie, o Signore, per aver permesso tanti sbagli! Che fonte inesauribile di tesori è la sofferenza, la solitudine, il dolore!

Tutto quello che ti chiedo, o mio Re, Tu lo esaudisci! In me c'è la certezza, perché Tu l'hai messa nel mio cuore, della guarigione dal cancro, quando Tu lo vorrai! Se vuoi che la mia malattia serva ancora ai Tuoi disegni d'amore per il servizio di tante anime bisognose, io Ti dono la mia disponibilità, è tutto quello che posso darti: il mio sì unito alla mia fragilità, alla mia miseria, nella certezza che Tu possa agire con migliore potenza, e glorificarti sempre più nella mia vita proporzionalmente alla morte del mio io, che Ti supplico di annientare, giorno dopo giorno, con la forza del Tuo Spirito.

Io so, o mio Signore, che quando Tu vorrai, esaudirai anche il desiderio di rivedere la mia famiglia unita nel Tuo Amore, quando anche mio marito Ti cercherà, elevando la sua supplica d'aiuto per la guarigione delle sue ferite.

Renderai realtà questo mio sogno quando, nella Tua misericordia immensa, mi concederai di saperlo amare come ami Tu, nel ministero del Sacramento che Tu mi chiami a vivere quando mi riterrai pronta per rinnovare quelle promesse (mai mantenute) che un tempo, con tanta leggerezza ed impreparazione, davanti all'altare ci siamo fatti, nell'incoscienza della nostra gioventù.

Ed ora, Padre mio, non mi resta che affidarti, con l'aiuto di Maria, Tempio del Tuo Santo Spirito, le vite di coloro che leggeranno la mia storia, e Ti chiedo con tutto l'amore che ho nel cuore, di aprire i loro cuori all'ascolto dei Tuoi messaggi d'amore, che farai prevenire dalla lettura di queste pagine.

Tu dici: *"chiedete ed otterrete, bussate e vi sarà aperto"* ed io desidero che questa preghiera salga a Te come incenso, ininterrottamente.

Mamma del cielo, prendili per mano e portali tutti da Gesù, Signore mio, guarisci le loro vite, effondi nei loro cuori il Tuo Santo Spirito d'Amore e di pace. GRAZIE MIO TUTTO!».[65]

---

[65] Antonella, dopo una preghiera, ebbe la totale e sorprendente guarigione dal tumore che era già in metastasi; per due anni, ha vissuto da «guarita», poi le si è formato un altro tumore, resistente ad ogni trattamento, ma Antonella non ha mai smesso di sorridere a tutti, comunicando ad ognuno la gioia che aveva nel cuore. Quella gioia di cui parlava Gesù quando ci annunciava: «*Questo vi ho detto perché la mia gioia sia in voi e la vostra gioia sia piena*» (Gv 15,11). Il «*Naturopata*», invece, è in carcere per omicidio colposo. Forse, curata con la medicina occidentale, la dolcissima e solare Antonella sarebbe ancora tra noi a parlarci entusiasticamente di Dio e del suo infinito amore. Antonella, ancora una volta: Grazie!

12. «In cauda venenum» - Tantrismo: sesso estremo e caos

1. «Tantra»: il veleno nascosto

Tra gli insegnamenti dell'Oriente, uno in particolare spicca su tutti, perché rappresenta una sistematica elaborazione di quella sotterranea devianza religiosa comune a tutta l'umanità e che continuamente cerca di trascinarla al rifiuto di Dio. Ne faccio una trattazione a parte perché racchiude in sé tutti gli elementi che fanno da travi portanti di tutta quella struttura oscura che va dal Panteismo, alla magia, alla stregoneria, fino al satanismo.

Questo insegnamento è il «*Tantra*» ed il suo esercizio è il «*Tantrismo*». «*Tantra*» in sanscrito significa «*trama*», «*ordito*», «*tela*», e si presenta come una serie continua ed ininterrotta di regole religiose e di rituali, ma sta anche ad indicare «*libri*» e «*trattati*».

A prima vista il Tantrismo sembra un soggetto esoterico e marginale, ma il suo impatto è considerevole anche quando non viene nominato, o riconosciuto; infatti ciò che in Occidente chiamiamo «*influenza orientale*», o «*tradizione orientale*» è in gran parte «*influenza tantrica*».

I «*guru*» di illuminazione yogica venuti, o seguiti, in Occidente: Vivekananda, Yogananda, Mahanishi Mahesh Yogi (MT = Mediazione Trascendentale), Maharaj Ji (DLM = Missione della Luce Divina), Muktananda, Raneesh, Sai-Baba, e così via, sono tutti tantrici.

Il fascino che l'Occidente ha subìto dall'Oriente è stato soprattutto il fascino del Tantrismo, che, perciò, ha giocato un ruolo importante nella mistificazione della nostra cultura. La comprensione quindi di che cosa sia il Tantrismo è un fattore critico per riuscire a comprendere il Movimento New Age per due serie ragioni:

1. perché le forme meno sviluppate del Panteismo si comprendono meglio alla luce di quelle più sviluppate;

2. perché il Tantrismo ha pesantemente e direttamente contribuito a tutti gli aspetti del New Age e dei suoi antecedenti.

Per esempio la caratteristica peculiare del Tantrismo è l'enfasi sessuale, che traduce filosoficamente nella nozione di polarità tutto ciò che è alla base dell'esistenza. La retorica della polarità è quella più completamente assimilata dai membri del NAM e poi disseminata dovunque. Conseguentemente gran parte della cultura popolare e molti atteggiamenti correnti riflettono lo spirito del Tantrismo, anche senza saperlo. È una nozione tantrica, per esempio, che i mali sociali e quelli individuali potranno essere curati «*bilanciando i due emisferi cerebrali*», oppure quella che proclama di esaltare il «*femminino*» per annullare gli eccessi estremi del «*mascolino*». Non è difficile prevedere che man mano che il Tantrismo diverrà sempre più consolidato e diffuso nella cultura, il consenso generale sarà quello di rivolgersi alle sofferenze umane in modo «*tantrico*».

Definire il Tantrismo è cosa molto difficile, ma forse è ancora più difficile comprenderlo. Nella sua più ampia definizione il Tantrismo è una tradizione trans-religiosa, che ha avuto inizio con un risorgere del culto della fertilità, che era stato soppresso dagli invasori ariani, e che ha finito per permeare tutte le religioni esistenti.

Le origini del Tantrismo in parte sono ignote, soprattutto a causa dell'indifferenza indiana per la storia e per la documentazione. Si sa solo che alcuni documenti *tantrici* appaiono all'improvviso. Intorno al 600 dell'era cristiana, la religione tantrica in India sembra ancora sconosciuta, ma nel 900 già 64 scritti tantrici possono essere identificati.

Gli storici tendono però a vedere il Tantrismo come un insegnamento eclettico che affonda le sue radici molto lontano nel tempo, nella religione pre-ariana dell'antica India; un culto magico-mistico della fertilità, che adorava la «*Grande Dea*» ed il potere della femmina.

La migliore ipotesi, basata sull'evidenza corrente, è che i temi pre-ariani della fertilità si siano combinati con la filosofia dualistica e con altri elementi, in un'area ad ovest, dell'India durante i primi secoli dell'era cristiana. Così nacque il Tantrismo. Mircea Eliade nel suo libro «*Yoga*» afferma che il Tantrismo rappresenta il contrattacco spirituale di un culto indigeno della madre, soppresso dai conquistatori ariani.[1]

---

[1] Mircea Eliade, «*Yoga*» [Princeton University Press - Princeton, NJ (1969)].

Il Tantrismo moderno si identifica invece soprattutto con il Buddismo tibetano, ma è infiltrato anche nel «*Sivaismo*», nel «*Visnuismo*», nel «*Buddismo del Mahayana*», nello «*Yoga*» e nel «*Giainismo*».

Oltre al Tibet i centri maggiori per la sua pratica e diffusione si trovano nel Kashmir, nel Bengala e nell'India meridionale (ove, incidentalmente, opera Sai Baba).

In ogni caso va specificato che i tantrici incontrarono un'intensa opposizione e persecuzione per la loro eterodossia, prima dalla società ariana e poi dai mussulmani.

Al di fuori dell'impero ariano, il Tantrismo ha incontrato meno resistenza e così si è diffuso nel Kashmir, nel Bengala, nel Tibet, in Cina e forse in Giappone, dimostrando così la sua capacità di riempire facilmente molte forme culturali, mutando anche sembianze e apparendo talvolta come un cammino molto ascetico e spirituale, talvolta come magia nera.

Il Tantrismo si considera sobriamente realista, eppure spesso appare come una follia sistematica, appena ricoperta da una sottile vernice religiosa. Esso incorpora tutti gli estremi e le contraddizioni su cui attecchisce: è nello stesso tempo erotico ed ascetico; da un lato è indulgente, dall'altro è rinuncia totale.

I suoi rituali invocano indiscriminatamente demoni e divinità, mentre la sua dottrina li scarta ambedue nel nome di un monismo radicale.

Il tantrico va dalla persona più rispettabile a quella più depravata, dallo studioso dell'etimologia sanscrita allo yogin analfabeta che di notte pratica riti abominevoli sopra le tombe dei morti.

Purtroppo proprio a causa dei suoi riti sessuali estremi e delle sue tante componenti occulte il Tantrismo è più spesso sensazionalizzato che compreso. Se ci si avvicina al Tantrismo con le premesse sbagliate esso ci apparirà o confuso e incoerente o totalmente ripugnante, ma non ne scorgeremo l'essenza e quindi non sarà possibile scoprirne il veleno mortale che vi è contenuto per combatterlo.

Il Tantrismo sfugge alla comprensione della nostra mente, perché è una religione degli opposti, che coltiva la contraddizione ed il paradosso.

Il Tantrismo infatti si adopera di fondere tutto ciò che è opposto, da cima a fondo nell'universo, ed infine cerca di dissolvere anche le dualità che sostengono l'esistenza. I semi della sua filosofia si ritrovano dentro tutta la magia e dentro l'alchimia. Non è quindi un caso che Cagliostro e Pico della Mirandola andassero a pescare in India i segreti della loro magia.

Per il tantrico tutto ciò che è paradosso, opposizione e contraddizione si dissolve nelle esperienze di «*unità cosmica*»: l'unione mistica con l'«*Uno*». Il Tantrismo diventa quindi coerente solo per mezzo di questa esperienza e delle pratiche impiegate per produrla.

2. La realtà è l'«uno» ed è la sola realtà

La realtà che giace dietro l'esperienza e la pratica tantrica è molto in armonia con la classica metafisica indù, come si ritrova nei «*Veda*» e nelle «*Upanishad*». Come la filosofia vedanta ortodossa, anche il «*Tantra*» asserisce che la realtà è l'«*Uno*», e che l'«*Uno*» è la sola realtà; e come la filosofia vedanta riconosce che il mondo della mente e dei sensi (la realtà ordinaria) è un «*maya*»: un tremolare di ombre ed un velo di illusione.

Questo nostro mondo in realtà è «*lila*», cioè il gioco della coscienza divina, la magia illusoria della dualità, ma la cosa scioccante del «*Tantra*» è che non disprezza il regno «*maya*» come fonte di tentazione, o come catene, ma lo abbraccia come il materiale grezzo dell'illuminazione,[2] quindi vede il «*maya*» come l'unico contesto di liberazione possibile, perché il «*maya*» è precisamente dove la mente non illuminata è intrappolata.

Se l'ignoranza e la delusione sono le condizioni prevalenti, allora l'illuminazione deve aver inizio tra gli artefatti dell'ignoranza ed il fenomeno della delusione. Il tantrico accetta perciò il «*lila*», come un'arena per conoscere i poteri della coscienza, per poi usare questi poteri come un veicolo di illuminazione, e trascendere completamente il «*lila*».[3]

Per il tantrico l'universo è un tessuto mistico di coscienza, che a tutti i livelli dell'esistenza, viene mantenuto nella sua forma illusoria dalla tensione della dualità, con i suoi poli opposti (luce-tenebre, maschio-femmina, yin-yang, positivo-negativo, ecc.).

---

[2] Non si ritrova forse questo meccanismo anche nel satanismo crowelyano e nella magia sessuale?

[3] A. BROOKS, «*Tantra: Unravelling the Cosmos*», in «*The New Age Rage*», by KAREN HOYT ed. [Power Books, Fleming H. Revell Co. - NJ (1987)], pp. 131-157.

Il tantrico può dominare queste fondamentali dualità cosmiche per mezzo del controllo della propria funzione sessuale; la connessione tra sesso e stregoneria cosmica si basa sulla teoria della «*corrispondenza occulta*».

La polarità è la chiave dell'esistenza; le sue tensioni danno unità e struttura a tutta la realtà manifesta, quindi il corpo umano, come parte della realtà che si manifesta, è preso in mezzo alla rete polarità/esistenza.

Il corpo è un microcosmo, una versione miniaturizzata del cosmo. La polarità nel corpo, il sesso, è quindi la chiave per accedere alla nostra esistenza, ma è anche un'antenna capace di sintonizzarsi per captare le energie di polarità, che riempiono l'universo; perciò imparando a controllare le energie di polarità nel corpo, cioè la funzione sessuale, il tantrico attinge ai «*poteri*» della materia e della mente e «*domina*» i segreti dello spazio e del tempo.[4] È questo il punto di incontro tra la corrente tantrica e le tecniche yogiche di ascesi («Hata-yoga»).

Il Tantrismo abbraccia quindi l'illusione come un mezzo per raggiungere la realtà; chiama la dualità una via che conduce all'«*Uno*» e afferma che il corpo umano, *in modo particolare la funzione sessuale, è la nostra più sicura connessione con il divino*. Tuttavia anche in ciò il Tantrismo è inseguito dal paradosso: la naturalità della vita umana viene apprezzata, ma solo come un mezzo per raggiungere la dissoluzione finale. L'esistenza umana viene convalidata, ma solo come piattaforma per lasciarsi dietro l'umanità.

Per poter comprendere meglio queste relazioni dobbiamo guardare alle teorie tantriche sulla natura dell'esistenza: che cos'è e da dove viene.

3. Cicli infiniti e la «follia di dio»

Prima del tempo, non c'è inizio, e la «*Pura Coscienza*» rimane in perfetto equilibrio. Questa Coscienza è totale fusione di tutte le polarità in una unione perfetta e indifferenziata; un mare sconfinato di pura potenza, senza distinzione, manifestazione, o forma. Questa Coscienza è «*dio*», ed è tutto ciò che esiste.

---

[4] Il sesso ricopre questa stessa funzione sia nella magia sessuale, che nella stregoneria.

Ma ecco che qualcosa disturba questo equilibrio originario, la stabilità divina si muta in uno sbilanciamento oscillante e appare così la prima dualità: maschio e femmina vengono separati; «dio» si è diviso.

L'interazione di queste polarità originarie della coscienza produce una serie di onde, che ulteriormente disturbano la superficie tranquilla del mare della perfetta beatitudine. Man mano che queste onde, oscillando avanti e indietro, si incrociano e si intersecano ulteriormente tra loro, il loro disegno diventa sempre più elaborato, mentre esse diventano sempre più «solide» e gradualmente si condensano nella «materia».

Questo processo di involuzione divina infine espelle il cosmo come una serie di *vibrazioni densificate*, o *onde solidificate*.[5] L'universo tantrico consiste quindi di emanazioni divine così involute che la loro divinità è scomparsa.

In termini biblici quindi la «*Creazione*» è uguale alla «*Caduta*», anzi alla «*Caduta di dio*», mentre in termini tantrici l'esistenza, per definizione è uguale all'ignoranza metafisica. Il cosmo nasce perché la mente di «*dio*» diventa «*squilibrata*»; non come se fosse squilibrata, ma letteralmente «*squilibrata*»: cioè, *dio è impazzito*.

Quindi la Creazione è «*la pazzia di dio*» e questo è il significato più vero del «*lila*». Quando però c'è la massima illusione e la coscienza si è profondamente materializzata, il processo si inverte.

Man mano che la coscienza si muove verso la riunione, il residuo del «*maya*» si indurisce e va verso la dissoluzione. Nello stesso modo l'umanità condivide la corsa del «*maya*» verso il basso, mentre si avvicina la fine di tutte le cose.

4. Tantra e Cristianesimo a confronto

Il Cristianesimo ed il Tantrismo si affrontano faccia a faccia come due immagini speculari; ognuno dei due sistemi esalta ciò che l'altro svaluta e afferma ciò che l'altro nega, quindi l'analisi del Tantrismo dal punto di vista del Cristianesimo, o viceversa, offre illimitate possibilità di commento; qui mi basta farlo solo su alcuni punti princi-

---

[5] Il legame con il pensiero New Age – che afferma che «*tutto è energia*», quindi «*tutto è dio*» – è molto evidente.

pali: *Dio, la creazione e l'umanità*. Proviamo allora a confrontare alcuni punti del Tantra con il Cristianesimo e ci accorgeremo che sono proprio due immagini opposte.

a. Dio

Il Tantra dice che l'«*ultima realtà*» («*dio*») è «*uno*» e **impersonale**. Essendo «*uno*» non contiene distinzioni, è indifferenziato senza qualità e attributi; unifica tutte le dualità e trascende tutti i valori inclusi il bene ed il male. Perciò «*dio*» non può essere *persona*, perché la personalità è un sottoprodotto della differenziazione, quindi «*dio*» non ha volontà e non ha fini; «*dio*» è quindi pura energia non manifestata,[6] mentre il cosmo è la permutazione di tale energia secondo le regole rigide di causa ed effetto.

Il Cristianesimo afferma che Dio è **Persona** ed ha attributi appropriati ad una persona: volontà, fini, valori, preoccupazioni, libertà, creatività e sensibilità, questi attributi si riflettono non solo su tutto ciò che Dio è, ma anche su tutto ciò che compie. Tutta la creazione di Dio ci ricorda qualcosa della sua natura, ma il più alto aspetto del suo essere (persona) si mostra soprattutto nel più alto sviluppo della creazione: *l'uomo*.

b. Dio ed il cosmo

Per il Tantra «*dio*» emana il cosmo dal suo essere, quindi il cosmo è un'estensione di «*dio*», ha la natura di «*dio*» ed in essenza è «*dio*», quindi non c'è discontinuità tra «*dio*» ed il cosmo, tutto è «*Uno*», **il cosmo è «*dio*»**.[7]

Per il Cristianesimo Dio crea il cosmo dal nulla; Dio trascende la sua creazione ed è distinto da questa. C'è quindi una discontinuità radicale tra Dio e ciò che ha creato. **Il cosmo non è Dio** e non condivide la sua essenza; è subordinato a Dio e Dio è sovrano sul cosmo.

---

[6] Quasi tutte le pratiche della Medicina Alternativa partono da questa affermazione monista: l'agopuntura, la pranoterapia, il reiki, lo shiatsu, la kinesiologia applicata, ecc. Come mai i cristiani rimangono così indifferenti davanti a questa teoria? E se fosse un pericolo?

[7] Il Panteismo quindi è totalmente inconciliabile con il Cristianesimo.

c. La creazione

Il tantrico dice che l'emanazione di «*dio*», il cosmo, ha una apparenza che gode di una limitata ed ingannevole realtà; la sola realtà – oltre tutte le apparenze – è l'«*Uno*», che, per definizione, non permette alcuna particolarità e esistenza sotto qualsiasi forma. Il cosmo è quindi «*Maya*», il gioco delle illusioni, ed **ha un valore molto negativo** finché noi lo consideriamo reale.

Il cristiano crede che **la creazione è reale e buona**; quando Dio la creò dal nulla, portò una novità genuina all'esistenza, e la creazione non è né Dio, né niente, ma è *qualcosa*. Ora la creazione, dopo il peccato di Adamo, è imperfetta e decaduta, ma malgrado ciò continua a portare la firma del Creatore ed agli occhi di Dio rimane «*buona*»; alla fine Dio la farà nuova (*2 Pt* 3,13), non la rigetterà.

d. L'uomo

Il Tantra dice che l'umanità non è distinta da «*dio*», gli uomini, come il resto del cosmo, in essenza sono fatti di «*dio*», come realtà finale sono riducibili a una pura coscienza, senza forma ed impersonale. **L'uomo non ha una natura definita, qualsiasi natura sembri di avere è una illusione.**

Il Cristianesimo insegna che l'umanità è parte della creazione e ne condivide la realtà e la bontà. L'uomo è in grado di provvedere alla crescita ed allo sviluppo della persona perché Dio stesso è persona; **Dio ha condotto appositamente la creazione verso il pinnacolo dell'uomo-persona.**

Il Tantra dice che gli uomini come realtà finale non hanno attributi innati, o limitazioni inerenti; non hanno particolari funzioni, o valori, come parte della loro natura, che non è fissa, ma proteiforme ed infinitamente flessibile. Tutte le opzioni rimangono aperte e l'uomo ha un *potenziale infinito*;[8] l'uomo quindi incarna inseparabilmente tutta la potenza, la conoscenza e la saggezza del cosmo, oltre alla sua natura divina. **L'uomo è «*dio*».**

Il Cristianesimo dice che l'uomo ha uno scopo particolare, predi-

---

[8] Riflettiamo su come queste idee guidino il mago e la magia nel «tiroclerismo», nella magia sessuale, nel satanismo crowleyano e nelle pratiche di medicina alternativa.

sposto da Dio, che tuttavia permette lo sviluppo individuale. I limiti dell'esistenza finita non sono catene dello spirito, sono confini, che permettono però l'esercizio della libertà. Le particolarità ed i limiti dell'esistenza creata sono voluti, progettati e benedetti da Dio. Questo vuol dire anche che gli uomini sono distinti da Dio ed a lui soggetti. Nessuna creatura può sopportare il peso di essere Dio. **L'uomo non è Dio.**

Per il Tantra l'uomo è «*divino*», non ha limite e non incontra barriere infrangibili; la morte è irreale, anzi è lo stadio finale della crescita. Essa appare come un termine solo dal punto di vista illusorio dell'individuo. La morte è un processo incluso nell'illusione del cosmo e quindi è un illusione. Il terreno dell'esistenza è immortale e immutabile, quindi gli uomini nella loro essenza divina sono immortali, perché **la morte non c'è.**

Per il Cristianesimo, in aggiunta ai provvidenziali limiti dell'esistenza creata, ci sono altri limiti, che sono stati introdotti dal peccato. Molti dei limiti che noi sperimentiamo sono la conseguenza del peccato e della susseguente maledizione.

La morte in particolare mette una barriera frustrante alla ricerca umana di significati. La morte riduce la nostra vita terrena e la limita ad un'assurdità senza significato. Poiché il suo regno è universale, annulla la speranza ed il successo qui in terra. La morte è anche il giudizio di Dio sul peccato, quindi **la morte è reale e inevitabile.** Solo in Gesù Cristo la morte, pur essendo inevitabile, viene vinta definitivamente, proprio perché Gesù l'ha affrontata, è entrato in essa ed è risuscitato:

> «*Io sono la risurrezione e la vita; chi crede in me anche se muore vivrà; chiunque vive e crede in me, **non morrà, in eterno.** Credi tu questo?*» (Gv 11,25-26).

Nel Tantrismo la perfezione sta nella «*autocoscienza indisturbata*» dell'«*Uno*»,[9] ma questa perfetta beatitudine è rovinata dalla sua discesa nella dualità, nella manifestazione e nell'illusione.

Nel Cristianesimo la perfezione sta *nel lasciarsi santificare dalla grazia di Dio ed entrare in comunione con lui.* Il peccato si oppone all'azione beatificante di Dio.

---

[9] Quanti legami con lo gnosticismo e la magia partono da qui? La corretta «gnosi» cristiana non è fatta solo di «conoscenza», ma è intessuta di «grazia».

e. La relazione tra l'umanità e Dio

Il Tantra dice che il legame ultimo con la «*realtà finale*» si basa **sull'unità di tutta l'esistenza e sulla sua identità essenziale con il divino**.

Ci possono essere barriere auto-imposte alla percezione di questa unità, ma non c'è discontinuità dell'*Essere* in nessun luogo dell'universo.

Il Cristianesimo dice che l'unione dell'uomo con Dio **sta nella relazione di comunione** (nei Sacramenti, nella preghiera, ecc.). La distinzione tra Dio e la sua creazione permette un'appropriata e soddisfacente relazione; Dio ci ha creati come persone, a sua «*immagine e somiglianza*», per questo scopo.

f. Il dilemma dell'umanità

Il Tantra crede che il dilemma dell'umanità sia una limitazione dell'opera della coscienza, noi abbiamo una coscienza limitata, cosicché non percepiamo l'«*Uno*», ma solo suoi frammenti. **Il nostro problema è l'ignoranza metafisica.**

Il Cristianesimo insegna che il dilemma dell'umanità è la rottura della relazione con il Dio della creazione. I nostri primi progenitori sono stati allontanati dalla presenza di Dio, in parte per loro protezione, quindi tutti i loro discendenti sono nati in un esilio spirituale. Noi ci siamo fatti nemici di Dio ed abbiamo perduto la relazione originaria in cui era stato stabilito che trovassimo pienezza. **Il nostro problema è il peccato.**

Riassumendo si può dire:

– nel Tantrismo «*dio*» sbaglia e, per sua colpa, l'umanità e l'universo ne soffrono le conseguenze nella miseria e nell'alienazione dell'esistenza. Poiché «*dio*» ha la sua «*pazzia*» («*lila*») noi soffriamo il «*karma*», la catena ininterrotta di morte e reincarnazione a cui siamo condannati a causa di questa «*pazzia*»;

– nel Cristianesimo, Dio ha creato un mondo perfetto, che lui stesso dichiara «*buono*», ma la sua eccellente opera è stata rovinata dalla caduta dei suoi amministratori nel peccato e nella disobbedienza. Nel Cristianesimo è l'uomo che sbaglia, mentre Dio ne soffre le conseguenze al nostro posto nell'agonia e nell'alienazione della crocifissione:

«...*mentre eravamo ancora peccatori,* **Cristo è morto per noi**» (*Rm* 5,8);

e:

> «*La creazione stessa attende con impazienza la rivelazione dei figli di Dio; essa infatti è stata sottomessa alla caducità... e nutre la speranza di essere lei pure liberata dalla schiavitù della corruzione, per entrare nella libertà della gloria dei figli di Dio. Sappiamo bene infatti che tutta la creazione geme e soffre fino ad oggi nelle doglie del parto...*» (*Rm* 8,19-22).

In questo gruppo di immagini invertite, possiamo vedere l'appello finale, «*soggettivo*», del Tantrismo all'uomo caduto del nostro tempo, o di qualsiasi altro. Il Tantrismo rende l'umanità vittima innocente della propria condizione e fissa la responsabilità per questo stato di cose nell'incredibilmente antico tremito della «*Coscienza impersonale*». In realtà è tutto un giro tortuoso per addossare la «*Caduta*» a Dio. In fondo anche Adamo, dopo il peccato, aveva tentato di fare la stessa cosa:

> «*La donna* **che tu mi hai posta accanto**, *mi ha dato dell'albero e io ne ho mangiato*» (*Gn* 3,12),

ma Adamo era sotto l'influenza del Dragone.
E il Tantra...?

5. Il Tantra contro l'esistenza

Da tutto ciò che è stato detto si ha la percezione del «*dinamismo spirituale perverso*» che permea tutto il Tantra: la sua fondamentale avversità per la creazione, per l'umanità e per la natura umana.

Ogni livello della pratica tantrica costituisce perciò un assalto al regno della esperienza normale, che letteralmente viene disintegrata e dissolta nelle sue componenti occulte; poi le forze elementari della creazione vengono a loro volta usate come legami verso forze che si trovano completamente al di là del mondo naturale. Quanto segue è un esempio molto illuminante:

> «Il Tantra buddista è diviso in quattro classi o livelli, conosciuti rispettivamente come *azione, compimento, yoga* e *supremo yoga tantra*. Ogni classe è destinata ad un particolare tipo di praticante e si differenzia dalle altre per il grado di intensità dell'energia del desiderio che il praticante può indirizzare nel sentiero spirituale.

Tradizionalmente, questi diversi livelli di energia della beatitudine vengono illustrati con esempi di una crescente intimità sessuale: così si afferma che il praticante del livello inferiore del tantra è colui che sa usare e trasformare l'energia della beatitudine che sorge dal semplice guardare un partner attraente. Al secondo livello, viene trasformata l'energia provocata dallo scambiarsi sorrisi, o dal ridere; al terzo livello, l'energia usata è quella che deriva dal tenersi le mani o dall'abbraccio, mentre nel supremo yoga tantra il praticante qualificato possiede l'abilità di dirigere nel sentiero spirituale l'energia che sorge dal desiderio *dell'unione sessuale vera e propria*.[10] Queste immagini così potenti ci danno un'idea del campo di energia costantemente in aumento, che può essere canalizzato e trasformato dalla pratica del tantra... È facile parlare in generale della teoria e pratica del tantra, di usare il desiderio come sentiero verso l'illuminazione, ma il semplice parlarne non ha molto senso. Ciò che conta veramente è capire, facendo un preciso esame delle nostre capacità ed esperienze, *come*, in questo momento, *gestiamo l'energia del desiderio*».[11]

Il Tantra disfa il mondo normale della percezione e della comprensione e lo ritesse poi in un intrico di «*corrispondenze occulte*» (e forse è questo il senso della parola «*Tantra*») che infine svaniscono nell'«*Uno*».

Questa è la condizione che il tantrico ricerca e che molto chiaramente funge da porta d'ingresso nel mondo della dissoluzione. Il Tantra, insomma, mostra come se il mondo apparisse, fugacemente, nel momento stesso in cui sta per scomparire.

6. Il Tantrismo ed il crollo dell'etica

Le caratteristiche «*iniziatiche*», decadenti e estremiste del Tantrismo spiegano anche la crisi che, nel sistema, subiscono le norme etico-religiose: così si completa il quadro del disfacimento di tutte le strutture normali, prima logiche, poi sperimentali, infine rituali e devozionali.

La crisi dell'etica si presenta sia nelle forme induizzate tantriche, sia nel «*Tantrismo*» buddistico.

---

[10] Sempre si finisce nel sesso, come abbiamo già visto nella magia sessuale, nella stregoneria e nel panteismo.
[11] Lama THUBTEN YESCE, «*La Via del Tantra - Una Visione di Totalità*» [Chiara Luce Ed. - Pomaia (1987)], p. 35.

Il praticante è al di sopra degli dei e degli uomini e prende coscienza della «*relatività sociale*» delle norme: esse non sono valide in senso assoluto, perché non vi è un bene assoluto o un male assoluto, ma le bipolarità etiche si incontrano e si confondono nella realizzazione tantrica. Ne consegue che, soprattutto presso il *Tantrismo della mano sinistra*, la violazione della norma è un atto efficace sul piano di una superetica attinta dal «*sadhaka*» nel suo tirocinio e nella sua illuminazione.[12]

«Essa procura quell'acquisizione di potenza che si esprime già in altre forme di ribellione alla normalità, nell'adozione, per es., del linguaggio segreto, come evasione del mezzo normale di comunicazione, e nel ricorso all'orgia e alle tecniche sessuali. Si segnalano qui alcuni insegnamenti di tecnica tantrica della scuola Kaula: "Il piacere che viene dato dall'alcool, dalla carne, dalle donne, è liberazione per quelli che sanno, peccato mortale per i non-iniziati. Ciò che nel mondo è abbassato sarà esaltato, e sarà ribassato ciò che nel mondo è esaltato... Cattiva condotta diviene buona condotta, atto interdetto è dovere maggiore, il non vero è verità per gli adepti di Kula. Bere ciò che è interdetto di bere, mangiare ciò che è interdetto di mangiare, avvicinare ciò che è interdetto di avvicinare: ecco la parte che spetta agli adepti di Kula. Non vi è ingiunzione né inibizione, santità né peccato morale, cielo né inferno per gli adepti di Kula. Gli ignoranti sanno, i poveri sono ricchi, la gente perduta riprende vigore, quando si è adepti di Kula... La morte si fa medicina, la casa sotto i nostri occhi si trasforma in paradiso, i rapporti con la donna divengono santi, presso gli adepti di Kula...
Essi parlano come se fossero irreali, avanzano come ignari, come dementi: ecco a che cosa rassomigliano gli adepti di Kula esperti di Yoga. Il capo di Kula, anche quando è in stato di liberazione, gioca come un elefante, si comporta come un semplice: egli, che ha tutta la saggezza, parla come un folle.
Lo yogin gusta i piaceri dei sensi per aiutare tutti gli uomini, e non per desiderio; amorevole verso tutti gli esseri, egli si diverte sulla faccia della terra... gioisce di tutte le gioie e nessun male lo rende impuro"».[13]

Abbiamo già sentito tali discorsi aberranti quando parlavamo di magia sessuale e di gnosticismo. Rimane quindi ancora più grande l'abisso che separa il cristiano da queste teorie depravate.

---

[12] Abbiamo già incontrato questa perversione chiamata «*antinomismo*» parlando della magia sessuale e del satanismo crowleyano.

[13] «*Enciclopedia delle Religioni*» [Vallecchi Editore, Firenze (1970)], II, pp. 1607-1608.

7. L'iniziazione per diventare una divinità

Gli insegnamenti buddisti in generale e l'esperienza tantrica sottolineano che in ciascuno di noi esiste già una sorgente illimitata di profonda saggezza e di grande gentilezza, solo che noi non lo sappiamo e quindi bisogna sbloccare queste risorse ed attivare questa potenziale energia per ottenere l'illuminazione.

Per fare ciò bisogna passare però attraverso una efficace iniziazione, e perché ciò avvenga, è necessario che il guru ed il discepolo partecipino alla creazione dell'atmosfera adatta.

Il guru ha la responsabilità di conferire l'iniziazione in modo che sia consona alle attitudini dei discepoli e poter toccare la loro mente ed il loro cuore, mentre i discepoli devono avere un atteggiamento aperto e mantenere la mente in stato di ricettività.

E dopo l'iniziazione? Vediamo cosa succede:

«...una delle prime meditazioni della sadhana è la pratica del guru-yoga, che viene fatta nel modo seguente: visualizziamo di fronte a noi o sulla sommità del nostro capo la principale divinità di meditazione tantrica che stiamo praticando, circondata dai vari guru del suo lignaggio. Questi guru del lignaggio sono i maestri che, susseguendosi, hanno trasmesso gli insegnamenti e la realizzazione di questa speciale pratica e comprendono tutti i maestri del lignaggio, dal primo fino alla nostra guida spirituale, il guru dal quale abbiamo ricevuto l'iniziazione. Poi chiediamo ai membri di questa assemblea di concederci la loro ispirazione e benedizione e come risposta a questa richiesta essi si assorbono uno nell'altro, entrano in noi dalla sommità del capo in forma di luce, scendono nel nostro canale centrale e si dissolvono al centro del nostro cuore...[14] Quindi meditiamo sulla sensazione che il nostro guru, *che in essenza è* **identico alla divinità,** *e la nostra coscienza sottile, sono diventati indissolubilmente uniti*».[15]

A questo punto è chiaro che non c'è alcuna differenza tra la pratica del Tantra ed il channeling, o la possessione da spiriti. Sant'Agostino definirebbe il cristiano che cominci a praticare le tecniche del Tantra come colui che ha già «*apostatato* da Cristo e dalla Chiesa».

Con pericoli così evidenti è chiaro che la prudenza ci esorta ad innalzare un solido sbarramento tra il cristiano e le forme anche stri-

---

[14] Questo è il modo classico per diventare volontariamente... «posseduto»?
[15] Lama THUBTEN YESCE, *op. cit.*, pp. 111-112.

scianti del Tantrismo, che cercano di entrare in contatto con il popolo cristiano, soprattutto attraverso quelle pratiche di medicine alternative che ne incarnano la filosofia: non ultima la pranoterapia.

8. Il Tantra in Occidente: occultismo e Gnosticismo

In realtà è stato Marco Polo che ha creato in concreto la nostra immagine dell'Asia. Da allora in poi l'Occidente ha visto l'Oriente come un regno favoloso pieno di benessere e meraviglie. Ma va anche detto che è da allora molti degli Europei che per primi hanno visitato l'Oriente lo hanno fatto esplicitamente in cerca di apprendimento esoterico. Alcuni tornarono in Europa proclamando di possedere «*poteri occulti*» e svilupparono una reputazione per ciò di cui si vantavano. Questi personaggi coloriti furono i primi ad impiantare l'occultismo orientale nella cultura europea.

> «Il più importante fra loro fu il semi-leggendario Christian Rosenkreutz (m. 1484) che visitò il Medio Oriente e tornò in Germania per fondare la Fraternità dei Rosacroce; il famosissimo alchimista ed occultista svizzero-tedesco Teofrasto Paracelso (m. 1541) che si dice abbia visitato la terra dei Tartari; l'enigmatico Conte di Saint-Germain (m. 1794) che si dice abbia viaggiato in India ed imparato il sanscrito; il Conte Alessandro di Cagliostro (m. 1795)... che spese molti anni in Oriente».[16]

Bisogna imparare bene – e poi tenere a mente – che fin dai tempi più antichi l'occulto occidentale e l'esoterico orientale sono stati in relazione intima ed in comunicazione stretta, per cui quasi tutte le forme di insegnamento occulto fanno uso diretto delle nozioni filosofiche orientali.[17]

L'immagine dell'Oriente, nell'occultismo occidentale, prende pesantemente origine dalle cognizioni tantriche, specialmente quando l'enfasi è sui poteri «*mistici*» e le capacità magiche. Tuttavia finché il Tantrismo rimaneva dentro l'occultismo occidentale era parte di un mondo chiuso.

Coloro che venivano in contatto con l'occultismo erano influen-

---

[16] B. WALKER, «*Tantrism*» [Aquarian Press - Wellingborough, Northamptonshire (1982)], p. 104.

[17] Ne abbiamo visto un esempio nel capitolo predente con il Reiki.

zati dal Tantrismo, gli altri, che rimanevano esterni a questo mondo, no. Oggi, invece, con il diffondersi della cultura post-cristiana la minaccia dell'influenza tantrica è divenuta pressante.

9. La minaccia

Henry Massis scrive:

«È l'ora propizia per le imprese equivoche di ogni falso misticismo... Non si può dire che il mondo moderno manchi di soprannaturale: se ne vede apparire di ogni specie e varietà. E il gran male di oggi non è il solo materialismo, lo scientismo, ma una falsa spiritualità scatenata. Il mistero avvolge tutto, si installa nelle buie regioni dell'io, che esso devasta, e al centro della ragione, che esso scaccia dal suo dominio. Si è pronti a reintrodurre il mistero dappertutto, eccetto che nell'ordine divino, ove esso risiede realmente».[18]

Questo monito è attuale più che mai, anche se molte di queste infiltrazioni tantrico-induiste, o tantrico-buddiste possono, in superficie, apparire innocue e marginali, ma, se si gratta via la leggera vernice di cui si ricoprono, viene a galla un equivoco sincretismo, che funge da esca per attrarre gli incauti. Bisogna quindi intenderci. È giusto che si osservi e si pratichi un doveroso rispetto per le fedi grandi o piccole; ma questo non deve impedirci di guardare in faccia a talune realtà sgradevoli, anzi dopo l'attacco al WTC di New York perfino allarmante.

Nel 1979 ad Allahabad, nel corso di un Congresso Mondiale Indù, un alto esponente di quella fede ebbe a dichiarare davanti a 50.000 partecipanti convenuti da ogni parte del mondo:

«La nostra missione in Occidente è stata coronata da un fantastico successo. L'induismo diventa nuovamente una religione mondiale decisiva, ed **è prossima ormai la fine del Cristianesimo.**
Ancora una generazione e non ci saranno che due religioni al mondo, l'induismo e l'islam».[19]

---

[18] H. MASSIS, «*Défence de l'Occident*» [Parigi, 1927], p. 245.
[19] J. AAGAARD, «*Who is Who in Guruism*» [UpDate, 4 ott. 1990], p. 36.

10. La secolarizzazione del Tantra

Da quanto detto si vede che la storia del Tantrismo in Occidente è appena cominciata. Il Tantrismo senza dubbio continua ad avere una pubblicità sempre crescente e conquista sempre più aderenti per mezzo delle vie tradizionali, ma il Tantrismo, nel futuro, come primo canale di influenza sfrutterà le forme secolarizzate dei suoi insegnamenti: primo fra tutti la *Medicina Alternativa* e la *Psicologia Umanistica*. Quando negli ultimi anni gli occidentali hanno incontrato il Tantra e sono diventati «*iniziati*» in notevole numero, hanno fatto la loro tipica permutazione «*secolare*»: si sono appropriati della conoscenza tradizionale come di uno strumento per la volontà autonoma. In questo processo hanno scartato quelle parti della tradizione che interferiscono con quello scopo, o che più semplicemente non piacciono.

Per molti tantrici occidentali questo atteggiamento significa che i segreti tantrici possono essere rivelati anche senza la struttura tradizionale del «*guru*» e dell'iniziazione. Quando questo atteggiamento viene combinato con i mezzi di comunicazione di massa che esistono in Occidente emerge il «*Tantrismo-pop*»; il risultato è che il Tantrismo viene tagliato via dalla sua tradizione, non in termini di contenuto, che può essere sempre trasmesso dai libri, ma in termini di controllo.

Alcune pubblicazioni recenti, per esempio, introducono il lettore alla teoria, alla pratica ed ai segreti tantrici con maggiori o minori dettagli. Un esempio è un libro economico, per il mercato di massa, venduto in America in librerie, edicole, supermercati, ecc. e che reca il titolo «*Sesso e Yoga*», scritto da Nancy Phelan e Michael Valin.[20]

> «In 100 pagine dà una versione semplificata della cosmogonia, della psicologia e della spiritualità tantrica, inclusi i concetti di illuminazione e di auto-divinizzazione; il libro prescrive un regime di esercizi tantrici intesi principalmente per rafforzare e purificare diverse parti del corpo, che sono correlate con la funzione sessuale. Prezzo negli USA 95 centesimi di dollaro».[21]

Un altro esempio sempre negli USA è di un libro un po' più caro: «*Segreti sessuali: L'Alchimia dell'Estasi*» di Nik Douglas e Penny Slin-

[20] N. PHELAN & M. VOLIN, «*Sex and Yoga*» [Bantam Books - New York (1969)].
[21] A. BROKS, «*Tantra: Unraveling the Cosmos*», in «*The New Age Rage*», Ed. K. HOYT, J. I. YAMAMOTO [Fleming & Revell Co. - Old Tappan, NJ (1987)], p. 156.

ger,[22] che è molto più di un sommario viaggio nel pensiero tantrico, con una spruzzatina di esercizi di base.

> «Il libro porta 383 pagine largamente illustrate e costa $15,00; nelle sue pagine c'è una profonda elaborazione del punto di vista tantrico nel mondo e dettagliatissime istruzioni su quasi tutto l'intero rango delle pratiche fondamentali del Tantrismo; in aggiunta poi ci sono istruzioni voluminose sui dettagli del coito e delle pratiche erotiche in genere. Gli autori sono iniziati tantrici e vantano una preparazione estensiva sotto la guida di esperti orientali. Douglas e Slinger rappresentano chiaramente il punto di vista del tantra della *"mano sinistra"*, e difendono la loro causa molto apertamente. Almeno lì non c'è il linguaggio crepuscolare: *"Esplorando il potenziale sessuale di noi stessi e di altri, possiamo arrivare a conoscere coscientemente l'alchimia dell'estasi...*
> *Questo è un libro per coloro che volessero usare il legame sessuale come un mezzo di liberazione e che **desiderino trascendere i limiti dell'io individuale**"[23]».[24]

Credo che non siano necessarie altre precisazioni per renderci conto dell'abisso di valori morali e teologici che separa il Cristianesimo dal Tantrismo. Resterebbe tuttavia da approfondire di volta in volta quanta influenza tantrica sia presente nel singolo pranoterapeuta o agopuntore. Cosa certamente non agevole.

La testimonianza riportata alla fine del capitolo, può risultare estremamente interessante proprio nel farci comprendere come la mente dell'uomo possa venire insensibilmente modificata fino a portarla molto lontano dall'originale formazione cristiana e sotto l'illusione di esercitare... la carità evangelica.

11. Il Dragone e la progenie della Donna

Il capitolo 10, sulla New Age, iniziava con una delle visioni dell'Apocalisse e forse è bene ricordare che lo stesso libro descrive anche altre visioni altrettanto impressionanti. Una è la seguente:

> «*Allora apparve un altro segno nel cielo: un enorme drago rosso, con sette teste e dieci corna e sulle teste sette diademi; la sua coda trascinava giù un terzo delle*

---

[22] N. Douglas & P. Slinger, «*Sexual Secrets*» [Destiny Books - New York (1970)].
[23] A. Broks, *op. cit.*, p. 157.
[24] N. Douglas & P. Slinger, *op. cit.*, p. 12.

stelle del cielo e le precipitava sulla terra. Il drago si pose davanti alla donna che stava per partorire per divorare il bambino appena nato. Essa partorì un figlio maschio, destinato a governare tutte le nazioni con scettro di ferro, e il figlio fu subito rapito verso Dio e verso il suo trono» (Ap 12,3-5).

Satana ha fatto ogni sforzo per impedire la nascita del Redentore e l'evangelista concentra tutta la sua attenzione su due momenti: sull'Incarnazione e la glorificazione di Gesù. Come se non ci fosse stata la sua passione, morte e risurrezione. Ma in tal modo viene messo in evidenza il fatto che Satana tentò Gesù nel deserto e nel Getsemani, cioè all'inizio ed alla fine della sua missione di salvezza. Questi due momenti però sono sufficienti per descrivere la sconfitta del Dragone.

Questa sua sconfitta tuttavia, per noi che siamo entro la categoria spazio-temporale della vita terrena, «*è già e non ancora*», infatti la descrizione del grande segno va avanti:

«*La donna invece fuggì nel deserto, ove Dio le aveva preparato un rifugio perché vi fosse nutrita per milleduecentosessanta giorni*» (Ap 12,6),

cioè, questa lotta continua contro di noi, che siamo la progenie della Donna. Il tempo della tentazione può quindi estendersi per tutto il tempo della nostra vita anche dopo l'intronizzazione del Figlio.

La Chiesa è nata dallo Spirito Santo, a Pentecoste, ed il Dragone di fuoco è proprio l'anti-Spirito Santo. Egli ha il colore del fuoco ma non ne ha la sostanza, cerca di imitare lo Spirito Santo, ma non ne ha la capacità; tuttavia ci prova sempre. È molto interessante questo sguardo sul Dragone.

Egli si presenta con sette teste, che sono i peccati capitali – opposti ai sette doni dello Spirito Santo – che danno origine alla trasgressione di tutti i comandamenti. I doni dello Spirito conducono alla santità mentre i vizi capitali alla perdizione eterna.

Lo Spirito Santo crea l'armonia del Corpo mistico sotto un solo Capo, il Dragone crea divisione e discordia. Come Simone il Mago – che voleva comperare i carismi per essere «*potente*» come gli Apostoli – il Dragone cerca sempre di mostrare che lui è potente e che è... Dio. Ma non ci riesce con coloro che sono di Dio. Scrive p. Massimo Rastrelli:

«Mentre lo Spirito Santo è creatore, vivificante, santificatore e autore dell'unità, sia tra le Persone divine (distinzione di Persone in unità di natura), sia nell'incarnazione (distinzione di nature in unità di Persona), sia nella Chiesa (unione mistica di persone in un Corpo animato dallo Spirito sotto la guida di Cristo Capo), lo spirito demoniaco è distruttore, inquinante, seminatore di morte e fautore di divisione.

Quanto lo Spirito Santo divinizza l'uomo e ne rende santa la condotta, sia che si tratti delle ordinarie azioni quotidiane, sia che si tratti dell'esercizio straordinario degli autentici carismi, tanto lo spirito demoniaco è torbido e peccaminoso; ci propone l'osservanza di un comandamento per farcene trasgredire un altro maggiore, soprattutto il grande precetto della carità; ci suggerisce di aiutare un fratello per ucciderne un altro.

Nel vano tentativo di scimmiottare lo Spirito Santo, simula lo straordinario *ricorrendo al sensazionale, allo spettacolare, all'illusorio, con cui eccita la fantasia, svia dalla fede e precipita nel baratro dell'orgoglio l'incauto che lo segue».* [25]

Basta osservare come tutto quello di cui abbiamo parlato nei capitoli precedenti si manifesti come sotto una coltre di bontà, gentilezza ed unità, mentre invece porta in sé una carica estremamente aggressiva e virulenta nei confronti di Cristo e del Cristianesimo, per rendersi conto che si tratta proprio della voce della seconda Bestia, ossia del falso profeta che è così descritta nell'Apocalisse:

«*Vidi poi salire dalla terra un'altra bestia, che aveva due corna, simili a quelle di un agnello, che però parlava come un drago»* (Ap 13,11).

La bestia che viene dalla terra ha la voce del Dragone, perché è da lui che riceve tutti i suoi poteri e, naturalmente, come già faceva la prima bestia – quella che veniva dal mare – cerca d'imitare l'Agnello.

«La decisione della battaglia spetta a Dio... Il fatto che le creature lo accettino o lo rifiutino, lo adorino o lo contestino, ricade su di loro non su di lui; il problema dell'ateismo moderno impegna noi, non intacca la maestà di Dio e neppure la sicurezza della Chiesa, protetta da Dio nel deserto. *Gli uomini satanizzati, che vanno dietro al Dragone come gli angeli ribelli andarono dietro a Lucifero, precipitano allo stesso modo.* La sottomissione a Dio si esercita nella retta sottomissione alla legittima autorità, nel rispetto di una gerarchia di valori che pone al primo posto la parola di Dio, al secondo la carità, al terzo l'autorità». [26]

---

[25] P. Massimo Rastrelli, s.j., «*Meditazioni sull'Apocalisse»* [Ed. Dehoniane - Roma (1989)], p. 214.
[26] Ibid., p. 218.

Nessuno è fuori dalla grande battaglia, ma Dio è con noi. A noi credenti rimane perciò il compito di essere *«testimoni»* e – forti della nostra fede – poter dire a tutti come Giovanni:

«Ciò che era fin da principio, ciò che noi abbiamo udito, ciò che noi abbiamo veduto con i nostri occhi, ciò che noi abbiamo contemplato e ciò che le nostre mani hanno toccato, ossia il Verbo della vita (poiché la vita si è fatta visibile, noi l'abbiamo veduta e di ciò rendiamo testimonianza e vi annunziamo la vita eterna, che era presso il Padre e si è resa visibile a noi), quello che abbiamo veduto e udito, noi lo annunziamo anche a voi, perché anche voi siate in comunione con noi. La nostra comunione è col Padre e col Figlio suo Gesù Cristo. Queste cose vi scriviamo, perché la nostra gioia sia perfetta» (1 Gv 1,1-4).

Testimonianza

Questa testimonianza viene da un medico che, per anni, ha praticato la medicina alternativa, giungendo infine ad essere sommerso da molti problemi spirituali. Era assai convinto di ciò che faceva, tanto da considerare ogni possibile critica fatta *«con i paraocchi»*. Infine un giorno ebbe occasione di rendersi conto della propria situazione. Questa testimonianza andrebbe letta con molta attenzione, per poi rifletterci sopra.

«Sono un medico generico convenzionato presso l'A.U.S.L. n. 10 di Camerino ed ho praticato per sette anni la medicina orientale (agopuntura, medicina ayurvedica e shiatsu). Devo innanzitutto precisare che la motivazione che mi ha spinto a praticare queste discipline orientali non consisteva tanto nell'interesse economico, quanto nella curiosità, nel desiderio di conoscenza senza confini, che si accompagnava ad un altrettanto illimitato desiderio di onnipotenza.

All'inizio del corso medico mi veniva spiegato il concetto di *"Medicina Olistica"* (il medico orientale è un *"tuttologo"*, cioè un terapeuta che cura tutte e tre le componenti dell'uomo: spirito, anima e corpo). Durante le lezioni tenute da colleghi specialisti nelle varie branche della medicina occidentale, mi sorprendeva però vedere come si passasse facilmente da un piano puramente scientifico ad un piano appartenente al campo della parapsicologia. Ciò suscitava in me, naturalmente, vivaci reazioni di protesta, accolte dal corpo docente con noncuranza.

Ad esempio: un giorno mi arrabbiai perché si doveva partecipare ad una esercitazione sui poteri della *"piramide"*. Qualcuno dei discenti avrebbe dovuto fare da cavia collocandosi sotto una piramide lignea per sperimentare l'effetto *"terapeutico"* di tale oggetto su una qualche affezione del proprio organismo. Naturalmente la piramide in questione doveva avere le stesse dimensioni scalari della piramide di

Cheope, sul conto della quale esiste una risaputa tradizione magica ed esoterica, più che *"terapeutica"*.

Andando avanti con gli studi ho tuttavia dimenticato, o meglio, sminuito, l'importanza di certi episodi come questo della piramide e di certi atteggiamenti, di un docente in particolare, che una volta, durante un'altra esercitazione, con la semplice *"energia del pensiero"* riuscì a condizionare il tono muscolare dei miei arti superiori.

Ricordo che ero disteso sul lettino da visita e l'insegnante di kinesiologia applicata,[27] non avendo a disposizione rimedi omeopatici[28] del caso in questione si limitò a pensare all'azione di tali rimedi. Fu sufficiente questo comportamento perché le mie braccia acquistassero o perdessero completamente la forza muscolare, durante i vari test kinesiologici.

Agopuntura ed omeopatia sono medicine energetiche accomunate cioè dall'energia vitale o *"Qi"*. Nella mia testa era purtroppo invisibile la sottile ragnatela dell'occultismo in cui ero rimasto intrappolato e le cui maglie sono rappresentate dalla pranoterapia, dalla magia bianca, rossa, o nera, dalla radioestesia (uso del pendolino), dalla chiromanzia, ecc. Anzi, pensavo con orgoglio che l'agopuntura e l'omeopatia avessero una connotazione scientifica, che le differenziasse nettamente dalla pranoterapia e da realtà simili alla pranoterapia, come la radioestesia.

Rimanevo tuttavia perplesso di fronte al fatto che sia l'agopuntura sia la pranoterapia sfruttassero il *prana*, che altro non è che la traduzione sanscrita del termine cinese *Qi*. Mi rassicurava il passaggio delle *Qi* attraverso i meridiani, che, mi era stato insegnato, avevano una ben precisa collocazione anatomica. In seguito però la realtà anatomica di questi vasi cosiddetti energetici mi risultò del tutto infondata, e soprattutto mi risultò infondata la miriade di tecniche che conducevano ad uno stesso punto di approdo: la guarigione del paziente od il suo *"sentirsi meglio"* (*"you will be better"* è appunto il motto della kinesiologia moderna).

Dal punto di vista puramente epistemologico devo allora ammettere che tutta la medicina orientale e in generale tutta la medicina cosiddetta *energetica* o *bioenergetica* e medicina non scientifica, in quanto non dimostrabile o meglio, per dirla con Karl Popper o Dario Antiser (sostenitori della moderna epistemologia) non falsificabile. Si tratta cioè di discipline che per la loro stessa natura non possono essere sottoposte al vaglio del metodo cartesiano.

In ultima analisi non sono paragonabili alla scienza, ma alla ideologia, cioè ad

---

[27] La kinesiologia applicata è una disciplina che valuta il tono e la forza di vari muscoli del corpo in relazione ai cosiddetti «meridiani» della medicina tradizionale cinese.

[28] I rimedi omeopatici non fanno parte della farmacopea della medicina tradizionale cinese, ma sono correlati a quest'ultima attraverso i punti di Weihe, o punti omeosinatrici (il 90% di questi coincidono con i punti di agopuntura). I punti omeosinatrici corrispondono ognuno ad un «rimedio» o farmaco omeopatico.

una realtà inconfutabile e dogmatica. Per questa loro stessa natura si pongono quindi sullo stesso piano del Cristianesimo, con il quale sono peraltro in completa antitesi.

Riprendo la trattazione delle *"crepe"* del tessuto complesso della cosiddetta medicina alternativa. Chiarita la pseudo-scientificità della medicina orientale e di gran parte della medicina alternativa in generale, mi soffermerò ora sulla connotazione profondamente anticristiana di tutte le tecniche e discipline ispirate al concetto di *bioenergetics* o *energia vitale*. Quest'ultima chiamata, come ho già accennato, *"Ki"*, o *"Qi"*, o *"Prana"*, è strettamente ancorata alla filosofia del Taoismo, che nega ogni forma di trascendenza, facendo confluire tutta la realtà nel concetto del Tao, in cui scompare ogni distinzione fra bene o male.

A questo proposito nel Taoismo si può riscontrare la stessa dialettica del materialismo storico di Marx e Engels. Infatti morale cristiana e morale illuminista non solo convivono nello stesso concetto di Tao assoluto, ma trapassano gradualmente l'una nell'altra senza una netta linea di confine. Questo spiegherebbe la corruzione morale di chi si dedica alla medicina orientale e in generale a tutta la medicina esoterica e bioenergetica.

Personalmente ho sperimentato l'antitesi netta tra la mia etica di cristiano e le discipline insegnatemi nella scuola di medicina orientale.

Ad esempio nulla vieta ai maestri di *shiatsu* di avere rapporti sessuali con le pazienti trattate, senza badare al loro stato civile o, peggio ancora, alla loro età. Nella mia esperienza medico-ambulatoriale mi accorgevo del grande potere ipnotico dell'agopuntura e della medicina tradizionale cinese in generale, dal fatto che le pazienti, soprattutto giovani donne, erano letteralmente incantate dal mio modo di fare durante l'attività medico-professionale. Si era creato cioè un transfert ipnotico indistruttibile, che andava oltre il semplice rapporto medico-paziente, come quello che si può stabilire semplicemente fra un medico di base e un suo qualsiasi assistito.

Pensieri di adulterio e violente tentazioni sono stati all'ordine del giorno per un certo numero di anni, fino a quando l'opera di un sacerdote esorcista mi ha liberato dall'influsso negativo del Taoismo sulla mia vita spirituale.

Il giorno dopo il primo esorcismo il continuo viavai di giovani pazienti nel mio ambulatorio cessò improvvisamente, e questo fu un segno della divina Provvidenza, che mi fece molto riflettere e considerare in senso critico tutto il mio operato di medico agopuntore e nello stesso tempo di medico di medicina generale.

Infatti, fino ad allora mi ero dedicato alla cosiddetta medicina integrata, o meglio olistica, senza considerarne né i pericoli, né le contraddizioni intrinseche ad essa. La mia coscienza di cristiano *"sulla carta"* era letteralmente sconvolta dai danni da me provocati a catena sulla vita spirituale di tutti quelli che, uomini e donne, si erano sottoposti ad un trattamento di medicina tradizionale cinese.

Ho accennato anche agli uomini, perché su questi ultimi, benché non ci fosse alcuna influenza di tipo sessuale, si estendeva, o meglio si esercitava, un influsso indipendente dalla mia volontà, sempre di tipo ipnotico, che li portava ad essere succubi del mio operato.

È stato dopo il primo esorcismo, al quale ne sono seguiti naturalmente degli altri, che ho cominciato a rendermi conto, a livello cosciente, della pericolosità di tutte le discipline mediche bioenergetiche, le quali svuotano la parte conscia della persona, facendo emergere ed imperare in essa tutti gli impulsi dell'inconscio e del subcosciente.

Quest'ultimo è la parte dell'inconscio che si manifesta durante i sogni e che quindi dovrebbe rimanere sopito durante la veglia. In realtà durante tutti i sette anni in cui mi sono dedicato alla medicina esoterica era come se non ci fosse alcuna linea di demarcazione fra l'attività onirica e l'attività dello stato di veglia.

Mi sono trovato cioè nella stessa condizione dell'individuo psicotico in cui, per dirla con il filosofo Schopenhauer, che considera la follia come un lungo sogno e il sogno come una breve follia, non esiste soluzione di continuità fra realtà e fantasia.

Devo dire ora, a posteriori, che mi è andata bene riguardo agli effetti che la medicina esoterica poteva produrre sulla mia psiche e che veramente ho *"scherzato a lungo con il fuoco"*. Purtroppo, nonostante non ci sia stata alcuna azione demolitrice sulla mia psiche da parte dell'esoterismo, tuttavia mi rendo conto ora, a posteriori, che la mia vita spirituale ne è risultata gravemente compromessa. È così che si spiegano tutti i miei insuccessi nel tentativo di testimoniare quella che ora considero solo una fede *"intellettuale"*, che non cambiava né il mio né l'altro animo, ma anzi era motivo di scandalo per me e per il prossimo a causa della mia totale incoerenza e durezza di cuore. Ho ancora moltissimo da raccontare, ma per ora mi fermo qui.

In precedenza ho ricordato l'attinenza della medicina energetica al campo della parapsicologia, adesso desidero ancor meglio evidenziare i legami tra queste due discipline.

Durante una esercitazione di bioenergetica medica, in particolare di kinesiologia applicata, un medico, docente di un centro studi di Bologna, passò a circa 10 cm di distanza dal mio corpo, disteso sul lettino da visita, il palmo della sua mano, percorrendo, come lui asseriva, in senso controcorrente energetica il meridiano del fegato; 10 cm sono all'incirca la medesima distanza alla quale una mia paziente pranoterapeuta passò successivamente le mani sopra il corpo di un'altra mia assistita durante un esperimento che volli effettuare nel mio ambulatorio, dopo aver conseguito il diploma di Bioenergetica Medica.[29]

In quest'ultima circostanza ho potuto sperimentare di persona il potere magico della pranoterapia, che non ha nulla a che fare con la scienza, in quanto il famoso *"fluido"* dei pranoterapeuti non è altro che *"energia termica di origine occulta"*, che

[29] Nella summenzionata scuola di Bologna.

si sprigiona in particolari occasioni da persone che presentano sempre una personalità disturbata, anche se i disturbi possono essere più o meno allo stato latente.

Nella circostanza di Bologna si verificò un indebolimento generalizzato di tutti i miei gruppi muscolari, nel mio ambulatorio la paziente *"cavia"* avvertì dapprima il calore, poi, all'improvviso, freddo pungente. Quest'ultima sensazione fu avvertita nel momento stesso in cui io, come medico sperimentatore, mi misi a pregare interiormente, in silenzio, per interrompere la sensazione di caldo avvertita dalla donna che stava sul lettino.

La pranoterapeuta, che stava operando sopra tale paziente, rimase esterrefatta, perché le avevo mandato a monte la seduta, che oggi con buone ragioni posso considerare un rito magico, alla pari di quello compiuto durante l'esercitazione da me prima ricordata, in cui l'energia che scorreva lungo il canale energetico del fegato in senso antimeridiano aveva provocato l'indebolimento di tutta la mia muscolatura. Volendo fare una battuta di spirito, direi che l'unica differenza tra un caso e l'altro consisteva nel fatto che nella scuola ero un *"apprendista stregone"*, mentre nel mio ambulatorio ero uno *"stregone diplomato"*, da poco però riconvertito al Cristianesimo.

Al momento attuale mi è molto chiara l'equivalenza della pranoterapia e della kinesiologia applicata: entrambe si trovano sullo stesso piano della magia, cioè sullo stesso livello di qualcosa che non è dimostrabile scientificamente, né è moralmente etico, in quanto anziché essere a servizio dell'essere umano, pone quest'ultimo in balìa di forze occulte di cui egli stesso diventa *"medium"* nelle relazioni interpersonali. Nella stessa logica diventa lapalissiana la correlazione tra l'omeopatia ad alte diluizioni (in cui cioè viene ampiamente superato il numero di Avogadro e quindi nella soluzione non esiste neppure una singola molecola del rimedio omeopatico iniziale, ma solo la cosiddetta *"energia"* del rimedio in questione) e l'agopuntura esoterica di Van Ghi in cui bastano uno o due aghi per sortire l'effetto terapeutico per il quale in genere sono necessari almeno una decina di aghi.

Nell'epoca in cui invece ero studente di *Bioenergetica Medica* c'era, per me, una sostanziale differenza fra la pranoterapia e la disciplina da me studiata in quanto quest'ultima mi veniva presentata con una parvenza di scientificità. Inoltre mi si parlava sempre di *"medicina integrata"*, cioè della possibilità di affiancare la medicina alternativa alla medicina occidentale classica. Succedeva in pratica a me in quel periodo quello che accade a coloro che si avvicinano a movimenti pseudo-religiosi come quello di Scientology o del New Age.

In questi movimenti inizialmente, infatti, viene mostrata totale compatibilità tra la fede cristiana e la dottrina pseudo-religiosa della sètta; successivamente però l'adepto si accorge di perdere progressivamente quei princìpi, quei fondamenti della religione cristiana che, purtroppo, conosceva solo superficialmente e diventa conseguentemente un apostata. Così in campo medico il neofita della *Medicina Esoterica* rimane intrappolato nella tagliola della concezione olistica dell'uomo, di

341

cui si prenderà cura sotto l'aspetto somatico, psichico e spirituale (così almeno gli viene insegnato); diventa così medico e pseudo-sacerdote. A poco a poco le classiche conoscenze mediche imparate all'Università impallidiranno di fronte ai poteri magici che egli verrà via via acquistando ed egli stesso arriverà ad asserire di essere diventato una divinità.

A questo proposito mi ricordo di un episodio, in cui uno dei vari docenti di *Medicina Alternativa* affermò di sentirsi un dio in terra vero e proprio, per il fatto di avere a disposizione tutto lo scibile esoterico e nel contempo tutto il bagaglio culturale delle sue specializzazioni medico-universitarie ufficiali, che gli consentivano di curare qualsiasi paziente con ammirevole disinvoltura e sicuro successo.

Riaffiora qui il delirio di onnipotenza del superuomo di Nietzsche che non è più solo artefice del proprio destino, ma diventa addirittura manipolatore del destino altrui. Sono cioè io, medico-mago, a decidere come guarirti e che cosa guarirti.

Se cioè ritengo che la causa di tutti i tuoi mali fisici sia uno squilibrio dell'anima, allora ti somministrerò tutti quei rimedi omeopatici ad alta diluizione (vere e proprie *"bufale"* farmacologiche, o forse meglio, vere e proprie pozioni magiche) in grado di riequilibrarti la psiche e conseguentemente... il soma!!!

Altri episodi che purtroppo ho percepito tardi come *"stonature esoteriche"* fanno riflettere sulla grande pericolosità della maggioranza delle tecniche mediche alternative per l'equilibrio psichico della persona.

Tale pericolosità è direttamente proporzionale al coinvolgimento dei docenti delle predette discipline, in pratiche culturali orientali, o di ispirazione orientale, come lo yoga mentale e la Meditazione Trascendentale, dagli stessi insegnanti descritte come *"pratiche divine"*.

Ora posso dire con certezza che ciò che mi impediva, durante la frequenza ai corsi di Medicina Alternativa, di prendere posizione contro le eresie mediche propinate, o per lo meno di valutare criticamente quello che mi veniva insegnato, era il transfert ipnotico che si era stabilito tra il corpo docente e noi *"poveri allocchi"*, medici neolaureati in cerca di una occupazione dignitosamente remunerata, che eravamo lì, nelle aule, a bere fino in fondo il calice del veleno esoterico che ci veniva propinato.

È lo stesso transfert ipnotico che in un secondo tempo si sarebbe instaurato tra noi *"giovani maghi"*, neo-diplomati, ed i disgraziati pazienti che sarebbero finiti nelle nostre mani di *"guaritori"*.

Ecco così spiegata la catena diabolica destinata a protrarsi all'infinito del transfert ipnotico-medianico terapeuta-paziente. Quest'ultimo poi, *"miracolosamente guarito"*, diventa a sua volta anello di tale catena ed aggancia da parte sua, attraverso la sua opera di propaganda, pazienti da sottoporre alle cure esoteriche del medico alternativo.

Oggi purtroppo si vive in un'era di nomadismo sanitario, come di nomadismo religioso. Si passa cioè disinvoltamente da un credo o movimento religioso all'al-

342

tro, così come si passa da uno specialista sanitario all'altro, perché ci si è abituati ad un clima di relativismo che investe tutti settori della vita sociale. Non c'è più un punto di riferimento certo, *"un centro di gravità permanente"* come direbbe Franco Battiato.

Unico punto di riferimento più stabile degli altri è il principio del piacere, che viene ricercato con ogni mezzo ed in ogni campo. È come se l'umanità avesse subito una vera e propria regressione psicologica alla fase orale analitica (vedi Melania Klein) della psicanalisi, in cui l'essere umano bambino non desidera che soddisfare con immediatezza le sue pulsioni istintuali.

Ecco quindi spiegata la motivazione per cui un'alta percentuale di persone si rivolge al medico alternativo: un tuttologo in grado di risparmiare al paziente tutta la trafila di analisi, visite specialistiche, indagini strumentali, tickets sanitari. Una figura sanitaria nuova che molto spesso lavora in équipe, insieme ad altri medici esoterici ed utilizza apparecchiature (apparecchiature di Voll, Nora, ecc.) in grado di fare ai malcapitati pazienti *"accurati check-up bioenergetici"* basandosi su principi magici ed occulti della medicina tradizionale cinese.

A volte tali check-up vengono fatti alla maniera dei famosi medici agopuntori cinesi cosiddetti *"scalzi"* senza l'ausilio di alcuna apparecchiatura, ma sfruttando solamente i test più semplici, con quelli della Kinesiologia applicata, che si fonda sempre sulla teoria dei meridiani agopunturali, e peggio ancora praticando l'esame dei polsi, per il quale si fa affidamento soltanto sul grado di sensitività del terapeuta esoterico.

Quest'ultimo, *dulcis in fundo*, potrà addirittura evocare le potenze spirituali collegate con i vari punti dell'agopuntura, pronunciando ad alta voce in cinese il nome degli stessi punti. Perché, testuali parole di un docente della scuola della medicina integrata di Bologna:

"La pronuncia ad alta voce dei punti agopunturali nella lingua originale produce un effetto più rilevante sul paziente"».

APPENDICE:
LA VOCE DELLA CHIESA

a. La New Age
e la ricerca della felicità

Mons. A. Grab, ausiliare a Ginevra[1]

«La New Age: un "buffet freddo" religioso, comprendente grandi religioni orientali, religiosità arcaica, esoterismo, occultismo, magia e mantica, psicologia, guarigioni, scienza alternativa e qualità della vita. Vi si condivide la certezza dell'avvento ormai inevitabile di una nuova era e la convinzione che le varie tradizioni conducano ad un'unica religione, un "sapere" globale, oggi accessibile a tutti, "pratico" e non teorico, che porta a vedere se stessi e il mondo come un tutt'uno.

Mons. Amédée Grab, benedettino, nominato di recente vescovo ausiliare con residenza a Ginevra della diocesi di Losanna-Ginevra-Friburgo (non senza polemiche da parte riformata), ha dedicato alla New Age la relazione pronunciata all'incontro internazionale su "Ricerca della felicità e fede cristiana" (Pontificio Consiglio per il dialogo con i non credenti, Zagabria, 5-7.5.1989; cf ampiamente su Regno-att. 14, 1989, 361). Per i cristiani e la chiesa, afferma Grab, la New Age rappresenta una sfida: escludendo i due atteggiamenti estremi del settarismo e della perdita della propria identità al "supermercato" religioso, occorrerà un atteggiamento di dialogo e una riflessione sul tema dell'immanenza-trascendenza di Dio che risponda al diffuso bisogno di superare in una visione unitaria la frammentazione della vita e la spinta all'individualismo. Occorrerà soprattutto essere una comunità accogliente, che affronta le tensioni in armoniosa accettazione reciproca, che sa comprendere e farsi comprendere nel "pluralismo religioso" del nostro tempo».

* * *

Nella situazione religiosa della società europea si delinea per il futuro un mutamento fondamentale: se un secolo fa era ancora possi-

---

[1] Mons. A. Grab, ausiliare a Ginevra, «*Il Regno-documenti*», 19/'89, pp. 615-619. Riteniamo che la lettura di questo documento possa essere di notevole interesse.

bile la distinzione fondamentale in confessioni cristiane e comunità particolare («sette»), oggi in Europa sono sempre più numerosi, oltre a gruppi e movimenti che diffondono l'islam, il buddismo, l'induismo, nuovi movimenti sincretisti, denominati «nuovi movimenti religiosi», «sette giovanili», *destructive cults*, ecc. Per l'occidente, che ha origini cristiane, il pluralismo religioso diviene una nuova realtà.

Inoltre è sorta una subcultura religioso-culturale, che riunisce sotto il concetto di «*New Age*» le più disparate correnti spirituali e tradizioni religiose. Le istanze esoteriche e alternative vengono collegate insieme e considerate come via dell'era post moderna per il reincantesimo di un mondo disincantato. Mentre le grandi associazioni di pensiero e le chiese perdono l'appoggio della popolazione della maggior parte degli stati occidentali industrializzati, questa subcultura religioso-ideologica a lungo andare lascerà le proprie tracce e continuerà a durare, anche se, a quanto pare, ha già oltrepassato il suo massimo.

A questo proposito si manifesta chiaramente nel nostro annuncio ecclesiale una lacuna, che è sentita profondamente: per molti, soprattutto per molti giovani, la fede, nella nostra attuale prassi ecclesiale, viene sentita come troppo alienata, troppo elaborata, troppo poca radicata negli strati profondi dello spirito; la necessità di esperienza e di ricerca autonoma di meditazione e mistica viene appagata a mala pena nella normale vita di comunità.

Il comportamento dell'uomo verso la natura, verso la creazione nel suo insieme solo lentamente torna a essere argomento teologico e di predicazione; l'immagine ecclesiale divino-umana del mondo appare a molti ridotta, astratta, senza vita, poco rilevante per la vita di ogni giorno.

Di fronte alla crisi dell'uomo d'oggi appare spesso poco credibile che sia possibile mediare la salvezza e dare senso attraverso l'annuncio di fede cristiana. Allo stesso tempo è spaventoso notare quanto poco sia radicato oggi nei cristiani il «sensus fidei», l'«istinto di fede».

Accanto al crescente fenomeno dell'analfabetismo cristiano, manca anche il ministero del discernimento degli spiriti, necessario di fronte a determinate convinzioni di fondo gnostiche e a certe dottrine sulla redenzione della New Age, le quali stanno diventando plausibili anche agli occhi di cristiani attivi.

La molteplicità dei movimenti e delle offerte religiose permette all'uomo che ricerca autonomamente di ritagliarsi in questo «mercato delle dottrine di salvezza» il proprio progetto di fede individuale.

Il movimento della New Age, come il proliferare di comunità che diffondono le proprie convinzioni religiose, nasce come risposta a un vuoto interiore negli ultimi decenni. Nella New Age hanno trovato posto nuovi disegni di salvezza, che hanno dato risposta alla ricerca, alle domande e alle critiche di quegli uomini che avevano trovato poca motivazione, realizzazione personale, qualità di vita e futuro nei progetti di senso, nella «grammatica delle forme di vita tramandate» (Habermas).

Per raccogliere questa sfida, che costituisce sempre più la patria spirituale della gioventù e dei giovani adulti, devono essere espresse ora alcune idee di fondo.

1. Gli uomini alla ricerca della felicità. Il movimento della New Age come tentativo di risposta

«Per New Age si intende un movimento – contro la società – la cui visione del mondo è percorsa dalla certezza dell'avvento ormai inevitabile di una nuova era che sta per cominciare. Questa era salvifica pone fine alle attuali crisi globali: la crisi di sopravvivenza e la crisi individuale di senso. Tutto ciò avviene attraverso una nuova conoscenza dell'unità cosmica e della totalità di tutto l'esistente. Gli sforzi teorici (più seri) e pratici dei membri della New Age sono volti alla trasformazione a livello personale e societario della vecchia conoscenza nella nuova».

Questa definizione di «movimento della New Age» è di Medard Kehl, s.j., Frankfurt («Die Heilsverheissung des New Age - eine theologische Auseinandersetzung», in Geist und Leben (1989) 1, p. 5).

È sorta una rete di singoli gruppi, iniziative e movimenti che non hanno un'organizzazione centralizzata i quali reclutano i propri membri nel mondo occidentale (con punto di partenza e di massima concentrazione negli USA), per lo più tra i ceti medi e superiori. Le radici di tali gruppi sono da individuare nei movimenti degli ultimi tre decenni, detti «contro la società», alternativi dal punto di vista e sociale e politico ma anche ideologico-religioso (es.: raggruppamenti di ecologisti, femministe, iniziative pacifiste, medicina alternativa, rappresentanti di nuovi modelli di terapia globale e psicologica, e di terapia di gruppo). La loro ideologia è caratterizzata da iniziative alternative rispetto alla società e ai suoi parametri di valore (efficienza, razionalità, concorrenza, crescita, stabilità...). Contestano che la soluzione di una fondamentale crisi del sistema (domanda energetica, militarizzazione, inquinamento ambientale, conflitto fra nord e sud, aumento delle malattie del mondo civilizzato e di quelle psichiche...) avvenga attraverso i metodi e le soluzioni convenzionali, cioè con riforme politiche, sociali o economiche.

La canzone che dà il titolo al musical «*Hair*» può indicare qui l'esperienza dei giovani – oggi come allora:

«*Non ha fatto molta strada l'uomo*
e un uso prodigioso del suo sapere
e sempre ricerca e diventa ancora più saggio?
Non è buono come un angelo
Non è saggio – quasi come un dio?
Com'è, allora, che a questo mondo non mi divertivo più?
Perché il mondo mi appare improvvisamente
Come una desolata montagna rocciosa?
Il baldacchino azzurro alto sopra di noi, il firmamento,
che si sostiene da solo,
il soffitto azzurro, ricamato con luccichio di stelle
perché non è più per me nient'altro
mare di vapori fetidi, che appestano la vita?
Non ha fatto molta strada l'uomo?
Sì, lo si può ben dire!».

Tutta la mancanza di aiuto e di orientamento emerge dalle domande:

«Dove vado! Seguo le nuvole! Dov'è la strada che non vedo? Chi conosce la risposta alle mie domande: perché vivo e finisco!».

Quanto emerge da questa canzone era all'epoca la domanda e la ricerca di una generazione di giovani. Questa canzone dà voce a quella crisi generale socio-culturale degli uomini delle nazioni industrializzate, che nasce dalla delusione per le promesse non mantenute dell'età moderna. Cresce considerevolmente la paura per le conseguenze negative del progresso tecnico, il timore di non poter risolvere gli attuali problemi di sopravvivenza dell'umanità.

Il messaggio della New Age, molteplice e variopinto come un arcobaleno, viene così accolto come se fosse un salvagente. Esso è nuovo e allo stesso antico: si pensi alle immagini e alle metafore dell'escatologia giudeo-cristiana sulla «nuova Gerusalemme» e al «regno di pace messianico» (*Is* 11); alle teorie sul «nuovo avvento» dell'abate cistercense Gioacchino da Fiore e al «terzo regno» dei gioachimiti; al «Nuovo Mondo» e alla fondazione degli Stati Uniti d'America come un «nuovo ordine dei tempi», per citarne solo alcune. Esso si fa sempre più progetto per il futuro e disegno di speranza di fronte ai limiti posti all'immagine del mondo secolare e scientifico-naturalistica dell'era moderna, limiti sperimentati in occasione delle visioni apocalittiche come le catastrofi di Chernobyl e Basilea. Viene annunciata una nuova immagine del mondo, un'immagine dell'era postmoderna: la nuova era dell'acquario, che nasce dalla teoria astrologico-esoterica del «grande anno del mondo». Questa nuova era subentra a quella disarmonica dei pesci come racconta il musical:

> «*Quando la luna è nella settima casa*
> *e Giove si avvicina a Marte*
> *la pace regna fra i pianeti,*
> *la pace guida il proprio cammino.*
> *Proprio da allora regna la terra dell'acquario...*
> *Armonia e diritto e chiarezza*
> *Simpatia e luce e verità.*
> *Nessuno imbavaglierà la libertà*
> *Nessuno offuscherà la mente.*
> *La mistica ci darà rivelazioni*
> *E l'uomo imparerà di nuovo a pensare*
> *grazie all'acquario...*».

2. Origini della New Age

La riscoperta della religione, in seguito al fallimento della rivolta studentesca del '68 o alla grave crisi petrolifera del 1973, è una delle esperienze più significative di quell'epoca. Luoghi comuni come «crescita zero», «qualità di vita», «cambio di tendenza» appartengono all'epoca in cui i movimenti di ecologisti e pacifisti cominciavano a diffondere le loro idee come movimento di protesta all'interno della società. È l'epoca dei grandi festival rock, degli hippies, del Jesus People, dei tentativi di allargare e trascendere la mente attraverso la droga. Un'epoca in cui per la prima volta diventa movimento di massa l'intenso desiderio di conoscenza delle esperienze religiose dell'oriente e dei loro maestri, dell'esperimentare e del riscoprire.

Il cammino verso la riscoperta della religione è più mistico, è più diretto verso l'interiorità, nelle dimensioni religiose della coscienza e della mente umana. Marilyn Ferguson, una «profetessa» della New Age, rimanda sempre al reciproco concatenarsi, all'identificazione di esperienze religiose, mistiche, psichiche, e Theodore Roszak motiva così l'esperienza della nuova religiosità: «Dio muore. E non abbiamo altra possibilità che ricominciare con noi stessi. In noi stessi!...».

3. Il «buffet freddo» della New Age

Se si partecipa a un congresso della New Age o se si legge una rivista esoterica se ne ricava istintivamente l'impressione di avere davanti un ricco e variopinto buffet, che il visitatore è invitato a gustare: scuole di meditazione orientale, yoga e zen, workshops di psicologia umanistica o transpersonale, terapia della Gestalt e della reincarnazione, passeggiate su carboni ardenti e danze africane, sufismo, sciamani, druidi, guru indiani, indios, streghe, pratiche magiche e occulte come pendolini, tarocchi, astrologia e cabala, teosofia e antroposofia e altro ancora – oppure, con un po' d'ordine, per una migliore comprensione: grandi religioni orientali e religiosità arcaica, esoterismo, occultismo, magia e mantica, psicologia, guarigioni, scienza alternativa e qualità della vita.

Ciò che colpisce un ospite attento è che su questa ricca tavola della New Age mancano quasi completamente le tradizioni religiose più significative per il nostro ambiente culturale europeo: la giudaica, la cristiana, l'islamica, con poche eccezioni: cabala, mistica cristiana, sufismo. Le motivazioni sono da ricercare nella struttura fondamentale della New Age.

4. Alcune caratteristiche di fondo della New Age

Nonostante questa varietà di forme religiose spirituali, che si mostra scintillante nel reticolato della New Age in tutti i colori dell'arcobaleno, si possono individuare alcune caratteristiche di fondo comuni: in primo luogo la convinzione ormai generale che tutte le tradizioni religiose, spirituali, mistiche, sono le diverse vie e forme di un modello religioso identico nei suoi tratti fondamentali (l'«unica religione»). Perciò queste vie sono accessibili ad ogni uomo e donna e in ogni epoca. Questa concezione porta a uno sradicamento delle tradizioni religiose dalla propria origine sociale, culturale, religiosa concreta; cosicché anche un europeo può diventare indù e membro della religione propria di un certo popolo, diversa dal suo credo d'origine.

• I diversi percorsi di fede tendono a un'esperienza «mistica», a un «sapere» in quel senso più profondo e più globale che porta a vedere se stessi e il mondo come un tutt'uno. «Le profondità dell'animo umano sono identiche a quelle dell'universo...». Microcosmo e macrocosmo coincidono.

• Solo attraverso la pratica, e non la teoria, considerata il tentativo ormai «morto di tenersi aggrappati a una quantità qualunque di dogmi», si possono conseguire armonia e unità. La varietà delle offerte deve ampliare le umane possibilità di realizzazione personale oltre i limiti del sapere normale e delle normali facoltà, fino all'infinito, fino al riconoscimento del proprio essere «divino».

• Questo sapere è oggi accessibile a tutti; è infatti aperta a tutti gli uomini la via della trasformazione universale dell'uomo, della sua conoscenza, del suo mondo, condizionata dall'evoluzionismo pedagogico (spesso mediato dall'idea della reincarnazione), che si compie attraverso il passaggio dall'era dei pesci a quella dell'acquario.

Queste idee fondamentali della New Age sollevano degli interrogativi sulla mediazione cristiana della fede, lanciando una sfida; pretendono risposte cristiane in una società religiosa divenuta pluralistica.

5. Il necessario confronto con le idee di religiosità della New Age

I cristiani non si devono sottrarre al confronto delle idee della New Age; il dialogo con questa corrente spirituale verte su che cosa distingue l'essere cristiani, e allo stesso tempo rappresenta una sfida per il cristiano a rispondere alle domande che sollevano gli uomini d'oggi. Tre sono i temi centrali in primo piano nel dialogo fra cristianesimo e New Age:

a) Dio;
b) Mondo e uomo;
c) come Dio/il divino si comunica agli uomini.

Sono queste le domande fondamentali della fede, che necessitano di una risposta, alle quali in questa sede si può fare solo qualche accenno.

6. L'unico Dio - Creatore e Signore della storia

Il Vangelo ci riporta la domanda che un dottore della legge fa a Gesù: «*Maestro, qual è il più grande comandamento della legge?*». Gesù gli risponde: «*Amerai il Signore Dio tuo con tutto il cuore, con tutta la tua anima e con tutta la mente. Questo è il più grande e il primo dei comandamenti*» (*Mt* 22,36). Con questa risposta Gesù si colloca di proposito nella tradizione giudaica e rimanda alla legge fondamentale del credo biblico: «*Ascolta Israele! Il Signore è il nostro Dio, il Signore è uno solo*».

Questa è la base della Bibbia, la legge fondamentale del giudaismo e del cristianesimo: Dio non è il Signore superiore di un pantheon, imparentato con lui o da lui discendente. Dio non è neppure la divinità impersonale o un fondamento senza nome e trascendente del cosmo di tutte le cose.

Anzi, Dio si fa conoscere dall'uomo come l'unico Dio, come l'unico Signore del mondo e della storia, con un'individualità inconfondibile e personale, come colui che sta di fronte e che permane, non passa, come creatore del mondo e dell'uomo.

Si è manifestato e ha comunicato il proprio nome, e ha donato all'uomo mediante il suo nome la sua vicinanza redentrice e la sua presenza. Il «tu» di Dio, che egli offre all'uomo e al suo popolo, lo lega, lo rende amante, partner dell'uomo, che si rivolge all'uomo, il quale si può rivolgere a lui lodando, ringraziando, lamentandosi, invocando, gridando aiuto.

Questo è il fondamento della fede di Israele e solo su questa base si può comprendere il cristianesimo. L'eco di questo messaggio si sente soprattutto nelle parole di Gesù, nei testi del Nuovo Testamento. Persino il nome «Gesù», cioè «Dio salva», lo prova.

Se nella fede cristiana Gesù viene onorato con un titolo divino, se viene designato come il «Signore», non per questo la fede di Israele è da abbandonare, ma, anzi, viene riconfermata prima di tutto e innanzitutto. Da quanto Gesù afferma a proposito del suo legame col Padre: «*Io e il Padre siamo una cosa sola*» (*Gv* 10,30) non ne deriva alcuna mistica di fusione o di identità; ma piuttosto, in Gesù, Dio si manifesta all'uomo sulla via della relazione. Gesù diviene così la «comunicazione che Dio fa di se stesso».

7. Il mondo e l'uomo come creazione

Da questa immagine biblica divina viene evidenziata anche una determinata visione del mondo e dell'uomo. Infatti, la Bibbia inizia così: «In principio, Dio creò il cielo e la terra». Fra Dio e il mondo, fra Dio e l'uomo c'è di mezzo un fossato: da una parte Dio come creatore, dall'altra il mondo e l'uomo come creazione. Anche se il mondo trae origine dalla mano di Dio, è perciò visibile qualcosa di divino che può essere scambiato per Dio, questa diversità è da rispettare. E proprio perché il mondo è creazione di Dio (come l'uomo, sua creatura), non è un prolungamento di Dio, né un fantoccio, ma qualcosa in sé per sé.

8. La differenza fondamentale

Ecco la differenza fondamentale fra la fede cristiana e il modo di pensare della New Age: il mondo per la New Age è qualcosa di divino, che ne determina le strutture, le leggi e il corso e solo chi riconosce questi leggi divine può conoscere l'interiorità del mondo e raggiungere così l'armonia con esso, attraverso un processo dalla non conoscenza alla conoscenza. L'idea che ha la New Age dell'uomo è quella di un essere che cerca di salvarsi da solo, che deve salvarsi da solo. Perciò l'uomo non è stato creato, Gesù Cristo non è il Salvatore, niente più venerdì santo né Pasqua, ma il pensiero conduttore: salva te stesso, diventa tu stesso Dio, scopri Dio in te stesso. Gesù stesso diviene «maestro spirituale», una delle tante figure profetiche delle varie religioni; non è più il «Signore».

9. New Age: una sfida alle chiese

La New Age, come d'altronde la nascita di nuove religioni, è divenuta una realtà sociale, di cui le chiese hanno compreso la sfida, anche se io talvolta ho addirittura l'impressione che le reazioni ecclesiali abbiano contribuito a rendere questi movimenti ancora più interessanti e alla moda. Qual è la giusta reazione? Mi sembrano pericolosi due estremi:

1. La privatizzazione della religione, l'atteggiamento consumistico di tanti credenti, l'indebolirsi della forza di coesione ecclesiale e la perdita di una riconoscibile identità spirituale e di fede con la comunità ecclesiale. Questa porta le chiese a reagire proponendo una «cura delle anime al supermercato dell'offerta religiosa». Vengono offerte diverse forme pietistiche e mischiate insieme un'infinità di orientamenti.

2. Ma mi sembra pericoloso anche ritirarsi in un nuovo fondamentalismo, in una «rocca fortificata», dalla quale si tenta di conservare e difendere ciò che resta della fede. La demonizzazione e la costruzione di un'immagine nemica della New Age e dei *destructive cults* impedisce ogni tentativo di comprensione e dialogo con gli appartenenti alla New Age e ad altri movimenti religiosi, li spinge all'isolamento, ma allo stesso tempo impedisce anche ogni necessario dialogo riferito al futuro. Il desiderio di un sistema chiuso, che rifiuta tutte le altre varietà, sarebbe una capitolazione davanti alla complessità del mondo moderno, che si confonde con nuovi problemi e si trova in continua trasformazione.

In altre parole, la chiesa si trova in un duplice pericolo: da una parte, diventare un «supermercato» religioso e, incerta sul proprio compito, impegnarsi in un ampio soddisfacimento dei bisogni religiosi; oppure diventare essa stessa una «setta», rinchiudendosi nel proprio tradizionale deposito di verità e ritirandosi dal dialogo coi tempi.

Da quanto detto emerge con chiarezza che la chiesa ha bisogno sia di dialogare con i tempi, sia anche di sapersi dare una limitazione verso l'esterno.

L'interesse riguardo a questo argomento non è semplicemente finalizzato alla questione del metodo pastorale, ma soprattutto al tentativo di riconoscere su cosa si deve mettere l'accento. Come ha messo in evidenza Hans Gasper, si tratta principalmente di porre in primo piano immanenza e trascendenza, unità e differenziazione: «Io sono Dio e nessun altro»: la unicità di Dio, la sua assoluta trascendenza, il suo pieno essere fondato in se stesso, e quindi la sua personalità rendono vano ogni tentativo di confondere Dio e la creazione. Questo unico e solo Dio, però, è realmente all'interno di tutto ciò che è nato dalla sua mano, di tutto il creato più che nel proprio essere.

Proprio questo mistero decisivo per la creazione, che cioè la trascendenza divina non sminuisce l'immanenza di Dio nelle cose create, anzi, che la immanenza divina non intacca la sua trascendenza, ... Questo mistero si manifesta nella sua pienezza e nella incarnazione del Figlio e nell'invio deificante dello Spirito Santo. La professione di fede, che chiarisce e fissa definitivamente il Credo di Nicea, stabilisce, fissandolo come in un guscio di noce, che: colui del quale è detto che è della stessa natura del Padre e si è fatto uomo per la nostra salvezza è uno e lo stesso, e quindi è uno e lo stesso in due nature, indivisibili, immutabili, inseparabili, inconfuse» (New Age: Transpersonale Transzendenz als Wende in ein neues Zeintalter).

Tutto questo per quanto riguarda la dottrina e come essa deve raggiungere il singolo attraverso la catechesi, la predicazione, il dialogo pastorale. Rimarrebbe ancora molto da dire su come dovrebbe apparire la vita della chiesa, per poter dare un risposta esistenziale alla ricerca esistenziale di completezza, armonia e sicurezza.

«L'inizio fondamentale di tutto il pensiero scientifico-ideologico della New Age è monistico-olistico: l'uno e il tutto sono rigorosamente identici: dall'uno discende il tutto come espressione e rappresentazione di se stesso; l'uno e il tutto nella loro unità sono il divino. Con ciò il pensiero della New Age si colloca in una tradizione che da una parte giunge a G. Bruno e a Spinoza, fino a Marx o Hackel, dall'altra adotta agevolmente modelli di pensiero di provenienza orientale» (Gasper, l.c.).

Il bisogno di una visione unitaria nasce in un uomo i cui diversi ambiti dell'esistenza non sono più collegati fra loro, in un uomo che non riesce a ricondurre a un unico denominatore le diverse esigenze del lavoro, della società, dello sviluppo, delle istanze etiche (protezione dell'ambiente, impegno personale per i diritti civili...).

La frammentazione, la tecnicizzazione crescente nella vita lavorativa, l'automatizzazione generalizzata di tutti i processi di informazione e di scambio si contrappongono a una età romantica che dovrebbe essere caratterizzata dal tempo libero e dalla sfera più intima dell'uomo.

Attraverso l'accorciamento di ogni distanza il mondo diventa sempre più un'unità, ma in questa unità il singolo si sente più individualista.

La nostra chiesa dà una risposta sufficiente al desiderio di unità e totalità? Per lungo tempo il cattolicesimo si è presentato ordinato in tutti i suoi aspetti, unitario e strutturato con una certa logica; nonostante la compattezza della gerarchia, o grazie ad essa, ognuno aveva un posto ben preciso nella chiesa; ognuno era a conoscenza dei propri doveri, rispondeva alle domande che venivano dall'esterno; la dogmatica veniva rafforzata dall'apologetica; per mettere in pratica efficacemente i contenuti della fede si ricorreva alla dottrina sociale della chiesa, fermamente definita. Venticinque anni dopo il concilio Vaticano II, molti uomini salutano Papa Giovanni Paolo II, ricco di carisma, esultano incontrandolo durante i suoi viaggi e apprendono la sua parola straordinariamente unitaria, quale nuova porta aperta su una visione unitaria del mondo d'oggi, sulle sue provocazioni e sulle risposte che la chiesa e i contenuti della fede hanno da dare. D'altra parte sono sorte, negli ultimi mesi, parecchie tensioni, si è diffuso un senso di inquietudine, che mostra come in questa chiesa sia all'opera una varietà di sensazioni, aspettative, ma anche di modi di vedere la chiesa e la sua dottrina. Il movimento di rinnovamento nella chiesa cattolica forse ha successo proprio perché permette a molti uomini di giungere all'unità interiore in se stessi, all'unità con altri credenti, all'unità con Dio e con il prossimo. Il movimento dei focolari vive dell'unità e nell'unità. Pregare insieme, fare qualcosa insieme, confessare insieme Gesù di fronte al mondo: le nostre comunità devono rendere possibile tutto questo; non nell'appiattimento e nel livellamento delle singole sensibilità e dei doni carismatici, ma nella necessaria unità. Ognuno deve impegnarsi responsabilmente per l'unità della chiesa, dove per ricerca dell'unità non si deve intendere una chiusura verso l'esterno che faccia agire involontariamente il singolo con spirito settario. L'unità della chiesa che ha qualcosa da offrire al ricercare olistico, deve ovviamente racchiudere in sé la tensione ecumenica, deve mostrare principalmente un'apertura al mondo, come viene indicato al popolo di Dio negli ultimi capitoli del libro di Isaia e dalle predicazioni dell'Apostolo delle genti. E, anzi, è necessario che questa apertura, che non si limita al momento dell'adesione della chiesa, non sia finalizzata a fare da sostegno alla dottrina; per poter raggiungere l'uomo, essa deve essere vivibile nella comunità. La chiesa cattolica è una casa, posta su fondamenta talmente sicure da potersi permettere molte finestre e porte e anche portoni aperti. E chi entra non deve solo notare che tutto ha un proprio ordine, che la compagine è senza lacune e unitaria, ma anche che la sua persona è accolta nella sua totalità e può impegnarsi con gli altri e per gli altri; la sua vita viene accolta e pervasa da Dio.

E poi, l'armonia. Paolo scrive ai Corinzi: «Mi è stato segnalato infatti a vostro riguardo, fratelli, dalla gente di Cloe, che vi sono discordie tra di voi» (*1 Cor* 1,11). Oggi bisogna ripetere le sue domande con la stessa inquietudine e la stessa tristezza: Cristo è diviso? Siete stati battezzati nel nome di Paolo? Siete stati battezzati in nome di una determinata teologia? Ovviamente, nella chiesa ci sono sempre state tensioni, e lo stesso Paolo ci esorta a non considerarle tutte distruttive o negative: «Quando Cefa venne a Antiochia, mi opposi a lui a viso aperto» (*Gal* 2,11).

Ma proprio questa citazione è stata usata con impressionante frequenza negli ultimi tempi.

L'uomo incline alla New Age aspira a un'armonia piena. Non possiamo illuderlo, facendogli credere che l'*homo viator* potrebbe riuscire a superare pienamente tutte le tensioni.

Non solo nella chiesa ci sono scambi di idee necessari che possono portare a tensioni, che devono essere risolte. L'uomo mira alla conoscenza della verità e non la potrà mai afferrare completamente. La pubblica opinione stimola lo scambio di opinioni che completa e corregge le singole idee, ma non può ricondurle tutte ad un unico denominatore. Tutto ha come causa il peccato originale e perciò ne risulta come un ostacolo; così ogni progresso dipende da discussioni e talvolta dal duro confronto: tanto in economia e in politica, quanto nella ricerca del bene comune, che richiede oggi soluzioni universali per i problemi che interessano il mondo intero. Chi per incapacità o per risolvere delle tensioni desidera l'avvento dell'era dell'acquario e nonostante ciò resta aperto al dialogo con noi non va incitato alla fuga dal mondo: l'armonia che possiamo offrirgli non proviene dall'evitare ogni discussione, ogni confronto, bensì dalle comunità cristiane che devono essere luoghi in cui regnano amore autentico, concordia, attenzione reciproca, in cui si accetta l'un l'altro. Dovrebbe valere per tutta la chiesa: «*Urbs Jerusalem beata, dicta pacis visio*».

È importante una riscoperta dei santi. Di recente tutti i giornali hanno reso noto che il card. Ratzinger ha espresso il desiderio che nei processi di beatificazione e di canonizzazione non si dia priorità alla quantità di esempi offerti al popolo cristiano, ma si guardi principalmente alla conformità a Cristo. La scoperta dei grandi santi che hanno qualcosa da dire a tutti, è una caratteristica dei nostri tempi. Fra questi emerge Francesco d'Assisi. Non deve diventare però il semplice protettore di ogni tendenza «verde»; piuttosto il suo totale e incondizionato amore per Cristo deve indicare la via della pace e della gioia interiori. «Custodiscimi come pupilla degli occhi, proteggimi all'ombra delle tue ali» (*Sal* 17,8). L'uomo ricerca protezione, sicurezza. Se i seguaci della New Age e dell'esoterismo cercano principalmente liberazione e armonia attraverso l'illuminazione e il sommo sapere, se questo è il motivo del successo di Scientology e di ogni scuola esoterica, non va dimenticato che gli uomini, prima di tutto, hanno sete di amore. E amore significa protezione, sicurezza. Deve essere evidente che le nostre comunità sono comunità che amano. Questo discorso non riguarda solo l'individuo minacciato dalle sette; l'amore autentico fra i cristiani e dei cristiani verso tutti gli uomini costituisce anche il presupposto affinché tutti i gruppi di emarginati, *punks*, drogati, prostitute... trovino una strada che conduca nella nostra direzione. Il mostrarsi come persone che amano dovrebbe essere per il cristiano un atteggiamento prioritario rispetto all'esigenza di cautelarsi dai fanatismi. Proprio in quest'ottica acquistano importanza la preparazione e la strutturazione dei vari movimenti del servizio liturgico, dall'accoglienza cordiale sul portale di ingresso fino al momento in cui ci si intrattiene, una volta terminata la messa. Al turista, al credente che non frequenta con regolarità, all'invalido, allo straniero, al bambino che piange durante la liturgia domenicale deve essere riservata un'accoglienza piena d'amore. Sempre a questo proposito è necessario un miglioramento del ruolo della donna della chiesa in conformità con quanto espresso dal Papa nel suo documento *Mulieris dignitatem*. Spesso viene detto che tutto questo è principalmente un problema di giustizia, come spesso viene anche detto che nella chiesa non si dovrebbe coprire l'ingiustizia con l'amore, nascondendola. Ma è anche assurdo voler realizzare nella chiesa un concetto puramente terreno. Non c'è verità né giustizia senza amore; ciò deve essere visibile soprattutto nella chiesa e nella vita di ogni comunità. Al nostro prossimo che è astratto dalle sette e che viene a contatto con le nostre comunità deve risultare chiaro che Dio lo ama e il suo amore lo si trova nella chiesa.

Oggi i cristiani devono imparare a convivere con la molteplicità di differenti religioni e in essa. Questo processo ideologico di differenziazione religiosa non regredisce, così come non diminuisce la possibilità che il singolo esca dal buffet variopinto di religioni e modi di vedere il mondo, che le contiene. Al contrario, noi cristiani dobbiamo piuttosto imparare ad andare incontro al credo degli altri e a rispettarlo senza per questo rinunciare alla nostra identità religiosa. Ciò significa che dobbiamo imparare a vivere con consapevolezza la nostra fede in un ambiente multireligioso. Naturalmente c'è sempre un tipo di fedeltà alla chiesa che non ha origine da riflessioni particolari, che potremmo definire «*naïf*». Essa continua a sussistere senza prendere atto della possibilità di scegliere altre religioni. Questa fedeltà va pur sempre tenuta in gran stima, tanto più che in essa sono da ricercare le radici di una chiesa popolare incarnata, ma non basterà più, in futuro. Il cristiano di domani dovrà sapere perché è cristiano e non buddista, seguace dello spiritualismo o dell'esoterismo.

In qualità di responsabili della chiesa dobbiamo perciò aiutare i cristiani a capire il loro credo e approfondire la loro conoscenza e esperienza di fede, nel contesto di sincretismo religioso che caratterizza il nostro tempo. Sta per finire quel tipo di esperienza basata su una fedeltà indiscussa alla chiesa. Un numero sempre maggiore di cristiani cresce in una «terra di nessuno» dal punto di vista religioso, senza conoscere la propria fede, la Bibbia, senza ricevere alcuna formazione religiosa nell'ambiente in cui vive: famiglia, scuola, mondo del lavoro... Risulta evidente un analfabetismo cristiano già diffuso in tutto il mondo. Se poi ci sono persone che, da qualche parte, imparano a conoscere una vita di fede più intensa, anche se maggiormente discutibile, vi aderiscono e dicono (a ragione): «una cosa simile non l'ho mai vista nella mia chiesa!».

Abbiamo quindi bisogno di un approfondimento religioso, particolarmente per quanto riguarda i fondamenti biblici, ma anche di luoghi in cui si viva la fede, se ne faccia esperienza, in cui venga vissuta l'ecclesialità.

Nella predicazione missionaria e nella catechesi dobbiamo usare concetti comprensibili (molte parole e concetti cristiani hanno perso la loro credibilità, sono divenuti incomprensibili o vengono usati con un altro senso, ad esempio Dio, vita dopo la morte, spiritualità; lo stesso Gesù è stato accolto nei processi linguistici sincretistici e il suo nome è stato utilizzato per dare contenuto a nuove storie su di lui).

I cristiani devono imparare a distinguere la voce del buon pastore per il discernimento degli spiriti, fra la confusione di voci del moderno mercato delle religioni. Anche questo fa parte dell'essere cristiano nel pluralismo religioso del nostro tempo. In questo modo la pluralità e la varietà di religioni non sarà solo un pericolo, ma rappresenterà una via salvifica e una possibilità d'approfondimento della propria fede.

Il messaggio biblico risplenderà di luce più intensa solo se lo riferiamo alle richieste elementari, ai bisogni e alle paure, che trovano espressione nelle nuove esperienze religiose. Deve essere data una risposta esauriente agli interrogativi elementari sul senso della vita e della morte, su ciò che dura oltre la morte e che oggi, di fronte alle minacce e alle crisi così numerose, può dare senso alla vita, e, infine, su Dio e sul suo amore per la creazione.

Perciò la chiesa non può limitarsi a dare risposte agli interrogativi sulle conseguenze sociali, morali e politiche della fede, pur così necessarie, dando come presupposto che la fede nasca da sola. Deve invece tematizzare i contenuti della fede, riflettere su quanto la chiesa di Gesù Cristo sia oggi vicina agli interrogativi elementari e alle paure degli uomini, attraverso la predicazione, nell'evangelizzazione, nella missione e nella carità.

Così i nuovi movimenti religiosi fuori della chiesa, la New Age e le religioni private individuali sincretiste sono diventate una sfida e un appello affinché la chiesa prenda posizione sull'argomento e prenda sul serio il compito affidatole da Cristo di portare il suo messaggio agli uomini d'oggi. E pensiamo infine a quanto disse una volta Teilhard de Chardin a proposito dei giovani che crescono in questa nuova situazione ideologica: «Il futuro si trova nelle mani di coloro che possono dare alla nuova generazione buoni motivi per vivere e sperare».

b. «Resta con noi, Signore, perché si fa sera»

Lettera dell'arcivescovo alla comunità cristiana per esortarla all'amore verso l'Eucaristia[2]

Carissimi,

scrivo questa lettera in occasione della festa del *Corpus Domini* per riprendere i motivi che ci guidarono nelle memorabili celebrazioni del IV Congresso Eucaristico diocesano e del Grande Giubileo.

Furono motivi di speranza e di incoraggiamento che nascevano dalla grande lezione della «vita donata» di Gesù, attualizzata in permanenza dall'Eucaristia: proposta di concordia, di solidarietà, di riconciliazione, di pace, nella Chiesa e nella società.

L'abbiamo celebrata in forme solennissime e abbiamo invitato tutti a riviverla nelle tradizionali celebrazioni domenicali, che non devono essere disattese e sciupate: è lì che si impara, infatti, a vivere la vita come un dono e non come un peso, a «fare il pieno» di speranza per seminarla poi a larghe mani negli aridi deserti delle nostre città.

E quanto siano aride per carestia di amore ce lo ricordano tanti avvenimenti grandi e piccoli: dagli orrori del terrorismo, alle tragedie delle guerre infinite, sino ai guasti che umiliano le nostre convivenze (penso alla droga, alla prostituzione, alle emarginazioni, a certo vuoto ideale e morale, alla indifferenza...).

Vorrei segnalare tra questi guasti, con la dovuta discrezione, anche certe profanazioni dell'Eucaristia. Ed anzi le tradizionali processioni siano quest'anno occasione non solo di adorazione del mistero, ma anche di pensosa riflessione e di riparazione.

---

[2] Mons. GIUSEPPE CHIARETTI, arcivescovo di Perugia, 2002.

Fatti inquietanti

È necessario chiedersi perché, e cioè per quali strani contorcimenti dell'animo umano, certe cose succedano. La stampa mostra di interessarsi della questione perché fa notizia, e la collega abitualmente ad altre manifestazioni non meno irrazionali e irreligiose, quali il culto a Satana. Una macabra segnaletica rinvenuta un po' ovunque sembrerebbe confermarlo.

Si comincia con le «innocue» credenze nell'irrazionale (vedi la «liturgia» quotidiana tutta laica degli oroscopi, o le divinazioni di vario genere con visionari, santoni, guru, maghi, sedicenti guaritori...), per finire nei trabocchetti di gente malefica, che offre cascami pseudo-religiosi per esorcizzare paure vere o temute. Il guaio è che questi cascami non appartengono di per sé ai soli ceti popolari, che di solito sono ritenuti un po' creduloni, ma anche ai ceti colti, che stimiamo invece più illuminati.

Su questo *humus* di cialtroneria furbesca attecchisce il ben più rovinoso culto al «maligno», «ente perverso e pervertitore» – come diceva Paolo VI –. E spesso trattasi d'un vero culto a rovescio rispetto a quello verso Cristo, signore della storia, che ha liberato l'uomo dal male radicale – il peccato, e lo ha messo nella condizione di auto-liberarsi per grazia anche da altri mali di contorno. Ci circonda, purtroppo, un grande vuoto culturale e ideale!

Non manca chi parte dalla ricerca di verità «altre», rifiutando per principio il percorso conoscitivo della fede, per finire nell'intrigo dell'esoterismo e sconfinare anche nel culto del *daimon* satanico. Perdura infatti la forza suggestiva del seduttore, padre della menzogna, che, mostrando «*tutti i regni del mondo e la loro gloria*», sibila persuasivo: «*Tutte queste cose ti darò se, cadendo ai miei piedi, mi adorerai!*» (*Mt* 4,8-9). E c'è chi, suggestionato in tanti modi, cade veramente ai piedi del satana e lo adora!

Vorrei sperare che questo scenario non sia troppo crudo. Ma i fatti, con i loro noiosi e inquietanti rituali, stanno lì a provocarci, così come ci illuminano tante notizie di cronaca e più ricerche sociologiche sulla credulità della gente.

È sin troppo evidente che per un simile scenario il cristiano ha una sola vera cura: un nuovo forte annuncio del Vangelo, o, per dirla con le parole di Pietro: «*una pronta risposta, con dolcezza e rispetto, a chiunque domandi ragione della speranza che è in noi*» (*1 Pt* 3,15).

Liberaci dal Maligno!

È l'invocazione che Gesù ha messo sulle nostre labbra nella preghiera dei figli, il *Padre nostro*. Vuol dire allora che il «maligno» c'è e dobbiamo guardarcene, anche se non dobbiamo temerlo: è già vinto, infatti, per la forza della risurrezione. Per non essere aggrediti basta vivere abitualmente in stato di grazia, «*vegliando e pregando per non entrare nella tentazione*» (*Mt* 26,41).

La gente, che non sa più intendere ed accogliere la sofferenza, pensa che il «maligno» stia lì dove si soffre, in maniera da additarlo subito come l'unica causa dei propri mali e pretendere di scacciarlo con qualche pratica magica che peggiora la situazione («*Beelzebul scaccia Beelzebul*», *Mt* 12,24), o magari con qualche rito religioso, senza però cambiare la propria condotta sbagliata. Non ci si chiede, purtroppo, quali siano le cause vere, magari nascoste e remote, della sofferenza, o quale ne sia il senso. Il cristiano intende sempre ogni sofferenza come prova e come espressione del mistero redentivo della croce, e avverte l'urgenza di cambiare ogni condotta immorale che genera sofferenza. Il «maligno» bisogna invece vederlo in opera dove sta il male radicale, e cioè il peccato tenacemente voluto e perseguito!

Nessun medico serio si ferma ai sintomi, ma va sempre alla ricerca delle cause vere dei mali. Così fa anche la Chiesa, chiedendo ai suoi preti di avere tanta pazienza e di dedicare più tempo all'ascolto e al discernimento, affidando ad uno specifico servizio di consulenza spirituale le sofferenze più problematiche. Il cristiano, pur vedendo chiari segni dell'azione del «maligno» in quelle strutture di peccato che irretiscono l'uomo, si fida e si affida all'unico Salvatore Gesù Cristo, il Risorto, che viene a noi ogni giorno come liberatore dal male radicale. L'esistenza nel tempo è un combattimento permanente per rintuzzare il padre della menzogna e per rimanere fedeli al Signore della vita e della storia, che la Chiesa sempre invoca: «*Vieni, Signore Gesù!*», «*Maranathà!*» (*Ap* 22,20). È il grido della Sposa conclusivo dell'Apocalisse, che la Chiesa ci fa ripetere ogni giorno nella Messa, come anelito di liberazione e di speranza.

Bonus Pastor, panis vere, / Tu nos pasce, nos tuere!

«Tu, Pastore buono e vero pane dell'anima, portaci a pascoli nutrienti e difendici dal maligno!». Così ci fa pregare la Chiesa nella bella sequenza che san Tommaso d'Aquino compose in onore di Gesù, pane di vita. Il modo migliore per riparare comportamenti blasfemi e sacrileghi è quello di amare ancora di più l'Eucaristia, pascolo nutriente per la nostra vita cristiana. Ciò significa, innanzi tutto, averne fame come d'un cibo di cui non sappiamo fare a meno perché saporoso e nutriente. Un cristiano che voglia progredire nella fede deve avere un'anima eucaristica, e nutrirsi ogni giorno del pane vivo che dà vita. È ovvio che non si può andare all'Eucaristia con la coscienza «mortalmente gravata» dal peccato: occorre prima confessarlo con umiltà e con fiducia nella misericordia di Dio, per essere liberati dallo stato di schiavitù nel quale si trova chiunque abbia ceduto alla tentazione. Dall'esperienza gioiosa del perdono nasce l'invito di Gesù: *«Va'! e non peccare più»* (Gv 8,11).

Una comunità di credenti, poi, non può non ritrovarsi attorno all'altare alla **domenica**, giorno del Signore, per incontrarlo nella Messa come risorto e come vivente nei vari segni «sacramentali»: nel segno del Presidente dell'assemblea, che fa la parte di Gesù (*in persona Christi*); nel segno dell'Assemblea, che è il corpo ecclesiale che rende presente il Signore nel tempo e nello spazio; nel segno della Parola di Dio, nella quale è sempre Cristo che parla oggi al suo popolo; nel segno del Pane eucaristico, in cui Cristo rinnova il dono di sé *«per la vita del mondo»*; nel segno dei Poveri, che Cristo continua ad amare e servire attraverso il cuore e le mani dei cristiani, chiamati a rinnovare in ogni tempo il miracolo della carità. Bisogna ricordare quel che a lungo meditammo nel IV Congresso Eucaristico diocesano: «Senza la domenica non possiamo vivere». Prendemmo allora l'impegno di rispettare il giorno del Signore e di non mancare all'appuntamento domenicale in parrocchia per la Messa insieme alla famiglia, «piccola chiesa» anch'essa.

Ma la fedeltà all'Eucaristia non può fermarsi qui. È da ricostruire un clima eucaristico nell'intera comunità attraverso più iniziative: la **visita quotidiana** all'Eucaristia, recuperando la chiesa come luogo dove si va a pregare e non soltanto a fare assemblea; l'**adorazione eucaristica** periodica di tutto il popolo, – penso particolarmente alla pia pratica delle «quarantore» –, come contemplazione del Mistero e prosecuzione dell'adorazione della Messa; la **visita frequente ai poveri**, che sono altre presenze quasi sacramentali del Signore, così come l'intendeva il beato Piergiorgio Frassati che diceva: «Poiché il Signore viene ogni giorno a visitarmi nell'Eucaristia, vado anch'io a rendergli visita nei Poveri!». Quando avremo fede fino a questo punto?

L'immenso mattatoio della storia

È la celebre definizione che il filosofo Hegel dette della storia: un immenso mattatoio, dove una guerra succede all'altra senza soluzione di continuità. È su questo mondo feroce che non conosce più la grazia, su questa storia sanguinosa che ha bisogno di redenzione, che i cristiani tornano ad innalzare l'ostia immacolata del sacrificio di Cristo, così come la vedeva uno scienziato credente del nostro tempo, Teilhard de Chardin. La Chiesa, infatti, – ma anche il mondo – ha bisogno di «santi, non di riformatori» diceva Bernanos.

I santi sono gli unici capaci di affrontare con Cristo e in Cristo il problema più difficile e più ostico, quello del male. Il cristiano che ama l'Eucaristia non si lascerà suggestionare dalle ridicole lodi del nulla e del non senso, così frequenti oggi, e neppure rimarrà sorpreso più di tanto per le avversioni feroci del «maligno», ben conoscendo peraltro il monito dell'Apocalisse contro «*i fattucchieri, gli immorali, gli omicidi, gli idolatri e chiunque ama e pratica la menzogna*» (*Ap* 22,15).

Lo dico perché nessuno si avvilisca fuori misura nel vedere tanta perdurante insipienza. I problemi, gli ostacoli, le sfide dell'epoca attuale non siano per nessuno motivo di scoraggiamento; al contrario, vi spingano ad aprire il cuore alla speranza perché, forti della parola di Cristo, possiate diffondere ovunque, con la vostra testimonianza, la gioia contagiosa e la novità sconvolgente del Vangelo. E di questa gioia e di questa novità che il mondo ha bisogno, perché da «atomo opaco del male» si trasformi nel «*nuovo cielo*» e nella «*nuova terra*» della attesa cristiana (*Ap* 21,1).

Proprio l'Eucaristia ci aiuti a camminare per le vie del coraggio e della speranza, offrendosi a noi, per la presenza efficace del Risorto, come «segno» di speranza e «viatico» per il cammino (*GS* 38).

Perugia, 2 giugno 2002
Solennità del Corpo e Sangue del Signore

✠ Giuseppe vescovo

Bibliografia

AA.Vv., *Dalle sponde del Gange alle rive del Giordano* [H.U. VON BALTHA-SAR, L. BOUYER, O. CLÉMENT, DANIEL ANGE, E. DAHLER, DR. PH. MA-DRE, A.M. DE MONLÉON, J. PARMENTIER], Milano, Editrice Ancora, 1986.

AA.Vv., *Il Fenomeno del Satanismo nella Società Contemporanea* [FERRA-RI G., PORCARELLI A., FIZZOTTI E., MUSTI L., SCOLA A., MORONTA RO-DRIGUEZ M.], Quaderni de «*L'Osservatore Romano*», 36, Città del Va-ticano, 1997.

ADAMS E., *Astrology for Everyone*, New York, Dodd Mead, 1960.

ALDUNATE C., *Il Cristiano di fronte al Paranormale*, Milano, Editrice An-cora, 1994.

AMORTH G., *Esorcisti e Psichiatri*, Bologna, Edizioni Dehoniane, 2000.

AMORTH G., *Nuovi Racconti di un Esorcista*, Roma, Edizioni Dehoniane, 1992.

ANGE D., *Balsamo è il tuo Nome - Pregare per Guarire*, Milano, Editrice Ancora, 1982.

BAER R.N., *Inside the New Age Nightmare*, Lafayette, Louisiana, Hun-tington House, 1989.

BAGET BOZZO G., *L'Uomo, l'Angelo, il Demone - Dio è Solo Amore e l'A-more è il Solo Dio*, Milano, Rizzoli, 1988.

BALDUCCI C., *La Possessione Diabolica*, Roma, Edizioni Mediterranee, 1988 (9ª ediz.).

BALDUCCI C., *Il Diavolo «esiste e lo si può riconoscere»*, Casale Monfer-rato, Piemme, 1989.

BAMBERGER B.J., *Fallen Angels*, Philadelphia, Jewish Pub. Soc. of Ame-rica, 1952.

BAROJA J.C., *The World of the Witches*, trad. di N. GLENDINNING, Londra, Weidenfeld & Nicholson, 1964.

BASHAM D., *Deliver us from Evil*, Lincoln, Virginia, Chosen Books, 1972.

BASTIDE R., *Il sacro selvaggio*, Milano, Jaca Book, 1985.

BELL E.T., *La magia dei numeri*, Milano, Longanesi, 1949.

BLANDINO G., *Spiritismo, Angeli e Demoni*, Roma, Segretariato Nazionale dell'Apostolato della Preghiera, 1995.

BLONDET M., *Gli «Adelphi» della Dissoluzione*, Milano, Edizioni Ares, 1994.

BLONDET M., *Cronache dell'Anticristo*, Milano, Ed. effedieffe, 2001.

BORTONE E., *Satana*, Roma, Coletti Editore, 1978.

BOUISSON M., *La magia: riti e storia*, Milano, Sugar, 1965.

BRAZEY M., *Sorciers*, Paris, Ransay, 1989.

BUDGE E.A.W., *Amulets and Talismans*, New York, University Books, 1961.

BURCKARD T., *L'alchimia*, Torino, Boringhieri, 1978.

BUTLER E.M., *Ritual Magic*, New York, Noonday Press, 1959.

CALLIARI P., *Trattato di Demonologia*, Vigodarzere, Centro Editoriale Cattolico Carroccio, 1992.

CAMMELL C.R., *Aleister Crowley*, London, Richard Press, 1951.

CAMUS D., *Pouvoirs sorciers*, Paris, Imago, 1988.

CASALE G., *Nuova Religiosità e Nuova Evangelizzazione*, Casale Monferrato, Piemme, 1993.

CASE P.P., *The Tarot*, New York, Macoy, 1947.

CAVENDISH R., *The Black arts*, New York, London, M. Cavendish, 1967.

CAVENDISH R. (a cura di), *Man, Myth and Magic*, New York, London, M. Cavendish, 1983.

CERCHIO FIRENZE 77, *Per un mondo migliore - Un insegnamento per l'umanità di oggi e domani*, Roma, Edizioni Mediterranee, 1989.

CHATELHERAULT E., *You and Your Stars*, Londra, Pearson, 1960.

CIRLOT J.E., *A Dictionary of Symbols*, Londra, Routiedge & Kegan Paul, 1962.

COMUNITÀ TERAPEUTICA S. LUCA, *Parapsicologia e Vita Cristiana*, Milano, Ed. S. Francesco di Sales, s.d.

COMUNITÀ TERAPEUTICA S. LUCA, *Yoga - Zen, Meditazione Trascendentale e Vita Cristiana*, Milano, Ed. S. Francesco di Sales, s.d.

CONFERENZA EPISCOPALE TOSCANA, *A Proposito di Magia e di Demonologia*, Nota Pastorale, 1994.

CORNWELL J., *Paranormale Dossier Aperto*, Cinisello Balsamo, Edizioni San Paolo, 1994.

COSTANZO G., LA GRUA M., SAVAGNONE G., *Magia e Fede*, Siracusa, Editrice Istina, 2000.

CUTLER D.R. (a cura di), *La Religione Oggi - Un approfondito dibattito di scienziati, teologi e filosofi sul significato della religione nel mondo moderno e sulle nuove forme di religiosità*, Milano, Oscar Mondadori, Mondadori, 1972.

DAVIDSON T., *Rowan Tree and Red Thread*, Edinburgo, Oliver & Boyd, 1949.

«*Sacred Numbers and Round Figures*», in *Promise and Fulfillment, Essays Presented to S.H. Hooke*, Edinburgo, Clark, 1963.

DE LUCA A., *La New Age*, Milano, Xenia, 1994.

DE MARTINO E. (a cura di), *Magia e civiltà* [con testi di LEVY-BRUNI, CASSIRER, FREUD, JUNG, PIAGET, ELIADE, VOLMAT, MALINOWSKI, LÉVI-STRAUSS, JENSEN], Milano, Garzanti, 1962.

DE MARTINO E., *Sud e magia*, Milano, Feltrinelli, 1966.

DERMINE F.M., *Mistici, Veggenti e Medium*, Città del Vaticano, Editrice Vaticana, 2001.

DI NOLA A., *Gli aspetti magico-religiosi di una cultura subalterna*, Torino, Boringhieri, 1976.

DI NOLA A., *Il Diavolo - la Sindrome Demoniaca Sovrasta l'Umanità*, Scipioni Editori, 1980.

DURKHEIM E. - HUBERT H. - MAUSS M., *L'Origine dei Poteri Magici*, Torino, Einaudi, 1951.

EISLER R., *The Royal Art of Astrology*, Londra, Herbert Joseph, 1946.

ELIADE M., *Il mito dell'Alchimia*, Roma, Avanzini e Torraca, 1969 (poi *Arti del metallo e alchimia*, Torino, Boringhieri, 1980).

ELIADE M., *Mefistofele e l'Androgine*, Roma, Edizioni Mediterranee, 1971.

ELIADE M., *Occultismo, stregoneria e mode culturali*, Firenze, 1982.

ENRICO M., *Creati per Essere Liberi*, Arluno (MI), Ed. Insieme con Gesù Alleluja, 1997.

EVOLA J., *La dottrina del Risveglio*, Milano, Scheiwiller, 1965.

EVOLA J., *Lo Yoga della potenza*, Roma, Edizioni Mediterranee, 1968.

EVOLA J., *Metafisica del sesso*, Roma, Edizioni Mediterranee, 1969.

EVOLA J., *La tradizione ermetica*, Roma, Edizioni Mediterranee, 1971.

EVOLA J., *Maschera e volto dello spiritualismo contemporaneo*, Roma, Edizioni Mediterranee, 1971.

EVOLA J., *Il cammino del Cinabro*, Milano, Scheiwiller, 1972.

EVOLA J., *Il mistero del Graal*, Roma, Edizioni Mediterranee, 1972.

FAIVRE A., *L'esoterismo*, Milano, Sugarco, 1992.

FINLEY HURLEY J., *Stregoneria*, Milano, Armenia, 1986.

FORTUNE D., *Psychic Self-Defence*, Londra, Aquarian Press, 1959.

FRAZER J.O., *Il ramo d'oro*, Roma, Newton Compton, 1990.

FRIGIOLA R., *Gli ultimi maghi*, Taranto, Pringud, 1991.

FROC I., *Esorcisti*, Casale Monferrato, Piemme, 1993.

GALLI G., *Hitler e il Nazismo Magico - Le Componenti Esoteriche del Reich Millenario*, Milano, Rizzoli, 1989.

GARDNER G.B., *Witchcraft Today*, New York, Citadel Press, 1955.

GARRITY RANAGAN D., *A Closer Look at the Enneagram*, South Bend, Greenlawn Press, 1989.

GATTO-TROCCHI C., *La Magia*, Roma, Tascabili Economici Newton - Divisione della Newton Compton editori, 1994.

GATTO-TROCCHI C., *Le Sètte in Italia*, Roma, Tascabili Economici Newton - Divisione della Newton Compton editori, 1994.

GATTO-TROCCHI C., *Magia e medicina popolare in Italia*, Roma, Newton Compton, 1986.

GATTO-TROCCHI C., *Magia ed esoterismo in Italia*, Milano, Mondadori, 1990.

GATTO-TROCCHI C. (a cura di), *Il talismano e la rosa*, Roma, Bulzoni, 1992.

GATTO-TROCCHI C., *Viaggio nella magia*, Bari, Laterza, 1993.

GESY L.J., *Today's Destructive Cults and Movements*, Huntington, Our Sunday Visitor Publ., 1993.

GIVRY-GRILLOT DE I., *Il tesoro delle scienze occulte*, Milano, Sugar, 1969.

GRAMAGLIA P.A., *Esoterismo Magia e Cristianesimo - Fatti, Persone e False Promesse*, Casale Monferrato, Piemme, 1991.

GRAVES R., *La Dea Bianca*, Milano, Longanesi, 1989.

GRAY E., *The Tarot Revealed*, New York, Inspiration House, 1960.

G.R.I.S., *Il Destino dell'Uomo Secondo i Cattolici e Secondo le Sètte*, Torino, Ed. Elledici, 1991.

GRUPPO DI «UR» (a cura del), diretto da JULIUS EVOLA, *Introduzione alla Magia*, Roma, Edizioni Mediterranee, 1971, 3 voll.

HALL M.P., *The Philosophy of Astrology*, Los Angeles, Philosophical Research Soc., 1943.

HALL M.P., *The Most Holy Trinosophia of the Comte de St. Germain*, Los Angeles, Philosophers Press, 1949.

HILL A., *Enciclopedia della Medicina Alternativa*, Milano, Gruppo Editoriale Fabbri, 1980.

HOLE C., *Witchcraft in England*, New York, Scribners, 1947.

HONE M.E., *The Modern Text Book of Astrology*, London, Fowler, 1955.

HOWE E., *Gli astrologi del Nazismo*, Milano, Mondadori, 1969.

HOYT K., *The New Age Rage*, Old Tappan, New Jersey, Fleming H. Revell Co., 1987.

HUTIN S., *L'alchimia*, Torino, Dellavalle, 1971.

HUTIN S. e CARON S., *Gli alchimisti*, Milano, Mondadori, 1963.

HUYSMANS J.K., *L'Abisso*, Milano, Sugar, 1969.

IDRIES SHAH S., *The Secret Lore of Magic*, Londra, Muller, 1957.

IL TEMPIO DI SATANA (a cura di), *Compendium Daemonii - la dottrina maledetta*, www.iltempiodisatana.org, 2002.

INNOCENTI E., *La Gnosia Spuria*, Roma, Sacra Fraternitas Aurigarum in Urbe, 1999.

INTROVIGNE M., *Studi Scientifici Recenti sul Satanismo*, Genova, Quadrivium, 1989.

INTROVIGNE M., *Lo Spiritismo*, Torino, Elledici, 1989.

INTROVIGNE M., *Le Nuove Religioni*, Milano, Sugarco, 1989.

INTROVIGNE M., *Il cappello del mago. I nuovi movimenti magici dallo spiritismo al satanismo*, Milano, Sugarco, 1990.

INTROVIGNE M., MAYER J.-F., ZUCCHINI E., *I Nuovi Movimenti Religiosi*, Torino, Elledici, 1990.

INTROVIGNE M., *Il ritorno della magia* (a cura di), Milano, Effedieffe, 1992.

INTROVIGNE M., «*I movimenti satanisti contemporanei*», in *Sètte e religioni*, 5, 1992, pp. 33-50.

INTROVIGNE M., *Massoneria e Religioni* (a cura di), Torino, Elledici, 1994.

INTROVIGNE M., *Storia del New Age 1962-1992*, Piacenza, Cristianità, 1994.

INTROVIGNE M., *La Sfida Magica*, Milano, Editrice Ancora, 1995.

JONAS H., *The Gnostic Religion*, Boston, Beacon Press, 1958.

JONES M.E., *Occult Philosophy*, Philadelphia, McKay, 1947.

JOSET P.E., *Les sociétés secrètes des hommes-léopards en Afrique Noir*, Paris, Pagot, 1955.

JUNG C.O., *Psicologia e alchimia*, Roma, Astrolabio, 1950.

JUNG C.O., *Mysterium Coniunctionis*, trad. di R.P.C. HULL, Londra, Routledge & Kesan Paul, 1963.

JUNGMANN J.A., *The Early Liturgy*, Paris, Univ. of Notre Dame Press, 1959.

KERR H. e CROW C.L., *The occult in America*, Chicago, University of Illinois Press, 1986.

KIES C.N., *The occult in Western World*, Connecticut, L.P.P. Hamden, 1985.

KIEV A., *Magic, Faith and Healing*, New York, Free Press, 1975.

KING H.C., *The Background of Astronomy*, New York, Braziller, 1958.

KIRKCONNELL W., *The Celestial Cycle*, Toronto, Univ. of Toronto Press, 1952.

KOUWER B.J., *Colors and Their Character*, The Hague, Martinus Nijhoff, 1949.

KRAMER S.N., *The Sumerians*, Chicago, Univ. of Chicago Press, 1963.

KREMER E., *Gli Occhi Aperti sulle Astuzie di Satana*, Firenze, CLC, s.d.

LABRECQUE C., *Le sètte e le gnosi - Una Sfida alla Chiesa*, Milano, Editrice Ancora, 1987.

LANGTON E., *Essentials of Demonology*, Londra, Epworth Press, 1949.

LAVER J., *The First Decadent*, Londra, Faber, 1954.

LATTUADA P.L., *Sciamanesimo Brasiliano*, Milano, Xenia ed., 1989

LEA H.C., *Materials Toward a History of Witchcraft*, a cura di A.C. HOWLAND, New York, Yoseloff, 1957.

LETHBRIDGE T.C., *Witches: Investigating an Ancient Religion*, Londra, Routledge & Kegan Paul, 1962.

LEVI E., *La Chiave dei Grandi Misteri*, Roma, Atanòr, 1969.

LEVI E., *Dogma e rituale dell'Alta Magia*, Roma, Atanòr, 1969.

LEVI E., *Storia della Magia*, Roma, Atanòr, 1969.

LÉVI-STRAUSS E., «*Lo stregone e la sua magia*», in *Antropologia strutturale*, Milano, Il Saggiatore, 1966.

LEVY-BRUHL L., *L'anima primitiva*, Torino, Boringhieri, 1966.

LEWINSOHN R., *Science, Prophecy and Prediction*, New York, Premier Books, 1962.

LINN M., LINN,D., *Deliverance Prayer*, Ramsey, NJ, Paulist Press, 1980.

LOMBARDO G. (a cura di), *La Verità Frazionata: Ideologie e Sètte* [CASTANO G., MINUTI L., POLLINA S., MEZZETTI T., AMORTH G.], Siracusa, Editrice Istina, 2000.

LOPEZ V., *Numerology*, New York, Citadel Press, 1961.

LU-TZU, *Il mistero del Fiore d'Oro*, Roma, Edizioni Mediterranee, 1971.

LYNDOE E., *Astrology for Everyone*, New York, Dutton, 1960.

MACIOTI M.I., *Maghi e magie nell'Italia di oggi*, Firenze, Pontecorleoli, 1991.

MACIOTI M.I., *Fede, magia, mistero*, Bari, Dedalo, 1991.

MADRE PH., *Il Mistero del Male*, Milano, Editrice Ancora, 1990.

MADRE PH., *Il Fascino dell'Occulto - Parapsicologia, Radioestesia, Astrologia, Magnetismo e Vita Cristiana*, Milano, Editrice Ancora, 1994.

MAGGIOLINI A., *Fine della nostra Cristianità*, Casale Monferrato, Piemme, 2001.

MAGGIONI G., *Nuovi Movimenti Religiosi e Magici*, Milano, Centro Ambrosiano, 1995.

MAHARAJ R.R., *Morte di un Guru*, Isola del Gran Sasso (TE), Diffusione Letteratura Cristiana, 1994.

MAIR L., *La stregoneria*, Milano, Il Saggiatore, 1969.

MALINOWSKI B., *Magia, scienza, religione*, Roma, Newton Compton, 1976.

Malleus Maleficarum, trad. di M. SUMMERS, Londra, Pushkin Press, 1951.

MASTERS R.E.L., *Eros and Evil*, New York, Julian Press, 1962.

MATHERS S.L., *The Tarot*, New York, Occult Research Press, s.d.

MAUSS M., *Teoria generale della magia*, Torino, Einaudi, 1965.

MELTON O., *Magic, Witchcraft and Paganism in America, a Bibliography*, New York, London, Garland, 1982.

MIGNE, ROULAND, MOREL & al., *Les Plantes du Diable et des Sorciers*, Gordes, Atelier Multiplication, 1983.

MILLER E., *A Crash Course on the New Age*, Grand Rapids, Michigan, Baker Book House, 1989.

MONDRONE D., *A Tu per Tu col Maligno*, Roma, Editrice «La Roccia», s.d.

MONGARDINI E., *Il Magico e il Moderno*, Milano, Angeli, 1983.

MONTI A., *Lezioni di Agopuntura*, Bologna, Edizioni Montes, 1981.

MONTOLI L., *La Ricerca Parapsicologica Oggi - Documenti e Prospettive*, Milano, Mursia, 1978.

MORABITO S., *Psichiatra all'Inferno*, Udine, Edizioni Segno, 1995.

MORRISH F., *Outline of Astro-Psychology*, Londra, Rider, 1952.

MURRAY M.A., *The God of the Witches*, New York, Anchor Books, 1960.

MUSCI A., *Luce e Tenebre*, Vigodarzere, Centro Edit. Catt. Carroccio, 1993.

PANWEL L. - BERGIER J., *Il mattino dei maghi*, Milano, Mondadori, 1963.

PAOLO VI, *Insegnamenti di Paolo VI*, vol. X, Città del Vaticano, Tip. Poliglotta Vaticana, 1973.

PAVESE A., *Come Difendersi dai Maghi e dalla Minaccia della Nuova «Religione» Magica*, Casale Monferrato, Piemme, 1994.

PIOBB P., *Formulario di Alta Magia*, Roma, Atanòr, 1970.

PLESCAN G., *Domande sul Diavolo*, Torino, Claudiana, 1994.

PRAZ M., «*Arte e occultismo*», in *Perseo e la Medusa*, Milano, Mondadori, 1979.

RADFORD E. e M.A., *Encyclopedia of Superstitions*, Londra, Hutchinson, 1961.

RADOANI S., *Satana e Dintorni - tra Fede e Superstizione*, Bologna, Edizioni Dehoniane, 1995.

RAGOZZINO G., *Religioni, Sètte, Occultismo*, Roma, Edizioni Dehoniane, 1997.

RAHNER H., *Greek Myths and Christian Mystery*, trad. di B. BATTERSHAW, Londra, Bums & Oates, 1963.

RAKOCZI B.L., *The Painted Caravan*, The Hague, Brucher, 1954 (sui Tarocchi degli zingari).

RANDOLPH P.B., *Magia Sexualis*, Roma, Edizioni Mediterranee, 1968.

RASTELLI M., *Meditazioni sull'Apocalisse*, Roma, Edizioni Dehoniane, 1989.

RAY M., *L'Occultismo alla Luce di Cristo*, Marchirolo (VA), Editrice Uomini Nuovi, 1976.

REA J., *Dall'Alchimia alla Chimica*, Milano, Longanesi, 1976.

REID V.W., *Towards Aquarius*, Londra, Rider, s.d.

REISSER P.C., REISSER T.K., WELDON J., *New Age Medicine - A Christian Perspective on Holistic Health*, Downers Grove, Illinois, InterVarsity Press, 1988.

RHODES H.T.F., *La messa nera*, Milano, Sugar, 1963.

RIBADEU DUMAS F., *Storia della Magia*, Roma, Edizioni Mediterranee, 1969.

RIFFARD P.A., *L'Esotérisme*, Paris, R. Laffont, 1990.

RIGHTER E., *Astrology and You*, New York, Fleet, 1956.

ROBBINS R.H., *The Encyclopedia of Witchcraft and Demonology*, New York, Crown, 1959.

ROSE E., *A Razor for a Goal*, Toronto, Univ. of Toronto Press, 1962.

SALVUCCI R., *Indicazioni Pastorali di un Esorcista*, Milano, Ancora, 1992.

SCANLAN M., CIRNER R.J., *Liberazione dalle Potenze delle Tenebre*, Roma, Edizioni REM, 1985.

SCHMIDT P., *Superstition and Magic*, Westminster, Newman Press, 1963.

SCOTT E., *An Outline of Modern Occultism*, New York, Dutton, n. ed., 1950.

SCUOLA DEL CERCHIO FIRENZE 77, *Dizionario del Cerchio Firenze 77*, Roma, Edizioni Mediterranee, 1988.

SELEZIONE DAL READER'S DIGEST, *Viaggio nel Mistero*, Milano, 1984.

SELEZIONE DAL READER'S DIGEST, *Europa Misteriosa*, Milano, 1983.

SELIGMANN K., *Lo Specchio della Magia*, Roma, Casini, 1959.

SILVEIRA M. e LATTUADA P.L., *Lavorare con i chakras - Pratiche di biotransenergetica per la trasformazione della coscienza*, Riviera Mussato, PD, MEB editrice, gruppo editoriale Muzzio, 1994.

SIRTORI V., *Dizionario delle Religioni Orientali*, Milano, Vallardi, Garzanti Editore, 1993.

STEFFON J.J., *Satanism is it Real?*, Ann Arbor, Michigan, Servant Publications, 1992.

STILMAN J.M., *The Story of Alchemy and Early Chemistry*, New York, Dover, 1960.

SUMMERS M., *Witchcraft and Black Magic*, Londra, Rider, 1946.

SYMONDS J., *La Grande Bestia - Vita e Magia di Aleister Crowley*, voll. 2, Roma, Edizioni Mediterranee, 1972.

TALAMONTI L., *Universo Proibito*, Milano, Sugarco, 1976.

TASSINARIO A., *Il diavolo secondo l'insegnamento recente della Chiesa*, Roma, Antonianum, 1984.

TAYLOR E.S., *The Alchemists*, New York, Schuman, 1949.

TESTI G., *Dizionario di Alchimia e di Chimica antiquaria*, Roma, Edizioni Mediterranee, 1970.

TOULMIN S. e GOODFIELD J., *The Architecture of Matter*, New York, Harper & Row, 1962.

VERNETTE J., *Il New Age*, Cinisello Balsamo, Edizioni San Paolo, 1992.

VERNETTE J., *La stregoneria oggi*, Milano, Sugarco, 1992.

VON PETERSDORFF E., *Demonologia - Le Forze Occulte Ieri e Oggi*, Milano, Mondadori, 1995.

VON WARHEN R., *Satanismo*, Milano, Edizioni Corbaccio, 1932.

WAITE A.E., *The Book of Ceremonial Magic*, New York, University Books, 1961.

WEBB J., *Il sistema occulto*, Milano, Sugarco, 1989.

WHITE T.B., *The Beliver's Guide to Spiritual Warfare*, Ann Arbor, Michigan, Servant Publications, 1990.

WILLIAMS E., *Witchcraft*, New York, Meridian Books, 1959.

WITTOENSTEIN L., *Note al Ramo d'oro di Freezer*, Milano, Adelphi, 1984.

WURBRAND R., *L'altra faccia di Carlo Marx*, Marchirolo (VA), EUN, 1984.

Riviste

«UNA VOCE GRIDA...!», v. del Mattonato, 12, 06055 Marsciano, PG
[tel./fax 0758748927].

«RELIGIONI E SÈTTE NEL MONDO», GRIS, via del Monte, 5, 40126 Bologna
[tel. 051260011 - 051262304; fax 051260244].

«FEDE E CULTURA», c/o Parrocchia S. Luigi Gonzaga, vico Barbarisi, 1
– 71100 Foggia [tel. 0881725351].

Indice

Stampa: ⚡ Torino